HIGH SCHOOL

ENGLISH II
자습서

민찬규 교과서편

Features

Lesson Guide 학습 목표의 점검과 확인

앞선 학년에서 학습한 의사소통 기능과 언어 형식을 점검하고, 해당 단원에서 학습할 주요 내용을 살펴봅니다.

Starting out 단원 주제의 배경지식 활성화

해당 단원의 학습 주제와 연관된 간단한 듣기 활동과 읽기 활동을 통해 준비 학습을 할 수 있습니다.

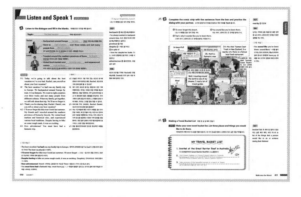

Listen and Speak 1,2 듣고 말하기 활동

실생활의 다양한 대화 또는 담화를 이용한 듣기와 말하기 활동으로, 학습할 의사소통 기능을 자연스럽게 학습합니다.

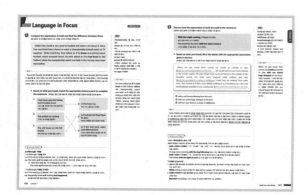

Language in Focus 어법에 관한 활동

핵심 어법을 개념화하여 읽기와 쓰기 활동 시 활용할 수 있습니다.

Read 다양한 주제의 읽기 활동

Before You Read 읽기 활동에 필요한 배경지식과 어휘를 학습합니다.

Read 다양한 주제의 읽을거리를 통해 새로운 지식과 정보를 얻고 여러 나라의 문화를 이해합니다. 읽기 중 이해 점검 활동과 추가 활동을 통해 글의 흐름을 파악하고 유용한 구조를 익힐 수 있습니다.

After You Read 글의 구조와 세부 내용을 이해했는지 확인하고, 응용 과업을 통해 종합적 이해력을 높입니다.

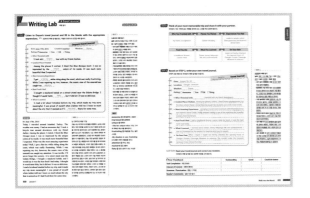

Writing Lab 다양한 주제의 글쓰기 활동

학습한 표현과 언어 형식을 활용하여 여행기, 사업 계획서, 구인 광고문, 시 등 다양한 형태의 글쓰기를 합니다. 예시 글 제시와 문단 분석 등 단계별 글쓰기를 통해 완성도 높은 글을 쓸 수 있습니다.

Wrap Up 단원 복습 활동

단원 전체에 대한 학습 성취도를 점검할 수 있는 다양한 과제를 수행합니다.

Inside Culture

타 문화 탐구 활동

단원의 주제와 관련된 세계의 다양한 문화를 살펴보고 자기 주도적 추가 탐구 학습을 합니다.

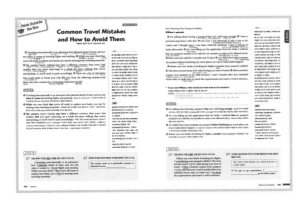

Think Outside the Box 창의적 사고 활동

단원의 주제를 확장하여 창의적 사고가 증진되는 글을 읽고 활동합니다.

Contents

Lesson 1

Walk into the World

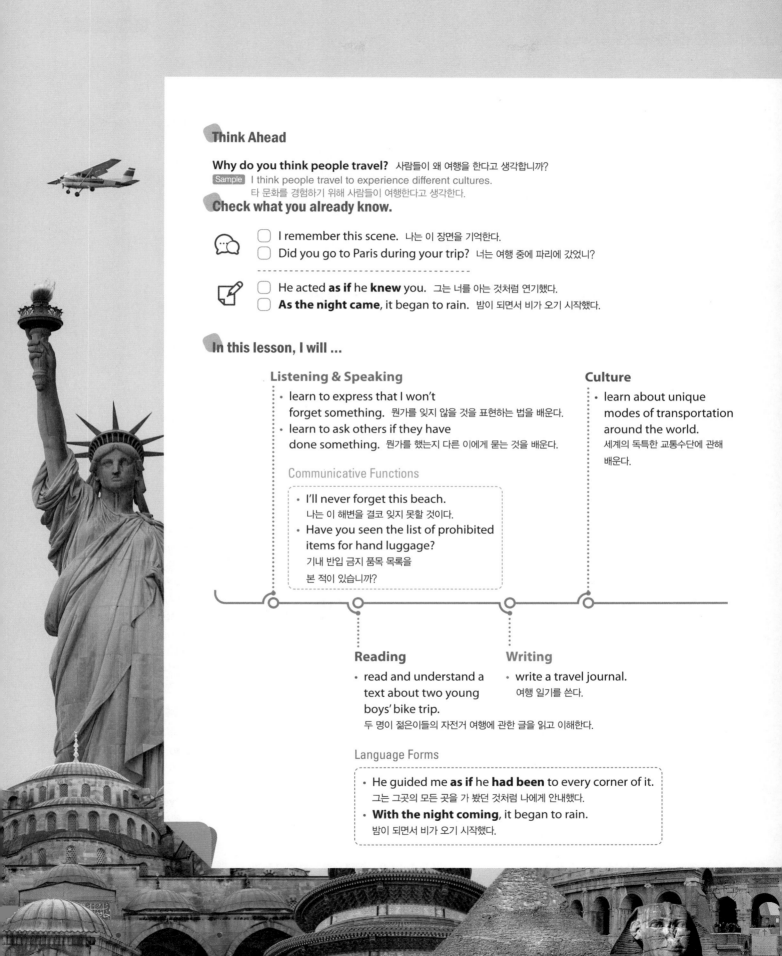

Think Ahead

Why do you think people travel? 사람들이 왜 여행을 한다고 생각합니까?

Sample I think people travel to experience different cultures.
타 문화를 경험하기 위해 사람들이 여행한다고 생각한다.

Check what you already know.

- ☐ I remember this scene. 나는 이 장면을 기억한다.
- ☐ Did you go to Paris during your trip? 너는 여행 중에 파리에 갔었니?

- -

- ☐ He acted **as if** he **knew** you. 그는 너를 아는 것처럼 연기했다.
- ☐ **As the night came**, it began to rain. 밤이 되면서 비가 오기 시작했다.

In this lesson, I will ...

Listening & Speaking

- learn to express that I won't forget something. 뭔가를 잊지 않을 것을 표현하는 법을 배운다.
- learn to ask others if they have done something. 뭔가를 했는지 다른 이에게 묻는 것을 배운다.

Communicative Functions

- I'll never forget this beach.
  나는 이 해변을 결코 잊지 못할 것이다.
- Have you seen the list of prohibited items for hand luggage?
  기내 반입 금지 품목 목록을
  본 적이 있습니까?

Culture

- learn about unique modes of transportation around the world.
  세계의 독특한 교통수단에 관해
  배운다.

Reading

- read and understand a text about two young boys' bike trip.
  두 명이 젊은이들의 자전거 여행에 관한 글을 읽고 이해한다.

Writing

- write a travel journal.
  여행 일기를 쓴다.

Language Forms

- He guided me **as if** he **had been** to every corner of it.
  그는 그곳의 모든 곳을 가 봤던 것처럼 나에게 안내했다.
- **With the night coming**, it began to rain.
  밤이 되면서 비가 오기 시작했다.

Starting Out

THINK **Think about what you can do to better understand other cultures.**
타 문화를 더 잘 이해하기 위해서 여러분이 할 수 있는 것을 생각해 봅시다.

Visit museums
박물관을 방문하다

Travel abroad
해외여행을 하다

Learn other languages
타 언어를 배우다

On Your Own
Sample Read books about different cultures 타 문화에 관한 책을 읽다

어구

abroad (부) 해외로, 해외에
· He went *abroad* to work. (그는 일하러 해외로 갔다.)

LISTEN **Listen and complete the three reasons why people travel.**
다음을 듣고 사람들이 여행하는 세 가지 이유를 완성해 봅시다.

1 To enjoy lots of ___adventures___ 모험을 많이 즐기기 위해서

2 To gain a new perspective 새로운 시각을 가지기 위해서

3 To meet new ___people___ 새로운 사람들을 만나기 위해서

Script -

M: Traveling is a favorite activity shared by many people around the world. Why they like to travel and what they do while traveling are not the same, however. Here are the top three reasons why people travel. First, people travel to enjoy lots of adventures. Life can sometimes be boring, so if people have a desire for an adventure, traveling lets them tap into it. Second, people can gain a new perspective through traveling. Traveling allows people to see the world through other ways of living, which can broaden their worldview. Third, meeting new people is another main reason to travel. Traveling provides countless opportunities to meet new people.

| 해석 |- -

남: 여행은 전 세계의 많은 사람들에 의해 공유되는 가장 좋아하는 활동이다. 그러나 여행하는 동안 왜 그들이 여행을 좋아하고 무엇을 하는 지는 같지 않다. 왜 사람들이 여행하는 지에 관한 세 가지 선정 이유가 있다. 첫 번째로, 사람들은 모험을 많이 즐기기 위해 여행을 한다. 삶은 때때로 지겨울 수도 있어서 사람들이 여행에 관한 열망이 있다면, 여행하는 것은 그들이 열망으로 빠질 수 있도록 한다. 두 번째로, 사람들은 여행을 통해서 새로운 시각을 얻을 수 있다. 여행하는 것은 사람들이 사는 것의 다른 방법을 통해서 세계를 보도록 해 주는데, 그것이 그들의 세계적 시각을 넓혀 줄 수 있다. 세 번째로, 새로운 사람들을 만나는 것은 여행하는 또 다른 주요 이유이다. 여행하는 것은 새로운 사람을 만날 수 있는 무한한 기회들을 제공해 준다.

어구

adventure (명) 모험
desire (명) 열망, 욕구
tap into ~에 다가가다, ~을 활용하다, ~친해지다
perspective (명) 시각; 전망
· Try to see the issue from a different *perspective*. (그 사안을 다른 시각에서 보도록 하라.)
broaden (동) 넓히다

| 구문 해설 |

· Traveling is a favorite activity **shared** by many people around the world.: 과거분사 shared는 앞의 a favorite activity를 수식하며 shared 앞에 「주격 관계대명사+be동사」 which is가 생략되어 있다.
· **Why they like to travel and what they do while traveling are** not the same, however.: 문장의 주어는 Why ~ traveling이고, 동사는 are이다.

READ

What Type of Traveler Are You?

당신은 어떤 유형의 여행가입니까?

How do you document your travels the most?

어떻게 당신의 여행을 가장 잘 설명합니까?

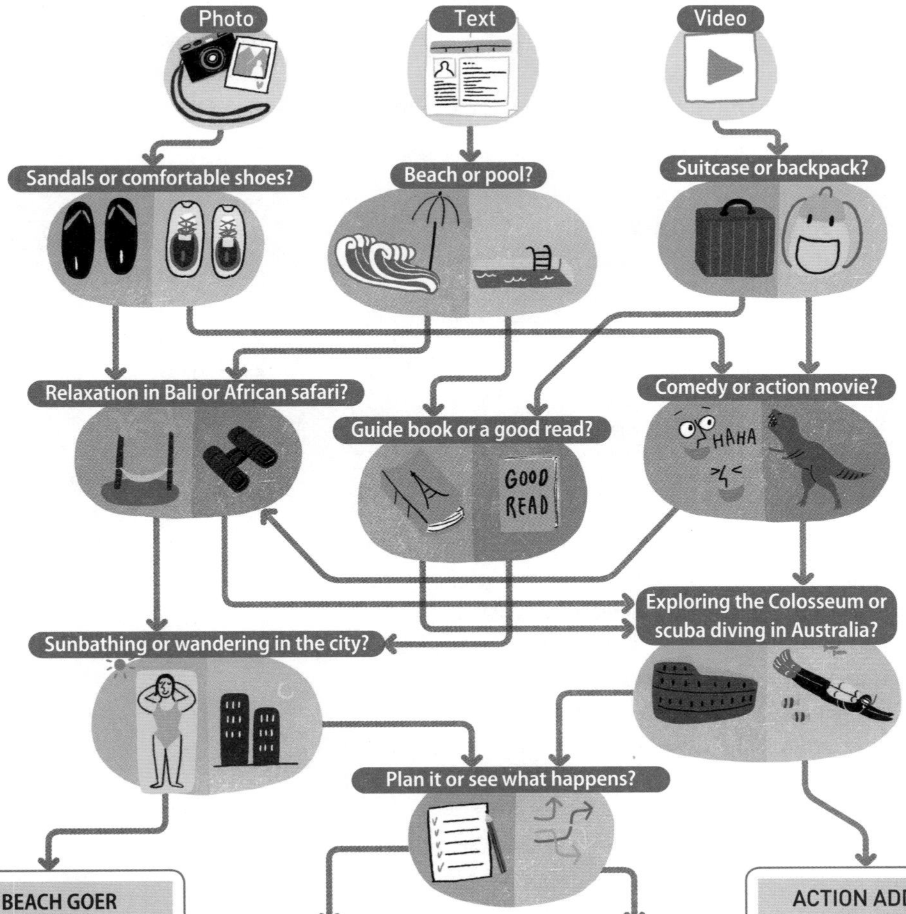

BEACH GOER

When you go on a vacation, you're in full relaxation mode. You're in your swimwear as soon as the plane touches down and your main mission is to enjoy the sun.

CULTURAL EXPLORER

Wherever you go, you want to really experience the country and the culture. You see all the sights, learn the local language, and look into the history of places.

CURIOUS WANDERER

You're a free spirit who loves discovering new places. You visit tasty local restaurants and explore hidden attractions. You go anywhere your curiosity takes you.

ACTION ADDICT

You enjoy adventures and exploring the exotic. You constantly try to find the most thrilling adventures and experience every corner of a country.

- **Do a poll to find out how many of your classmates belong to each traveler type.**

  투표를 해서 얼마나 많은 친구들이 각각의 여행자 유형에 속하는지 알아봅시다.

[Sample] Eight out of twenty belong to beach goer type, and five belong to cultural explorer type. Also, we have three curious wanderers and two action addicts in our class.
20명 중 8명이 해변을 즐기는 사람에 속하고 5명이 문화를 탐험하는 사람에 속한다. 또한 우리 반에서 3명은 호기심 많은 방랑가이고 2명은 활동 애호가이다.

| 구문 해설 |

- You're in your swim wear **as soon as** the plane touches down and your main mission is **to enjoy** the sun.: 「as soon as+주어+동사 ~」는 '~하자마자'라는 뜻의 표현이고, to enjoy는 문장에서 보어 역할을 하는 to부정사이다.

어구

relaxation [명] 휴식
·Try to keep a balance between work and *relaxation*. (일과 휴식 사이의 균형을 이루도록 노력하라.)
sunbathing [명] 일광욕
cf. [동] sunbathe
explore [동] 탐사하다
touch down 착륙하다
·The plane will *touch down* at the airport soon. (비행기가 곧 공항에 착륙할 것이다.)
curious [형] 호기심 많은
cf. [명] curiosity
wander [동] 돌아다니다, 헤매다
addict [명] 중독자, 애호가
·a baseball *addict* (야구광)
attraction [명] 명소, 명물, 매력
·The house has become a tourist *attraction*. (그 집은 관광 명소가 되었다.)
exotic [형] 외국의, 이국적인
cf. [반] ordinary, familiar
constantly [부] 끊임없이

| 해석 |

해변을 즐기는 사람
당신은 휴가를 가면 완전한 휴식 모드이다. 비행기가 착륙하자마자 당신은 수영복을 입고 주요 목표는 태양을 즐기는 것이다.

문화를 탐험하는 사람
당신이 어디를 가든지 그 나라와 문화를 진정으로 경험하기를 원한다. 모든 풍경을 보고 현지어를 배우며 역사적 장소를 조사한다.

호기심 많은 방랑자
당신은 새로운 곳을 발견하기를 좋아하는 자유로운 영혼이다. 맛있는 지역 음식점을 방문하고 숨겨진 유명 장소를 탐색한다. 당신은 호기심이 이끄는 어느 곳이든지 간다.

활동 애호가
당신은 모험과 이국적인 것을 경험하는 것을 즐긴다. 끊임없이 가장 스릴 있는 모험을 찾고 나라의 모든 장소를 경험하고자 한다.

Listen and Speak 1 교과서 pp. 12~13

A **Listen to the dialogue and fill in the blanks.** 대화를 듣고 빈칸을 채워 봅시다.

| Topic: | The best vacation | 주제: 최고의 휴가 |

Rachel
- Backpacked around Europe ___by train___. 기차로 유럽 배낭여행을 했다.
- Went to ___eight countries___ over three weeks and met many people from ___different cultures___.
  3주 넘게 8개국을 갔고 타 문화에서 온 많은 사람들을 만났다.

Daniel
- Traveled around the southern provinces of Korea ___by bicycle___.
  자전거로 한국의 남부 지방을 여행했다.
- Visited local markets and ___historical sites___, and experienced various ___local traditions___.
  지역 시장과 역사적 장소를 방문했고 다양한 지역 문화를 경험했다.

Script

M1: Today we're going to talk about the best vacation we've ever had. Rachel, can you tell us about your best vacation?

W: The best vacation I've had was my family trip to Europe. We backpacked around Europe by train. It was fantastic. We went to eight countries over three weeks and met many people from different cultures. When my family get together, we still talk about that trip. We'll never forget it.

M1: Thank you for sharing that, Rachel. Daniel, can you tell us about your best vacation?

M2: I'll never forget the bike tour I took last summer. My friends and I traveled around the southern provinces of Korea by bicycle. We visited local markets and historical sites, and experienced various local traditions. Despite having to bike on some rough roads, it was so exciting.

M1: How adventurous! You must have had a fantastic trip.

| 해석 |

남1: 오늘은 우리가 가본 적이 있는 최고의 휴가에 관해서 이야기하려고 해요. Rachel, 최고의 휴가에 관해 말해 줄 수 있나요?

여: 제가 갔던 최고의 휴가는 유럽으로 갔던 가족 여행이에요. 우리는 기차로 유럽 지역을 배낭여행했어요. 정말 멋졌어요. 3주 넘게 8개국을 갔고 타 문화권의 많은 사람들을 만났어요. 우리 가족이 함께 모일 때 여전히 그 여행에 관해 이야기해요. 우리는 그것을 결코 잊을 수 없어요.

남1: 이야기해 주어 고마워요, Rachel. Daniel, 최고의 휴가에 관해 말해 줄래요?

남2: 저는 지난여름에 했던 자전거 여행을 결코 잊지 못할 거예요. 제 친구들과 저는 자전거로 한국의 남부 지방을 여행했어요. 우리는 지역 시장과 역사적 장소를 방문했고 다양한 지역 문화를 경험했어요. 몇몇 험한 길에서 자전거를 탔음에도 불구하고 그것은 정말 재미있었어요.

남1: 정말 흥미진진하네요! 당신은 환상적인 여행을 즐겼겠어요.

어구

backpack 명 배낭 동 배낭여행하다
· I've always wanted to *backpack* around Asia. (나는 항상 아시아 곳곳을 배낭여행하고 싶었다.)
province 명 지방
despite 전 ~에도 불구하고
유 in spite of
· I love her *despite* her faults. (나는 그녀의 결점에도 불구하고 그녀를 사랑한다.)
adventurous 형 흥미진진한, 모험심이 강한

힌트

최고의 휴가를 주제로 Rachel은 유럽 배낭여행, Daniel은 한국 남부 지방 여행에 대해 말하고 있다.

| 구문 해설 |

· The best vacation **I've had** was my family trip to Europe.: 목적격 관계대명사절 I've had가 선행사이자 문장의 주어인 The best vacation을 수식한다.
· **I'll never forget** the bike tour I took last summer.: I'll never forget ~. (나는 ~을 잊지 못할 것이다.) 표현은 인상적인 기억에 대해 말할 때 쓰인다.
· **Despite having** to bike on some rough roads, it was so exciting.: Despite는 전치사이므로 뒤에 동명사가 쓰였다.
· **How adventurous!**: How로 시작하는 감탄문으로 어순은 「How+형용사(+주어+동사)!」로 쓴다.
· You **must have had** a fantastic trip.: must have p.p. ~. (~했음에 틀림이 없다.)는 과거의 일에 대한 확실한 추측을 나타내는 표현이다.

B Complete the comic strip with the sentences from the box and practice the dialog with your partner. 보기의 문장으로 만화를 완성하고 짝과 대화를 연습해 봅시다.

> ⓐ I'll never forget this beach.
> 나는 이 해변을 결코 잊지 못할 거야.
>
> ⓑ You sound like you've been there.
> 너는 마치 그곳에 갔다 온 것처럼 말하는구나.
>
> ⓒ That's why it sounds like you've been there.
> 그것이 네가 그곳에 갔다 온 것처럼 들리는 이유로구나.

어구

nearby ⑨ 인근에

힌트

남자는 기억에 남을 아름다운 해변 장면을 보고 마치 그곳에 갔던 것처럼 자세한 설명을 하고 있다.

| 구문 해설 |

· You **sound like** you've been there.: sound like는 '~처럼 들리다'라는 뜻의 표현이며, like의 목적어절의 동사로 현재완료 have p.p. 형태를 써서 과거의 경험에 대해 표현하고 있다.

C Making a Travel Bucket List 여행 중 할 일 목록 만들기

STEP 1 Make your own travel bucket list. List three places and things you would like to do there.
여러분만의 여행 버킷 리스트를 만들어 봅시다. 세 가지 장소를 정해서 그곳에서 하고 싶은 것을 적어봅시다.

어구

bucket list 꼭 해야 할 일이나 달성하고 싶은 목표 목록, 버킷 리스트 (a list of the things that a person would like to do or achieve during their lifetime)

MY TRAVEL BUCKET LIST

1. Snorkel at the Great Barrier Reef in Australia
   오스트레일리아의 Great Barrier Reef에서 스노클링하기

2. Visit Green Gables on Prince Edward Island in Canada
   캐나다의 Prince Edward 섬에 있는 Green Gables 방문하기

3. Take pictures of the beautiful sunset in a beach in Taean
   태안의 해변에서 아름다운 석양 사진 찍기

STEP 2 **Share your travel bucket list and reasons you would like to do those things with your partner.**

짝과 함께 여행 버킷 리스트와 그것을 하고 싶은 이유에 대해 이야기를 나누어 봅시다.

| Sample Dialog |

A What's on your travel bucket list?

B The number one thing on my travel bucket list is snorkeling at the Great Barrier Reef in Australia.

A Why would you like to do that?

B Well, I've always wanted to snorkel, and I've heard it's one of the best snorkeling destinations in the world. What's the first thing on your list?

A I'd like to visit Green Gables on Prince Edward Island in Canada.

B Why is that your number one thing to do?

A I'm a huge fan of the book *Anne of Green Gables*. I'll never forget the scenery that the author described. I'd like to see what it's like in person.

B That would be awesome!

| 해석 |

A: 너의 여행 버킷 리스트는 무엇이니?

B: 나의 여행 버킷 리스트 중 1위는 오스트레일리아의 Great Barrier Reef에서 스노클링을 하는 거야.

A: 왜 그것을 하고 싶니?

B: 음, 나는 항상 스노클링을 하고 싶었고 그곳이 세계에서 가장 좋은 스노클링 목적지 중 하나라고 들었어. 너의 목록에서 첫 번째 것은 무엇이니?

A: 캐나다의 Prince Edward 섬에 있는 Green Gables를 방문하고 싶어.

B: 왜 그것이 하고 싶은 것 1위니?

A: 나는 '빨강 머리 앤' 책의 열렬한 팬이야. 작가가 묘사했던 경관을 결코 잊을 수가 없어. 나는 실제로 어떤지 보고 싶어.

B: 멋질 것 같아!

| 구문 해설 |

- The number one thing on my travel bucket list is **snorkeling** at the Great Barrier Reef in Australia.: snorkeling은 동명사로 문장에서 보어의 역할을 한다.
- **I've** always **wanted** to snorkel, and **I've heard** it's one of the best snorkeling destinations in the world.: 두 개의 현재완료 시제로 쓰인 문장이 연결된 형태로, 두 문장 모두 현재완료 중 완료 용법으로 쓰였다.
- I'll never forget the scenery **that** the author described.: that은 목적격 관계대명사이며 that이 이끄는 절이 선행사 the scenery를 수식한다.
- I'd like to see **what it's like** in person.: what it's like는 의문사절로 how it is의 뜻으로 쓰였으며 to see의 목적어절이다.

어구

snorkel [동] 스노클링하다

destination [명] 목적지, 도착지

· Our *destination* is Barcelona, Spain. (우리의 목적지는 스페인의 바르셀로나이다.)

scenery [명] 경치, 풍경

describe [동] 묘사하다, 만들다

· Several people *described* seeing strange lights in the sky. (사람들이 하늘에서 이상한 빛을 본 것을 묘사했다.)

awesome [형] 경탄할 만한, 굉장한

참고

the Great Barrier Reef

오스트레일리아 북동부의 Queensland 해안을 따라 발달한 세계 최대의 산호초, 1981년 세계 자연 유산으로 유네스코(UNESCO)에서 지정하였다.

Green Gables

캐나다 Prince Edward 섬 Cavendish에 있는 국립 사적지로 Lucy Montgomery가 쓴 인기 소설 '빨강 머리 앤'의 배경이 된 곳이다.

✔Self-Check

	Yes	No	
I can use the target expressions correctly. 나는 목표 표현을 정확하게 쓸 수 있다.	☐	☐	→ Go back to A and B. A와 B로 돌아가세요.
I can communicate effectively. 나는 효과적으로 의사소통할 수 있다.	☐	☐	→ Practice the Sample Dialog in STEP 2 again. STEP 2의 예시 대화를 다시 연습하세요.

Listen and Speak 2 [교과서 pp. 14~15]

Target Expression
Have you seen the list of prohibited items for hand luggage?
기내 반입 금지 품목 목록을 본 적이 있습니까?

A **Listen to the announcement and fill in the blanks.** 안내 방송을 듣고 빈칸을 채워 봅시다.

International Departures

Flight	Time	To	New Time	Gate	Status
GA420	10:30	Brussels	11:45	C-4	Delayed
WV289	11:30	Hong Kong	14:00	N-8	Delayed

Script

M: Have you ever been to this airport? It's really huge.
W1: Actually, it's my first time. Anyway, have you checked our departure gate?
M: Yes, it's C-7.
[*Announcement*]
W2: Ladies and gentlemen. We regret to inform you that bad weather in Chicago has delayed several flights. Glory Airlines flight GA420 to Brussels, scheduled for departure at 10:30 from Gate C-7, is now scheduled to depart at 11:45 from Gate C-4. Also, World Voyage Airlines flight WV289 to Hong Kong, scheduled for departure at 11:30 from Gate N-8, is now scheduled to depart at 2 o'clock from the same gate. Please check the arrivals and departures boards for more information. We are sorry for any inconvenience.
W1: Oh, we have an extra hour.
M: Let's walk around the duty free shops.

| 해석 |

남: 이 공항에 와 본 적이 있니? 정말 넓다.
여1: 실은 처음이야. 그런데 출발 게이트를 확인했니?
남: 응, C-7이야.
[*안내 방송*]
여2: 신사 숙녀 여러분. 시카고의 기상 악화로 인해 몇몇 항공편이 지연되고 있음을 알려드리게 되어 죄송합니다. 게이트 C-7에서 10시 30분 출발 예정이었던 브뤼셀행 Glory 항공의 비행기 GA420편은 게이트 C-4에서 11시 45분에 출발 예정입니다. 또한 게이트 N-8에서 11시 30분에 출발 예정이었던 홍콩행 World Voyage 항공의 WV289편은 같은 게이트에서 2시에 출발할 예정입니다. 더 많은 정보에 관해서는 도착·출발 안내판을 확인해 주십시오. 불편을 드려 죄송합니다.
여1: 오, 우리 여유 시간이 생겼어.
남: 면세점을 돌아보자.

어구

departure [명] 출발
· arrivals and *departure* board (도착·출발 안내판)
regret [동] 유감스럽게 생각하다
· I *regret* to inform you that your request has been declined. (귀하의 요청이 거절된 것을 알려드리게 되어 유감으로 생각합니다.)
inform [동] 알리다, 통지하다
delay [동] 지연시키다
inconvenience [명] 불편

힌트

기상 악화로 10시 30분 출발 예정인 브뤼셀행 GA420편이 C-7 게이트에서 11시 45분 출발, C-4 게이트로 변경되었고, 11시 30분 N-8 게이트 출발 예정인 홍콩행 WV289편은 2시로 시간이 변경되었다.

| 구문 해설 |

- **Have** you **ever been** to this airport?: 과거의 경험을 묻는 현재완료(have p.p.) 표현이다.
- We **regret to inform** you **that** bad weather in Chicago has delayed several flights.: 동사 regret는 to부정사와 동명사를 모두 목적어로 취하며 to부정사를 취할 때는 미래의 일에 대해 유감스럽게 생각한다는 의미이고, 동명사를 취할 때는 과거의 일을 유감스럽게 생각한다는 의미이다. that 이하는 inform의 목적어절로 쓰였다.
- Glory Airlines flight GA420 to Brussels, **scheduled** for departure at 10:30 from Gate C-7, **is** now **scheduled** to depart at 11:45 from Gate C-4.: 첫 번째 scheduled는 앞의 Glory Airlines flight GA420 to Brussels를 수식하는 과거분사이고 앞에 「관계대명사+be동사」 that is가 생략되었다. 뒤의 is scheduled는 GA420의 출발 예정 시간이 잡힌 것으로 주어와 동사의 관계가 수동이므로 수동태로 쓰인 것이다.

B Complete the comic strip with the sentences from the box and practice the dialog with your partner. 보기의 문장으로 만화를 완성하고 짝과 대화를 연습해 봅시다.

ⓐ No, I haven't.
아니요, 없습니다.
ⓑ You might have to show that at the security check.
보안 검색대에서 그것을 보여 주셔야 할지도 모릅니다.
ⓒ Have you seen the list of prohibited items for hand luggage?
기내 반입 금지 물품 목록을 본 적이 있습니까?

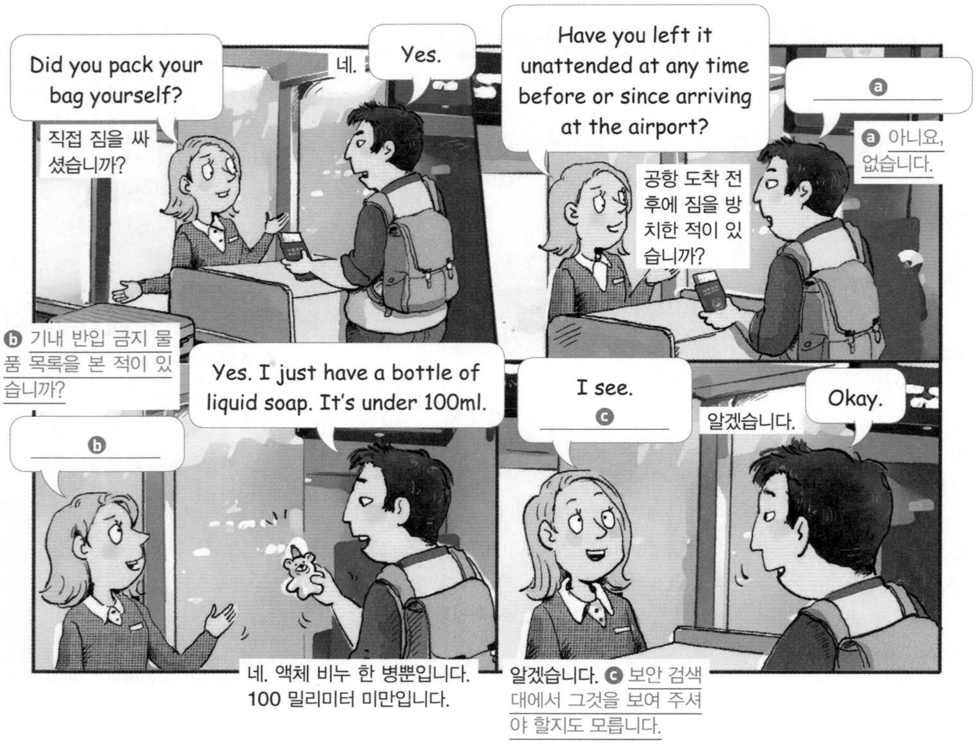

어구

security [명] 보안, 경비
· *security* check 보안 검사 (수하물 및 신체검사)
prohibited [형] 금지된
([동] prohibit 금하다)
· *prohibited* area (금지 구역)
hand luggage (항공기 기내에 가지고 탈 수 있는) 휴대 가능 수하물
pack [동] 짐을 싸다, 포장하다.
unattended [형] 방치된, 같이 있지 않은
liquid [명] 액체 [형] 액체의, 유동적인

힌트

남자는 공항의 체크인 카운터에서 비행기 탑승 전 짐을 부치기 위한 수속을 밟고 있으며 여자는 공항 직원으로 기내 반입 금지 물품을 가지고 있는지 확인하고 있다.

| 구문 해설 |

· **Have** you **left** it unattended at any time **before** or **since** arriving at the airport?: 현재완료(have p.p.) 표현으로 이전의 경험에 대해 묻고 있다. before와 since는 각각 전치사로 쓰여 동명사 arriving을 목적어로 취한다.
· You **might have to show** that at the security check.: 「might have to+동사원형」은 '~해야만 할지도 모른다'라는 뜻으로 해야 할 일에 대한 불확실한 추측을 나타낸다.

C Making a Travel Plan 여행 계획 세우기

■ Imagine you and your partner are travel agents. Read the travel purposes of the pairs of customers.
여러분과 여러분의 짝이 여행사 직원이라고 상상해 봅시다. 각각 한 팀을 이룬 고객들의 여행 목적을 읽어 봅시다.

STEP 1 Choose one pair and recommend them a travel destination in Korea.
한 팀을 고르고 그들에게 한국 여행지를 추천해 봅시다.

Leo & Bert
High school students
고등학생
Try new types of food
새로운 종류의 음식 먹어보기

Sophia & Mia
College friends
대학교 친구
Hang out at the beach
해변에서 놀기

Eddie & Olivia
A travel writer and
a photographer
여행 작가와 사진가
Take pictures of historical sites
역사적 장소에서 사진 찍기

Travel destination you recommend: ___Jeju___

STEP 2 Complete the following table to plan the first day of travel for your customers. 다음 표를 완성하여 여러분의 고객들을 위한 여행 첫 번째 날을 계획해 봅시다.

| Sample Dialog |

A Let's plan a trip to Jeju for Sophia and Mia.
B Okay. Since they will start their trip from Mokpo, they can take a ferry to the Jeju port.
A That sounds good. Then, they can go to Hyeopjae Beach from the port.
B All right. What should they do at the beach?
A How about taking a jet boat ride? Have you ever done that?
B I haven't, but I heard it's very exciting. Let's plan it for them.
⋮

○ A Travel Plan for		
_____ (Day 1)		
Place	From	
	To	
Transportation		
Things to do		
Accommodation		

STEP 3 Present your customers' travel plan to the class.
반 친구들에게 여러분 고객의 여행 계획을 발표해 봅시다.

어구

agent 몡 대리인, 피행인
hang out 시간을 보내다, 놀다
historical 휑 역사상의, 역사적인
·My mom has been doing some *historical* research. (우리 엄마는 역사 관련 연구를 하고 있다.)
transportation 몡 교통수단, 탈 것, 수송
accommodation 몡 숙소, 숙박 시설

| 해석 |- - - - - - - - - - - - - - - -

A: Sophia와 Mia를 위한 제주 여행 계획을 짜자.
B: 좋아. 그들이 목포에서 떠날 것이므로 제주항까지 페리를 탈 수 있어.
A: 좋은 생각이야. 그러면 그들은 항구에서 협재 해변까지 갈 수 있어.
B: 좋아. 그들이 해변에서 뭘 해야 하지?
A: 제트 보트를 타는 게 어떨까? 그것을 타 본 적 있니?
B: 없지만 매우 신 난다고 들었어. 그들을 위해 계획을 짜 보자.
⋮

| 구문 해설 |————————

·**Have** you ever **done** that?: 과거부터 현재까지의 경험에 대해 질문하고 있으므로 현재완료(have p.p.) 시제를 썼다.

✔**Self-Check**   Yes No

I can use the target expressions correctly.
나는 목표 표현을 정확하게 쓸 수 있다. ☐ ☐ → Go back to A and B.
A와 B로 돌아가세요.

I can communicate effectively.
나는 효과적으로 의사소통할 수 있다. ☐ ☐ → Practice the Sample Dialog in STEP 2 again.
STEP 2의 예시 대화를 다시 연습하세요.

Lesson 1

Walk into the World **015**

Language in Focus

교과서 p. 16

A Compare the expressions in bold and find the difference between them.

굵은 글씨로 된 표현들을 비교해 보고 그것들 사이의 차이점을 찾아봅시다.

Unlike Tom, David is very good at football and knows a lot about it. Once, Tom and David had a chance to watch a championship football match on TV together. While watching, Tom talked as if he **knew** everything about football, which annoyed David. He even talked as if he **had been** to Old Trafford, where the championship match was held. In fact, he had never been there before.

| 해석 |

Tom과 달리 David은 미식축구를 매우 잘하고 그것에 관해 많은 것을 안다. 한 번은 Tom과 David이 함께 TV로 미식축구 결승전을 볼 기회가 있었다. 보는 동안 Tom은 마치 그가 미식축구에 관해 모든 것을 아는 것처럼 말했고, 그것이 David를 성가시게 했다. 그는 심지어 마치 그가 Old Trafford에 가 봤던 것처럼 말했는데, 그곳은 결승전이 열렸던 곳이었다. 사실 그는 이전에 그곳에 가 본 적이 전혀 없었다.

- **Based on what you found, match the appropriate sentence parts to complete the sentences.** 여러분이 찾은 것을 바탕으로 적절한 문장 부분을 연결하여 문장을 완성해 봅시다.

1. I had never seen him before, but he looked at me
나는 그를 전에 본 적이 전혀 없었지만 그는 나를 봤다

2. She praised my cooking
그녀는 내 요리를 칭찬했다

3. The old house on the hill looked
언덕 위에 있는 오래된 집은 보였다

ⓐ as if he knew me.
마치 그가 나를 아는 것처럼.

ⓑ as if nobody had lived there for ages.
아무도 오랫동안 살지 않았던 것처럼.

ⓒ as if she had never eaten such delicious food.
그녀가 그렇게 맛있는 음식을 전혀 먹어본 적이 없었던 것처럼.

Grammar Point

as if[though] 가정법

• **as if[though] 가정법 과거**

「as if 주어+동사의 과거형」의 형태이며, '마치 ~인 것처럼'이라는 의미로 현재 사실의 반대를 가정하거나 상상할 때 쓰인다.

e.g. She looks **as if** she **were** sick. (그녀는 (아프지 않지만) 마치 아픈 것처럼 보인다.)

cf. 가정의 의미가 없을 때는 「as if 직설법」을 쓸 수도 있다.

She looks **as if** she **is** sick. (그녀는 아픈 것처럼 보인다. → 그녀가 아플 수도 있다는 의미 내포)

• **as if[though] 가정법 과거완료**

「as if 주어+had p.p.」의 형태이며, '마치 ~였던 것처럼'이라는 의미로 과거 사실의 반대를 가정하거나 상상할 때 쓰인다.

e.g. Everybody acted **as if** nothing **had happened**.

(모두들 마치 아무 일도 없었던 것처럼 행동했다.)

어구

championship [명] 결승, 선수권 대회

annoy [동] 성가시게 하다, 짜증나게 하다

·The fly *annoyed* me. (파리가 나를 짜증나게 했다.)

in fact 사실은

praise [동] 칭찬하다 [명] 칭찬

·Critics *praised* the work as highly original. (평론가들은 그 작품이 대단히 독창적이라고 칭찬했다.)

for ages 오랫동안

| 구문 해설 |

• He even talked **as if** he **had been** to Old Trafford, **where** the championship match was held.: as if 가정법 과거 완료(had p.p.) 표현은 '마치 ~했던 것처럼'이라는 의미로 과거 사실의 반대를 가정한다. where는 계속적 용법의 관계부사로 쓰여서 where가 이끄는 절이 선행사 Old Trafford를 수식한다.

[B] Discuss how the expressions in bold are used in the sentences.

문장에서 굵은 글씨로 된 표현들이 어떻게 쓰였는지 의견을 나눠 봅시다.

- **With the night coming**, it began to rain.
  밤이 되면서 비가 오기 시작했다.
- She stood by the door **with her arms crossed**.
  그녀는 팔짱을 낀 채로 문에 기대 서 있었다.

● **Based on what you found, fill in the blanks with the appropriate expressions given in the box.**

여러분이 찾은 것을 바탕으로 보기에 주어진 적절한 표현으로 빈칸을 채워 봅시다.

When we got home from school, we would go outside to play [b] with our school bags dumped on the floor. We would spend many hours playing in the woods nearby. I'll never forget how we loved being in the middle of the beautiful woods. My sister once stopped while walking and said, [c] with her eyes fixed on a cluster of wildflowers, "Look! They are smiling!" They really were. They looked as if they were silently smiling at us. Everything was calm and breathtakingly beautiful. It was a spring day [a] with a soft breeze blowing from the east.

[a] with a soft breeze blowing from the east
[b] with our school bags dumped on the floor
[c] with her eyes fixed on a cluster of wildflowers

| 해석 |

우리는 학교에서 집으로 왔을 때 바닥에 가방을 내던진 채 밖으로 나가 놀곤 했다. 근처 숲에서 많은 시간을 놀면서 보내곤 했다. 나는 결코 우리가 그 아름다운 숲 한가운데 있는 것을 매우 좋아한 것을 잊을 수 없을 것이다. 한번은 내 여동생이 무리지어 핀 야생화에 눈을 고정한 채로 걷다가 멈춰서 말했다. "봐! 그것들이 미소 짓고 있어!" 꽃들은 정말 그랬다. 그것들은 마치 우리를 향해서 조용히 미소 짓고 있는 것처럼 보였다. 모든 것이 고요했고 숨 막힐 정도로 아름다웠다. 동쪽에서 부드러운 산들바람이 불어오는 봄날이었다.

Grammar Point

「with+목적어(명사)+분사」 구문

일종의 독립분사 구문으로, 분사의 의미상 주어 앞에 with를 두며 주로 동시 상황을 나타낸다.

- **with+(대)명사+현재분사**: '~가 …한 채로', '~를 …하며', '~가 …해서'라는 뜻으로 명사와 분사가 능동 관계일 때 현재분사를 사용한다.
  He jogs every morning **with his dog following** him. (그는 개를 데리고 아침마다 조깅을 한다.)
- **with+(대)명사+과거분사**: '~이 …된 채로'라는 뜻으로 명사와 분사가 수동 관계일 때 과거분사를 사용한다.
  I fell asleep **with the light turned** on. (나는 불을 켜 둔 채 잠이 들었다.)

***주의해야 할 분사구문**

1. **접속사가 있는 분사구문**: 분사구문에서 원칙적으로 접속사를 생략하지만, 분사구문이 나타내는 뜻을 분명히 하기 위해 그대로 두는 경우가 있다.
   While sitting in front of the TV, Mei ate her supper. (TV 앞에 앉아 있는 동안, Mei는 저녁을 먹었다.)
2. **독립분사구문(주어가 있는 분사구문)**: 분사의 의미상 주어가 주절의 주어와 일치하지 않을 때는 이를 밝혀 주기 위해 주어를 그대로 둔다.
   My heart thumping, I ran away. (내 심장이 쿵쿵거려서 나는 도망쳤다.)

어구

dump [동] 내려놓다, 버리다
cluster [명] 무리, 송이
wildflower [명] 야생화
breathtakingly [부] (너무 아름답거나 놀라워) 숨이 막히게
breeze [명] 산들바람, 미풍
· A cool summer *breeze* was blowing. (시원한 여름 바람이 불고 있었다.)

| 구문 해설 |

· When we got home from school, we **would** go outside to play **with our school bags dumped** on the floor.: 조동사 would는 '~하곤 했다'라는 의미로 과거의 불규칙적 습관을 표현한다. 「with+명사+분사」 구문은 동시 상황을 표현하며 명사 our school bags와 동사 dump의 관계가 수동이므로 과거분사 dumped를 썼다.

Before You Read

교과서 p. 17

Reading Activator

A Search the Internet for information about the cities marked on the map.

지도에 표시된 도시들에 관한 정보를 인터넷으로 검색해 봅시다.

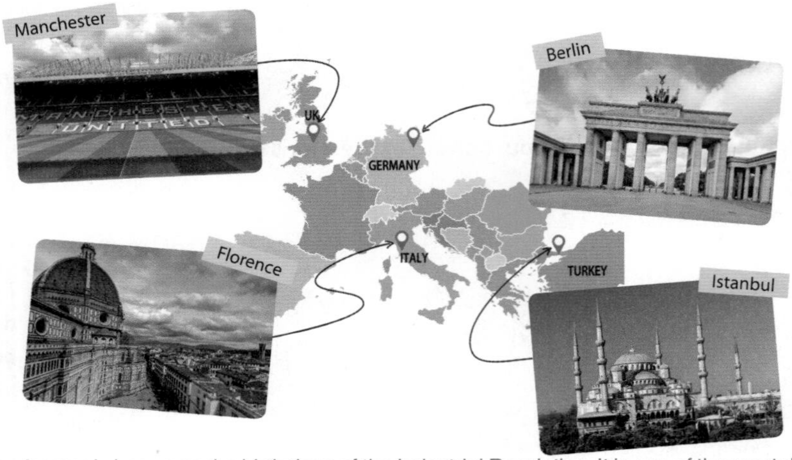

[Sample] **Manchester** is known as the birthplace of the Industrial Revolution. It is one of the most dynamic and cosmopolitan cities in the UK. / **Berlin** is the capital city of Germany and the second most populous city in the European Union behind London. / **Florence** is an important city in Italian fashion, being ranked in the top 15 fashion capitals of the world. It was a centre of medieval European trade and finance, and is considered the birthplace of the Renaissance. / **Istanbul** is the most populous city in Turkey and the country's economic, cultural, and historic center. It is a transcontinental city in Eurasia and is viewed as a bridge between the East and West.

| 해석 |

맨체스터는 산업 혁명의 발생지로 알려져 있다. 그곳은 영국에서 가장 활기차고 국제적인 도시 중 하나이다. / **베를린**은 독일의 수도이며 유럽 연합에서 런던 다음 두 번째로 큰 도시이다. / **피렌체**는 세계 패션 도시 상위 15위로 이탈리아 패션에서 가장 중요한 도시이다. 이곳은 중세 유럽 무역과 재정의 중심지였고, 르네상스의 발상지로 여겨진다. / **이스탄불**은 터키에서 가장 인구가 많은 도시이고 터키의 경제, 문화, 그리고 역사의 중심지이다. 그곳은 유라시아 대륙을 횡단하는 도시로 동서양 사이의 다리로 여겨진다.

Word Booster

B Guess the meanings of the words in bold from the contexts. Then, complete the picture cards with the appropriate words.

굵은 글씨로 된 단어의 의미를 문맥에서 추측해 봅시다. 그리고 적절한 단어로 사진 카드를 완성해 봅시다.

- Spain is still our most popular holiday **destination**.
  스페인은 여전히 가장 인기 있는 휴가지이다.
  What is the **destination** of Flight NG120? NG120 비행기의 목적지는 어디입니까?
- The **baggage claim** is located on the east side of the terminal.
  수화물 찾는 곳은 터미널의 동쪽 편에 위치하고 있다.
  Airline passengers are getting their luggage from the **baggage claim**.
  비행기 승객들은 수화물 찾는 곳에서 그들의 짐을 찾고 있다.
- When planning a trip, you must consider your **accommodation**.
  여행을 계획할 때 여러분은 숙소를 고려해야 한다.
  The **accommodation** was spacious and comfortable. 숙소는 넓고 편안했다.

1.
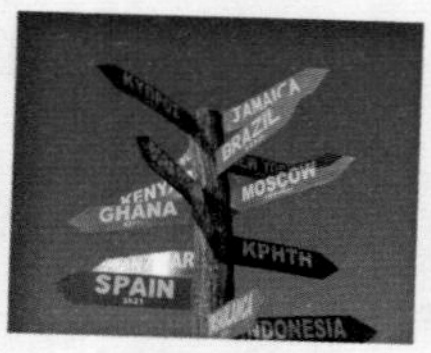

destination

2.
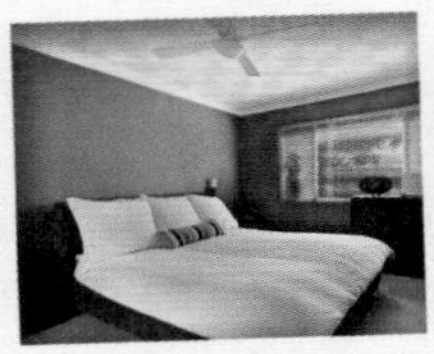

accommodation

3.
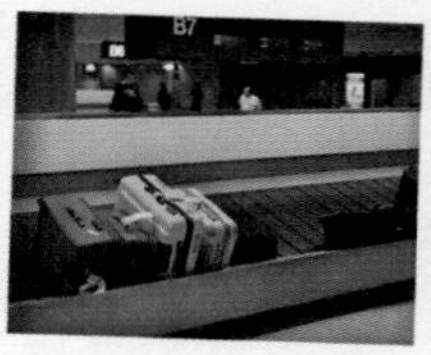

baggage claim

[어구]

destination [명] 목적지, 도착지
baggage claim
[명] (공항의) 수하물 찾는 곳
passenger [명] 승객
luggage [명] (여행용) 짐(수하물)
[유] baggage
accommodation
[명] 숙소, 숙박 시설
spacious [형] 넓은
·The house has a *spacious* kitchen. (그 집에는 넓은 주방이 있다.)

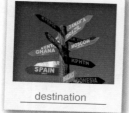

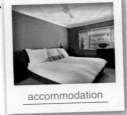

Pedal the World

❶ Hello. My name is Jaehee. ❷ I love traveling, cycling, and meeting various people from different cultures. ❸ So, naturally, bike touring around the world has always been the top thing on my bucket list. ❹ In 2015, I chose Europe as the destination for my first adventure. ❺ I set off with my friend Doyun to put my plan into action. ❻ For 130 days, we traveled around 13 countries by bicycle, and met many people on the road. ❼ It was a great experience. ❽ Here, I'd like to share some of my journal entries with you.

Q What's the top thing on your bucket list? 여러분의 버킷 리스트에서 최우선인 것은 무엇입니까?

Sample The top thing on my bucket list is to backpack around the world.
나의 버킷 리스트에서 최우선인 것은 전 세계를 배낭여행하는 것이다.

구문 연구

❷ I **love traveling**, **cycling**, and **meeting** various people from different cultures.: love는 to부정사와 동명사(-ing) 모두를 목적어로 취하는 동사이다. 이 문장에서는 동명사가 쓰였고 traveling, cycling, meeting이 병렬 연결되었다.

❸ So, naturally, bike touring around the world **has** always **been** the top thing on my bucket list.: 자전거 여행이 과거부터 현재까지 버킷 리스트에서 최우선이었다고 했으므로 현재완료(has+p.p.) 시제를 썼다.

❺ I set off with my friend Doyun **to put** my plan **into action**.: to put은 to부정사의 부사적 용법 중 목적으로 쓰였으며, 「put ... into action」은 '…을 행동(실행)에 옮기다'라는 뜻의 표현이다.

Pay Attention ♀

L2 ... bike touring around the world **has** always **been** the top thing on my bucket list.
과거의 일이 현재까지 이어지는 현재완료(has+p.p.) 시제가 쓰였다.

| 해석 |----------------

세상으로 페달을 밟자

❶ 안녕. 내 이름은 재희야. ❷ 나는 여행하는 것, 자전거 타는 것, 그리고 타 문화의 다양한 사람들을 만나는 것을 정말 좋아해. ❸ 그래서 자연스럽게 전 세계 자전거 여행은 언제나 내 버킷 리스트의 최우선이었어. ❹ 2015년에 나는 내 도전의 첫 목적지로 유럽을 선택했어. ❺ 나는 계획을 실행하기 위해 내 친구 도윤이와 출발했어. ❻ 130일 동안 우리는 유럽의 13개 국가를 자전거로 여행했고, 길에서 많은 사람들을 만났어. ❼ 정말 훌륭한 경험이었어. ❽ 여기에 내 일기의 일부를 함께 나눠 보려 해.

어구

destination 몡 목적지, 도착지
set off 출발하다
·We *set off* for Seoul just after seven. (우리는 7시가 막 넘었을 때 서울을 향해 출발했다.)
put ... into action …을 행동에 옮기다
·They will *put* their idea *into action*. (그들은 그들의 아이디어를 실행할 것이다.)
entry 몡 항목, 입력, 입장

Check Up

01 다음 글에서 어법상 틀린 것을 골라 바르게 고치시오.

I love traveling, cycling, and ①meeting various people from different cultures. So, naturally, ②bike touring around the world ③has always been the top thing on my bucket list. In 2015, I ④have chosen Europe as the destination for my first adventure. I set off with my friend Doyun ⑤to put my plan into action.

02 우리말과 일치하도록 빈칸에 알맞은 말을 쓰시오.

우리는 출발하기 전에 여행 계획을 세웠다.
→ We planned our trip before we _____
_____ .

Day 1: Istanbul, Turkey

❶ We arrived at Istanbul Atatürk International Airport in Turkey. ❷ The flight took over 10 hours, which (계속적 용법의 주격 관계대명사) was tiring for us, but we were so excited when we got our bicycles at the baggage claim. ❸ The first thing we did was to assemble (to부정사의 명사적 용법 (보어)) them. ❹ After two hours of struggling with the parts, we were finally ready to pedal the world!

❺ We wandered around the airport for a little while (잠시) before leaving and riding to downtown Istanbul. ❻ It was a beautiful, easy ride along (~을 따라) a coastal road. ❼ Suddenly, Doyun yelled, "I've got a flat tire!" ❽ We stopped, and while (~동안에) he was repairing his tire, a lot of thoughts went through my mind. ❾ Because we'd never done (과거완료 (경험)) this kind of tour before, I was worried about whether or not we would be able to handle the upcoming bike routes ^(that) we'd have to take on our long journey. ❿ However, the view of the emerald sea from the road was so beautiful that (매우 ~해서 …하다 (결과 용법)) all my worries seemed to be washed away by the waves. ⓫ We were young, and the great big world was welcoming us.

[Q] What was Jaehee worried about when Doyun got a flat tire?
도윤이의 자전거 타이어가 구멍 났을 때 재희는 무엇을 걱정했습니까?

[Sample] He was worried about whether or not they would be able to handle the upcoming bike routes they'd have to take on their long journey.
그는 그들이 거쳐야 할 긴 여행 중에 맞이할 자전거 여행의 여정을 감당할 수 있을지 아닐지에 대해 걱정했다.

구문 연구

❷ The flight took over 10 hours, **which** was tiring for us, ...: which는 계속적 용법의 주격 관계대명사로 쓰여서 앞 절의 내용(The flight took over 10 hours)을 선행사로 수식한다.

❾ Because **we'd never done** this kind of tour before, I was worried about **whether or not** we would be able to handle the upcoming bike routes ~.: we'd(= we had) never done은 과거 시점 이전부터 과거까지의 경험을 표현하는 과거완료(had p.p.) 시제로 쓰였다. whether는 명사절을 이끄는 접속사로 or not과 함께 '~인지 아닌지'라는 의미를 가진다.

❿ However, the view of the emerald sea from the road was **so** beautiful **that** all my worries seemed to be washed by the waves.: '매우 ~해서 …하다'라는 의미의 so+형용사/부사+that+주어+동사」 표현이 사용되었다.

Pay Attention

L11 ... I was worried about **whether or not** we would be able to handle the upcoming bike routes we'd have to take on our long journey.

whether는 or not과 함께 '~인지 아닌지'라는 뜻으로 about의 목적어인 명사절을 이끄는 접속사로 쓰인다.

| 해석 |

첫째 날: 터키, 이스탄불

❶ 우리는 터키의 이스탄불 Atatürk 국제공항에 도착했다. ❷ 비행이 10시간 넘게 걸렸고 이것이 우리를 피곤하게 했지만, 수하물 찾는 곳에서 우리의 자전거를 받았을 때는 정말 신이 났다. ❸ 우리가 처음 한 일은 그것들을 조립하는 것이었다. ❹ 두 시간동안 부품들과 씨름한 뒤에야 우리는 비로소 세상에 페달을 밟을 준비가 되었다!

❺ 우리는 이스탄불 시내로 떠나 자전거를 타기 전에 공항 주변을 잠시 돌아다녔다. ❻ 아름다웠고 해변 도로를 따라 달리기 쉬웠다. ❼ 갑자기 도윤이가 "내 타이어에 구멍이 났어!"라고 소리쳤다. ❽ 우리는 멈췄고, 그가 타이어를 수리하는 동안 많은 생각이 내 마음을 스쳐 갔다. ❾ 이전에 이런 종류의 여행을 해 본 적이 없었기 때문에, 우리가 거쳐야 할 긴 여행 중에 맞이할 자전거 여행의 여정을 감당할 수 있을지 아닐지에 대해 걱정이 되었다. ❿ 하지만 도로에서 보는 에메랄드빛 바다의 경치는 매우 아름다워서 내 모든 걱정들이 파도에 의해 씻겨 나가는 것 같아 보였다. ⓫ 우리는 젊고, 웅대한 세상이 우리를 반기고 있었다.

어구

baggage claim [명] 수하물 찾는 곳
assemble [동] 조립하다, 모으다
struggle [동] 고군분투하다
wander [동] 돌아다니다, 헤매다
·He *wandered* aimlessly through the streets. (그는 거리를 정처 없이 헤매었다.)
downtown [부] 시내에(로)
coastal [형] 해변의
flat tire 바람 빠진 타이어
upcoming [형] 다가오는, 곧 있을

Check Up

01 다음 글에서 어법상 틀린 것을 골라 바르게 고치시오.

Because ① we'd never done this kind of tour before, I was worried about ② if or not we would ③ be able to handle the upcoming bike routes ④ we'd have to take on our long journey.

02 우리말과 일치하도록 주어진 어구를 활용하여 영작하시오.

그 공원은 매우 시끄러워서 내가 휴식을 취할 수가 없었다.

The park was ______________________.

(noisy, so, that, take a rest)

❶ Istanbul is a city with several historic areas [that are listed as UNESCO World Heritage Sites]. (주격 관계대명사절) ❷ Doyun has a particular interest in this historic city, and he guided me as if he had been (as if 가정법 과거완료) to every corner of it. ❸ Our first destination was the Sultan Ahmed Mosque. ❹ It is popularly known as (~으로 유명하다) the Blue Mosque because of the blue tiles (「because of+명사(구)」 ~때문에) ^used (that are) to decorate (to부정사의 부사적 용법 (목적)) the inside of it. ❺ It still functions as (~로 (전치사)) a mosque as (접속사) it did (대동사) long ago. ❻ Like (~처럼) many tourists there, I was so impressed by its magnificence.

❼ Next, we headed to the Galata Bridge, which (계속적 용법의 주격 관계대명사 (= and it)) spans the Golden Horn in Istanbul. ❽ This bridge is famous as a symbol of connection between the two continents of Asia and Europe. ❾ Since (~ 이래로) the bridge was first built, it has been reconstructed and renovated (현재완료 수동태) several times; the one [that stands today] (주격 관계대명사절) was built in 1994. ❿ It (가주어) is known [that Leonardo da Vinci designed a bridge to be built (to부정사의 수동태) at this location in 1502]. (진주어절) ⓫ Unfortunately, however, his design was not realized. ⓬ Still (접속 부사 (그럼에도 불구하고)), the current bridge and its surrounding scenery are beautiful. ⓭ When we arrived there, the view of the Golden Horn was calm and peaceful from the bridge, with many people fishing on it. (「with+목적어+현재분사」 ~하면서)

구문 연구

❶ Istanbul is a city with several historic areas **that** are listed as UNESCO World Heritage Sites.: that은 주격 관계대명사로 쓰여서 선행사 several historic areas를 수식한다.

❷ Doyun has a particular interest in this historic city, and he guided me **as if** he **had been** to every corner of it.: 「as if 가정법 과거완료」 형태는 '마치 ~였던 것처럼'의 의미로 과거 사실의 반대를 가정하거나 상상하는 표현이다.

❹ It is popularly known as the Blue Mosque because of the blue tiles **used to decorate** the inside of it.: used는 the blue tiles를 수식하는 과거분사로 the titles와 used 사이에 「관계대명사+be동사」 which(that) are가 생략된 형태로 볼 수 있다. to decorate는 목적을 나타내는 to부정사의 부사적 용법으로 쓰였다.

❺ It still functions **as** a mosque **as** it **did** long ago.: 첫 번째 as는 전치사로 '~로'라는 의미이고, 두 번째 as는 부사절 접속사로 '~대로(~듯이)'라는 의미로 쓰였다. did는 대동사로 functioned를 대신하여 쓰였다.

❾ Since the bridge was first built, it **has been reconstructed** and **renovated** several times; the one that stands today was built in 1994.: 다리가 건설된 이래로 계속 재건과 보수가 이루어졌기 때문에 동사로 현재완료 수동태인have(has) be p.p. 형태가 쓰였다.

❿ **It** is known **that** Leonardo da Vinci designed a bridge **to be built** at this location in 1502.: It는 가주어이고 that절이 진주어이다. to be built는 to부정사의 수동형으로 a bridge를 수식하는 형용사적 용법으로 쓰였다.

⓭ When we arrived there, the view of the Golden Horn was calm and peaceful from the bridge, **with many people fishing** on it.: '~하면서'라는 동시 동작을 나타내기 위해 「with+목적어+현재분사」 구문이 쓰였으며 many people과 fishing의 관계가 능동이므로 현재분사가 쓰였다.

Pay Attention

L2 Doyun has a particular interest in this historic city, and he guided me **as if** he **had been** to every corner of it.
'마치 ~였던 것처럼'이라는 뜻의 「as if 가정법 과거완료」가 쓰였다.

L15 ... the view of the Golden Horn was calm and peaceful from the bridge, **with many people fishing** on it.
'~하면서'라는 뜻의 「with+목적어+현재분사」 구문이 쓰였다.

Top Tips

L8 The Golden Horn is a major urban waterway and the primary inlet of the Bosphorus in Istanbul, Turkey.
골든 혼은 주요 도시 수로이자 터키의 이스탄불에서 Bosphorus로 들어가는 첫 어귀이다.

해석

❶ 이스탄불은 유네스코 세계 유산 지역에 등재된 여러 역사적 지역이 함께 있는 도시이다. ❷ 도윤이는 이 역사적인 도시에 특별한 관심을 가지고 있고, 이전에 그곳의 모든 곳을 가 봤던 것처럼 나에게 안내했다. ❸ 우리의 첫 번째 여행지는 술탄 아메드 모스크였다. ❹ 그것은 내부를 장식하기 위해 사용된 파란색 타일 때문에 블루 모스크로 널리 알려져 있다. ❺ 그것은 먼 옛날에 그랬던 그때처럼 여전히 모스크로 기능하고 있다. ❻ 그곳의 많은 여행객들처럼 나 역시도 그것의 장엄함에 매우 감명 받았다. ❼ 다음으로 우리는 갈라타 다리로 향했고, 그것은 이스탄불에서 골든 혼을 가로지르고 있다. ❽ 이 다리는 아시아와 유럽 두 대륙 사이를 연결하는 상징으로 유명하다. ❾ 갈라타 다리는 처음 건축된 이래로 여러 번 재건과 보수를 해 왔다. 현재의 서 있는 다리는 1994년에 지어졌다. ❿ 1502년 이 자리에 지어질 다리를 레오나르도 다빈치가 디자인한 것으로 알려져 있다. ⓫ 하지만 불행히도 그의 디자인은 실현되지 못했다. ⓬ 그럼에도 불구하고 현재 다리와 그것을 둘러싼 경치는 아름답다. ⓭ 우리가 그곳에 도착했을 때 그 다리에서 보는 골든 혼의 경치는 고요하고 평화로웠고 많은 사람들이 그곳에서 낚시를 하고 있었다.

어구

heritage [명] 유산
magnificence [명] 장엄함 ([형] magnificent)
span [동] 걸치다, 가로지르다 [명] 기간, 폭
· The bridge *spans* the river. (그 다리는 강을 가로지른다.)
connection [명] 연결; 관련
renovate [동] 보수하다; 혁신하다

⓮ For the night, we decided to camp at a nearby park. ⓯ The park
manager brought us each a cup of hot black tea with a lump of sugar.
　　　　　　∼ 동안
　　　　　　　　동사　　간접목적어　　　　　　직접목적어
⓰ He said [that it was Turkish tea, which is the most consumed hot
　　　　said의 목적어절 1　　　　　　　계속적 용법의 주격 관계대명사 (= and it)
drink in Turkey], and [that offering tea to guests was part of Turkish
hospitality]. ⓱ His kindness made our tiredness disappear.
　　　　　　said의 목적어절 2
　　　　　　　　　　　　　사역동사＋목적어＋목적격 보어 (동사원형)

ⓠ Do you know of any other UNESCO World Heritage Sites?
여러분은 유네스코 세계 유산에 관한 다른 것을 압니까?

[Sample] Yes, I do. Angkor Wat in Cambodia is one of the best-known UNESCO World Heritage Sites. 알고 있다. 캄보디아에 있는 앙코르 와트는 가장 잘 알려진 유네스코 세계 유산 중 하나이다.

구문 연구

⓰ He said **that** it was Turkish tea, **which is** the most consumed hot drink in Turkey, and **that** offering tea to guests was part of Turkish hospitality.: 두 개의 that절은 각각 said의 목적어절을 이끌고 which는 계속적 용법으로 쓰인 주격 관계대명사로 선행사는 바로 앞의 Turkish tea이다. Turkish tea가 터키에서 가장 많이 소비되는 음료인 것이 사실이므로 동사의 현재형 is를 썼다.

⓱ His kindness **made our tiredness disappear**.: 「사역동사＋목적어＋목적격 보어」 형태가 쓰였고 목적어인 our tiredness와 목적격 보어인 disappear가 능동 관계이므로 동사원형인 disappear가 쓰였다.

Grammar Check

◆ as if(though) 가정법
· as if(though) 가정법 과거: 「as if 주어＋동사의 과거형」의 형태이며, '마치 ∼인 것처럼'이라는 의미로 현재 사실에 반대되는 내용을 가정하거나 상상하는 표현이다.

  e.g. He talks **as if** he **was(were)** the team leader. (In fact, he is not the team leader.)
　　(그는 마치 그가 팀장인 것처럼 말한다. (사실, 그는 그 팀장이 아니다.))
  cf. He talks as if he is the team leader. (Perhaps he is.)
　　(그는 마치 그가 팀장인 것처럼 말한다. (그가 팀장일 수도 있다.))

· as if(though) 가정법 과거완료: 「as if 주어＋had p.p.」의 형태이며, '마치 ∼였던 것처럼'이라는 뜻으로 과거 사실에 반대되는 내용을 가정하는 표현이다.

  e.g. He talks **as if** he **had been** the team leader. (In fact, he was not the team leader.)
　　(그는 마치 그가 팀장이었던 것처럼 말한다. (사실, 그는 팀장이 아니었다.))

◆ with＋목적어(명사)＋분사
'∼하면서', '∼가 …한 채'라는 뜻으로 동시 동작을 표현하는 분사구문이며, 명사와 분사가 능동 관계이면 현재분사를, 수동 관계이면 과거분사를 쓴다.

e.g. It was a foggy morning, **with the wind blowing**. (바람이 불며 안개가 자욱한 아침이었다.)
　I fell asleep **with the TV turned** on. (나는 TV를 켜 놓은 채로 잠이 들었다.)

Check Up

01 우리말과 일치하도록 주어진 어구를 활용하여 영작하시오.

> 그녀는 그녀가 이스탄불에 다녀왔던 것처럼 말했다.

She talked ＿＿＿＿＿＿＿＿＿＿＿＿＿＿＿＿.
　　　　　　　　　　　　　　(as if, be)

02 다음 괄호 안에서 알맞은 것을 고르시오.

(1) I fell asleep with the TV (turning / turned) on.

(2) People enjoyed the festival, with boys (dancing / danced) in the streets.

⓮ 밤 동안 우리는 공원 근처에서 야영하기로 결정했다. ⓯ 공원 관리자가 우리에게 설탕이 한 덩이씩 들어 있는 따뜻한 홍차를 한 컵씩 가져다주었다. ⓰ 그것은 터키식 차이고, 터키에서 가장 많이 소비되는 따뜻한 음료이며, 손님에게 차를 대접하는 것은 터키식 환대의 한 부분이라고 그는 말했다. ⓱ 그의 친절함이 우리의 피곤을 사라지게 했다.

어구

lump 몡 덩어리
· a *lump* of bread (빵 한 덩어리)
hospitality 몡 환대
· Thank you for your kind *hospitality*. (당신의 환대에 감사드립니다.)
tiredness 몡 피로, 권태
disappear 몡 사라지다

Day 30: Florence, Italy

❶ We left Empoli and arrived in Florence after about an hour of cycling. ❷ Florence is considered one of the most beautiful cities in the world. ❸ At a lounge in a Florence train station, I recharged my laptop battery and blogged my travel journal entries. ❹ Doyun enjoyed a cup of nice coffee. ❺ It was relaxing and comfortable after the hard cycling [we had done in the previous few days]. ❻ While we were relaxing, a man came up to us and handed us a T-shirt, without saying a word. ❼ Because I thought [he was trying to sell us the T-shirt], I said to him, "No, thanks." ❽ However, he was not a street vendor but a Brazilian backpacker [who wanted to promote the Olympics held in his country]. ❾ In English, he tried to explain the meaning of the symbol printed on the T-shirt.

(「one of the+최상급+복수 명사」 가장 ~한 것 중 하나 / 목적격 관계대명사절 / 전치사 / 과거완료 (had p.p.) / ~ 동안 / 「without+-ing」 ~하지 않고 / thought의 목적어절 / 「not A but B」 A가 아니라 B / 주격 관계대명사절)

Q Who was the man they met at the lounge in the Florence train station? Why did he come up to them?
피렌체 기차역 라운지에서 도윤이와 재희가 만났던 남자는 누구입니까? 왜 그는 그들에게 다가왔습니까?

[Sample] He was a Brazilian backpacker. He wanted to promote the Olympics held in his country. 그는 브라질인 배낭여행자였다. 그는 그의 나라에서 올림픽이 열리는 것을 홍보하고 싶어 했다.

구문 연구

❷ Florence is considered **one of the most beautiful cities** in the world.: 「one of the+최상급+복수 명사」는 '가장 ~한 것 중 하나'라는 뜻의 표현으로 이 표현이 주어로 쓰일 경우 실질 주어가 one이므로 동사는 단수형을 쓴다.

❺ It was relaxing and comfortable after the hard cycling **we had done** in the previous few days.: we had done은 the hard cycling을 수식하는 목적격 관계대명사절로 앞에 that 또는 which가 생략되었으며, had done은 was 이전의 과거 경험을 표현하는 과거완료(had p.p.) 시제로 쓰였다.

❻ While we were relaxing, a man came up to us and handed us a T-shirt, **without saying** a word.: saying은 전치사 without의 목적어로 쓰인 동명사이다.

❽ However, he was **not** a street vendor **but** a Brazilian backpacker **who** wanted to promote the Olympics held in his country.: 'A가 아니라 B'라는 뜻의 「not A but B」 표현이 쓰였으며, A와 B에 해당하는 표현은 문법적으로 서로 같은 형태여야 한다. who는 주격 관계대명사로 who 이하는 선행사 a Brazilian backpacker를 수식한다.

Pay Attention

L10 However, he was **not** a street vendor **but** a Brazilian backpacker who wanted to promote the Olympics held in his country.
'A가 아니라 B이다'라는 뜻의 「not A but B」가 쓰였다.

| 해석 |

서른 번째 날: 이탈리아, 피렌체
❶ 우리는 엠폴리를 떠나 한 시간 정도 자전거를 탄 뒤 피렌체에 도착했다. ❷ 피렌체는 세계에서 가장 아름다운 도시 중 하나로 여겨진다. ❸ 피렌체 기차역의 라운지에서 나는 노트북을 충전하고 내 여행 저널 이야기를 블로그에 올렸다. ❹ 도윤이는 훌륭한 커피 한 잔을 즐겼다. ❺ 우리가 앞선 며칠 동안 했던 힘든 자전거 여행 후 느긋하고 편안한 시간이었다.
❻ 휴식을 취하는 동안, 한 남자가 우리에게 다가와 말없이 티셔츠 한 장을 건넸다. ❼ 나는 그가 우리에게 티셔츠를 팔려 한다고 생각했기 때문에 "괜찮아요."라고 말했다. ❽ 그러나 그는 거리의 상인이 아니었고 자신의 나라에서 열릴 올림픽을 홍보하고 싶어 하는 브라질인 배낭여행자였다. ❾ 그는 영어로 티셔츠에 그려진 로고의 의미에 대해 설명하려 했다.

어구

consider [동] 고려하다
· It is important to *consider* what would be best for your children. (여러분의 아이들에게 무엇이 최선인지 고려하는 것이 중요하다.)
recharge [동] 재충전하다
laptop [명] 노트북 컴퓨터
blog [동] 블로그에 기록하다; [명] 블로그
vendor [명] 행상인, 노점상
backpacker [명] 배낭여행자
promote [동] 홍보하다, 촉진하다
· Their goal is to *promote* the importance of renewable energy. (그들의 목표는 재생 에너지의 중요성을 홍보하는 것이다.)

Check Up

01 다음 문장에서 틀린 부분을 찾아 바르게 고치시오.

(1) It was relaxing and comfortable after the hard cycling we have done in the previous few days.

(2) I think Florence is one of the most beautiful city in the world.

02 우리말과 일치하도록 빈칸에 알맞은 말을 쓰시오.

그는 수학이 아니라 영어에 흥미가 있다.

He is interested ______________ in math ______________ in English.

❶ As a Korean, it was quite interesting to communicate with a Brazilian in English in an Italian city! ❷ We took pictures together to remember the moment. ❸ Though it was our first time meeting, it felt as if we were old friends! ❹ We then rode our bikes to the Duomo, Santa Maria del Fiore, one of the largest cathedrals in the world. ❺ This vast Gothic structure was built on the site of the old church of Santa Reparata, and its construction lasted from the late 13th to the early 15th century. ❻ It took about two centuries for the cathedral to be completed! ❼ Climbing the Duomo was very challenging. ❽ However, we forgot this when we got to the top and looked down at the beautiful city. ❾ The view of Florence was terrific. ❿ I came to understand why so many people want to visit this place. ⓫ We then split a calzone as a late lunch on some grass nearby. ⓬ A calzone is an Italian dumpling consisting of pizza dough folded over and filled with meat and vegetables. ⓭ It was really delicious.

Ⓠ Where was the Duomo built? 두오모는 어디에 지어졌습니까?
> Sample It was built on the site of the old church of Santa Reparata.
> 오래된 산타 레파라타 교회의 자리에 지어졌다.

구문 연구

❸ Though it was our first time meeting, it felt **as if we were** old friends!: '마치 ~인 것처럼'이라는 뜻의 'as if 가정법 과거'가 쓰여 과거 동사 were가 쓰였으며 현재 사실의 반대를 가정하고 있다.

❻ **It took** about two centuries **for** the cathedral **to be** completed!: '~가 …하는데 시간이 걸리다'라는 뜻의 「it takes+시간 +for+의미상 주어+to+동사원형」 표현이 쓰였으며, to부정사가 의미상 주어 the cathedral이 수동 관계이므로 to부정사의 수동형을 썼다.

❼ **Climbing the Duomo was** very challenging.: Climbing은 주어로 쓰인 동명사이며 동명사(구) 주어는 단수 취급하므로 단수 동사 was가 쓰였다.

⓬ A calzone is an Italian dumpling **consisting** of pizza dough **folded** over and **filled** with meat and vegetables.: 현재분사 consisting은 an Italian dumpling을 수식하고 과거분사 folded와 filled는 pizza dough를 수식한다. 수식을 받는 말과 수식어가 능동 관계이면 현재분사를 쓰고 수동 관계이면 과거분사를 쓴다.

Pay Attention

L3 Though it was our first time meeting, it felt **as if we were** old friends!
'마치 ~한 것처럼 …했다'라는 뜻으로 「as if+주어+과거 동사」 형태의 가정법 과거가 쓰였다.

L8 It took about two centuries **for** the cathedral **to be** completed!
「It took+시간+for 의미상 주어+to+동사원형」 형태가 쓰여서 '…가 ~하는데 시간이 걸렸다'라는 의미를 나타낸다.

| 해석 |

❶ 한국인으로서 이탈리아 도시에서 영어로 브라질 사람과 의사소통하는 것은 꽤 재미있었다. ❷ 우리는 그 순간을 기념하기 위해 함께 사진을 찍었다. ❸ 처음 만난 것이었음에도 불구하고 우리는 마치 오랜 친구처럼 느껴졌다! ❹ 그리고 나서 우리는 세계에서 가장 큰 성당 중 하나인 두오모, 산타 마리아 델 피오레 성당으로 자전거를 타고 갔다. ❺ 이 거대한 고딕 건축물은 오래된 산타 레파라타 교회의 자리에 지어졌고 그것의 공사는 13세기 말부터 15세기 초까지 계속되었다. ❻ 그 성당이 완성되는 데 2세기나 걸렸다! ❼ 두오모를 오르는 것은 매우 힘들었다. ❽ 그러나 우리가 꼭대기에 도착해서 아름다운 시내를 내려다볼 때 이것을 잊었다. ❾ 피렌체의 경치는 아주 멋졌다. ❿ 매우 많은 사람들이 이 장소를 방문하고 싶어 하는 이유를 이해할 수 있게 되었다. ⓫ 우리는 그 이후 근처 잔디밭에서 늦은 점심으로 깔조네를 나눠 먹었다. ⓬ 깔조네는 고기와 채소로 속을 채워 접은 피자 도우로 이루어진 이탈리아식 만두이다. ⓭ 그것은 정말 맛있었다.

어구

cathedral 똉 대성당
vast 똉 광대한
terrific 똉 대단한, 아주 멋진
split 똉 나누다
· She *split* the money she earned with her friend. (그녀는 자기가 번 돈을 친구와 나누었다.)
consist of ~로 구성되다
· The exam *consists of* two parts. (그 시험은 두 부문으로 구성된다.)
dough 똉 반죽

Check Up

01 다음 문장에서 틀린 부분을 찾아 바르게 고치시오.

(1) It took about two centuries for the cathedral to complete.

(2) A calzone is an Italian dumpling consisting of pizza dough folding over and filled with meat and vegetables.

02 우리말과 일치하도록 빈칸에 알맞은 말을 쓰시오.

> 그 책은 12개 장으로 구성된다.

The book _____ _____ 12 chapters.

Day 60: Berlin, Germany

❶ We biked along the Elbe River. ❷ With the night coming, it began to
rain. 「with+목적어+현재분사」 ~가 …하면서 ❸ I thought it wouldn't last long, but it started to pour. ❹ I missed
= the rain
home so much: my warm and cozy room, and my mom's cooking.

❺ We finally arrived at the center of Berlin. ❻ The Brandenburg Gate
welcomed us. ❼ It was behind the gate that the Berlin Wall, which
It was ~ that 강조 구문   계속적 용법의 주격 관계대명사
separated East and West Germany from 1961 to 1989, had stood for 28
과거 (역사적 사실)   과거완료 (had p.p.)
years. ❽ After a short rest at the Tiergarten, a huge park, we went to the
동격
East Side Gallery. ❾ There, a 1.3-kilometer-long area of the Berlin Wall
단수 주어
still remains. ❿ We walked around the wall and saw various symbolic
단수 동사   병렬 구조
pictures and graffiti on it. ⓫ Surprisingly, we saw writing in Hangeul:
"우리의 소원은 통일" (Our hope is unification). ⓬ I silently made a wish
동격
that someday we could make that hope come true.
make(사역동사)+목적어+목적격 보어 (동사원형)

🔍 Search the Internet for more historic facts about the Berlin Wall.
베를린 장벽에 관한 더 많은 역사적 사실을 인터넷으로 검색해 봅시다.

Sample The Berlin Wall was a concrete barrier that physically and ideologically divided
Berlin from 1961 to 1989. Constructed by East Germany, starting on August 13,
1961, the Berlin Wall completely cut off West Berlin from East Berlin and surrounding
East Germany until government officials opened it in November 1989. Its destruction
officially began on June 13, 1990 and was completed in 1992.
베를린 장벽은 1961년부터 1989년까지 베를린을 물리적으로 그리고 이념적으로 나누는 콘크리트 장
벽이었다. 1961년 8월 13일부터 동독에 의해 지어지기 시작한 베를린 장벽은 1989년 11월에 정부
에서 그것을 열 때까지 동독을 감싸면서 동베를린으로부터 서베를린을 완전하게 차단했다. 그것의 붕괴
는 공식적으로 1990년 6월 13일에 시작되었고 1992년에 완성되었다.

구문 연구

❼ **It was** behind the gate **that** the Berlin Wall, **which separated** East and
West Germany from 1961 to 1989, **had stood** for 28 years.: It was ~ that 강조
구문이 쓰였으며 부사구 behind the gate를 강조하고 있다. that절의 주어는 the Berlin Wall이고 동사는
had stood이다. which는 계속적 용법의 주격 관계대명사이며, which가 이끄는 절의 동사는 역사적 사실이
므로 과거형을 썼다.

⓬ I silently made **a wish that** someday we could **make that hope come** true.:
첫 번째 that은 a wish의 내용을 설명하는 동격절을 이끄는 접속사로 쓰였다. make는 사역동사로 목적어 that
hope와 목적격 보어로 동사원형 come을 취했다.

Pay Attention
L2 With the night coming, it began to
rain.
「with+목적어+현재분사」 형태의 동시 동작을
나타내는 분사구문이 쓰였다.

Highlight
L12-13 Highlight the two instances of
that and compare their meanings.
'that'의 두 가지 예에 하이라이트 표시를 하고
그 의미를 비교해 봅시다.
정답 첫 번째 that: 동격절을 이끄는 접속사 / 두
번째 that: hope를 수식하는 지시형용사

| 해석 |--------------------------

60일 째날: 독일, 베를린
❶ 우리는 엘베 강을 따라 자전거를 탔다. ❷ 밤이
되면서 비가 내리기 시작했다. ❸ 나는 비가 오래
계속되지 않을 것이라고 생각했지만, 비는 퍼붓기
시작했다. ❹ 나는 따뜻하고 아늑한 내 방과 엄마의
음식이 있는 내 집이 매우 그리웠다.
❺ 우리는 마침내 베를린의 중심에 도착했다. ❻ 브
란덴부르크 문이 우리를 맞이했다. ❼ 바로 그 문
뒤에 1961년부터 1989년까지 동독과 서독을 나
누는 베를린 장벽이 28년 동안 서 있었다. ❽ 큰 공
원인 티어가르텐에서 잠깐 쉰 뒤 우리는 이스트 사
이드 갤러리에 갔다. ❾ 그곳에는 1.3 킬로미터의
길이의 베를린 장벽의 한 부분이 여전히 남아 있었
다. ❿ 우리는 벽 주변을 걸으며 여러 가지 상징적
인 그림들과 그라피티를 보았다. ⓫ 놀랍게도 우리
는 '우리의 소원은 통일'이라는 한글로 쓰인 것을
보았다. ⓬ 나는 속으로 언젠가는 우리가 그 소원을
이룰 수 있기를 빌었다.

어구

cozy 형 아늑한, 편안한
· The room looked neat and *cozy*. (그 방은
깨끗하고 아늑해 보였다.)
various 형 다양한
symbolic 형 상징적인
graffiti 명 그라피티, 낙서
unification 명 통일

Check Up

01 우리말과 일치하도록 괄호 안의 단어를 순서대로 배열하시오.

> 바로 그 문 뒤에 베를린 장벽이 28년 동안 서 있었다.

_____
the Berlin Wall had stood for 28 years.
(that, was, gate, behind, it, the)

02 다음 글에서 어법상 틀린 것을 골라 바르게 고치시오.

After a short rest at the Tiergarten, a huge
park, we went to the East Side Gallery. There, a
1.3-kilometer-long area of the Berlin Wall still
remain.

교과서 p. 25

Day 110: Manchester, UK

❶ We were supposed to head to Manchester to meet Jimmy, whom I got to know on an online bike tourist community called Warm Showers. ❷ Warm Showers hosts provide bike tourists with free accommodation all around the world. ❸ We arrived in Manchester late at night. ❹ The next morning, Jimmy took us to Old Trafford, the home football ground of Manchester United. ❺ Our time at Old Trafford started with a tour of the Manchester United Museum, where we saw a wax sculpture of Peter Schmeichel, the former Manchester United goalkeeper. ❻ Doyun automatically bowed to the sculpture, which was really funny. ❼ When I entered the players' locker room, I was so excited to see all the uniforms. ❽ I took several pictures of myself in front of Park Ji-Sung's uniform. ❾ We had a really good time there.

(were supposed to head: 「be supposed to 동사원형」 ~하기로 되어 있다 / whom: 계속적 용법의 목적격 관계대명사 / provide ~ with: 「provide A with B」 A에게 B를 제공하다 / Old Trafford, the home football ground of Manchester United: 동격 / where: 계속적 용법의 관계부사 (= and there) / Peter Schmeichel, the former Manchester United goalkeeper: 동격 / which: 계속적 용법의 주격 관계대명사 (= and it) / to see: to부정사의 부사적 용법 (원인))

구문 연구

❶ We **were supposed to head** to Manchester to meet Jimmy, **whom** I got to know on an online bike tourist community called Warm Showers.: 「be supposed to+동사원형」은 '~하기로 되어 있다'라는 뜻의 표현이고, whom은 계속적 용법의 목적격 관계대명사로 쓰였으며 「and+목적어」의 의미이므로 관계대명사절을 and I got to know him ~으로 바꿔 쓸 수 있다.

❷ Warm Showers hosts **provide** bike tourists **with** free accommodation all around the world.: 「provide A with B」는 'A에게 B를 제공하다'라는 뜻의 표현이며 「provide B for A」로 바꿔 쓸 수 있다.

❺ Our time at Old Trafford started with a tour of the Manchester United Museum, **where** we saw a wax sculpture of Peter Schmeichel, the former Manchester United goalkeeper.: where는 계속적 용법으로 쓰인 관계부사이며 and there로 바꿔 쓸 수 있다.

❻ Doyun automatically bowed to the sculpture, **which** was really funny.: which는 계속적 용법으로 쓰인 주격 관계대명사로 and it으로 바꿔 쓸 수 있으며 it이 가리키는 것은 앞 문장의 내용(Doyun ~ the sculpture) 전체이다.

❼ When I entered the players' locker room, I was so excited **to see** all the uniforms.: to see는 감정의 원인을 나타내는 to부정사의 부사적 용법으로 쓰였다.

Pay Attention

L2 We were supposed to head to Manchester to meet Jimmy, **whom** I got to know on an online bike tourist community called Warm Showers.

목적격 관계대명사 whom이 콤마(,) 다음에 쓰여서 계속적 용법을 나타낸다.

| 해석 |

110일 째날: 영국, 맨체스터

❶ 우리는 Warm Showers라고 불리는 온라인 자전거 여행자 커뮤니티에서 알게 된 Jimmy를 만나기 위해 맨체스터로 가기로 되어 있었다. ❷ 전 세계적으로 Warm Shower 주인들은 자전거 여행자들에게 무료 숙박을 제공한다. ❸ 우리는 밤늦게 맨체스터에 도착했다. ❹ 다음날 아침, Jimmy는 우리를 맨체스터 유나이티드의 홈구장인 올드 트래포드로 데리고 갔다. ❺ 올드 트래포드에서의 시간은 맨체스터 유나이티드 박물관에서 시작되었고, 그곳에서 우리는 맨체스터 유나이티드 전 골키퍼였던 Peter Schmeichel의 밀랍상을 보았다. ❻ 도윤이는 자동적으로 그 밀랍상에 인사를 했는데, 그것이 매우 웃겼다. ❼ 선수들의 라커룸에 들어갔을 때 나는 모든 유니폼을 볼 수 있다는 데에 매우 흥분했다. ❽ 나는 박지성의 유니폼 앞에서 사진을 여러 장 찍었다. ❾ 우리는 그곳에서 정말로 좋은 시간을 보냈다.

어구

accommodation [명] 숙소, 숙박 시설
· We can provide *accommodation* for six people. (우리는 6명이 묵을 숙소를 제공할 수 있다.)
wax [명] 밀랍, 왁스
sculpture [명] 조각 (작품), 조소
automatically [부] 자동적으로
bow [동] 절을 하다

Check Up

01 다음 밑줄 친 부분을 관계사로 바꿔 쓰시오.

(1) Our time at Old Trafford started with a tour of the Manchester United Museum, and there we saw a wax sculpture of Peter Schmeichel.

(2) Doyun automatically bowed to the sculpture, and it was really funny.

02 우리말과 일치하도록 빈칸에 알맞은 말을 쓰시오.

그들은 어린이들에게 교육과 보살핌을 제공한다.

They ____________ children ____________ education and care.

⑩ In the late afternoon, Jimmy's friends came over and we played football together. ⑪ They were on their summer vacation, and they wanted to do something exciting. ⑫ So I asked if (~인지 (명사절 접속사)) they could join our bicycle trip. ⑬ They said (that) they would gladly join us to our next destination, Edinburgh, Scotland. ⑭ We were of similar age and had similar interests. ⑮ We talked about many things, from our school lives to our dream jobs. (A에서 B까지) ⑯ Traveling (동명사 주어) together on our bikes would be (동사) an unforgettable event for us all!

[Q] What do Warm Showers hosts do for bike tourists?
Warm Showers는 자전거 여행자들을 위해서 무엇을 합니까?
[정답] They provide bike tourists with free accommodation.
그들은 자전거 여행자들을 위해서 무료 숙박 시설을 제공한다.

구문 연구

⑪ They were on their summer vacation, and they wanted to do **something exciting**.: -thing으로 끝나는 대명사는 형용사가 뒤에서 수식한다.

⑫ So I asked **if** they could join our bicycle trip.: if는 '~인지'라는 의미의 명사절 접속사이며, ask의 목적어절을 이끈다.

Grammar Check

◆ **관계사의 계속적 용법**

관계사의 계속적 용법은 관계사 앞에 콤마(,)를 붙여 앞의 선행사나 문장의 일부 또는 전체를 부연 설명하는 것이다.

(1) 관계대명사의 계속적 용법

e.g. He worked with Ashely, **who** has become a famous actress.
(= and she)
(그는 Ashely와 함께 일했는데, 그녀는 유명한 배우가 되었다.)

• 문장 전체가 선행사인 경우

e.g. It snowed all night, **which** was good news for skiiers.
(= and it)
(밤새 눈이 내렸고, 그것은 스키 타는 사람들에게 좋은 소식이었다.)

• 계속적 용법으로 쓰인 목적격 관계대명사

e.g. She had a pretty daughter, **whom** she loved so much.
(그녀는 예쁜 딸이 한 명 있었고, 그녀는 딸을 매우 사랑했다.)
* 한정 용법으로 쓰인 목적격 관계대명사는 생략할 수 있지만, 계속적 용법으로 쓰인 목적격 관계대명사는 생략할 수 없다.

(2) 관계부사의 계속적 용법

e.g. I will visit Paris, **where** I will stay for three days.
(= and there)
(나는 파리에 방문할 것이고, 그곳에서 3일 동안 머무를 것이다.)

| 해석 |

⑩ 늦은 오후에 Jimmy의 친구들이 와서 우리는 함께 축구를 했다. ⑪ 그들은 여름방학 중이었고, 재미있는 일을 하고 싶어 했다. ⑫ 그래서 나는 그들에게 우리의 자전거 여행을 함께할 수 있는지 물어봤다. ⑬ 그들은 우리의 다음 목적지인 스코틀랜드의 에든버러에 기꺼이 함께 가겠다고 했다. ⑭ 우리는 모두 또래였고 비슷한 관심사를 가졌다. ⑮ 학교생활부터 바라는 직업까지, 우리는 많은 것에 대해 이야기했다. ⑯ 자전거를 타고 함께 한 여행은 우리 모두에게 잊지 못할 사건이었다!

어구

similar [형] 비슷한, 유사한
unforgettable [형] 잊을 수 없는
·Our visit to the Sahara was an *unforgettable* experience. (우리가 사하라 사막을 방문한 것은 잊을 수 없는 경험이었다.)

Check Up

01 다음 문장에서 틀린 부분을 바르게 고치시오.

(1) They were on their summer vacation, and they wanted to do exciting something.
(2) I asked which they could join our bicycle trip.

02 우리말과 일치하도록 괄호 안의 단어를 순서대로 배열하시오.

우리는 비슷한 나이였고 비슷한 관심사를 가졌다.

We ______________________________.
(of, had, age, and, similar, were, similar, interests)

❶ My great, ambitious journey is over. ❷ During it, I sometimes suffered great physical challenges and felt like giving up. ❸ At other times, I missed home a lot. ❹ When I looked around, however, there were always supporters to make up for all of these obstacles. ❺ A gentle breeze cheered me up when I was exhausted after long hours of pedaling. ❻ I met a kind local [who gladly provided me with shelter]. ❼ Most of all, my best friend, Doyun, riding with me through the journey, stood by my side. ❽ There were many good people [wherever we were]. ❾ Despite cultural differences, we all depended on each other in one way or another. ❿ As our wheels were wearing out, good memories were piling up. ⓫ I'll never forget my summer bike trip. ⓬ It will be kept in the book of my life as one of the most meaningful stories.

(felt like giving: 「feel like+동명사」 ~하고 싶다 / supporters to make: to부정사의 형용사적 용법 / a kind local [who ...]: 주격 관계대명사절 / my best friend: 주어, Doyun: 동격, stood: 동사 / wherever: 복합 관계부사 (~하는 곳이 어디든지) / Despite: 전치사 (~에도 불구하고) / depended on: ~을 의지하다 / in one way or another: 어떤 방식으로든 / As: ~함에 따라 (접속사) / will be kept: 미래 수동태 (will be p.p.) / as: ~로서 (전치사) / one of the most meaningful stories: 「one of the+최상급+복수 명사」)

[Q] What is your most memorable travel experience? Share it with the class.
여러분의 여행 경험 중 가장 기억에 남는 것은 무엇입니까? 반 친구들과 그것을 공유해 봅시다.

[Sample] My most memorable travel experience was the class field trip I had last spring. I had such a good time hanging out with my classmates outside the classroom. 가장 기억에 남는 여행은 지난봄에 했던 수학여행이었다. 교실 밖에서 친구들과 어울리며 정말 좋은 시간을 보냈다.

구문 연구

❷ During it, I sometimes suffered great physical challenges and **felt like giving** up.: 「feel like+동명사」는 '~하고 싶다'라는 의미의 표현이다.

❼ Most of all, **my best friend**, **Doyun**, **riding** with me through the journey, **stood** by my side.: 주어인 my best friend와 Doyun은 동격이며, 현재분사 riding의 수식을 받는다. 문장의 동사는 stood이다.

❽ There were many good people **wherever** we were.: wherever는 복합관계부사로 '~하는 곳은 어디든지'라는 의미를 나타내며 at any place where로 바꿔 쓸 수 있다.

❾ **Despite** cultural differences, we all depended on each other in one way or another.: Despite는 '~에도 불구하고'라는 양보의 뜻을 나타내는 전치사로 뒤에 명사 또는 명사구가 온다.

⓬ **It will be kept** in the book of my life as one of the most meaningful stories.: It은 앞 문장의 my summer bike trip을 지칭하며 동사와 수동 관계이고 미래의 일을 나타내므로 미래 수동태 「will be p.p.」의 형태로 쓰였다.

One More Step

L8 Choose the expression that could be replaced with the word *Despite*.
단어 'Despite'를 대신할 수 있는 표현을 골라 봅시다.

ⓐ Due to ~ 때문에
ⓑ Although ~일지라도
✓ⓒ In spite of ~에도 불구하고
ⓓ Because of ~ 때문에

해석

❶ 내 멋지고 야심찬 여행은 끝이 났다. ❷ 그 동안 나는 가끔 육체적으로 매우 힘들었고, 포기하고 싶기도 했다. ❸ 어떤 때는 집이 많이 그리웠다. ❹ 하지만 돌아보면 항상 이 모든 어려움을 보상할 많은 지지자들이 있었다. ❺ 오랜 시간 페달을 밟은 후 지쳤을 때 부드러운 바람이 나를 힘이 나게 했다. ❻ 내게 쉴 곳을 제공한 친절한 현지인을 만났다. ❼ 무엇보다도 여행 내내 나와 함께 달린 나의 가장 좋은 친구, 도윤이가 내 곁에 있었다. ❽ 우리가 가는 곳마다 좋은 사람들이 많이 있었다. ❾ 문화적 차이에도 불구하고 우리 모두는 어떤 방식으로든 서로에게 의지했다. ❿ 바퀴는 닳아 가지만 좋은 추억은 쌓여 갔다. ⓫ 나는 이 여름날의 자전거 여행을 결코 잊지 못할 것이다. ⓬ 그것은 가장 의미 있는 이야기 중 하나로 내 인생의 책에 간직될 것이다.

어구

ambitious [형] 야심 있는
· He has always been *ambitious* and fiercely competitive. (그는 언제나 야심만만하고 지독할 정도로 경쟁심이 강했다.)
suffer [동] ~을 겪다
physical [형] 물리적, 육체적
obstacle [명] 방해(물)
· A lack of qualifications can be a major *obstacle* to finding a job. (자격 부족은 직장을 구하는 데 주요한 장애가 될 수 있다.)
exhausted [형] 지친
local [명] 현지인, 주인

Check Up

01 다음 괄호 안에서 어법에 맞는 것을 고르시오.

(1) (Although / Despite) cultural differences, we all depended on each other in one way or another.

(2) The summer bike trip will (keep / be kept) in the book of my life as one of the most meaningful stories.

02 우리말과 일치하도록 주어진 어구를 활용하여 영작하시오.

나는 때때로 그 게임을 포기하고 싶기도 했다.

____

(sometimes, feel like, give up)

After You Read

교과서 p. 27

Text Miner

A **Look at Jaehee and Doyun's travel log. Find the incorrect information and correct it.** 재희와 도윤이의 여행 일지를 봅시다. 틀린 정보를 찾아 고쳐 봅시다.

Day 1: Turkey	Day 30: Italy	Day 60: Germany	Day 110: UK
• Visited the Blue Mosque and the Galata Bridge • Camped at a nearby park	• Met a Brazilian backpacker • Visited the Duomo and climbed up to the top of it • Had ~~pizza~~ → calzone as a late lunch	• Rested at the Tiergarten • Visited the East Side Gallery and walked around the Berlin Wall	• Stayed in ~~luxurious accommodation~~ → the house of a Warm Showers host • Visited Old Trafford and the Manchester United Museum

| 해석 |

Day 1: 터키 블루 모스크와 갈라타 다리를 방문했다
공원 근처에서 캠핑을 했다
Day 30: 이탈리아 브라질 배낭여행자를 만났다
두오모를 방문했고 그 위 꼭대기까지 올라갔다
늦은 점심으로 깔조네를 먹었다
Day 60: 독일 티어가르텐에서 휴식을 취했다
이스트 사이드 갤러리에 갔고 베를린 장벽을 걸었다
Day 110: 영국 Warm Showers 숙소에 머물렀다
올드 트라포드와 맨체스터 유나이티드 박물관에 갔다

Reading Enhancer

B **Choose one of the examples in the box below and search the Internet to find more information about it. Present what you find to the class.** 아래 보기의 예시 중 하나를 고르고 인터넷을 검색하여 그것에 관한 더 많은 정보를 찾아봅시다. 반 친구들에게 여러분이 찾은 것을 발표해 봅시다.

WARMSHOWERS Log in Donate FAQ Join English ▾

Introduction

The Warm Showers Community is a free worldwide hospitality exchange for touring cyclists. People who are willing to host touring cyclists sign up and provide their contact information, and may occasionally have someone stay with them and share great stories. All members agree to host others at some time, and for some members, this may be in years or even decades in the future.

How to Use the Site

After logging in, visit the main page. You can search by name, email, or by location. On the map, red markers indicate individual hosts. After finding a prospective host, visit their profile page and contact them using the "Send Message" button on their profile page. Please make sure to read the entire page first, to make sure that the host fits your needs and you fit the host's preferences. Also, please do not contact hosts listed as "not currently available" for hospitality.

| Examples |
- Warm Showers
- The Galata Bridge
- UNESCO World Heritage
- The Duomo
- Calzone

[Sample] Calzone: Calzones originated in Naples. Calzones are often sold at Italian restaurants or by street vendors because they are easy to eat while standing up or walking. 깔조네: 깔조네는 나폴리에서 유래되었다. 깔조네는 이탈리아 식당에서 종종 팔리거나 서서 또는 걸으면서 먹기에 쉬워서 거리 상인들이 팔기도 한다.

어구
log [명] 일지
rest [동] 쉬다 [명] 휴식
luxurious [형] 호화로운

| 해석 |

소개 Warm Showers 커뮤니티는 자전거 여행자에게 전 세계적으로 무료 편의를 교환하는 프로그램입니다. 자전거 여행자들을 기꺼이 접대할 사람들은 신청하고 그들의 연락처를 제공하며, 때때로 그들과 머물도록 하고, 좋은 이야기들을 공유합니다. 모든 회원들은 언젠가 다른 이들을 접대하는 것에 동의하고 몇몇 회원들에게 이런 일이 향후 수년 또는 심지어 몇 십 년 동안 있을 수도 있습니다.
사이트 이용 방법 로그인 후 메인 페이지를 방문하세요. 이름, 이메일, 또는 지역으로 검색할 수 있습니다. 지도에서 빨간색 표시는 개인 호스트를 가리킵니다. 유망한 호스트를 찾은 다음 그들의 프로필 페이지를 방문해서 '메시지 보내기' 버튼을 이용하여 그들과 연락하세요. 먼저 호스트와 여러분의 요구가 맞고 여러분이 호스트의 선호도와 맞는지를 확인하도록 꼭 전체 페이지를 읽으세요. 또한 환대를 위해서 '현재 이용 불가'로 목록에 있는 숙소에 연락하지 마세요.

어구
hospitality [명] 환대, 접대
be willing to 기꺼이 ~하다
occasionally [부] 가끔
decade [명] 10년
prospective [형] 유망한, 장래의
preference [명] 선호

✔Self-Check **Check your understanding.** **If you need help,**

Words	1 2 3 4 5	look up the words you still don't know. 어휘 찾아보기
Structures	1 2 3 4 5	review the "Pay Attention" sections. 섹션 복습하기
Content	1 2 3 4 5	read the text again while focusing on its meaning. 다시 읽어보기

Writing Lab

A Travel Journal 여행 일기

교과서 pp. 28~29

STEP 1 **Listen to Doyun's travel journal and fill in the blanks with the appropriate expressions.** 🎧 도윤이의 여행 일기를 듣고, 적절한 표현으로 빈칸을 채워 봅시다.

Doyun's Travel Journal

Date: June 17th, 2015 **Location:** Istanbul **Weather:** ___Sunny___

Rating: ☑ Awesome ☐ Fun ☐ OK ☐ Tiring

- **Who I Traveled with**

  I took a(n) ___bicycle___ tour with my friend Jaehee.

- **Coolest Place I Visited**

  Among the places I visited, I liked the Blue Mosque most. I was so impressed by the ___unique___ colors of its inside. It was much more beautiful than I expected.

- **Most Amazing Experience**

  I got ___a flat tire___ while riding along the coast, which was really frustrating. While I was repairing my tire, however, the scenic view of the emerald sea caught my ___attention___.

- **Best Food I Had**

  I bought a mackerel kebab at a street stand near the Galata Bridge. I thought it would taste ___fishy___, but it did not. It was so delicious.

- **What I Learned**

  I read a lot about Istanbul before my trip, which made my trip more meaningful. I was proud of myself when Jaehee told me I knew so much about the city that it seemed as if I ___had lived___ there for some time.

| 해석 |

도윤이의 여행 일기

날짜: 2015년 6월 17일 / **지역:** 이스탄불 / **날씨:** 화창함 / **등급:** 아주 좋음

- **내가 같이 여행했던 사람** 내 친구 재희와 함께 자전거 여행을 했다.
- **방문했던 가장 멋진 장소** 내가 방문했던 장소 중에서 블루 모스크가 가장 좋았다. 내부의 독특한 색상에 매우 감동받았다. 그곳은 내가 예상했던 것보다 훨씬 더 아름다웠다.
- **가장 놀라웠던 경험** 해변을 따라 자전거를 탈 때 타이어에 바람이 빠졌는데, 그것이 정말 당황스러웠다. 하지만 타이어를 고치는 동안 에메랄드 빛 바다 경치가 내 시선을 사로잡았다.
- **먹었던 최고의 음식** 갈라타 다리 근처 노점상에서 고등어 케밥을 샀다. 생선 맛이 날 것이라고 생각했지만 아니었다. 그것은 정말 맛있었다.
- **내가 배운 것** 여행 전에 이스탄불에 관해 많이 읽었고, 그것이 내 여행을 더 의미 있게 만들어 주었다. 재희가 내게 그 도시에 관해 매우 많이 알고 있어서 그곳에서 얼마 동안 살았던 것처럼 보인다고 말했을 때 나는 내 자신이 자랑스러웠다.

Script

M: June 17th, 2015

Today I traveled around Istanbul, Turkey. The weather was sunny. I had an awesome day! I took a bicycle tour around downtown with my friend Jaehee. Among the places I visited, I liked the Blue Mosque most. I was so impressed by the unique colors of its inside. It was much more beautiful than I expected. What was the most amazing experience today? Well, I got a flat tire while riding along the coast, which was really frustrating. While I was repairing my tire, however, the scenic view of the emerald sea caught my attention. It was terrific. I'll never forget the scenery. At a street stand near the Galata Bridge, I bought a mackerel kebab, and I would say it was the best food I had today. I thought it would taste fishy, but it did not. It was so delicious. I read a lot about Istanbul before my trip, and it made my trip more meaningful. I was proud of myself when Jaehee told me I knew so much about the city that it seemed as if I had lived there for some time.

| 해석 |

남: 2015년 6월 17일

오늘 나는 터키의 이스탄불을 여행했다. 날씨는 화창했다. 멋진 하루를 보냈다! 내 친구 재희와 함께 시내를 자전거로 돌아다녔다. 내가 방문했던 장소 중에서 블루 모스크가 가장 좋았다. 나는 내부의 독특한 색상에 매우 감동받았다. 그것은 내가 예상했던 것보다 훨씬 더 아름다웠다. 오늘 가장 놀라웠던 경험이 무엇이냐고? 음, 해변을 따라 자전거를 탈 때 타이어에서 바람이 빠졌는데, 그것이 정말 당황스러웠다. 하지만 타이어를 고치는 동안 에메랄드 빛 바다 경치가 내 시선을 사로잡았다. 정말 멋졌다. 나는 그 풍경을 잊지 못할 것이다. 갈라타 다리 근처 노점상에서 고등어 케밥을 샀고 그것이 내가 오늘 먹었던 최고의 음식이라고 말할 수 있다. 생선 맛이 날 것이라고 생각했지만 아니었다. 그것은 정말 맛있었다. 여행 전에 이스탄불에 관해 많이 읽었고 그것이 내 여행을 더 의미 있게 만들어 주었다. 재희가 내게 그 도시에 관해 매우 많이 알고 있어서 그곳에서 얼마 동안 살았던 것처럼 보인다고 말했을 때 나는 내 자신이 자랑스러웠다.

어구

awesome [형] 경탄할만한, 굉장한

impressed [형] 감동받은

unique [형] 독특한

· I like her *unique* voice. (나는 그녀의 독특한 목소리를 좋아한다.)

frustrating [형] 좌절감을 주는, 불만스러운

· My situation is very *frustrating*. (내 상황이 매우 좌절감을 준다.)

attention [명] 주의, 관심

mackerel [명] 고등어

fishy [형] 생선 냄새가 나는; 수상한

STEP 2 Think of your most memorable trip and share it with your partner.

여러분이 가장 기억에 남는 여행을 생각해 보고 그것을 짝과 공유해 봅시다.

Who You Traveled with	Places You Visited	Experiences You Had
my friend Jeonghyeon	Dasan-chodang	visited a temple called Baengnyeonsa and learned about Dado

Food You Ate	What You Learned	On Your Own
a traditional Korean course meal	Dasan Jeong Yakyong's life and achievements	regret not having checked the opening hours of Gangjin Goryeo Cheongja Museum in advance

STEP 3 Based on STEP 2, write your own travel journal.

STEP 2를 바탕으로 여러분의 여행 일기를 써 봅시다.

Seojin's **Travel Journal**

Date: August 7th, 20○○

Location: Gangjin, Jeonnam

Weather: Sunny

Rating: ☐ Awesome ☐ Fun ☑ OK ☐ Tiring

- **Who I Traveled with** _____ I traveled with my friend Jeonghyeon.

- **Coolest Place I Visited** Among the places I visited, I liked Dasan-chodang most. It is the place where Dasan Jeong Yakyong taught his students and wrote many books.

- **Most Amazing Experience** Jeonghyeon and I visited a temple called Baengnyeonsa and learned about Dado. I really enjoyed having a cup of tea watching the beautiful scenery from the temple.

- **Best Food I Had** I had a traditional Korean course meal for lunch. It was the best food I had today.

- **What I Learned** I learned about Dasan Jeong Yakyong's life and achievements. I was so impressed by his passion for learning and love for people.

- **On Your Own** What I regret: I regret not having checked the opening hours of Gangjin Goryeo Cheongja Museum in advance. We couldn't enter the museum because it was closed that day!

Self-Edit Read your travel journal and correct any mistakes.

여러분의 여행 일기를 읽고 잘못된 부분을 고쳐 봅시다.

✓Peer Feedback	Outstanding	Good	Could do better
Task Completion 과업 완성도			
Interest of Content 내용의 흥미도			
Grammar / Punctuation 문법 / 구두법			
Reader's Comments: 읽은 이의 평가:			

| 해석 |- - - - - - - - - - - - - -

서진이의 여행 일기

날짜: 20○○년 8월 7일 / **지역:** 전남, 강진 / **날씨:** 화창함 / **등급:** 좋음

• 내가 같이 여행했던 사람 내 친구 정현이와 함께 여행했다.

• **방문했던 가장 멋진 장소** 내가 방문했던 장소 중에서 다산 초당이 가장 좋았다. 그것은 다산 정약용이 그의 제자들을 가르치고 많은 책을 쓴 곳이다.

• 가장 놀라웠던 경험 정현이와 나는 백련사라고 불리는 사찰을 방문했고 다도에 대해 배웠다. 사찰에서 아름다운 경치를 보며 차 한 잔을 마시는 것을 즐겼다.

• **먹었던 최고의 음식** 점심으로 전통 한정식을 먹었다. 그것이 내가 오늘 먹은 최고의 음식이었다.

• 내가 배운 것 다산 정약용의 삶과 업적에 관해서 배웠다. 학문에 대한 그의 열정과 백성들을 위한 사랑에 깊이 감명받았다.

• 내가 후회한 것 강진 고려청자 박물관의 개장 시간을 미리 확인해 보지 못한 것을 후회한다. 그날이 휴관이어서 우리는 박물관에 들어갈 수 없었다!

Wrap Up

Introducing a Good Tourist Spot in Your City

여러분의 도시에서 멋진 여행지 소개하기

교과서 p. 30

■ Imagine a group of international exchange students are visiting your city, and you have to plan a day trip for them.
국제 교환 학생 모둠이 여러분의 도시를 방문해서 여러분이 그들을 위해 하루 여행 일정을 계획해야 한다고 상상해 봅시다.

STEP 1 **In your group, choose a must-see place in your city. Then, complete the following table.** 여러분의 도시에서 가 봐야 할 장소를 모둠에서 골라 봅시다. 그러고 나서 다음 표를 완성해 봅시다.

| Sample Dialog |

A I think Jeonju Hanok Village is a place that the exchange students must see.
B I agree. I think they should visit there because they could learn a lot about Korean history and culture there.
C Good point. It's in Gyo-dong and Pungnam-dong, so it's close to our school.
D I know. They can get there by taking bus #190.
A What activities should we have them do at the village?
C I think they should do crafts at Jeonju Crafts Exhibition Hall. It's really interesting.
B Have you ever done that?
C No, but my younger brother has, and he said it was really cool.

Name of the place
Jeonju Hanok Village
장소명 / 전주 한옥 마을

How to get there
They can take bus #190 to get there.
그곳에 가는 방법 / 버스 190번을 타고 갈 수 있다.

Reasons they should go there
They can learn a lot about Korean history and culture there.
그곳에서 가야 하는 이유 / 그곳에서 한국 역사와 문화에 대해 많이 배울 수 있다.

Main activity they should do there
They should do crafts at Jeonju Crafts Exhibition Hall.
그곳에서 해야 하는 주요 활동 / 전주 공예품 전시관에서 공예품을 만들어야 한다.

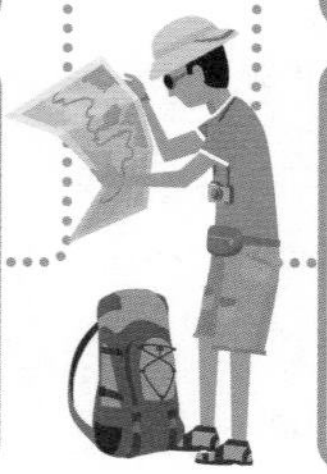

Where it is located
It is located in Gyo-dong and Pungnam-dong, Jeonju.
위치한 장소 / 전주시 교동과 풍남동에 위치해 있다.

Anything else they can do
They can visit local markets and try various foods.
할 수 있는 또 다른 것 / 전통 시장을 방문하여 다양한 음식을 먹어 볼 수 있다.

STEP 2 **Based on STEP 1, make your own city tour guide map.**
STEP 1을 바탕으로 여러분의 여행 안내 지도를 만들어 봅시다.

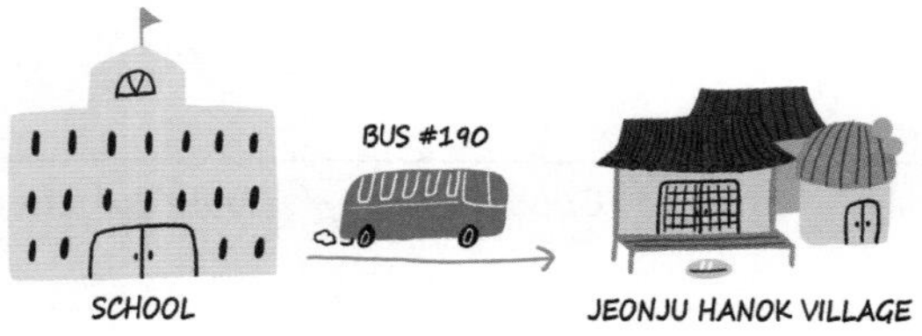

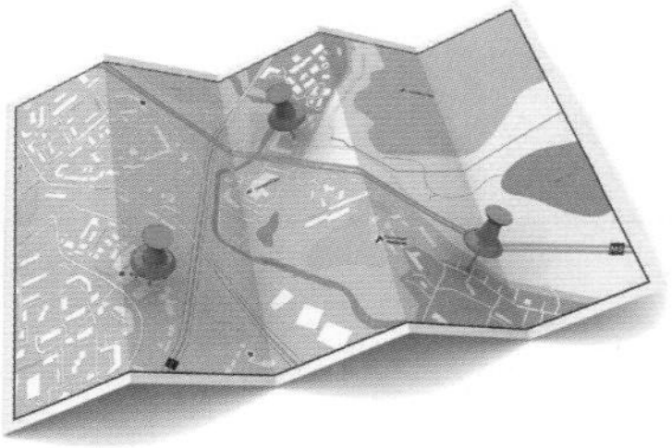

STEP 3 **Present your guide map to the class.** 반 친구들에게 안내 지도를 발표해 봅시다.

[어구]
exchange student 교환 학생
a must-see place 꼭 가 봐야 할 곳
craft [명] 공예 [동] (공예품)을 만들다
exhibition [명] 전시회, 전시

| 해석 |

A: 나는 전주 한옥 마을이 교환 학생들이 꼭 봐야 하는 곳이라고 생각해.
B: 동의해. 그들이 그곳에서 한국 역사와 문화에 대해 많이 배울 수 있기 때문에 그곳을 방문해야 한다고 생각해.
C: 좋은 지적이야. 교동과 풍남동에 있어서 우리 학교와 가까워.
D: 나도 알아. 그들은 버스 190번을 타고 그곳에 갈 수 있어.
A: 그 마을에서 우리가 그들에게 하도록 해야 하는 활동은 무엇이니?
C: 전주 공예품 전시관에서 공예품을 만들어야 한다고 생각해.
B: 너는 그것을 해 본 적이 있니?
C: 아니, 하지만 내 남동생이 해 봤고 아주 멋지다고 말했어.

| 구문 해설 |

• I think Jeonju Hanok Village is a place **that** the exchange students must see.: think 다음에는 목적어절을 이끄는 접속사 that이 생략된 형태이며, that은 a place를 선행사로 수식하는 목적격 관계대명사로 쓰였다.

Unique Modes of **Transportation** Around the **World** 세계의 독특한 교통수단

A

Here are unique modes of transportation from all over the world, which add to the cultural experiences that tourists have.

여기 관광객들에게 문화적 경험을 더해 주는 전 세계의 독특한 교통수단이 있습니다.

❶ For centuries, the gondola was the chief means of transportation and most common boat in Venice, Italy. A gondola ride can be great fun for tourists. It is a perfect way to enjoy the picturesque scenes of the city. It takes tourists past almost every famous city attraction.

❷ The habal-habal is a unique two-wheeled mode of transportation in the Philippines. It is a motorcycle modified to seat more than two people. It is a popular way of traveling through remote villages with rough and narrow roads.

❸ Reindeer are a common form of transportation in Lapland, the northernmost cultural region of Finland. The reindeer is a symbol of Lapland because the number of reindeer in the province roughly equals the number of people!

❹ In Vietnam, the cyclo is popular among tourists; just jump on the front of this tricycle taxi for a great way to see a city. Locals also use cyclos, which generally prove to be a lot faster than normal taxis to get through the city's heavy traffic.

어구

mode 몡 유형, 방식
picturesque 혱 그림 같은, 생생한
· I have never seen such a *picturesque* view as this. (이것처럼 그림 같은 경치를 본 적이 없다.)
modified 혱 개조된, 수정된
remote 혱 외진, 먼
rough 혱 거친, 대충한
reindeer 몡 순록
northernmost 혱 최북단의
region 몡 지역, 지방
province 몡 (행정 단위) 주(州), 지방
tricycle 몡 삼륜차; 세발자전거
prove 됭 입증하다, 드러나다

| 해석 |

❶ 수 세기 동안 곤돌라는 이탈리아의 베니스에서 주된 교통수단이자 가장 평범한 배였다. 곤돌라를 타는 것은 관광객들에게 큰 즐거움이 될 수 있다. 이것은 그 도시의 그림 같은 경관을 즐기는 완벽한 방법이다. 이것은 관광객들을 최근의 거의 모든 유명한 도시 명소로 데려다준다.
❷ 하발하발은 필리핀에서 바퀴가 둘인 고유한 교통수단이다. 이것은 두 명 이상의 사람들이 앉을 수 있도록 개조된 오토바이이다. 이것은 벽촌의 거칠고 좁은 도로를 여행하는 인기 있는 방법이다.
❸ 순록은 핀란드 최북단의 문화 지역인 라플란드에서 일반적인 교통수단의 형태이다. 순록은 라플란드의 상징인데, 그 지방의 순록 수가 사람 수와 거의 같기 때문이다!
❹ 베트남에서 씨클로는 관광객들 사이에 인기 있다. 시내를 관광하는 멋진 방법을 위해 이 삼륜 택시 앞에 뛰어올라라. 지역 주민들 또한 씨클로를 이용하며, 이것은 교통이 혼잡한 도시를 통과하는 데에 일반 택시보다 훨씬 더 빠르다는 것이 입증되어 있다.

| 구문 해설 |

· **It** is a perfect way **to** enjoy the picturesque scenes of the city.: 「It 가주어 to부정사 진주어」 구문이 쓰인 문장이다.
· Locals also use cyclos, **which** generally prove to be **a lot faster** than normal taxis to get through the city's heavy traffic.: which는 콤마(,)와 함께 쓰인 계속적 용법의 주격 관계대명사로 선행사는 cyclos이다. a lot은 비교급 faster를 강조할 때 쓰이며 still, even, far 등으로 바꿔 쓸 수 있다.

B

Search for other types of unique transportation in various countries around the world and present them to the class.

세계의 다양한 나라들에서 다른 종류의 독특한 교통수단을 검색해 보고 그것들을 반 친구들에게 발표해 봅시다.

Sample Coco taxi (Cuba): It is shaped like a coconut. Coco taxis are common around Havana and Varadero in Cuba. Yellow coco taxis are for tourists, while black ones are for locals.
코코 택시 (쿠바): 그것은 코코넛과 같은 모양이다. 코코 택시는 쿠바의 하바나와 바라데로에서는 일반적이다. 노란색 코코 택시는 여행자들을 위한 것이고, 반면에 검은색 택시는 현지인을 위한 것이다.

교과서 pp. 32~33

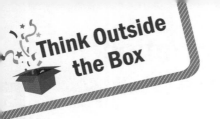

Common Travel Mistakes and How to Avoid Them

여행에서 일반적 실수와 그것을 피하는 방법

❶ Traveling internationally is an adventure best planned ahead of time, and not just when it comes to booking flights and packing. ❷ While you may think [that you're all ready to explore new lands], you may be missing some traveling essentials. ❸ The country [you're visiting] may have a different currency than yours, bad weather [that you aren't expecting], or a whole lot more walking than you're anticipating, so you'll need to pack accordingly. ❹ There are a lot of vital items [that could make or break your trip]. ❺ [Learn from the following mistakes] and [don't ruin your vacation by overlooking important details]!

(Traveling: 동명사 주어 / is: 단수 동사 / ahead of time: 미리 (= in advance) / when it comes to: ~에 관한 한 / While: 양보 접속사 (~할지라도) / [that ...]: 목적어절 / that[which] / [you're visiting]: 목적격 관계대명사절 / The country: 주어 / may have: 동사 / a different currency: 목적어 1 / bad weather: 목적어 2 / [that you aren't expecting]: 목적격 관계대명사절 / a whole lot more walking: 목적어 3 / [that could make or break your trip]: 주격 관계대명사절 / [Learn ...]: 명령문 1 / [don't ruin ...]: 명령문 2 / by overlooking: 「by -ing」 ~함으로써 / details: 세부 사항)

| 해석 |

❶ 해외여행은 항공편 예약과 짐 꾸리기에 관한 것뿐 아니라 미리 잘 계획된 모험이다. ❷ 여러분이 새로운 땅을 탐험할 준비가 모두 되어 있다고 생각할지라도 몇몇 여행 필수 사항을 놓치고 있을 수 있다. ❸ 여러분이 방문할 나라는 여러분의 나라와 다른 통화를 사용하고 여러분이 기대하지 않았던 악천후를 가지고 있거나 여러분이 예상하는 것보다 더 많이 걸어야 할 수 있어서 그에 맞게 짐을 싸야 할 필요가 있다. ❹ 여러분의 여행을 좋게 하거나 망칠 수 있게 하는 치명적인 물품이 많이 있다. ❺ 다음 실수들에서 (그것들을) 알아보고 중요한 세부 사항을 훑어봄으로써 여러분의 여행을 망치지 마라.

구문 연구

❶ Traveling internationally is an adventure best planned ahead of time, and not just **when it comes to** booking flights and packing.: when it comes to는 '~에 관한 한'이라는 뜻의 표현이며 이때 to는 전치사이므로 뒤에 명사(구)나 동명사(구)를 쓴다.

❷ **While** you may think **that** you're all ready to explore new lands, you may be missing some traveling essentials.: while은 양보 부사절을 이끄는 접속사로 '~하지만, ~할지라도'라는 뜻으로 쓰였다. that은 may think의 목적어절을 이끄는 접속사이다.

❸ **The country** you're visiting **may have** a different currency than yours, bad weather **that** you aren't expecting, **or** a whole lot more walking than you're anticipating, so you'll need to pack accordingly.: 주어인 The country를 that이나 which가 생략된 목적격 관계대명사절 you're visiting이 수식하고 동사로 may have가 쓰였다. 목적어인 a different currency, bad weather, a whole lot more walking이 등위접속사 or로 인해 병렬 구조를 이룬다. 두 번째 목적어인 bad weather는 목적격 관계대명사 that이 이끄는 that ~ expecting의 수식을 받는다.

어구

ahead of time 미리, 예정보다 일찍 [유] beforehand, in advance

essential [명] 필수적인 것 [형] 필수적인, 본질적인
· We only have the bare *essentials*. (우리는 가장 기본적인 것만을 가졌다.)

currency [명] 통화, 지폐

anticipate [동] 예상하다, 기대하다
· We *anticipate* that sales will rise next year. (내년에는 매출이 오를 것으로 예상한다.)

accordingly [부] 그에 맞춰, 그런 이유로

vital [형] 치명적인; 필수적인

overlook [동] 훑어보다; 간과하다

Check Up

01 다음 글에서 어법상 틀린 부분을 골라 바르게 고치시오.

①Traveling internationally is an adventure best ②planned ahead of time, and not just when it comes to ③book flights and packing. While you may think ④that you're all ready to explore new lands, you ⑤may be missing some traveling essentials.

02 문맥에 맞도록 빈칸에 알맞은 단어를 본문에서 찾아 쓰시오.

The money used in a particular country is referred to as its ____________.

Not Checking Your Passport Validity

William's episode

❶ I'm talking about having a passport [that isn't valid long enough]. ❷ I have a personal experience with this. ❸ Last year, I was planning to take a trip to Sri Lanka, and I thought since I was close, relatively speaking, I may as well go to India afterwards. ❹ As I was filling out the application form for India, I realized [that my passport needed to be valid for six months in order to be allowed entry]. ❺ Mine was only valid for 5 months and 22 days! ❻ As I didn't have time to renew my passport [before finalizing my travel plans], my trip to India didn't happen.

❼ Before you even think of looking for flights, [consider your passport validity]! ❽ This does not just mean if it's valid during your time of travel. ❾ Most countries require your passport to be valid between 3 and 6 months after your intended return date, so make sure to check the requirements and renew it well in advance.

- **If you were William, what would you have done in his situation?**
  여러분이 William이라면 그 상황에서 어떻게 할 것입니까?

  Sample I would have considered asking the immigration officer if I would be able to stay short term in India with my passport.
  나는 내 여권으로 인도에 짧게라도 머무를 수 있는지 출입국 관리소에 요청하는 것을 고려할 것이다.

구문 연구

❶ I'm talking about having a passport **that** isn't valid **long enough**.: that은 주격 관계대명사로 that 이하의 절이 선행사 a passport를 수식한다. enough가 부사로 형용사를 수식할 때는 형용사 뒤에 위치한다.

❹ As I was filling out the application form for India, I realized **that** my passport needed to be valid for six months in order to be allowed entry.: that은 realize의 목적어절을 이끄는 접속사이다.

❻ As I didn't have time **to renew** my passport **before finalizing** my travel plans, my trip to India didn't happen.: to renew는 time을 수식하는 to부정사의 형용사적 용법으로 쓰였다. before가 전치사이므로 뒤에 동명사 finalizing이 쓰였다.

❼ Before you even think of looking for flights, **consider** your passport validity!: 주절에 동사원형 consider로 시작하는 명령문이 쓰였다.

| 해석 |

여권의 유효 기간 미확인 / William의 에피소드

❶ 나는 유효 기간이 충분히 길지 않은 여권을 가지고 있는 경우에 대해 이야기하고자 한다. ❷ 이것과 관련된 개인적인 경험이 있다. ❸ 작년에 스리랑카로 여행하기로 계획하고 있었고, 상대적으로 보면 가깝기 때문에 후에 인도를 가는 편이 낫겠다고 생각했다. ❹ 인도를 가기 위해 신청서를 작성하고 있을 때 내 여권이 입국 허가를 받기 위해 6개월의 유효 기간이 필요하다는 것을 깨달았다. ❺ 내 여권은 5개월 22일만 유효했다! ❻ 내 여행 계획을 확정하기 전에 여권을 갱신할 시간이 충분하지 않았기 때문에 나는 인도 여행은 갈 수 없었다.

❼ 항공편을 찾으려고 생각하기 전에 여권의 유효 기간을 고려하라! ❽ 이것은 당신의 여행 기간 동안 그것이 유효할지만을 의미하는 것은 아니다. ❾ 대부분의 국가들은 당신의 여권이 돌아가는 날짜로 의도된 날 이후 3개월에서 6개월 사이의 기간 동안 유효할 것을 요구하므로 반드시 필요조건을 확인하고 여권을 미리 잘 갱신해 두어라.

어구

valid (형) 유효한 (명) validity)
relatively speaking 상대적으로 보면, 상대적으로 말하면
afterwards (부) 나중에
fill out 작성하다
renew (동) 갱신하다, 연장하다
finalize (동) 마무리하다
intend (동) 의도하다, 의미하다
· I didn't *intend* to hurt anyone.
(나는 아무도 다치게 할 의도가 없었다.)
in advance 미리, 사전에

Check Up

01 다음 글에서 어법상 틀린 것을 골라 바르게 고치시오.

Before you even think of looking for flights, ①considering your passport validity! This does not just mean ②if it's valid during your time of travel. ③Most countries require your passport ④to be valid between 3 and 6 months after your intended return date, so make sure ⑤to check the requirements and renew it well in advance.

02 우리말과 일치하도록 주어진 단어를 활용하여 빈칸에 알맞은 말을 쓰시오.

> 내가 어디로 가야만 한다면, 나는 차라리 중국으로 가는 편이 낫겠다.

If I've got to go somewhere, I ＿＿＿＿＿＿ ＿＿＿＿＿ ＿＿＿＿＿ go to China. (may)

Not Considering Plug Shape and Voltage in Your Destination Country

Emily's episode

❶ [Being] Exhausted from the long flight from Incheon to New Zealand (수동 분사구문 (이유)), I checked in and went to my room. ❷ I unpacked (동사 1), showered (동사 2), and got (동사 3) changed for bed. ❸ After I wrote in my travel diary, I began organizing photos on my smartphone. ❹ My phone battery was almost dead. ❺ I wanted to charge my phone, and that's when (바로 그때) I realized I had a big problem. ❻ The electrical wall outlet was different from (~와 다르다) the ones back home, and I didn't have the right adapter!

❼ You need to consider plug shape and voltage [before traveling to a different country] (전치사구) to make sure (부사적 용법 (목적)) [that] [you'll be able to use your devices] (목적어절). ❽ Don't forget converters and adapters so that (목적 부사절 접속사 (~하도록)) you can use your electronics. ❾ Adapters allow a plug from one country to be plugged in to an outlet in another country. (「allow A to부정사」 A가 ~하도록 허락하다) ❿ Converters increase and decrease the voltage of a device.

- **If you were Emily, what would you have done in her situation?**
  여러분이 Emily라면 그 상황에서 어떻게 할 것입니까?
  [Sample] I would have asked the manager if any converters or adapters were available.
  나는 사용할 수 있는 변압기나 어댑터가 있는지 매니저에게 물어볼 것이다.

Extra Activity

Have you made a mistake while traveling, or have you heard about somebody else making one? Share any of them with your classmates.

여러분은 여행 중에 실수를 한 적이 있습니까 아니면 누군가 다른 사람이 한 것을 들은 적이 있습니까? 그것들 중 몇 가지를 반 친구들과 공유해 봅시다.

[Sample] I once had liquid soap in my bag. Because it was over 100ml, it was prohibited in my carry-on luggage. I should have packed it in my checked baggage. 이전에 내 가방에 액체 비누가 있었다. 100밀리미터가 넘었기 때문에 휴대용 수하물에는 금지되었다. 나는 그것을 위탁 수하물로 보내야 했다.

구문 연구

❶ **Exhausted** from the long flight from Incheon to New Zealand, I checked in and went to my room.: (Being) Exhausted 이하는 이유를 나타내는 분사구문으로 Because I was exhausted ~라는 수동태 문장으로 바꿔 쓸 수 있다.

❽ Don't forget converters and adapters **so that** you can use your electronics.: so that은 '~하도록'이라는 뜻의 목적 부사절을 이끄는 접속사이며 in order that으로 바꿔 쓸 수 있다.

| 해석 |

여행지의 플러그의 모양과 전압을 고려하지 않은 경우 / Emily의 에피소드

❶ 인천에서 뉴질랜드로의 긴 비행에 지쳐서 나는 체크인을 하고 내 방으로 갔다. ❷ 짐을 풀고 샤워를 하고 자기 위해 옷을 갈아입었다. ❸ 여행 일기를 작성하고 난 후 스마트폰에 있는 사진들을 정리하기 시작했다. ❹ 내 스마트폰의 배터리가 거의 방전되었다. ❺ 나는 내 스마트폰을 충전하고 싶었고 바로 그때 큰 문제가 생겼음을 깨달았다. ❻ 벽에 있는 전기 콘센트가 집의 것과 달랐고 나는 맞는 어댑터를 가지고 있지 않았다!
❼ 여러분은 다른 나라로 여행하기 전에 여러분의 전자기기를 사용하는 것을 확실하게 하기 위해서 플러그의 모양과 전압을 고려해야 한다. ❽ 전자기기를 사용할 수 있도록 변압기와 어댑터를 잊지 마라. ❾ 어댑터는 한 나라에서 사용되는 플러그를 다른 나라의 콘센트에 꽂을 수 있게 한다. ❿ 변압기는 기기의 전압을 올리고 낮춘다.

어구

plug [명] 플러그 [동] (마개로) 막다
voltage [명] 전압
exhausted [형] 지친
·I was *exhausted* from the long walk. (나는 오래 걸어서 지쳤다.)
unpack [동] (짐을) 풀다, 꺼내다
·Get back into your room and *unpack*. (네 방으로 돌아가서 짐을 풀어라.)
electrical [형] 전기의
outlet [명] 콘센트; 배출구
adapter [명] 어댑터
device [명] 기기, 장치
converter [명] 변압기, 컨버터
electronics [명] 전자 장치

Check Up

01 다음 문장에서 틀린 부분을 찾아 바르게 고치시오.

(1) Adapters allow a plug from one country plugging in to an outlet in another country.
(2) Exhausting from the long flight from Incheon to New Zealand, I checked in and went to my room.

02 우리말과 일치하도록 괄호 안의 단어를 순서대로 배열하시오.

Don't forget converters and adapters (that, you, your, can, electronics, so, use).
(전자기기를 사용할 수 있도록 변압기와 어댑터를 잊지 마라.)

____

A. Match the words with their correct meanings. 각 단어를 알맞은 의미와 연결해 봅시다.

어구

repair (동) 고치다, 수리하다
respect (명) 존경(심) (동) 존경하다
impressive (형) 인상 깊은
(동 impress)
charity (명) 자선 (단체)
instrument (명) 악기
dense (형) 빽빽한, 밀집한

1. destination
   목적지
2. assemble
   조립하다
3. heritage
   유산
4. magnificence
   장대함
5. continent
   대륙
6. renovate
   혁신하다; 고치다
7. vendor
   노점상, 행상
8. split
   가르다
9. unification
   통일
10. bow
   절을 하다

ⓐ to repair something so that it is in good condition again　다시 좋은 상태로 되도록 무언가를 고치다

ⓑ the art, buildings, and traditions that a society considers important to its history and culture
사회에서 역사와 문화적으로 중요하다고 고려하는 예술, 건물, 그리고 전통

ⓒ the place where someone is going
누군가 갈 장소

ⓓ to divide or break something into several parts
어떤 것을 몇몇 조각으로 나누거나 부서뜨리다

ⓔ the process of uniting groups or countries
그룹이나 나라가 하나가 되는 과정

ⓕ to bend your body forward to show respect for someone　누군가에게 존경심을 보여 주기 위해서 몸을 굽히다

ⓖ to build something by putting all its parts together
모든 부분을 함께 모아서 어떤 것을 짓다

ⓗ someone who sells something, but not in a store
상점에서가 아닌 무언가를 파는 사람

ⓘ one of the very large areas of land on Earth
지구상에서 땅의 아주 넓은 부분 중 하나

ⓙ being very impressive and beautiful, good, or skillful　매우 감동적이고 아름답고, 좋거나 노련한

B. Fill in the blanks with the appropriate words in A. A에서 알맞은 단어를 골라 빈칸을 채워 봅시다.

1. She decided to walk across the ___continent___ to raise money for charity.
   그녀는 자선 성금을 모으기 위해서 대륙 횡단을 하기로 결심했다.
2. She will ___renovate___ her old house in the latest style.
   그녀는 최신 스타일로 그녀의 오래된 집을 수리할 것이다.
3. The products are sold in kits that customers have to ___assemble___ themselves.
   그 제품들은 고객들 스스로가 조립해야 만하는 키트로 판매되고 있다.
4. Please, ___split___ the bread into four pieces and leave one for Jack.
   그 빵을 네 조각으로 쪼개고 하나는 Jack을 위해서 남겨 주세요.
5. We should reach our ___destination___ before 5:00 p.m. in order to complete the task.　우리는 그 업무를 수행하기 위해서 오후 5시 전까지 목적지에 도착해야 만 한다.
6. Thanks to various instruments and unique song styles, Ireland has a rich musical ___heritage___. 다양한 악기와 독특한 노래 스타일 덕분에 아일랜드는 풍부한 음악적 유산을 가지고 있다.
7. Germany has changed greatly since the ___unification___ of the country.
   독일은 나라의 통일 이후에 위대하게 변화해 왔다.
8. In Korea, people ___bow___ when they greet each other.
   한국에서 사람들은 서로 인사할 때 절을 한다.
9. I was impressed to see the ___magnificence___ of the dense forest.
   나는 빽빽한 숲의 장대함을 보고 감동받았다.
10. I bought a bottle of water from a(n) ___vendor___. 나는 노점상에게서 물 한 병을 샀다.

01 다음 영영풀이에 알맞은 것은?

> the place to which someone or something is going or being sent

① cathedral
② hospitality
③ destination
④ transportation
⑤ accommodation

02 다음 문장의 빈칸에 공통으로 알맞은 단어를 쓰시오.

> • He planned to make a blog so that he could _____ his business through the Internet.
> • The CEO will _____ his secretary to the position of executive director.

03 다음 대화의 빈칸에 알맞은 것은?

> A Let's plan a trip to Jeju for Sophia and Mia.
> B Okay. Since they will start their trip from Mokpo, they can take a ferry to the Jeju port.
> A That sounds good. Then, they can go to Hyeopjae Beach from the port.
> B All right. What should they do at the beach?
> A How about taking a jet boat ride? _____
> B I haven't, but I heard it's very exciting. Let's plan it for them.

① Do I need to do that?
② Do you agree with me?
③ Is that what you mean?
④ Have you ever done that?
⑤ Have you visited Jeju before?

04 자연스러운 대화가 되도록 ⓐ~ⓓ를 순서대로 바르게 배열하시오.

> ⓐ I'd like to visit Green Gables on Prince Edward Island in Canada.
> ⓑ Why is that your number one thing to do?
> ⓒ What's the first thing on your travel bucket list?
> ⓓ I'm a huge fan of the book *Anne of Green Gables*. I'll never forget the scenery that the author described.

(　　　) – (　　　) – (　　　) – (　　　)

05 다음 대화가 이루어지는 장소로 알맞은 곳은?

> A Did you pack your bag yourself?
> B Yes.
> A Have you left it unattended at any time before or since arriving at the airport?
> B No, I haven't.
> A Have you seen the list of prohibited items for hand luggage?
> B Yes. I just have a bottle of liquid soap. It's under 100ml.
> A I see. You might have to show that at the security check.
> B Okay.

① post office
② baggage claim
③ duty-free shop
④ immigration checkpoint
⑤ check-in counter at the airport

[06-07] 다음 글을 읽고, 물음에 답하시오.

Hello. My name is Jaehee. I love traveling, cycling, and meeting various people from different cultures. So, naturally, bike touring around the world has always been the top thing on my _____ⓐ_____. In 2015, I chose Europe as the destination for my first adventure. ⓑ<u>나는 나의 계획을 실현시키기 위해 내 친구 도윤(Doyun)이와 출발했어.</u> (set off / put ~ into action) For 130 days, we traveled around 13 countries by bicycle, and met many people on the road. It was a great experience. Here, I'd like to share some of my journal entries with you.

06 다음 영영풀이를 참조하여 빈칸 ⓐ에 알맞은 말을 쓰시오.

a list of the things that a person would like to do or achieve during their lifetime

→ _____

07 밑줄 친 ⓑ의 우리말과 일치하도록 괄호 안의 표현을 활용하여 영작하시오.

→ _____

[08-09] 다음 글을 읽고, 물음에 답하시오.

For the night, we decided to camp at a ①nearby park. The park manager brought us each a cup of hot black tea with a ②lump of sugar. He said that it _____ⓐ_____ Turkish tea, which _____ⓑ_____ the most ③consumed hot drink in Turkey, and that offering tea to guests was part of Turkish ④hostility. His kindness made our tiredness ⑤disappear.

08 밑줄 친 ①~⑤ 중 문맥상 알맞지 <u>않은</u> 것은?

①   ②   ③   ④   ⑤

09 빈칸 ⓐ와 ⓑ에 알맞은 be동사의 형태를 각각 쓰시오.

ⓐ _____   ⓑ _____

[10-11] 다음 글을 읽고, 물음에 답하시오.

At a lounge in a Florence train station, I recharged my laptop battery and blogged my travel journal entries. Doyun enjoyed a cup of nice coffee. It was relaxing and comfortable after the hard cycling we had done in the previous few days.

(A) However, he was not a street vendor but a Brazilian backpacker who wanted to promote the Olympics held in his country. In English, he tried to explain the meaning of the symbol printed on the T-shirt.

(B) While we were relaxing, a man came up to us and handed us a T-shirt, without saying a word. Because I thought he was trying to sell us the T-shirt, I said to him, "No, thanks."

(C) As a Korean, it was quite interesting to communicate with a Brazilian in English in an Italian city! We took pictures together to remember the moment. Though it was our first time meeting, it felt _____ (if, were, as, friends, we, old)!

10 주어진 글에 이어질 글의 순서로 알맞은 것은?

① (A) - (C) - (B)   ② (B) - (A) - (C)
③ (B) - (C) - (A)   ④ (C) - (A) - (B)
⑤ (C) - (B) - (A)

11 괄호 안의 주어진 단어를 바르게 배열하여 빈칸에 알맞은 말을 쓰시오.

→ _____

[12-13] 다음 글을 읽고, 물음에 답하시오.

We then rode our bikes to the Duomo, Santa Maria del Fiore, one of the largest cathedrals in the world. This vast Gothic structure (A) built / was built on the site of the old church of Santa Reparata, and its construction lasted from the late 13th to the early 15th century. It took about two centuries for the cathedral (B) being / to be completed! Climbing the Duomo was very challenging. However, we forgot this when we got to the top and looked down at the beautiful city. The view of Florence was terrific. I came to understand why so many people want to visit this place. We then split a calzone as a late lunch on some grass nearby. A calzone is an Italian dumpling consisting of pizza dough (C) folded / folding over and filled with meat and vegetables. It was really delicious.

12 (A), (B), (C)의 각 네모 안에서 어법에 맞는 표현끼리 짝지어진 것은?

	(A)		(B)		(C)
①	built	…	being	…	folding
②	built	…	to be	…	folded
③	was built	…	being	…	folded
④	was built	…	to be	…	folded
⑤	was built	…	being	…	folding

13 Santa Maria del Fiore에 관한 내용으로 일치하지 <u>않는</u> 것은?

① 세계에서 가장 큰 성당 중 하나이다.
② 거대한 고딕 구조물이다.
③ Santa Reparata 교회가 있던 자리에 건축되었다.
④ 13세기 후반부터 15세기 초반까지 건축이 중단되었다.
⑤ 꼭대기에서 아름다운 피렌체의 풍경이 보인다.

[14-15] 다음 글을 읽고, 물음에 답하시오.

We biked along the Elbe River. ⓐAs the night came, it began to rain. I thought it wouldn't last long, but it started to pour. I missed home so much: my warm and cozy room, and my mom's cooking.

We finally arrived at the center of Berlin. The Brandenburg Gate welcomed us. (①) It was behind the gate that the Berlin Wall, which separated East and West Germany from 1961 to 1989, had stood for 28 years. (②) After a short rest at the Tiergarten, a huge park, we went to the East Side Gallery. (③) There, a 1.3 kilometer long area of the Berlin Wall still remains. (④) Surprisingly, we saw writing in Hangeul: "우리의 소원은 통일" (Our hope is unification). (⑤) I silently made a wish that someday we could make that hope come true.

14 밑줄 친 ⓐ를 **with**로 시작하여 다시 쓰시오.

→ _____

15 윗글의 두 번째 단락에서 주어진 문장이 들어가기에 알맞은 곳은?

We walked around the wall and saw various symbolic pictures and graffiti on it.

            ⑤

[16-17] 다음 글을 읽고, 물음에 답하시오.

We were supposed to head to Manchester to meet Jimmy, ①whom I got to know on an online bike tourist community called Warm Showers. Warm Showers hosts provide bike tourists ②with free accommodation all around the world. We arrived in Manchester late at night. The next morning, Jimmy took us to Old Trafford, the home football ground of Manchester United. Our time at Old Trafford started with a tour of the Manchester United Museum, ③which we saw a wax sculpture of Peter Schmeichel, the former Manchester United goalkeeper. Doyun automatically bowed to the sculpture, ④which was really funny. When I entered the players' locker room, I was so excited ⑤to see all the uniforms. I took several pictures of myself in front of Park Ji-Sung's uniform. We had a really good time there.

16 밑줄 친 ①~⑤ 중 어법상 틀린 것은?

①   ②   ③   ④   ⑤

17 윗글의 내용과 일치하는 것은?

① 글쓴이 일행은 자전거 여행 중 알게 된 Jimmy의 집을 방문하기로 했다.
② Warm Showers는 자전거 여행객에게 저렴한 가격의 숙소를 제공하는 서비스이다.
③ 글쓴이 일행은 다음 날 아침 맨체스터에 도착했다.
④ 글쓴이 일행은 맨체스터 유나이티드 축구팀의 전 골키퍼를 직접 만났다.
⑤ 글쓴이는 선수들의 라커룸에서 박지성의 유니폼을 발견했다.

[18-20] 다음 글을 읽고, 물음에 답하시오.

My great, ambitious journey is over. During it, I sometimes suffered great physical ①challenges and felt like (A) give / giving up. At other times, I missed home a lot. When I looked around, however, there were always supporters to make up for all of these ②helps. A gentle breeze cheered me up when I was exhausted after long hours of pedaling. I met a kind local who gladly ③provided me with shelter. Most of all, my best friend, Doyun, riding with me through the journey, (B) standing / stood by my side. There were many good people wherever we were. Despite cultural ④differences, we all depended on each other in one way or another. As our wheels were wearing out, good memories were piling up. I'll never forget my summer bike trip. It will (C) keep / be kept in the book of my life as one of the most ⑤meaningful stories.

18 밑줄 친 ①~⑤ 중 문맥상 알맞지 않은 것은?

①   ②   ③   ④   ⑤

19 (A), (B), (C)의 각 네모 안에서 어법에 맞는 표현끼리 짝지어진 것은?

	(A)	(B)	(C)
①	give	standing	keep
②	giving	stood	keep
③	giving	standing	be kept
④	giving	stood	be kept
⑤	give	standing	be kept

20 윗글의 내용과 일치하도록 할 때 빈칸 (A), (B)에 알맞은 말끼리 짝지어진 것은?

I could _____(A)_____ the long journey as Doyun was with me through it and there were many good people _____(B)_____ me.

	(A)	(B)		(A)	(B)
①	plan	helping	②	take	loving
③	start	promoting	④	finish	supporting
⑤	give up	disappearing			

Money for a Good Cause

Think Ahead

What do you think are the functions of money? 돈의 기능은 무엇이라고 생각합니까?

Sample Money is used for buying and selling goods and services. It is also used to store wealth, and it can be saved for a rainy day.

Check what you already know.
돈은 물건과 서비스를 사고팔기 위해 사용된다. 그것은 또한 부를 축적하고 어려운 때를 대비해 저축될 수 있다.

- [ ] I said I was hungry, not angry. 나는 배고프다고 했지, 화났다고 하지 않았다.
- [ ] I'm so happy about the result. 나는 그 결과에 대해 매우 기쁘다.

- -

- [ ] He **may** be sick. 그가 아플지도 모른다.
- [ ] He said **that he would help me**. 그는 나를 돕겠다고 말했다.

In this lesson, I will ...

Listening & Speaking

- learn to repeat myself for clarification.
  뜻을 분명히 하기 위해 반복하는 것을 배운다.
- learn to express delight. 기쁨을 표현하는 것을 배운다.

Communicative Functions

- What I said was fifteen dollars. 내가 말한 건 15달러였어.
- I'm delighted that you're delighted.
  네가 기쁘다니 나도 기뻐.

Culture

- learn about some World Heritage Sites on money around the world.
  세계의 화폐에 있는 세계 문화유산에 대해 배운다.

Reading

- read and understand a text about the properties of money.
  돈의 특성에 관한 본문을 읽고 이해한다.

Writing

- write an application for a business plan competition.
  사업 계획 경진 대회 지원서를 쓴다.

Language Forms

- You may think that they **shouldn't have had** their own monetary system. 당신은 그들이 그들의 화폐 제도를 가지고 있었을 리 없다고 생각할 수도 있다.
- If someone asked you **whether** 25 dollars was a little or a lot of money, what would you say?
  누군가가 여러분에게 25달러가 적은 돈인지 큰돈인지 묻는다면 무엇이라 말하겠는가?

Starting Out

교과서 pp. 36~37

THINK **What was a common use of each of these in the past?**

과거에 이것들의 공통적인 쓰임은 무엇이었습니까?

[정답] money (돈)

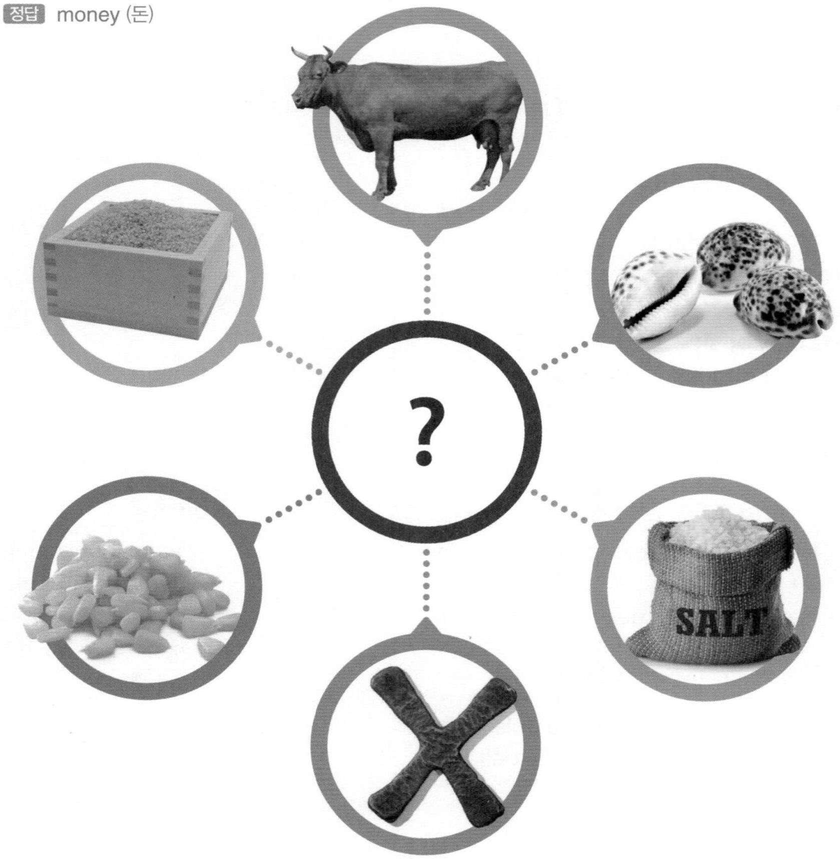

LISTEN **What is "I" in the talk?** 담화에서 "나"는 무엇입니까?

"I" is money.

Script

M: In ancient times, I didn't exist. At that time, people exchanged their possessions for what they needed. Around 9000 B.C., domestic animals like cows and sheep came to be used as me. Grain and sea shells followed. About 3,000 years ago, I began to be made of metal such as copper. I was sometimes made of precious metal such as gold and silver. Finally, about 1,200 years ago, people began to make me with paper. Metal and paper are the usual materials for me now. Recently, small plastic cards are widely used for me, and sometimes I even exist in virtual form. What am I?

| 해석 |

남: 고대에 나는 존재하지 않았다. 그 당시에 사람들은 필요한 것을 그들의 소유물과 교환했다. 기원전 9천 년 경에, 소와 양 같은 가축들이 나로써 사용되게 되었다. 곡식과 조개껍질이 그 뒤를 이었다. 약 3천 년 전에, 나는 구리와 같은 금속으로 만들어지기 시작했다. 나는 때때로 금과 은 같은 귀중한 금속으로 만들어졌다. 마침내 약 천이백 년 전에, 사람들은 나를 종이로 만들기 시작했다. 금속과 종이는 현재 나의 보편적인 물질이다. 최근에는 작은 플라스틱 카드들이 나를 대신해서 널리 사용되고, 때때로 나는 심지어 가상의 형태로 존재하기도 한다. 나는 무엇인가?

어구

common [형] 공통의

· They have a *common* ancestor. (그들은 공통의 조상을 가지고 있다.)

어구

possession [명] 소유물

· This ring was my mother's most precious *possession*. (이 반지는 내 어머니의 가장 소중한 소유물이었다.)

domestic animal 가축

· What *domestic animals* are used for food? (어떤 가축들이 식용으로 사용되는가?)

| 구문 해설 |

· At that time, people exchanged their possessions for **what** they needed.: what은 선행사를 포함하는 관계대명사로 what they needed가 for의 목적어로 쓰였다.

Odd Kinds of Money

Can you imagine that dog teeth were once used as money? It may be hard to believe, but it's true! Tribes in New Guinea used to use dog teeth for money because dogs were rare there. What happened next? Knowing that dogs were valuable in New Guinea, Chinese traders brought in hundreds of dogs from China, which destroyed the New Guinea tribal currency because there were many more teeth. German traders made things even worse by bringing in artificial dog teeth, causing the tooth currency to end.

Besides dog teeth, there have been many other odd kinds of money made from unusual items. For example, among islanders of the Pacific, whale teeth were used as money. In Africa, the tail hair of elephants, zebras, and giraffes was used as money, along with other items such as copper rings.

Though these odd kinds of money are no longer used, they show a very important property of money. Can you guess what the property is?

● **Which property of money does the story above mainly focus on?**
위 이야기에서 주로 초점을 맞춘 돈의 특성은 무엇입니까?

- ☐ durability
  내구성
- ☑ scarcity
  희소성
- ☐ portability
  휴대 가능성
- ☐ acceptability
  수용 가능성
- ☐ divisibility
  가분성 (나눌 수 있음)
- ☐ uniformity
  불변성, 균일함

| 구문 해설 |

· **Knowing** that dogs were valuable in New Guinea, Chinese traders brought in hundreds of dogs from China, **which** destroyed the New Guinea tribal currency because there were many more teeth.: Knowing 이하는 이유를 나타내는 분사구문으로 As they(= Chinese traders) know ~로 바꿔 쓸 수 있다. 콤마(,) 다음에 쓰인 which는 계속적 용법의 주격 관계대명사로 and it으로 바꿔 쓸 수 있으며, 앞 절 내용을 받는다.

어구

odd ⓐ 이상한, 특이한
·I had a very *odd* dream about you last night. (나는 어젯밤 너에 대한 매우 이상한 꿈을 꿨어.)
tribe ⓝ 종족, 부족
rare ⓐ 희귀한
·The museum was full of *rare* and precious treasures. (그 박물관은 희귀하고 소중한 보물들로 가득했다.)
currency ⓝ 통화, 통용
·She had $500 in foreign *currency*. (그녀는 외화로 오백 달러를 가지고 있었다.)
artificial ⓐ 인공의, 인위적인
·*Artificial* intelligence is already integrating itself into our lives in unforeseen ways. (인공지능은 이미 그 자체로 예측하지 못한 방법으로 우리 삶에 흡수되어 있다.)
property ⓝ 특성
·One of the *properties* of copper is that it conducts heat very well. (구리의 특성 중 하나는 열을 매우 잘 전도한다는 것이다.)

| 해석 |

색다른 돈의 종류

여러분은 개 이빨이 한때 돈으로 쓰였다는 것을 상상할 수 있는가? 그것은 믿기 힘들지도 모르지만, 사실이다! 뉴기니의 부족들은 개가 그곳에서 희귀했기 때문에 개 이빨을 돈으로 사용하곤 했다. 다음에는 어떤 일이 일어났을까? 중국 무역상들은 뉴기니에서 개가 가치가 있다는 것을 알게 되어 수백 마리의 개를 중국으로부터 들여왔고, 개 이빨이 너무 많아져서 그것은 뉴기니 부족의 통화를 망쳤다. 독일 무역상들은 인공 개 이빨을 들여와서 상황을 훨씬 더 심각하게 만들었고, 그것은 개 이빨을 통화로 사용하는 체제를 종식시켰다.

개 이빨 외에도 특이한 물품들로 만들어진 색다른 종류의 돈이 많이 있었다. 예를 들어, 태평양의 섬사람들 사이에서 고래 이빨이 돈으로 사용되었다. 아프리카에서는 코끼리, 얼룩말, 그리고 기린의 꼬리털이 구리 반지와 같은 다른 물품들과 함께 돈으로 사용되었다.

이런 색다른 종류의 돈은 더 이상 사용되지 않지만 그것들은 돈은 매우 중요한 특성을 보여 준다. 여러분은 그 특성이 무엇인지 추측할 수 있는가?

Listen and Speak 1 교과서 pp. 38~39

Target Expression

What I said was fifteen dollars.

내가 말한 것은 15달러였어.

A Listen to the dialog and mark T if the statement is true or F if it is false.

대화를 듣고 내용이 맞으면 T에, 틀리면 F에 표시해 봅시다.

	[T]	[F]
1. The woman has spent her whole allowance for the week. 여자는 이번 주 용돈 전부를 썼다.	✓	
2. The woman thinks her allowance is too small. 여자는 그녀의 용돈이 너무 적다고 생각한다.		✓
3. The man misheard the woman's suggestion. 남자는 여자의 제안을 잘못 들었다.	✓	
4. The man suggested using a smartphone application to help them keep track of their spending. 남자는 그들의 소비를 추적하는데 도움을 주는 스마트폰 어플리케이션을 사용하자고 제안했다.		✓

Script

M: Can you lend me some money? I want to buy a soda, but I'm out of money.

W: I'm afraid I can't. I have spent my whole allowance for this week.

M: You, too? Our allowances are too small. Don't you think so?

W: Well, I don't think my allowance is too small. I just spend it carelessly.

M: Hmm, you're right. We need to spend our money more wisely.

W: Why don't we start tracking our spending?

M: Did you say "trapping our spending"? You mean we should limit our spending?

W: No, what I said was "tracking our spending." We should check where our money goes.

M: Yeah, I agree. To be honest, I don't know exactly where all my money goes.

W: Me, neither. Some of my friends use smartphone applications to help them keep track of their spending. We can use them, too.

M: Oh, I didn't know there were applications like that. Let's download one right now.

| 해석 |

남: 돈 좀 빌려 줄 수 있니? 탄산음료를 사고 싶은데, 돈이 다 떨어졌어.

여: 그럴 수 없어서 유감이야. 나는 이번 주 용돈 전부를 썼어.

남: 너도? 우리 용돈이 너무 적다. 그렇게 생각하지 않니?

여: 글쎄, 나는 내 용돈이 너무 적다고 생각하지 않아. 단지 내가 그것을 부주의하게 쓰는 거지.

남: 음, 네 말이 맞아. 우리는 돈을 좀 더 현명하게 사용할 필요가 있어.

여: 우리의 지출을 추적하는 것을 시작해 보면 어떨까?

남: '우리의 지출을 가둔다'라고 말했니? 우리 지출을 제한해야 한다는 뜻이야?

여: 아니, 내가 말한 건 '우리의 지출을 추적하는 것'이야. 우리는 우리 돈이 어디로 흘러가는지 확인해야 해.

남: 그래, 동의해. 솔직히 말하면, 나는 내 돈 전부가 정확히 어디로 가는지 모르겠어.

여: 나도 그래. 내 친구들 중 몇몇은 그들의 지출을 추적하는 데 도움을 주는 스마트폰 어플리케이션을 사용해. 우리도 그것을 사용할 수 있어.

남: 오, 그런 어플리케이션이 있는 줄 몰랐어. 당장 하나 내려받자.

| 구문 해설 |

- **Why don't we** start tracking our spending?: Why don't we ~?는 '~하는 것이 어때?'라고 제안하는 표현이다. Why don't we 뒤에는 동사원형이 온다.
- We should check **where** our money goes.: 장소를 나타내는 관계부사 where 이하는 check의 목적어절이다.
- Some of my friends use smartphone applications **to help them keep** track of their spending.: to help는 smartphone applications를 수식하는 to부정사의 형용사적 용법으로 쓰였다. 「help+목적어+목적격 보어」의 형태로 쓰일 때 help는 동사원형(keep)이나 to부정사를 목적격 보어로 취한다.

어구

allowance [명] 용돈

· Each of their children gets a weekly *allowance* of five dollars. (그들의 자녀들은 각자 주당 5달러의 용돈을 받는다.)

mishear [동] 잘못 듣다 (mishear-misheard-misheard)

· You *misheard* me. I said I was feeling anxious, not angry. (네가 내 말을 잘못 들었구나. 나는 불안하다고 했지, 화났다고 하지 않았어.)

carelessly [부] 부주의하게

· Never do a job *carelessly*. (일을 절대 부주의하게 하지 마라.)

track [동] 추적하다

· He *tracked* the bear for two days. (그는 그 곰을 이틀 동안 추적했다.)

trap [동] 가두다

· The train was *trapped* underground by a fire. (화재로 기차가 지하에 갇혔다.)

application [명] 응용 프로그램

힌트

용돈이 적다고 생각한 사람은 남자고 스마트폰 어플리케이션 사용을 제안한 사람은 여자다.

B Complete the comic strip with the sentences from the box and practice the dialog with your partner. 보기의 문장들로 만화를 완성하고 짝과 함께 대화를 연습해 봅시다.

[a] What I said was fifteen dollars. 내가 말한 것은 15달러였어.
[b] Can you raise my allowance, please? 제 용돈을 좀 올려 주시겠어요?
[c] I'll give you fifteen dollars more per week. 주당 15달러씩 더 줄게.

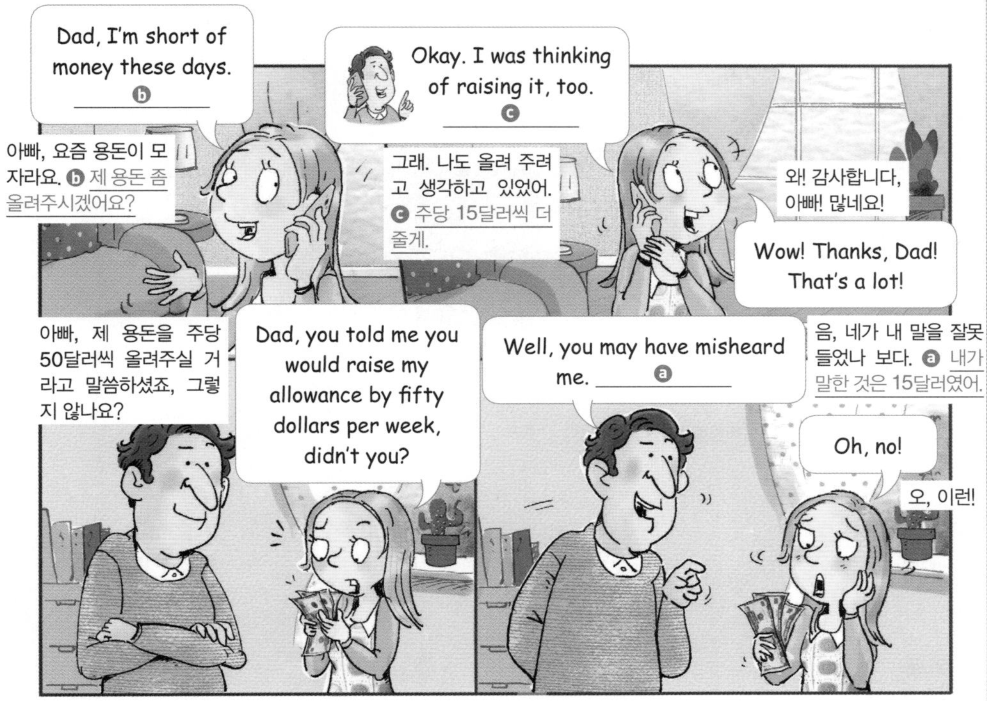

Dad, I'm short of money these days. ____[b]____
아빠, 요즘 용돈이 모자라요. [b] 제 용돈 좀 올려주시겠어요?
Okay. I was thinking of raising it, too. ____[c]____
그래. 나도 올려 주려고 생각하고 있었어. [c] 주당 15달러씩 더 줄게.
Wow! Thanks, Dad! That's a lot!
와! 감사합니다, 아빠! 많네요!
Dad, you told me you would raise my allowance by fifty dollars per week, didn't you?
아빠, 제 용돈을 주당 50달러씩 올려주실 거라고 말씀하셨죠, 그렇지 않나요?
Well, you may have misheard me. ____[a]____
음, 네가 내 말을 잘못 들었나 보다. [a] 내가 말한 것은 15달러였어.
Oh, no!
오, 이런!

| 구문 해설 |

- **What I said** was fifteen dollars.: What I said was ~.는 '내가 말했던 것은 ~이다.'라는 뜻의 표현으로 말했던 내용을 반복할 때 쓴다. 선행사를 포함하는 관계대명사 what으로 시작하는 절이 주어로 쓰였으며 관계대명사절 전체를 단수로 받아 동사 was가 쓰였다.
- Well, you **may have misheard** me.: 「may have p.p.」는 '~했을지도 모른다'는 뜻으로 과거의 일에 대한 약한 추측의 의미를 나타낸다.

C Tracking Your Spending 지출 추적하기

STEP 1 Complete the table with how much money you spend per week and the percentage of overall spending for each category.
여러분이 각 항목별로 한 주에 얼마나 많은 돈을 지출하는지와 항목별 총 지출액의 비율로 표를 완성해 봅시다.

Category	Spending per week	Percentage of spending
Clothing	₩	%
Food & drink	₩	%
Entertainment	₩	%
Transportation	₩	%
School supplies	₩	%
On Your Own	₩	%

어구

raise [동] 올리다, 인상하다
·The government is planning to *raise* taxes. (정부는 세금을 올릴 계획을 세우고 있다.)

힌트

아빠는 15달러라고 말했는데 딸은 그것을 50달러로 잘못 들었다.

어구

entertainment [명] 오락, 여흥
·Movies were the new mass *entertainment*. (영화는 새로운 대중 오락물이었다.)
transportation [명] 교통비; 수송, 교통 기관
·Volunteers must provide their own *transportation*. (자원봉사자들은 각자의 교통비를 준비해야 한다.)
school supplies 학용품

STEP 2 **Compare your spending habits with your partner's.**
여러분의 소비 습관을 짝의 것과 비교해 봅시다.

─| Sample Dialog |─

A I spend the biggest percentage of my money on entertainment.
   It makes up 50% of my total spending.
B Did you say fifteen or fifty?
A What I said was fifty.
B Oh, I see. Then, what category comes next?
A Food and drink, which makes up 30%. Transportation is third. It makes up 20%.
B You mean you don't spend any money on clothing or school supplies?
A Not me. My parents buy those things for me.
B I see. As for me, I spend the largest percentage of my money
   on clothing.
A I thought you did. It makes sense since you want to be a
   fashion designer.

어구

make up 구성하다
·Oxygen *makes up* about 21 percent of the Earth's atmosphere. (산소는 지구 대기의 약 21퍼센트를 구성한다.)
category ⑱ 항목, 범주
·There's a separate *category* for children. (어린이를 위한 또 다른 항목이 있다.)

| 해석 |- -

A: 나는 내 돈의 가장 큰 비율을 오락에 사용하고 있어. 내 전체 지출의 50퍼센트를 차지해.
B: 15라고 말했니, 아니면 50이라고 말했니?
A: 내가 말한 것은 50이었어.
B: 오, 알겠어. 그럼 다음 항목은 무엇이니?
A: 30퍼센트를 차지하는 식음료야. 교통비는 세 번째야. 20퍼센트를 차지해.
B: 옷이나 학용품에는 소비를 안 한다는 말이니?
A: 나는 안 해. 부모님이 그것들을 사 주셔.
B: 알겠어. 내 경우에는 옷에 가장 높은 비율의 돈을 써.
A: 네가 그럴 거라고 생각했어. 너는 패션 디자이너가 되고 싶어 하니까 이해가 돼.

| 구문 해설 |────────────────────────────

· Food and drink, **which** makes up 30%.: Food and drink 다음에 주절의 동사구 comes next가 앞 문장의 동사구와 같아 생략되었다. which는 계속적 용법의 관계대명사이며 선행사는 Food and drink이다.

STEP 3 **Present the differences between you and your partner's spending habits
to the class.** 여러분과 짝의 서로 다른 소비 습관에 대해 반 친구들에게 발표해 봅시다.

─────────────────────────────────────

✔Self-Check   Yes   No

I can use the target expressions correctly.   ☐   ☐ → Go back to A and B.
나는 목표 표현을 정확하게 쓸 수 있다.   A와 B로 돌아가세요.

I can communicate effectively.   ☐   ☐ → Practice the Sample Dialog in STEP 2 again.
나는 효과적으로 의사소통할 수 있다.   STEP 2의 예시 대화를 다시 연습하세요.

Listen and Speak 2 교과서 pp. 40~41

Target Expression
I'm delighted that you're delighted.
당신이 기쁘다니 저도 기쁘네요.

A **Listen to the lecture and fill in the blanks.** 강의를 듣고 빈칸을 채워 봅시다.

- *Substitute teacher: Mr. Ryan (Cindy's __father__)*
- *Things someone could do with __10__ dollars*
  - *go to a theater / buy fast food*
  - *Cindy: donates to a charity*
    - → *a school lunch for a child in Kenya for __one and a half__ months*
    - → *__10__ kg of rice for a family in Afghanistan or the Congo*

  10 dollars!!!
- *The value of money is very __different__ in different countries. Think of the __valuable__ ways to spend money!*

- 일일 교사: Ryan 씨 (Cindy의 아버지)
- 누군가가 10달러로 할 수 있는 것들
  - 극장가기 / 패스트푸드 사먹기
  - Cindy: 자선 단체에 기부하기
    - → 한 달 반 동안 케냐에 있는 어린이 한 명의 점심 도시락
    - → 아프가니스탄이나 콩고의 한 가족을 위한 10kg의 쌀
- 돈의 가치는 나라마다 매우 다르다. 돈을 쓸 가치 있는 방법을 생각해 보세요!

Script

M: Good morning, students. My name is Mr. Ryan, and I'm your substitute teacher for today. I'm Cindy Ryan's father. I'm delighted that I have a chance to tell you an amazing story. What would you do if I gave you ten dollars? Some of you would go to a theater, and others would buy some fast food. Is there anyone who would give the money to a charity? Well, Cindy has donated money once a month to help children in developing countries since she was twelve years old. I have never made her do it. It has always been her decision. Can you imagine what her donations can do? Her monthly donation can provide a school lunch for a child in Kenya for one and a half months. With the monthly donation, a family in Afghanistan or the Congo can buy ten kilograms of rice. Surprised? Guess how much money Cindy donates a month? Just ten dollars. Yes, just ten dollars a month. You may think that is not that much. But the value of ten dollars is very different in different countries. Your small action can make a big difference. So, when you have some money to spend, please stop and think for a moment of the valuable ways to spend it.

| 해석 |

남: 안녕하세요, 학생 여러분. 제 이름은 Ryan이고, 오늘 여러분의 일일 교사입니다. 저는 Cindy Ryan의 아버지입니다. 여러분들에게 놀라운 이야기를 할 수 있는 기회를 가지게 되어 기쁩니다. 제가 여러분에게 10달러를 드린다면 여러분은 무엇을 하실 건가요? 여러분 중 몇몇은 극장에 가고, 다른 이들은 패스트푸드를 좀 사먹을 것입니다. 누구 자선 단체에 돈을 기부할 분이 있을까요? 음, Cindy는 개발 도상국의 어린이들을 돕기 위해 그녀가 12살이었을 때부터 한 달에 한 번 기부를 해 왔습니다. 제가 그녀에게 그렇게 시킨 것이 절대 아닙니다. 그것은 늘 그녀의 결정이었습니다. 여러분은 그녀의 기부가 무엇을 할 수 있는지 상상할 수 있나요? 그녀가 매달 기부한 돈은 케냐에 있는 어린이 한 명의 점심 도시락을 한 달 반 동안 제공할 수 있습니다. 한 달 기부금으로 아프가니스탄이나 콩고의 한 가족이 10킬로그램의 쌀을 살 수 있습니다. 놀랐나요? Cindy가 한 달에 기부한 돈이 얼마일지 추측해 볼까요? 단지 10달러입니다. 네, 단지 한 달에 10달러입니다. 여러분은 그것이 그리 많지 않다고 생각할 수도 있습니다. 그러나 10달러의 가치는 나라마다 매우 다릅니다. 여러분의 작은 행동이 큰 차이를 만들 수 있습니다. 그러니 여러분이 쓸 약간의 돈이 있을 때, 잠시 멈추어 그 돈을 쓸 가치 있는 방법을 생각해 보세요.

어구

substitute [명] 대리인, 대용품
· Soy milk is used as a *substitute* for dairy milk. (두유는 우유 대용으로 사용된다.)

charity [명] 자선 단체
· She runs a local *charity* that gives books to children. (그녀는 아이들에게 책을 주는 지역 자선 단체를 운영하고 있다.)

donate [동] 기부하다
· Both teams *donated* their prize money back to the fund. (두 팀 모두 그들의 상금을 재단에 다시 기부했다.)

valuable [형] 가치 있는
· Diamonds are still *valuable*, even when they are flawed. (다이아몬드는 흠이 있더라도 여전히 가치 있다.)

힌트

강의를 하는 남자는 Cindy의 아빠이며 일일 교사이고, 학생들에게 적은 액수의 기부가 가지는 힘에 대해 말하고 있다.

| 구문 해설 |

- I have never **made** her **do** it.: 사역동사 make의 목적어(her) 다음에 목적격 보어로 동사원형(do)이 쓰였다.
- You may think **that** is not **that** much.: 첫 번째 that은 앞 문장의 ten dollars a month를 가리키는 지시대명사이며, 두 번째 that은 '그다지, 그렇게까지'라는 의미의 부사로 쓰였다.

Lesson 2

[B] Complete the comic strip with the sentences from the box and practice the dialog with your partner. 보기의 문장들로 만화를 완성하고 짝과 함께 대화를 연습해 봅시다.

> [a] I sold it for 30 dollars! 그것을 30달러에 팔았어요!
> [b] I'm delighted that you're delighted. 당신이 기쁘다니 저도 기쁘네요.
> [c] I think I'll donate what I make to a charity. 제가 번 돈을 자선 단체에 기부할 생각이에요.

Kevin, 마침내 네가 이 물건들 모두를 치울 거라니 기쁘구나.

[b] 엄마가 기쁘시다니 저도 기쁘네요.

보세요. 몇몇 물품은 이미 팔았어요. [c] 제가 번 돈을 자선 단체에 기부할 생각이에요.

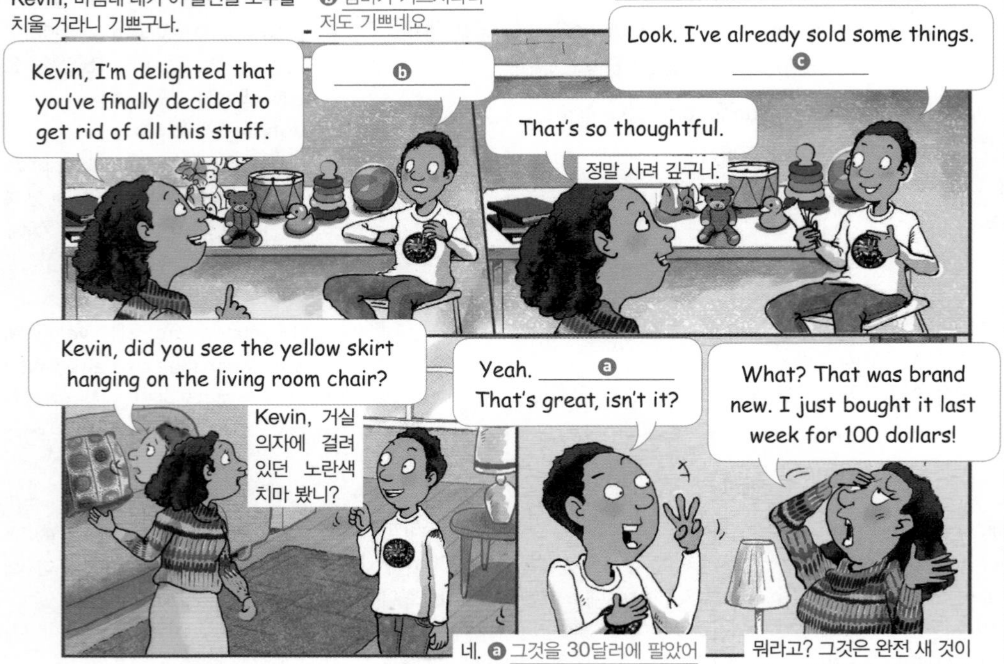

Kevin, I'm delighted that you've finally decided to get rid of all this stuff.
____[b]____
Look. I've already sold some things. ____[c]____
That's so thoughtful.
정말 사려 깊구나.
Kevin, did you see the yellow skirt hanging on the living room chair?
Kevin, 거실 의자에 걸려 있던 노란색 치마 봤니?
Yeah. ____[a]____ That's great, isn't it?
What? That was brand new. I just bought it last week for 100 dollars!

네. [a] 그것을 30달러에 팔았어요! 대단하죠, 그렇지 않아요?

뭐라고? 그것은 완전 새 것이었어. 지난주에 100달러에 샀다고!

어구

get rid of ~을 제거하다
· It's time to *get rid of* this old sweater. (이 낡은 스웨터를 없앨 때가 되었어.)

thoughtful [형] 사려 깊은
· The hotel manager was very kind and *thoughtful*. (그 호텔 매니저는 매우 친절하고 사려 깊었다.)

brand new 아주 새로운, 신품의
· His coat looked as if it was *brand new*. (그의 코트는 마치 새 상품처럼 보였다.)

힌트

남학생이 창고 세일을 통해 필요 없는 물건들을 처분하고 있던 중에, 엄마가 새로 산 치마까지 팔고 만 상황이다.

| 구문 해설 |

- I think I'll donate **what** I **make** to a charity.: what은 선행사를 포함하는 관계대명사이며 what이 이끄는 절이 will donate의 목적어로 쓰였다. 관계대명사절의 동사 make는 '돈을 벌다'라는 뜻으로 쓰였다.

[C] How You Would Spend 10 Dollars Right Now 10달러를 지금 당장 어떻게 지출할 것인가

STEP 1 Select the way you would spend 10 dollars right now.
지금 당장 10달러를 쓸 방법을 선택해 봅시다.

☐ Go see a movie 영화 보러가기	☐ Buy school supplies 학용품 사기
☐ Buy a book to read 읽을 책 사기	☐ Donate it to a charity 자선 단체에 기부하기
☐ Buy yourself lunch 점심 사먹기	☐ Save it for a rainy day 어려운 때를 대비해 저축하기
☐ Buy a present for someone 누군가를 위한 선물 사기	On Your Own ________

STEP 2 **With your partner, talk about how you would spend 10 dollars right now.**
지금 당장 10달러를 어떻게 쓸 것인지에 대해 짝과 함께 대화해 봅시다.

| Sample Dialog |

A How would you spend 10 dollars right now?
B I would save it for a rainy day.
A Why would you do that?
B Well, I just don't think I'd need to spend it right away.
A I think it'd be better to spend the money rather than to save it.
B So, what would you do?
A I would buy a present for you. Isn't it your birthday next week?
B Yes! I'm delighted that you remembered my birthday.

| 해석 |

A: 지금 당장 10달러를 어떻게 사용할 거니?
B: 어려운 때를 대비해 저금할 거야.
A: 왜 그렇게 할 건데?
B: 음, 나는 단지 지금 당장 써야 할 필요가 없다고 생각할 뿐이야.
A: 나는 저금하는 것보다 돈을 쓰는 것이 더 낫다고 생각해.
B: 그래서 너는 무엇을 할 거니?
A: 나는 네게 줄 선물을 살 거야. 네 생일이 다음 주 아니니?
B: 응! 네가 내 생일을 기억해 주다니 기뻐.

| 구문 해설 |

· I think it'd be better to spend the money **rather than** to save it.: I think 다음에 목적어절을 이끄는 접속사 that이 생략된 문장이다. 「A rather than B」는 'B보다는 A'라는 의미의 구문으로 A와 B의 형태가 어법상 대등한 구조로 와야 한다. 이 문장에서는 A와 B에 to부정사(to spend, to save)가 쓰였다.

STEP 3 **Present how you and your partner would spend 10 dollars right now to the class.** 여러분과 짝이 지금 당장 10달러를 어떻게 쓸 것인지 반 친구들에게 발표해 봅시다.

✔**Self-Check**   Yes   No

I can use the target expressions correctly.   ☐   ☐ → Go back to A and B.
나는 목표 표현을 정확하게 쓸 수 있다.   A와 B로 돌아가세요.

I can communicate effectively.   ☐   ☐ → Practice the Sample Dialog in STEP 2 again.
나는 효과적으로 의사소통할 수 있다.   STEP 2의 예시 대화를 다시 연습하세요.

Language in Focus

교과서 p. 42

A **Compare the following sentences and find the meaning of the word in bold.**
다음 문장들을 비교해 보고 굵은 글씨로 된 단어의 의미를 알아봅시다.

- You may think that they **shouldn't have had** their own monetary system because they were not modernized.
  여러분은 그들이 개화되지 않았기 때문에 그들 자신만의 화폐 제도를 가지고 있었을 리가 없다고 생각할 수도 있다.
- You may think it was impossible that they had their own monetary system because they were not modernized.
  여러분은 그들이 개화되지 않았기 때문에 그들 자신만의 화폐 제도를 가지는 것이 불가능했다고 생각할 수도 있다.

● **Based on what you found, choose the one that has a different meaning from the others.** 여러분이 찾은 것을 바탕으로 나머지와 다른 의미를 가진 것을 골라 봅시다.

In the middle of class today, Ben kept falling asleep. I asked him why he was so tired. He said he stayed up late last night, but didn't tell me why. He knows that it's not good to stay up so late, so he ✓ⓐ shouldn't have done it. What was he doing until so late? He ⓑ shouldn't have been watching the soccer game because I heard that finished earlier in the evening. Oh, he must have been working on his homework. He ⓒ shouldn't have been working on his math homework because he said he had finished it after school yesterday. Aha, now I know! He must have been working on his history report, which is due today!

| 해석 |

오늘 수업 도중에 Ben은 계속 자고 있었다. 나는 그에게 그가 매우 피곤한 이유를 물었다. 그는 어젯밤에 늦게까지 깨어 있었다고 말했지만, 내게 이유를 말하지 않았다. 그는 그렇게 늦게까지 깨어 있는 것이 좋지 않은 것이라고 알고 있어서 말하지 않았을 것이다. 그는 그렇게 늦게까지 무엇을 하고 있었을까? 저녁 일찍 축구 경기가 끝났다고 들었기 때문에 그가 축구 경기를 봤을 리가 없다. 오, 그는 숙제를 했음에 틀림없다. 그는 어제 방과 후에 그것을 끝냈다고 내게 말했기 때문에 수학 숙제를 했을 리가 없다. 아하, 이제 알았다! 그는 역사 보고서를 작업했음에 틀림없는데, 그것의 기한이 오늘이다!

Grammar Point

추측을 나타내는 조동사 should

조동사 should는 확실성이 적은 일에 대해 추측할 때 사용하며, should have p.p.는 '~했을 것이다'라는 뜻으로 과거 사실에 대한 추측을 나타낸다. '~했어야 했는데 (하지 않았다)'라는 뜻으로 과거 사실에 대한 후회를 나타내는 표현 역시 「should have p.p.」로 형태가 같으므로 문맥을 통해 구분해야 한다. 「should have p.p.」 구문을 부정할 때는 「shouldn't have p.p.」의 형태로 쓰며 '~했을 리가 없다'라는 뜻의 과거 사실에 대한 추측과 '~하지 않았어야 했는데'라는 뜻의 과거 사실에 대한 후회를 나타낸다.

e.g. He caught a cold. He **should have worn** a light jacket yesterday. (과거 사실에 대한 추측)
(그는 감기에 걸렸다. 그는 어제 얇은 재킷을 입었을 것이다.)
I had a stomachache. I **shouldn't have eaten** so much food. (과거 사실에 대한 후회)
(나는 배가 아팠다. 나는 너무 많은 음식을 먹지 않았어야 했다.)

어구

monetary [형] 화폐의
· The *monetary* unit of the UK is the pound. (영국의 화폐 단위는 파운드다.)
modernize [동] 현대화하다, 현대적이 되다
· The company is investing a lot of money to *modernize* its factories. (그 회사는 공장을 현대화하기 위해 많은 돈을 투자하고 있다.)
due [형] 만기가 된, 날짜가 다 된
· My essay is *due* next Friday. (나의 에세이는 다음 주 금요일이 제출 기한이다.)

힌트

추측을 나타내는 조동사 should가 쓰인 shouldn't have p.p. 구문 중에서 ⓐ는 '~하지 말았어야 했다'라는 과거 사실에 대한 후회의 의미로, 나머지 ⓑ, ⓒ는 '~했을 리가 없다'라는 과거 사실에 대한 추측의 의미로 쓰였다.

| 구문 해설 |

- I asked him **why he was** so tired.: why 이하는 asked의 목적어로 쓰인 의문사절로 「의문사+주어+동사」의 어순으로 쓰였다.
- He **must have been** working on **his history report, which** is due today!: must have p.p.는 '~했음에 틀림없다'라는 뜻으로 과거 일에 대한 강한 추측을 나타낸다. which는 계속적 용법의 주격 관계대명사이며, 선행사는 his history report이다.

[B] Compare the following pairs of sentences and find the difference between them. 다음 짝지어진 문장들을 비교해 보고 그것들 사이에 다른 점을 알아봅시다.

- Someone said to me, "Is 25 dollars a little or a lot of money to you?"
  누군가가 내게 "25달러가 당신에게는 적은 돈인가요 아니면 큰돈인가요?"라고 말했다.
- Someone asked me **whether** 25 dollars was a little or a lot of money to me.
  누군가가 내게 25달러가 적은 돈인지 큰돈인지를 물었다.

- We said to them, "Are you aware of the purpose of the project?"
  우리는 그들에게 "그 프로젝트의 목적을 알고 있나요?"라고 말했다.
- We asked them **whether** they were aware of the purpose of the project.
  우리는 그들에게 그 프로젝트의 목적을 알고 있었는지 물었다.

● **Based on what you found, rewrite the sentences.**
여러분이 찾은 것을 바탕으로 문장들을 다시 써 봅시다.

1. The judge said to her, "Is his confession true?"
→ The judge asked ___her whether his confession was true___.

2. The professor said to me, "Are you interested in economics?"
→ The professor asked ___me whether I was interested in economics___.

| 해석 |

1. 판사는 그녀에게 "그의 자백이 사실입니까?"라고 말했다.
   → 판사는 그녀에게 그의 자백이 사실인지 물었다.
2. 교수님이 내게 "너는 경제학에 관심이 있니?"라고 말했다.
   → 교수님이 내게 경제학에 관심이 있는지 물었다.

Grammar Point

의문사 없는 의문문의 간접화법

의문사가 없는 의문문을 간접화법으로 전환할 때는 전달동사로 ask나 wonder를 쓰고 의문문을 「if / whether+주어+동사」의 형태로 바꿔 쓴다. 전달동사로 wonder를 쓸 때는 간접목적어를 쓸 수 없음에 유의해야 한다.

e.g. She said to me, "Have you ever been to Italy?"
(그녀는 나에게 "이탈리아에 가 본 적이 있니?"라고 말했다.)
→ She asked me **whether** I had ever been to Italy.
(그녀는 나에게 이탈리아에 가 본 적이 있는지 물었다.)
He said to her, "Do you want a cup of coffee?"
(그는 그녀에게 "커피 한 잔 드시고 싶으세요?"라고 말했다.)
→ He asked her **whether** she wanted a cup of coffee.
(그는 그녀에게 커피 한 잔을 마시고 싶은지 물었다.)
The teacher said to me, "Is that woman your sister?"
(선생님은 내게 "저 여자가 너의 언니니?"라고 말씀하셨다.)
→ The teacher wondered **whether** that woman was my sister.
(선생님은 그 여자가 나의 언니인지 궁금해 하셨다.)

[어구]

aware [형] 알고 있는
· I'm very much *aware* of the problem. (나는 그 문제를 아주 잘 알고 있다.)

confession [명] 자백, 고백
· I have a *confession* to make – I've lost the DVD you lent me. (나 고백할 것이 있어. 네가 나에게 빌려준 DVD를 잃어버렸어.)

economics [명] 경제학
· She has a degree in *economics*. (그녀는 경제학 학위가 있다.)

[힌트]

직접화법에서 의문사 없는 의문문을 간접화법으로 만들 경우 「if/whether+주어+동사」의 형태로 써야 하며, 말을 전달 받는 사람의 입장에 맞춰 인칭과 동사의 시제, 부사구를 바꿔야 한다.

Before You Read

Reading Activator

A Read each opinion about money. Fill in the blank with your own opinion and share it with the class. 돈에 관한 의견을 읽고 여러분의 의견으로 빈칸을 채운 후 반 친구들과 공유해 봅시다.

For me, money is something based on credit.
- Scott Fitzpatrick, professor at the University of Oregon

나에게 돈이란 신용을 기반으로 하는 것이다.
– 오레곤 대학 교수, Scott Fitzpatrick

For me, money is good when it circulates well.
- Michael Untergguggenberger, mayor of Wörgl, Austria

나에게 돈이란 잘 순환될 때 좋은 것이다.
– 오스트리아 Wörgl 시장, Michael Untergguggenberger

For us, money is the means to make our dream come true.
- Steve and Anna Tolan, founders of The Chipembele Wildlife Education Center

우리에게 돈이란 우리의 꿈을 실현시켜 주는 수단이다.
– Chipembele 야생 교육센터의 설립자들, Steve Tolan과 Anna Tolan 부부

On Your Own

For me, money is _____
Sample a tool to serve other people in need .
– Mijin Choi

나에게 돈이란 어려움에 처한 다른 사람들을 돌보는 도구이다.
– 최미진

어구

credit 몡 신용
·You can take the goods now and pay later if your *credit* is good. (당신의 신용이 좋다면 제품을 지금 가져가고 나중에 지불할 수 있다.)
circulate 동 순환하다; 유통되다
·Hot water *circulates* through the pipes. (온수가 파이프를 통해 순환한다.)
means 몡 수단, 방법
·We had to find some other *means* of transportation. (우리는 다른 교통수단을 찾아야 했다.)

| 구문 해설 |

·For us, money is the means **to make** our dream **come** true.: to make는 the means를 수식하는 to부정사의 형용사적 용법으로 쓰였다. make가 사역동사이므로 목적어 our dream 다음에 목적격 보어로 동사원형 come을 취했다.

Word Booster

B Guess the meanings of the underlined words and match them with their appropriate definitions on the right. 밑줄 친 단어의 의미를 유추하여 오른쪽의 알맞은 정의와 연결해 봅시다.

1.
When I got back from my business trip, my plants looked weak. I watered them right away to help them <u>revive</u>.
내가 출장에서 돌아왔을 때, 내 식물들이 시들어 보였다. 나는 그것들이 활기를 되찾게 하기 위해 즉시 물을 주었다.

ⓐ to make something happen at a faster rate
빠른 속도로 무언가가 일어나게 하다

2.
Imagine you own a car and a bicycle. Their value declines every year. They <u>depreciate</u> as time goes by.
당신이 차와 자전거를 소유하고 있다고 상상해 보라. 그것들의 가치는 매년 감소한다. 그것들은 시간이 지날수록 가치가 떨어진다.

ⓑ to become less valuable as time passes
시간이 지나면서 가치가 덜해지다

3.
We don't have much time left. We need to try our best to complete our project on time. Let's <u>accelerate</u> the work process.
우리는 남은 시간이 많지 않다. 제시간에 우리의 프로젝트를 완수하기 위해 최선을 다해야 할 필요가 있다. 작업 과정에 속도를 더하자.

ⓒ to come back to a healthy or flourishing condition after a decline
쇠퇴 후에 건강하거나 잘 자란 상태로 되돌리다

어구

revive 동 활기를 되찾다, 소생하다
·A hot shower and a cup of tea will *revive* you. (따뜻한 샤워와 차 한 잔이 네가 활기를 되찾게 해 줄 거야.)
decline 동 감소하다, 떨어지다
·The birth rate has continued to *decline* in the last year as well. (작년에도 출생률은 계속 감소했다.)
depreciate 동 가치가 떨어지다
·Our car *depreciated* by $1,500 in the first year we owned it. (우리 차는 구입한 첫 해에 1,500달러만큼 가치가 떨어졌다.)
accelerate 동 빨라지다, 가속하다
·They use special chemicals to *accelerate* the growth of crops. (그들은 곡물의 성장을 가속하기 위해 특별한 화학물질을 사용한다.)

교과서 p. 44

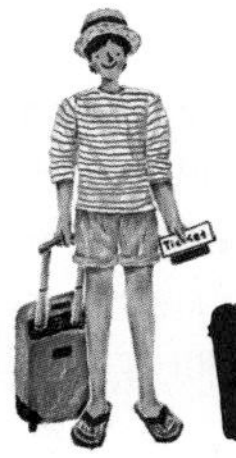
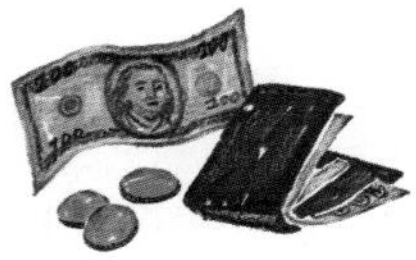
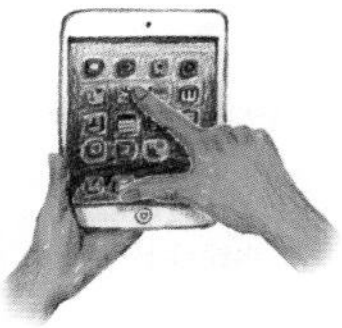

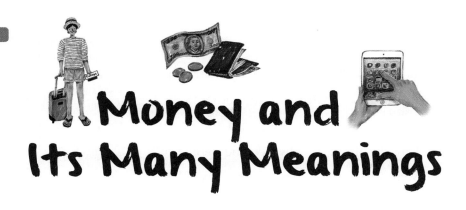

Money and Its Many Meanings

❶ When people are asked [what they value most in their lives], their answers vary. ❷ Most say [that leading a healthy life is high on their list of priorities]. ❸ Also, many say [that having a job (they love) is of extreme importance]. ❹ But what about making money? ❺ How important is it in your life? ❻ To properly answer this question, you may need to know the true meaning of money. ❼ The following three stories highlight various meanings of money.

asked의 목적어절 (의문사절) / say의 목적어절 / which(that) / 동사 (단수) / 동명사 주어 / 선행사 / 목적격 관계대명사절 / 「of+추상명사」= 형용사(구) extremely important의 의미 / = making money / 부사적 용법: 목적 (분리부정사) / 주어 / 동사 (복수)

| 해석 |

돈과 그것의 다양한 의미

❶ 사람들이 자신이 인생에서 무엇을 가장 가치 있게 여기는지 질문 받을 때, 그들의 대답은 다양하다. ❷ 대부분은 건강한 삶을 보내는 것이 우선순위 목록에 높이 자리하고 있다고 말한다. ❸ 또한 많은 사람들은 그들이 좋아하는 직업을 가지는 것이 아주 중요하다고 말한다. ❹ 하지만 돈을 버는 것은 어떤가? ❺ 돈을 버는 것이 여러분의 인생에서 얼마나 중요한가? ❻ 이 질문에 적절히 대답하기 위해, 여러분은 돈의 진정한 의미를 알 필요가 있을 것이다. ❼ 다음 세 가지 이야기는 여러분에게 돈의 여러 의미를 밝혀준다.

어구

vary [동] 다르다, 다양하다

· Prices may *vary* widely from shop to shop. (가격이 가게마다 크게 다를 수 있다.)

priority [명] 우선순위

· The bank seems to give *priority* to new customers. (은행은 새로운 고객들에게 우선권을 주는 것 같다.)

properly [부] 적절히, 알맞게

구문 연구

❶ When people are asked **what** they value most in their lives, their answers vary.: what은 의문사로 what이 이끄는 절이 what ~ lives는 asked의 목적어절로 쓰였다.

❷ Most say **that leading** a healthy life **is** high on their list of priorities.: that 이하는 say의 목적어절로 쓰였으며, that절의 주어가 동명사구 leading a healthy life이므로 동사는 단수형 is가 쓰였다.

❻ **To properly answer** this question, you may need to know the true meaning of money.: to부정사의 부사적 용법 중 목적으로 쓰인 To answer의 to와 동사원형 answer 사이에 부사 properly가 와서 분리부정사의 형태로 쓰였다.

Grammar Check

◆ **전치사+추상명사 = 형용사 / 부사**

「전치사+추상명사」는 형용사 또는 부사처럼 쓰인다.

e.g. Jake is a **man of experience**.
= Jake is **an experienced man**. (Jake는 경험이 풍부한 사람이다.)
We did it **with ease**.
= We did it **easily**. (우리는 그것을 쉽게 했다.)

Check Up

01 다음 문장에서 밑줄 친 부분을 바르게 고치시오.

(1) My grandfather was a man of wise.

(2) She said that she would wait for the final results with patient.

02 우리말과 일치하도록 주어진 어구를 활용하여 영작하시오.

나는 누가 내게 이 선물을 보냈는지 알고 싶다.

____

(want, know, send, this present)

Rai of Yap

❽ The island of Yap, located [which is] in the Pacific Ocean between Guam and Palau, had been untouched by modern civilization until the 1800s.
[주어] [과거분사구]
[동사 (과거완료)]

❾ You may think [that they shouldn't have had their own monetary system because they were not modernized].
[think의 목적어절 ~했을 리가 없다 (과거 사실에 대한 추측)]

❿ However, the people of Yap had a very advanced and well-developed system of money.

⓫ They used rai — large, thick round stone wheels with a hole cut in the middle [in which they could insert a pole to help transport them].
[목적격 관계대명사절]

⓬ Some rai were very big and weighed about 7 tons!
[= rai]

Q What was the purpose of cutting a hole in the middle of rai?
rai의 가운데에 구멍을 낸 목적은 무엇이었습니까?

정답 The purpose of cutting a hole in the middle of rai was to help transport them.
rai의 가운데에 구멍을 낸 목적은 그것들을 운반하는 데 도움을 주기 위해서였다.

구문 연구

❽ **The island of Yap, located in the Pacific Ocean between Guam and Palau, had been untouched by modern civilization until the 1800s.**: 과거분사구 located ~ Palau는 주어인 The island of Yap을 수식한다. 동사구는 과거인 1800년대 이전의 상황부터 1800년대까지의 상황을 언급하므로 had been untouched 형태의 과거완료 시제가 사용되었다.

❾ **You may think that they shouldn't have had their own monetary system because they were not modernized.**: 접속사 that 이하는 think의 목적어로 쓰였다. shouldn't have had는 '가졌을 리가 없다'는 뜻으로 과거 사실에 대한 추측을 나타낸다.

⓫ **They used rai — large, thick round stone wheels with a hole cut in the middle in which they could insert a pole to help transport them.**: cut은 앞에 which was가 생략된 과거분사구를 이끌며 앞의 a hole을 수식한다. in which가 이끄는 목적격 관계대명사절 역시 a hole을 선행사로 수식한다.

Grammar Check

◆ 전치사+관계대명사

두 문장의 공통 요소 중 하나를 대명사로 바꿔 한 문장으로 연결시키는 역할을 하는 것이 관계대명사인데, 공통 요소 앞에 전치사가 있다면 전치사를 그대로 두어야 하므로 「전치사+관계대명사」의 형태로 쓴다. 이때 전치사를 관계대명사절 마지막에 둘 수도 있고 「전치사+관계대명사」를 관계부사로 바꿔 쓸 수도 있다.

e.g. This is **the house**.＋I was born **in the house**.
　→ This is the house **in which** I was born.
　　＝ This is the house **which** I was born **in**.
　　＝ This is the house **where** I was born. (이곳은 내가 태어났던 집이다.)

Check Up

01 다음 괄호 안에서 알맞은 것을 고르시오.

(1) The island of Yap (was untouched / had been untouched) by modern civilization until the 1800s.

(2) You may think that they (should have had / shouldn't have had) their own monetary system because they were not modernized.

02 우리말과 일치하도록 주어진 어구를 활용하여 영작하시오.

> 이것이 백업 파일들이 저장되는 폴더이다.

_____

(the folder, which, the backup files, store, in)

Pay Attention 📍
L9 You may think that they **shouldn't have had** their own monetary system because they were not modernized.
확실성이 적은 일에 대한 추측을 나타내는 조동사 should가 「shouldn't have p.p.」 형태로 쓰일 때 '~했을 리가 없다'라는 뜻으로 과거 사실에 대한 추측을 나타낸다.

| 해석 |- - - - - - - - - - - - - - - -

Yap 섬의 Rai

❽ 괌과 팔라우 사이 태평양에 위치한 Yap 섬은 1800년대까지 현대 문명의 손길이 닿지 않았다. ❾ 여러분은 그들이 개화되지 않았기 때문에 그들 자신만의 화폐 제도를 가지고 있었을 리가 없다고 생각할 수 있다. ❿ 그러나 Yap 섬의 사람들은 매우 진보적이고 잘 다듬어진 화폐 제도를 가지고 있었다. ⓫ 그들은 운반을 돕기 위해 막대를 끼울 수 있는 구멍을 가운데에 낸 크고 두껍고 둥근 돌 바퀴인 rai를 사용했다. ⓬ 몇몇 rai는 아주 컸고 약 7톤의 무게가 나갔다!

어구

untouched 혱 손길이 닿지 않은. 영향을 받지 않은
monetary 혱 화폐의
·A more supple *monetary* policy is required. (더 유연한 화폐 정책이 요구된다.)
pole 몡 막대기
transport 동 운반하다 몡 수송
·Our furniture can easily be *transported* from the shop to your home. (우리 가구는 가게부터 여러분의 집까지 쉽게 운반될 수 있다.)
weigh 동 무게가 ~이다

❶ These huge stones were not native to the island. ❷ Instead, they were mined on the Palau Islands, 460 km away from Yap. ❸ Because Yap islanders used narrow boats, the stones often fell overboard and got lost in the sea. ❹ What is interesting is that even when rai fell into the sea, people agreed that the incident didn't change either the value of the stone or its owner's ownership.

❺ How this system could even work may seem really strange. ❻ But in fact we have a very similar system today. ❼ Our cash in the bank is just like the rai that lay underwater. ❽ Though we can't see cash in the bank, it works perfectly as money. ❾ After all, our monetary system is based on credit, just like the rai of Yap.

Q How did rai falling into the sea while transporting it affect the value of it?
수송 중에 rai가 바다에 빠지는 것은 rai의 가치에 어떤 영향을 주었습니까?

정답 Rai falling into the sea while transporting it didn't change the value of it.
수송 중에 rai가 바다에 빠지는 것은 rai의 가치를 변화시키지 않았다.

구문 연구

❸ Because Yap islanders used narrow boats, the stones often **fell** overboard and **got** lost in the sea.: 주절의 동사 fell과 got이 병렬 구조를 이룬다.

❹ **What** is interesting **is that** even when rai fell into the sea, people agreed that the incident didn't change **either** the value of the stone **or** its owner's ownership.: What은 '~한 것'이라는 의미를 가지는 관계대명사로 주어절을 이끌고 있으며, 동사는 is이고 that 이하가 보어절로 쓰였다. 「either A or B」는 'A 또는 B 중 하나'라는 뜻의 표현이며, 이 표현이 주어로 쓰일 때 동사의 수는 B에 일치시킨다.

❺ **How** this system could even work **may seem** really strange.: 의문사 How가 이끄는 절 How ~ work가 문장의 주어이고 동사는 may seem이다.

❼ **Our cash** in the bank **is** just like the rai **that lay** underwater.: 주어는 Our cash 이고 동사는 is이다. 주격 관계대명사절 that 이하가 선행사 the rai를 수식한다. 선행사 the rai가 과거에 '놓여 있었던' 상태이므로 관계대명사절의 동사는 lie(놓여 있다)의 과거형 lay가 쓰였다.
cf. lie(놓여 있다, 눕다) – lay – lain
　　 lie(거짓말하다) – lied – lied
　　 lay(눕히다, 눕다) – laid – laid

Highlight 🖊
L5 Highlight *the incident* and identify what it refers to.
'incident'에 표시하고 그것이 무엇을 가리키는 지 써봅시다.

정답 Rai falling into the sea

| 해석 |------------------------

❶ 이 거대한 돌은 그 섬에서 나는 것이 아니었다. ❷ 대신 그것들은 Yap 섬에서 460킬로미터 떨어진 팔라우 섬에서 채굴되었다. ❸ Yap 섬사람들이 좁은 배를 사용했기 때문에 그 돌은 종종 배 밖으로 떨어졌고 바닷속에서 유실되었다. ❹ 흥미로운 것은 rai가 바닷속으로 떨어졌을 때도 사람들이 그 사고가 그 돌의 가치나 그 주인의 소유권 중 하나라도 변화시키지 않는다는 데에 동의했다는 것이다.

❺ 어떻게 이 제도가 잘 운용될 수 있는지 매우 이상하게 보일지 모른다. ❻ 그러나 사실 우리는 오늘날 이것과 매우 유사한 제도를 가지고 있다. ❼ 은행에 있는 우리의 현금은 바닷속에 놓여 있는 rai와 꼭 같은 것이다. ❽ 은행에 있는 현금은 우리 눈에 보이지 않을지라도 그것은 돈으로써 완벽하게 기능한다. ❾ 결국 우리의 화폐 제도는 꼭 Yap 섬의 rai처럼 신용을 기반으로 한다.

어구

native 형 그 지방 고유의; 태어난
·The horse is not *native* to America—it was introduced by the Spanish. (그 말은 미국 고유의 품종이 아니다. 그것은 스페인 사람들에 의해 도입되었다.)
mine 동 채굴하다 명 광산
overboard 부 배 밖으로
incident 명 사고, 사건
·We just want to put that embarrassing *incident* behind us. (우리는 그 당황스러운 사건을 그저 잊고 싶습니다.)
ownership 명 소유권
credit 명 신용, 신뢰
be based on ~에 기초하다

Check Up

01 다음 문장에서 어법상 틀린 부분을 찾아 바르게 고치시오.

(1) Either she or her brother are telling a lie.

(2) A sailboat lied at anchor in the narrow waterway.

02 우리말과 일치하도록 주어진 어구를 활용하여 영작하시오.

그들이 어떻게 그곳에 도착했는지가 불가사의이다.

_____

(how, get there, a mystery)

Money That Saved a Town

❶ In 1932, in the middle of the Great Depression, the town of Wörgl, Austria, was suffering from a 35% unemployment rate. ❷ The town's mayor had a long list of projects to do and only 40,000 Austrian shillings in the bank to pay for them. ❸ Thinking the depression was caused by lack of money circulation, he decided to issue 40,000 shillings worth of Freigeld, a regional currency. ❹ Then, the mayor began to use Freigeld to pay for his projects.

❺ Freigeld, which means "free money," was different from normal money in that it depreciated monthly by 1% of its original value. ❻ To maintain its original value, people had to buy a stamp that was worth the amount of devaluation and put it on their Freigeld.

❼ The purpose of this strange system was to accelerate the circulation of money, and it succeeded! ❽ Everybody who was paid in Freigeld spent it as quickly as possible because keeping the currency, and not spending it, meant losing wealth. ❾ The average speed that money circulated increased by fourteen times, which consequently revived the economy of the town. ❿ In less than two years, Wörgl became the first town in Austria to reach full employment.

⓫ The experiment in the small town of Wörgl might suggest that money, as the medium of exchange, should be circulated appropriately, and that its smooth flow helps to vitalize the economy.

Q How was Freigeld different from normal money?
Freigeld는 일반적인 돈과 어떻게 달랐습니까?

정답 Freigeld was different from normal money because it depreciated monthly by 1% of its original value.
Freigeld는 매달 그것의 원래 가치의 1퍼센트씩 평가 절하했기 때문에 보통의 돈과 달랐다.

Q Search the Internet to find other examples of regional currency.
인터넷을 검색하여 지역 화폐의 다른 사례를 찾아봅시다.

Sample In Bristol, UK, a regional currency named the Bristol Pound has been used since 2012. Its objective is to encourage people to spend their money with local, independent business in Bristol.
영국의 브리스톨에서는, 브리스톨 파운드라는 이름의 지역 화폐가 2012년부터 사용되고 있다. 그것의 목표는 사람들이 돈을 브리스톨 지역의 자영업체에 쓰도록 장려하는 것이다.

Top Tips

L7 A regional currency is a currency that can be spent in a particular area. It acts as a complementary currency to a national currency and aims to encourage spending within a local community, especially with locally-owned businesses.
지역 화폐는 특정 지역에서 사용될 수 있는 통화이다. 그것은 국가 화폐의 보조 화폐로 기능하며 지역 공동체, 특히 지역 주민이 소유한 업체에서의 소비 권장을 목표로 한다.

Highlight

Highlight every *it* and *its* in the second paragraph and choose the one that has a different meaning from the others.
두 번째 문단에서 'it'과 'its'에 모두 표시하고 나머지와 다른 의미를 가진 것을 골라 봅시다.

정답 L12의 it (put it on their Freigeld) / 나머지는 Freigeld를 의미하고 put it on their Freigeld의 it은 a stamp를 의미한다.

One More Step

L17 Choose the expression that has a similar meaning with *consequently*.
'consequently'와 유사한 의미를 지닌 표현을 골라 봅시다.

ⓐ in fact 사실은
✓ⓑ as a result 결과적으로
ⓒ for example 예를 들면
ⓓ on the contrary 반대는

| 해석 |----------------------

마을을 구한 돈

❶ 세계 대공황이 한창이던 1932년, 오스트리아의 도시 Wörgl은 35%의 실업률로 고통받고 있었다. ❷ 그 도시의 시장은 해야 할 프로젝트의 긴 목록과 그것들에 지불할 겨우 4만 오스트리아 실링을 은행에 가지고 있었다. ❸ 그는 경제 침체가 돈의 순환아 부족한 것에서 기인한다고 생각했기 때문에 4만 실링 어치의 지역 화폐인 Freigeld를 발행하기로 결정했다. ❹ 그리고 나서 시장은 그의 프로젝트에 대해 지불하기 위해 Freigeld를 사용하기 시작했다.

❺ '자유 화폐'라는 의미를 가진 Freigeld는 매달 그것의 원래 가치의 1퍼센트씩 평가 절하한다는 점에서 일반적인 돈과 달랐다. ❻ 그것의 원래 가치를 유지하기 위해, 사람들은 평가 절하된 만큼의 가치를 가진 우표를 사서 Freigeld에 붙여야 했다.

❼ 이 이상한 제도의 목적은 돈의 순환을 가속화시키는 것이었고, 그것은 성공했다! ❽ Freigeld로 지불을 받은 모든 이들은 그 화폐를 보유하고 있는 것과 사용하지 않는 것이 부의 손실을 의미했기 때

구문 연구

❸ **Thinking** the depression was caused by lack of money circulation, he decided to issue 40,000 shillings worth of Freigeld, a regional currency.: Thinking은 이유를 나타내는 분사구문의 분사로 As he thought ~로 바꿔 쓸 수 있다. Thinking 뒤에는 접속사 that이 생략되어 있으며 the depression ~ money circulation이 Thinking의 목적어절이다.

❹ Then, the mayor began to use Freigeld **to pay** for his projects.: to pay는 to부정사의 부사적 용법 중 목적의 의미로 쓰였다.

❺ Freigeld, **which** means "free money," was different from normal money **in that** it **depreciated** monthly **by** 1% of its original value.: which는 주격 관계대명사로 which가 이끄는 절 which ~ normal money는 주어 Freigeld를 부연 설명한다. in that은 '~라는 점에서'라는 뜻의 접속사로 쓰였다. '가치가 하락하다'라는 뜻의 depreciate는 자동사이어서 목적어가 필요 없으며 전치사 by가 숫자와 함께 쓰이면 '~만큼'의 뜻이 되므로 that절은 '달마다 원래 가치의 1퍼센트만큼 하락했다'라는 의미가 된다.

❼ The purpose of this strange system was **to accelerate** the circulation of money, and **it** succeeded!: to accelerate는 문장의 보어 역할을 하는 to부정사이며 it은 앞 문장 내용을 가리킨다.

❽ Everybody **who** was paid in Freigeld **spent** it **as** quickly **as possible** because **keeping** the currency, and **not spending** it, meant **losing** wealth.: 주격 관계대명사 who가 이끄는 절 who ~ Freigeld가 주절의 주어이자 선행사인 Everybody를 수식하고, 주절의 동사는 spent이다. 「as+형용사/부사+as possible」은 '가능한 한 ~하게'라는 뜻의 표현이며 「as+형용사/부사+as 주어+동사」로 바꿔 쓸 수 있다. because절에서 주어는 동명사 keeping과 not spending이고, 동사는 meant, 목적어는 동명사구 losing wealth이다. 동명사를 부정할 때는 동명사 앞에 not을 쓰므로 not spending이 되었다.

❾ **The average speed that** money circulated **increased by fourteen times, which** consequently revived the economy of the town.: 이 문장의 주어는 The average speed이며 목적격 관계대명사 that이 이끄는 절 that money circulated의 수식을 받는다. 문장의 동사는 increased이며, by fourteen times는 '14배만큼'의 뜻이다. which는 계속적 용법의 주격 관계대명사로서 「접속사+대명사」 형태인 and it으로 바꿔 쓸 수 있으며, 앞 절 전체 내용인 '돈이 순환하는 평균 속도가 14배 증가한 것'을 가리킨다.

⓫ **The experiment** in the small town of Wörgl **might suggest that** money, as the medium of exchange, **should be circulated** appropriately, and **that** its smooth flow **helps** to vitalize the economy.: 문장의 주어는 The experiment이고 동사는 might suggest이며, 목적어로 두 개의 that이 이끄는 절인 that ~ appropriately와 that ~ economy를 취했다. 동사 might suggest에서 suggest의 의미가 '보여 주다'로 제안의 의미를 갖지 않으므로 두 개의 that절 동사는 각각 should be circulated와 helps로 문장의 시제인 현재 시제를 나타내는 형태로 쓰였다.

문에 가능한 한 빨리 그것을 소비했다. ❾ 돈이 순환하는 평균 속도는 14배 증가되었고, 그것은 결과적으로 마을의 경제를 되살렸다. ❿ 2년이 채 되지 않아 Wörgl은 완전 고용을 이룬 오스트리아의 첫 번째 도시가 되었다.
⓫ 작은 도시 Wörgl에서의 실험은 교환 수단으로써 돈이 적절히 순환되어야 한다는 것과 그것의 원활한 흐름이 경제를 활성화하는 데 도움이 된다는 것을 시사할 수 있다.

어구

unemployment [명] 실업
circulation [명] 순환, 유통
regional [형] 지역의, 지방의 [유] local
· The poll showed that 90% of the population supported *regional* self-government. (여론 조사 결과는 주민의 90퍼센트가 지역 자치 단체를 지지함을 보여 주었다.)
currency [명] 통화, 화폐
devaluation [명] 평가 절하
consequently [부] 결국, 그 결과로
medium [명] 매개, 수단
· Air is the *medium* that conveys sound. (공기는 소리를 전달하는 매개체다.)
vitalize [동] 활력을 부여하다, 생기를 주다

Check Up

01 다음 밑줄 친 부분 중 어법상 틀린 것을 골라 바르게 고치시오.

The purpose of this strange system was ① to accelerate the circulation of money, and it ② succeeded! Everybody ③ who was paid in Freigeld spent it as ④ quick as possible because keeping the currency, and not spending it, meant ⑤ losing wealth.

02 우리말과 일치하도록 주어진 어구를 활용하여 영작하시오.

그는 오늘 말을 많이 하지 않는데, 그것은 그가 두통이 있기 때문이다.

____

(talk much, today, which, because, has a headache)

The Power of $25

❶ [If someone asked you {whether 25 dollars was a little or a lot of money}, what would you say?] (가정법 과거 의문문 (현재 사실의 반대 가정); asked의 목적어절) ❷ To answer this question, imagine [what you could do with 25 dollars]. (imagine의 목적어절) ❸ For example, you and your friends could watch a movie. ❹ However, do you know [that the same amount of money {that you spend on simple entertainment} could be used completely differently for people on the other side of the planet]? (know의 목적어절; 목적격 관계대명사절)

❺ After retiring from the police force, Steve and Anna Tolan moved to Zambia and set up a charitable organization [that provides conservation education programs for children]. (접속사 있는 분사구문 (= After they retired ~); 동사 1; 동사 2; 주격 관계대명사절) ❻ Since it is a nonprofit organization, they rely on financial donations to keep the organization running. (이유 접속사 (= Because); 「keep ~ -ing」 ~을 계속 …하다)

구문 연구

❶ **If** someone **asked** you **whether** 25 dollars was a little or a lot of money, what **would** you **say**?: '만약 ~한다면 어떻게 하겠는가?'라는 뜻으로 현재의 상황을 가정하고 묻는 가정법 과거 의문문이다. 조건절에서 asked의 직접 목적어로 쓰인 명사절은 간접화법의 피전달문으로 원래 의문사 없는 의문문이었으며, asked의 목적어절이 되기 위해 접속사 whether를 쓰고 뒤에 「주어+동사」가 오는 형태가 되었다.

❷ **To answer** this question, imagine **what** you could do with 25 dollars.: To answer는 목적을 나타내는 to부정사의 부사적 용법으로 쓰였다. 의문사 what이 이끄는 절 what you could do는 imagine의 목적어절로 쓰였다.

❹ However, do you know **that** the same amount of money **that** you spend on simple entertainment could be used **completely differently** for people on the other side of the planet?: 첫 번째 that은 접속사로 that이 이끄는 절 that ~ the planet은 know의 목적어로 쓰였으며, 두 번째 that은 목적격 관계대명사로 that이 이끄는 절 that ~ entertainment가 선행사 the same amount of money를 수식한다. 부사 completely는 부사 differently를 수식하며 이 두 부사구가 동사부 could be used를 수식한다.

❺ **After retiring** from the police force, Steve and Anna Tolan **moved** to Zambia and **set** up a charitable organization **that** provides conservation education programs for children.: After retiring은 분사구문으로 접속사 After의 의미를 명확하게 하기 위해서 생략하지 않았으며 After they retired ~로 바꿔 쓸 수 있다. 주절의 동사 moved와 set은 병렬 연결되었고, 주격 관계대명사 that이 이끄는 절이 선행사 a charitable organization을 수식한다.

❻ **Since** it **is** a nonprofit organization, they **rely** on financial donations **to keep** the organization **running**.: Since는 '~이기 때문에'라는 뜻의 이유를 나타내는 접속사이다. 문장의 내용이 현재의 사실에 해당하므로 종속절의 동사 is와 주절의 동사 rely는 현재형으로 쓰였다. to keep은 목적을 나타내는 to부정사의 부사적 용법으로 쓰여서 '~하기 위해'라는 의미를 나타낸다. 「keep ~ -ing」 구문이 쓰여 '~을 계속 …하다'의 뜻을 나타내며, 「keep ~ on -ing」로도 쓸 수 있다. 앞에 전치사 on이 생략되는 구조이므로 -ing는 동명사이다.

Pay Attention

L2 If someone asked you **whether** 25 dollars was a little or a lot of money, what would you say?

whether은 '~인지 아닌지'의 뜻을 가진 접속사로 명사절을 이끌며 의문사 없는 의문문을 간접화법으로 바꿔 말할 때 접속사 대신 사용한다.

| 해석 |

25달러의 힘

❶ 누군가가 여러분에게 25달러가 적은 돈인지 큰 돈인지 묻는다면 무엇이라고 말하겠는가? ❷ 이 질문에 답하기 위해 여러분이 25달러를 가지고 무엇을 할 수 있는지 상상해 보자. ❸ 예를 들어, 여러분과 여러분의 친구들은 영화를 한 편 볼 수 있다. ❹ 그러나 여러분이 단순한 여가를 위해 사용하는 같은 액수의 돈이 지구 반대편에 사는 사람들에게는 완전히 다르게 쓰일 수 있다는 것을 알고 있는가?

❺ Steve Tolan과 Anna Tolan 부부는 경찰직에서 은퇴한 후 잠비아로 이주했고 어린이들에게 자연보호 교육 프로그램을 제공하는 자선 단체를 설립했다. ❻ 이 단체는 비영리기관이기 때문에 그들은 단체를 계속 운영하기 위해 재정적 후원에 의존한다.

어구

set up 세우다, 설립하다 [유] establish
charitable [형] 자선의
conservation [명] 자연보호, 보존
nonprofit [형] 비영리의 [유] charitable
rely on ~에 의존하다 [유] depend on
· The success of the project *relies on* everyone making an effort. (그 프로젝트의 성공은 모두가 노력하는 데 달려 있다.)

❼ With 25 dollars, the Tolans could pay for one of the following:

❽ • a full school uniform for a student
　　　　　　　　　가능성 강조

❾ • two 25 kilogram bags of corn (the staple food), which is enough
　　　　　　　　　　　　　　　　　　　계속적 용법의 관계대명사

　to feed a family of six for a month
　「enough+to부정사」 ~하기에 충분한

❿ • two good quality blankets (most children in Zambia don't have

　one)

⓫ • four mosquito nets to help prevent malaria
　　　　　　　　　　　　　　　형용사적 용법

⓬ Isn't that amazing? ⓭ That's possible because the value of money is
　　　　　25달러로 위와 같은 일을 할 수 있다는 사실

relative, just as Gulliver is little in the land of giants and huge in the
　　꼭 ~처럼　　　　보어 1 (형용사)　　　　　병렬 구조　　　　　보어 2 (형용사)

land of tiny people. ⓮ The same amount of money may have different
　　　　　　　　　　　　명령문

meanings to different people. ⓯ Therefore, take some time and think
　　　　　　　　　　　　　　　　　　명령문　　　동사 1　　　　　　　동사 2

about how to spend your money more meaningfully.
　「의문사 how+to부정사」 ~하는 방법

ⓠ What are some meaningful ways for you to spend your money?
여러분이 돈을 소비하는 몇 가지 의미 있는 방법은 무엇입니까?

　Sample　Donating money to a charity, buying healthy food, and buying good books are meaningful ways of spending my money.
자선 단체에 돈을 기부하기, 건강에 좋은 음식 구입하기, 그리고 좋은 책 구입하기가 내 돈을 쓰는 의미 있는 방법들이다.

구문 연구

⓭ **That's** possible because the value of money is relative, just as Gulliver is **little** in the land of giants and **huge** in the land of tiny people.: 대명사 That은 앞부분에서 나열한 '25달러로 위와 같은 일을 할 수 있다는 사실'을 가리킨다. 형용사 little과 huge는 be동사의 보어로 병렬 연결되었다.

⓯ Therefore, **take** some time and **think** about **how to spend** your money more meaningfully.: 명령문을 나타내는 동사원형 take와 think가 병렬 연결되었다. 전치사 about의 목적어로 '~하는 방법'이라는 뜻의 「의문사 how + to부정사」 구문이 쓰였다.

| 해석 |--------------------------------

❼ 25달러로 Tolan 부부는 다음 중 한 항목을 지불할 수 있다.

❽ • 학생 한 명의 교복 한 세트

❾ • 6명의 가족이 한 달 동안 먹기에 충분한 25킬로그램짜리 옥수수 (주식) 두 포대

❿ • 품질 좋은 담요 두 장 (잠비아의 어린이 대부분이 한 장도 가지지 못함)

⓫ • 말라리아를 예방하는 데 도움을 줄 모기장 네 개

⓬ 놀랍지 않은가? ⓭ 그것은 걸리버가 대인국에서는 작고 소인국에서는 거대한 것처럼 돈의 가치가 상대적이기 때문에 가능하다. ⓮ 같은 액수의 돈이 다른 사람들에게 다른 의미를 가질 수 있다. ⓯ 그러므로 시간을 가지고 여러분의 돈을 더 의미 있게 쓰는 방법에 대해 생각해 보아라.

어구

staple 몡 주요 식품 톙 (한 지방의 산물 중에서) 주요한
· The *staple* diet here is mutton, fish, and boiled potatoes. (이곳의 주식은 양고기, 생선, 그리고 삶은 감자이다.)
relative 톙 상대적인
· Happiness is *relative* and cannot be measured by only a few criteria. (행복은 상대적이며 단지 몇 가지 기준으로 측정될 수 없다.)

Lesson 2

After You Read

교과서 p. 49

Text Miner

A Fill in the blanks to complete the summary of the main text.
빈칸을 채워 본문의 요약문을 완성해 봅시다.

Money and Its Many Meanings 돈과 그것의 다양한 의미

Rai of Yap	Money That Saved a Town	The Power of $25
Rai, the stone money of Yap, was considered valuable even when it was lost in the __sea__ because people agreed that the incident didn't change the __value__ of the stone.	The mayor of the town of Wörgl issued Freigeld, which __depreciated__ monthly by 1% of its original value. People used it as __quickly__ as possible and the economy of the town revived.	25 dollars may not be much, but Steve and Anna Tolan, who run an education organization in __Zambia__, can pay for many things with that amount of money.
Yap 섬의 rai—Yap 섬의 돌 돈인 rai는 사람들이 사고가 돌의 가치를 변화시키지 않는다고 동의했기 때문에 그것이 바다에 빠져 분실될 때조차도 가치 있다고 여겨졌다.	마을을 구한 돈 — Wörgl 마을의 시장은 Freigeld를 발행했고, 그것은 매달 원래 가치의 1퍼센트씩 평가 절하했다. 사람들은 가능한 한 빨리 그것을 사용했고 마을의 경제는 되살아났다.	25달러의 힘 — 25달러는 많지 않을지 모르지만, 잠비아에서 교육기관을 운영하는 Steve Tolan과 Anna Tolan 부부는 그 금액의 돈으로 많은 것에 대해 지불할 수 있다.
A monetary system is based on __credit__. 화폐 제도는 신용을 기반으로 한다.	Smooth __circulation__ of money helps to vitalize the economy. 돈의 원활한 순환은 경제를 활성화하는 데 도움이 된다.	The value of money is __relative__. 돈의 가치는 상대적이다.

We need to think about ways to spend our money meaningfully.
우리는 우리의 돈을 의미 있게 쓰는 방법들에 대해 생각할 필요가 있다.

Reading Enhancer

B Read the passage and fill in the blanks using the given words. Then, share your ideas about a cashless society and the meaning of money with your partner.
다음 글을 읽고 주어진 단어를 사용하여 빈칸을 채워 봅시다. 그런 다음, 현금이 없는 사회와 돈의 의미에 관한 여러분의 의견을 짝과 함께 나눠 봅시다.

It is true that recent changes in technology have led to discussions of a "cashless society" and "virtual money." However, it is fairly obvious that this is a change of __ⓒ form__ rather than substance. What is implied by a cashless society is that it is possible to imagine __ⓐ payment__ technology which doesn't use paper or small metal discs. However, a cashless society is definitely not "__ⓑ moneyless__." Today, the purpose of business is to "make money," as it always has been. Indeed, under capitalism, new payment technology would not be introduced at all if it could not be made to "__ⓓ pay for__" things in the traditional sense.

ⓐ payment ⓑ moneyless ⓒ form ⓓ pay for

어구

cashless [형] 현금이 없는, 현금이 불필요한
· A major benefit of the *cashless* system is the elimination of the work associated with counting and handling cash. (현금 없는 체제의 큰 장점은 현금을 세고 다루는 것과 관련된 일이 사라지는 것이다.)
virtual [형] 가상의
fairly [부] 아주, 상당히
· I saw them *fairly* recently. (나는 그들을 아주 최근에 보았다.)
obvious [형] 명백한
definitely [부] 확실히
· I could tell that something was *definitely* wrong. (나는 무언가가 확실히 잘못되었음을 알 수 있었다.)
capitalism [명] 자본주의

| 해석 |

최근의 기술 변화가 '현금 없는 사회'와 '가상 화폐'에 대한 논의를 이끈 것은 사실이다. 그러나 이것이 본질보다는 형태의 변화임이 매우 분명하다. 현금 없는 사회가 암시하는 바는 종이나 작은 금속 원반을 사용하지 않는 지불 기술을 상상할 수 있다는 것이다. 그러나 현금 없는 사회가 결코 '돈이 사라진' 것은 아니다. 오늘날, 사업의 목적은 언제나 그랬던 것처럼 '돈을 버는' 것이다. 사실, 자본주의 하에서는 전통적 개념으로 물건에 대한 '값을 치르게' 되지 못하면 새로운 지불 기술이 도입되지 않을 것이다.

Writing Lab

An Application for a Business Plan Competition
사업 계획 경진 대회 지원서

교과서 pp. 50~51

STEP 1 **Read the competition announcement and fill in the blanks with the given expressions.** 경진 대회 안내문을 읽고 주어진 표현으로 빈칸을 채워 봅시다.

5th Annual Student Business Plan Competition

- Entry Deadline : May 14th
- Description : CLA Foundation is proud to announce the 5th Annual Student Business Plan Competition for start-ups with cash prizes totaling 5,000,000 won.
- Judging Criteria : Judges will evaluate each business plan based on the following: 1) Thoroughness and quality of the plan; 2) Effective use and impact of the prize money; 3) Contribution to promoting general welfare; 4) Probability of successful launch.
- Eligibility : Participants must be high school students. All businesses must have ideas in the start-up phase.
- Awards & Prizes : Cash prizes of 1,000,000 won will be given to each winning team.
- Contact Information: Anne Pearson (annepearson@sbpc.org, (02) 277-13○○)

Description 세부 사항	Contact Information 연락 정보	Entry Deadline 제출 기한
Eligibility 자격	Judging Criteria 심사 기준	Awards & Prizes 시상과 상품

어구

application [명] 지원서
·South Korea has submitted an *application* to host the World Cup. (대한민국은 월드컵을 유치하기 위한 지원서를 제출했다.)
criteria [명] 기준 (criterion의 복수형)
thoroughness [명] 철저함, 완결성
·People praised the *thoroughness* of the police investigation. (사람들은 경찰 조사의 철저함을 칭찬했다.)
contribution [명] 기여
general welfare 공공복지
launch [명] 착수, 발사
eligibility [명] 자격 [유] qualification

| 해석 |

제 5회 연례 학생 사업 계획 경진 대회
- 제출 기한: 5월 14일
- 세부 사항: CLA 재단은 총 5백만 원 상금의 신생 기업을 위한 제 5회 연례 사업 계획 경진 대회를 공고하게 되어 자부심을 느낍니다.
- 심사 기준: 심사위원들은 다음을 토대로 각 사업 계획을 평가할 것입니다. 1) 계획의 완결성과 질 2) 상금의 효과적인 사용과 영향 3) 공공복지를 증진시키는 데 대한 기여도 4) 성공적 사업 착수 가능성
- 자격: 참가자들은 고등학교 학생이어야 합니다. 모든 사업은 시작 단계의 아이디어여야 합니다.
- 시상과 상품: 백만 원의 현금이 각 우승팀에게 수여됩니다.
- 연락 정보: Anne Pearson (annepearson@sbpc.org, (02) 277-13○○)

STEP 2 **You're going to enter a student business plan competition. Make a team of four and answer the following questions.**
여러분은 학생 사업 계획 경진 대회에 참가할 예정입니다. 4명이 한 팀이 되어 다음 질문에 답해 봅시다.

Sample

Idea 아이디어	**1. What is your business idea?** 여러분의 사업 계획 아이디어는 무엇입니까? We are going to start a party entertainment business offering three different performances: dancing, singing, and a magic show. 저희는 춤, 노래, 마술 쇼라는 세 가지 다른 공연을 제공하는 파티 오락 사업을 시작할 것입니다. **2. What made you come up with your idea?** 여러분의 아이디어를 어떻게 생각하게 되었습니까? We came up with this idea because two out of our four members are good at dancing, another member is good at singing, and the other member does magic. 저희가 이 아이디어를 떠올린 것은 네 명의 멤버 중 두 명이 춤을 잘 추고, 다른 한 멤버가 노래를 잘 하며, 그 나머지 한 멤버가 마술을 하기 때문입니다.
Marketing 마케팅	**3. Who will be your target customers?** 여러분의 목표 고객은 누가 될 것입니까? Schools and community centers will be our main target customers. 학교와 지역 센터들이 저희의 주요 목표 고객입니다. **4. How will you promote your business?** 여러분의 사업을 어떻게 홍보할 것입니까? We will promote our business using social media. 저희는 소셜 미디어를 사용하여 저희 사업을 홍보할 것입니다.

어구

come up with ~을 생각해 내다
target customer 목표 고객

Cost 비용	**5. How much will it cost to start your business?** 여러분의 사업을 시작하는 데 비용은 얼마나 들 것입니까? It will initially cost about 200,000 won to buy the costumes and magic show equipment. 처음에는 의상과 마술 쇼 장비를 구입하기 위해 약 20만원이 들 것입니다.
Pricing 가격	**6. How much will you charge?** 가격은 얼마로 할 것입니까? We will charge 300,000 won as the standard price for each party event. 저희는 각 파티 행사의 표준 요금으로 30만원을 받을 것입니다.
Profit 수익	**7. How much money do you expect to make?** 얼마나 많은 돈을 벌 것으로 기대합니까? We expect to make about 100,000 won from each event. 저희는 각 행사에서 약 10만원을 벌 것으로 예상합니다. **8. What will you do with the money you make?** 여러분이 번 돈으로 무엇을 할 것입니까? We are going to spend the money to help people in need. 저희는 도움이 필요하신 분들을 돕기 위해 그 돈을 쓸 것입니다.

어구

costume 명 복장

·Together with the colorful 50s *costumes*, it perfectly evoked the mood of that era. (다채로운 색상의 50년대 복장과 함께 그것은 그 시대의 분위기를 완벽하게 재현했다.)

equipment 명 장비, 설비

·No special *equipment* is needed. (어떠한 특별한 장치도 필요 없다.)

standard 형 표준의

| 해석 |- - - - - - - - - - -

경진 대회 지원서
사업명: 천 개의 미소 공연 팀
· 아이디어
  저희는 춤, 노래, 마술 쇼라는 세 가지 다른 공연을 제공하는 파티 오락 사업을 시작할 것입니다. 저희가 이 아이디어를 떠올린 것은 네 명의 멤버 중 두 명이 춤을 잘 추고, 다른 한 멤버는 노래를 잘 하며, 나머지 멤버는 마술을 하기 때문입니다. 저희는 사업이 원활히 진행될 것으로 확신합니다.
· 마케팅
  학교와 지역 센터들이 저희의 주요 목표 고객입니다. 저희는 소셜 미디어를 사용하여 저희의 사업을 홍보할 것입니다.
· 비용
  처음에는 의상과 마술 쇼 장비를 구입하기 위해 약 20만원이 들 것입니다.
· 가격
  저희는 각 파티 행사에 대해 표준 요금으로 30만원을 받을 것입니다.
· 수익
  저희는 각 행사에서 약 10만원을 벌 것으로 예상합니다. 저희는 도움이 필요하신 분들을 돕기 위해 그 돈을 쓸 것입니다.

STEP 3 **Based on STEP 2, write an application for the competition.**
STEP 2를 바탕으로 대회 지원서를 써 봅시다.

Sample

https://www.application.sbpc.org

Application for the Competition

Business Name: Thousand Smiles Performers

Idea

We are going to start a party entertainment business offering three different performances: dancing, singing, and a magic show. We came up with this idea because two out of our four members are good at dancing, another member is good at singing, and the other member does magic. We are confident that our business will run smoothly.

Marketing
Schools and community centers will be our main target customers. We will promote our business using social media.

Cost

It will initially cost about 200,000 won to buy the costumes and magic show equipment.

Pricing

We will charge 300,000 won as the standard price for each party event.

Profit
We expect to make about 100,000 won from each event. We are going to spend the money to help people in need.

Self-Edit Read your application and correct any mistakes.
자신의 지원서를 읽고 잘못된 부분을 고쳐 봅시다.

✓**Peer Feedback**	Outstanding	Good	Could do better
Task Completion 과업 완성도			
Strength of Plan 계획의 장점			
Grammar / Punctuation 문법 / 구두법			
Reader's Comments: 읽은 이의 평가			

Wrap Up

The Most Meaningful Way to Spend Money
돈을 쓰는 가장 의미 있는 방법

교과서 p. 52

STEP 1 **Listen to the talk and answer the questions.** 담화를 듣고, 질문에 답해 봅시다.

1. Who is the speaker? 화자는 누구입니까?

✔[a] A party entertainer 파티 엔터테이너 [b] A school principal 학교 교장 선생님 [c] A fund-raiser organizer 모금 행사 주최자

2. Which one of the following is NOT mentioned? 다음 중 언급되지 않은 하나는 무엇입니까?

[a] The name of the performance team 공연 팀의 이름

[b] The speaker's first impression of the school 학교에 대한 화자의 첫인상

✔[c] A useful smartphone application 유용한 스마트폰 어플리케이션

Script

W: Hello, everyone! We, the Thousand Smiles Performers, are excited to be here today. As our name suggests, we try to put thousands of smiles on people's faces. When we arrived at your school this morning, we were so warmly welcomed by all the students and staff. And all of you students seemed so happy. I'm delighted that we are able to join this amazing event. For your enjoyment, we're going to dance, sing, and put on a magic show. So, just sit back and enjoy the show. Don't use your smartphones during the performance. You can do that later. Now, let us begin. Please, welcome our dancing team!

STEP 2 **Imagine your group has earned some money through your business. Make a decision on how your group will spend the money.**
여러분의 모둠이 사업을 통해 약간의 돈을 벌었다고 상상해 봅시다. 여러분의 모둠이 그 돈을 어떻게 쓸지 결정해 봅시다.

| Sample Dialog |

A We've earned 400,000 won through our business activities. I'm so proud of us.
B Yeah, me too. I'm delighted that we all did a great job.
C Now we need to decide how to spend the money.
D How about giving it to a charity? I know of a good one.
A Well, that's a good idea, but do you remember the hospital that I went to when I broke my arm?
B Sure. You said there were a lot of children there suffering from chronic diseases.
A Right. I was thinking of giving our profits to the children there.
D That's so thoughtful! Let's do that.
C Good. But why don't we donate books too, instead of just money?
B Okay. That's a great idea.

STEP 3 **Share how your group will spend the money with the class and take a class poll to decide which group chose the most meaningful way to spend the money.**
여러분의 모둠이 돈을 어떻게 쓸 것인지 반 친구들에게 이야기하고 어떤 모둠이 가장 의미 있게 돈을 쓰는 방법을 선택했는지 결정하기 위해 학급 투표를 해 봅시다.

Sample

- How your group will spend the money: We will donate the money and books to sick children in a hospital.
  여러분의 모둠이 어떻게 돈을 쓸 것인가? 우리는 병원에 있는 아픈 어린이들에게 돈과 책을 기부할 것이다.
- The most meaningful way to spend the money: Group A will donate the money to the community animal shelter to help care for abandoned animals.
  돈을 쓰는 가장 의미 있는 방법 A 모둠은 유기된 동물들을 돌보는 데 도움을 주기 위해 지역 동물 보호소에 그 돈을 기부할 것이다.

어구

fund [명] (특별한 목적을 위한) 기금
· The hospital has set up a special *fund* to buy new equipment. (그 병원은 새 장비를 구입하기 위해 특별 기금을 마련했다.)
impression [명] 인상

| 해석 |

여: 안녕하세요, 여러분! 저희는 '천 개의 미소 공연 팀'으로 오늘 이 자리에 함께하게 되어 기쁩니다. 저희 이름이 보여 주듯이, 저희는 사람들의 얼굴에 천 개의 미소를 띠게 하려 노력합니다. 오늘 아침 여러분의 학교에 도착했을 때, 저희는 모든 학생들과 교직원들에게 매우 따뜻하게 환영받았습니다. 그리고 모든 학생 여러분이 매우 행복해 보였습니다. 저는 이 놀라운 행사에 저희가 함께할 수 있어 기쁩니다. 여러분의 즐거움을 위해, 저희는 춤을 추고, 노래를 부르고, 마술 쇼를 할 것입니다. 그러니 편안히 기대 앉아 쇼를 즐겨 주세요. 공연 중에 스마트폰을 사용하지 마세요. 여러분은 그것을 나중에 할 수 있습니다. 이제, 시작해 보겠습니다. 저희 댄싱 팀을 환영해 주시기 바랍니다!

| 해석 |

A: 우리는 사업 활동을 통해 40만원을 벌었어. 나는 우리가 매우 자랑스러워.
B: 응, 나도 그래. 나는 우리 모두가 매우 잘해서 기뻐.
C: 이제 우리가 돈을 어떻게 쓸지 결정해야 해.
D: 자선 단체에 기부하는 것은 어때? 내가 좋은 곳을 알아.
A: 음, 좋은 생각이지만, 내가 팔이 부러졌을 때 갔던 병원 기억나?
B: 물론이지. 네가 거기 만성 질환으로 고통받고 있는 어린이들이 많았다고 이야기했잖아.
A: 맞아. 나는 그곳의 어린이들에게 우리의 수익을 기부할까 생각 중이었어.
D: 그거 정말 사려 깊은 일이야! 우리 그렇게 하자.
C: 좋아. 하지만 우리 돈만 기부하는 것 대신 책도 기부하는 것은 어때?
B: 좋아. 좋은 생각이야.

World Heritage Sites on Money Around the World

세계의 화폐에 있는 세계 문화유산

A Read about the following World Heritage Sites on various bank notes from around the world and fill in the blanks with the appropriate names of the countries. 세계의 다양한 지폐에 나오는 세계 문화유산들에 대해 읽고 알맞은 나라 이름으로 빈칸을 채워 봅시다.

1.

Discovered in 1570, the Maya site of Copán is one of the most beautiful and important sites of the Maya civilization. The site functioned as the political, civil, and religious center of the Copán Valley. It appears on the 1 lempira bank note of ___Honduras___.

2. Angkor Wat, the largest religious monument in the world, was constructed in the 12th century. The site was built entirely out of stone, which is incredible because almost every surface was treated and carved with narrative or decorative details. It appears on the 500 riel bank note of ___Cambodia___.

3.

Edinburgh has two distinct areas: the Old Town, which has many medieval buildings; and the New Town, which has greatly influenced European urban planning. The harmony of these two historic areas is what gives the city its unique character. The Old and New Towns of Edinburgh appear on the 10 pound bank note of ___Scotland___.

| Cambodia | Honduras | Scotland |

| 구문 해설 |

· **Discovered in 1570**, the Maya site of Copán is one of the most beautiful and important sites of the Maya civilization.: Discovered in 1570은 After it was discovered in 1570을 축약한 분사구문이다.

B Search the Internet for other bank notes with World Heritage Sites printed on them and present them to the class. 세계 문화유산이 있는 다른 지폐들을 인터넷에서 검색하여 반 친구들에게 발표해 봅시다.

Sample Independence Hall appears on the 100 dollar bank note of the United States. 미국의 100 달러 지폐에 미국 독립기념관이 있다.

| 해석 |

1. 1570년에 발견된 이후, 코판의 마야 지구는 마야 문명의 가장 아름답고 중요한 유적지 중의 하나이다. 그 유적지는 코판 계곡의 정치, 시민, 종교적 중심지로 기능했다. 그것은 온두라스의 1렘피라 지폐에 있다.

2. 세계에서 가장 큰 종교 유적인 앙코르 와트는 12세기에 건설되었다. 그 유적지는 전부 돌로 지어졌고, 거의 모든 표면이 설화와 세부 장식으로 다루고 조각되어 졌기 때문에 매우 경이롭다. 그것은 캄보디아의 5백 리엘 지폐에 있다.

3. 에딘버러는 두 개의 독특한 지역을 가지고 있는데, 구시가지는 많은 중세 시대 건물을 가지고 있고, 신시가지는 유럽 도시 계획에 큰 영향을 주었다. 이 두 역사 지구의 조화가 그 도시에 독특한 특징을 부여하는 것이다. 에딘버러의 구시가지와 신시가지는 스코틀랜드의 10 파운드 지폐에 있다.

어구

heritage 명 유산
·People consider the building to be an important part of the region's *heritage*. (사람들은 그 건물을 지역 유산 중 중요한 일부로 여긴다.)
bank note 지폐
civilization 명 문명
religious 형 종교적인
monument 명 유적, 기념물
carve 동 새기다, 조각하다
·I *carved* my initials on the board. (나는 판자 위에 내 이름 머리글자를 새겼다.)
distinct 형 별개의, 독특한
medieval 형 중세의
urban 형 도시의 반 rural
·The speed limit is strictly enforced on *urban* roads. (시내 도로에서 속도 제한이 엄격히 강제된다.)
unique 형 독특한 유 unusual
·Each person's genetic code is *unique*. (각 사람의 유전자 정보는 독특하다.)

Think Outside the Box

What Is One Red Paper Clip Worth?

빨간색 종이 클립 한 개의 가치는 얼마일까?

❶ A house. ❷ Yes, a house. ❸ Kyle MacDonald, a young man from Canada, started with a red paper clip and traded it for bigger and better things until he owned a house. [trade A for B: A를 B로 교환하다] [~할 때까지] ❹ His inspiration was his childhood game: *Bigger, Better*.

❺ Instead of getting a job to buy a house, he decided to make use of the red paper clip on his desk and trade it up to a house. [~ 대신에] [to부정사의 부사적 용법 (목적)] [~을 이용하다] [to]

❻ On July 12th, 2005, MacDonald posted a picture of a red paper clip on his blog and asked whether anyone wanted to make a trade for something bigger or better. [asked의 목적어절] ❼ A few days later, Rhawnie and Corinna from Vancouver called him up and offered to trade a pen shaped like a fish for the paper clip. [과거분사] [~ 같은 (전치사)] ❽ Rhawnie and Corinna were vegetarians and didn't want to use a pen shaped like a fish.

❾ However, they did a lot of paper work, so they needed a lot of paper clips. ❿ So, exchanging their pen for a pretty red paper clip was a win-win situation. [동명사 주어] [동사 (단수)] ⓫ That's how the first exchange took place. [보어절 (관계부사절)] ⓬ MacDonald traded the red paper clip for a fish-shaped pen. ⓭ Then, he traded the pen for a doorknob. ⓮ He kept trading for something bigger or better. [keep -ing: 계속 ~하다] ⓯ MacDonald made 14 trades and finally wound up with a house located at 503 Main Street in Kipling, Saskatchewan. [which(that) is]

구문 연구

❺ Instead of getting a job **to buy** a house, he decided **to make** use of the red paper clip on his desk and **trade** it up to a house.: to buy는 목적을 나타내는 to부정사의 부사적 용법으로 쓰였다. to make와 (to) trade는 decide의 목적어로 쓰여 병렬 구조를 이룬다.

❻ On July 12th, 2005, MacDonald posted a picture of a red paper clip on his blog and asked **whether** anyone wanted to make a trade for something bigger or better.: whether는 의문사 없는 의문문을 asked의 목적어절로 사용하기 위해 쓰인 접속사이며 의문사 없는 의문문을 문장의 주어, 목적어, 보어로 쓸 때는 「if / whether+주어+동사」의 간접의문문 형태로 쓴다.

❿ So, **exchanging** their pen for a pretty red paper clip **was** a win-win situation.: exchanging은 주어로 쓰인 동명사이다. 동명사 주어는 단수 취급하므로 단수 동사 was가 쓰였다.

⓫ That's **how** the first exchange took place.: how는 관계부사로 how가 이끄는 절이 문장의 보어로 쓰였다. 이 절의 선행사는 the way이지만 the way와 관계부사 how는 함께 쓰이지 않으므로 the way가 생략되었다.

⓯ MacDonald made 14 trades and finally **wound up with** a house **located** at 503 Main Street in Kipling, Saskatchewan.: wind up with은 '~으로 끝내다'라는 뜻의 표현이며 이 표현의 목적어인 a house는 과거분사 located의 수식을 받는다. a house와 located 사이에는 「관계대명사+be동사」 which(that) is가 생략되었다.

| 해석 | -------------

❶ 집 한 채. ❷ 그렇다, 집 한 채이다. ❸ 캐나다의 청년 Kyle MacDonald는 빨간색 종이 클립으로 시작해서 자신이 집 한 채를 소유할 때까지 그것(빨간색 종이 클립)을 더 크고 좋은 것으로 바꿨다. ❹ 그의 영감은 어린 시절 하던 게임인 'Bigger, Better'에서 비롯되었다. ❺ 집을 사기 위해 돈을 버는 것 대신에 그는 책상 위에 있던 빨간색 종이 클립을 이용하여 그것을 집까지 교환하기로 결심했다.

❻ 2005년 7월 12일에 MacDonald는 그의 블로그에 빨간색 종이 클립 사진을 게시했고 더 크거나 좋은 것으로 교환하고 싶은 사람이 있는지 물었다. ❼ 며칠 뒤 밴쿠버의 Rhawnie와 Corinna가 그에게 전화를 했고 물고기 같은 모양의 펜과 종이 클립을 교환하자고 제안했다. ❽ Rhawnie와 Corinna는 채식주의자였고 물고기 같은 모양의 펜을 사용하고 싶지 않았다. ❾ 그러나 그들은 서류 업무를 많이 해서 종이 클립이 많이 필요했다. ❿ 그래서 그들의 펜을 예쁜 빨간색 종이 클립으로 교환하는 것이 모두 이득인 상황이었다.

⓫ 그것이 첫 번째 교환이 일어난 방법이다. ⓬ MacDonald는 빨간색 종이 클립을 물고기 모양 펜으로 교환했다. ⓭ 그 다음 그는 그 펜을 문손잡이와 교환했다. ⓮ 그는 더 크거나 좋은 것으로 계속 교환했다. ⓯ MacDonald는 열네 번 교환을 했고 마침내 Saskatchewan주 Kipling의 Main Street 503에 위치한 집 한 채로 끝냈다.

어구

inspiration 영 영감
· The artist took her *inspiration* from African art. (그 미술가는 아프리카 미술에서 영감을 얻었다.)
vegetarian 영 채식주의자
win-win 영 양쪽이 모두 유리한
doorknob 영 문손잡이
wind up ~로 끝이 나다

The whole sequence of his trades was as below.

One simple red paper clip ▶ A fish-shaped pen ▶ A hand-sculpted doorknob ▶ A camping stove ▶ A portable generator ▶ A party kit ▶ A used snowmobile ▶ Two tickets to the Rocky Mountains ▶ A cube van ▶ A recording contract ▶ One year's rent in Arizona ▶ A day with rocker Alice Cooper ▶ A snow globe ▶ An acting role in a movie ▶ A two-story house in Kipling, Saskatchewan

❶ What can we learn from this inspirational story? ❷ Anything is possible, and all you need to do is to try. ❸ This story is not about the paper clip; it is about the human spirit. ❹ Do not be afraid of trying and failing. ❺ Just the act of trying might be a life-changing step that leads to an amazing journey. ❻ If MacDonald had not traded away that red paper clip, he would be sitting at his desk, holding a paper clip in his hand, wondering what would happen if he did something with it. ❼ But today, he is spending most of his time doing public speaking engagements, publishing books, and inspiring people. ❽ Can you imagine this? ❾ Just go ahead and chase your dreams. ❿ So, what if you fail? ⓫ Do not be afraid of failure because that fear is the greatest barrier to success. ⓬ You may only succeed by experiencing failure.

- **Search the Internet to find the full story of Kyle MacDonald.**
  인터넷을 검색하여 Kyle MacDonald의 전체 이야기를 찾아봅시다.

구문 연구

❺ Just the act of trying might be a life-changing step **that leads** to an amazing journey.: that 이하는 주격 관계대명사절로 선행사 a life-changing step을 수식하며, 선행사가 단수이므로 관계대명사절의 동사로 단수 동사 leads를 썼다.

❻ If MacDonald **had not traded** away that red paper clip, he **would be** sitting at his desk, **holding** a paper clip in his hand, **wondering** what would happen if he did something with **it**.: 「If+주어+과거완료 ~, 주어+조동사 과거+동사원형」의 형태인 혼합가정법 구문으로 '과거에 ~했더라면, 현재 …할 것이다'라는 뜻으로 쓰였다. 현재분사 holding과 wondering이 이끄는 분사구문은 동시 상황을 나타낸다.

❼ But today, he is **spending most of his time doing** public speaking engagements, **publishing** books, and **inspiring** people.: '~하면서 시간을 보내다'라는 뜻의 「spend+시간+동명사」 구문의 동명사 doing, publishing, inspiring이 병렬 연결되었다.

Check Up

01 다음 밑줄 친 부분 중 어법상 틀린 것을 골라 바르게 고치시오.

Just the act of trying might be a life-changing step that ①leads to an amazing journey. If MacDonald had not traded away that red paper clip, he would be sitting at his desk, ②holding a paper clip in his hand, ③wondered what would happen ④if he did something with it.

02 우리말과 일치하도록 주어진 어구를 활용하여 영작하시오.

> Mandela는 수감 중의 많은 시간을 독서를 하면서 보냈다.

_____

(spend, much time, in prison, read)

| 해석 |

교환의 전체 순서는 아래와 같았다.

단순한 빨간색 종이 클립 한 개
▶ 물고기 모양 펜 ▶ 수공품 문손잡이
▶ 캠핑 난로 ▶ 이동식 발전기
▶ 파티 키트 ▶ 중고 설상차
▶ 로키 산맥 입장권 2매
▶ 큐브 밴(승합차) ▶ 녹음 계약
▶ Arizona 주에 있는 주택의 1년 집세
▶ 로커 Alice Cooper와의 하루
▶ 스노우볼 ▶ 영화 배역
▶ Saskatchewan주 Kipling에 있는 2층집

❶ 우리는 이 고무적인 이야기에서 무엇을 배울 수 있는가? ❷ 어떤 것이든 가능하고, 여러분이 해야 하는 전부는 시도하는 것이다. ❸ 이 이야기는 종이 클립에 관한 이야기가 아니다. 이것은 인간 정신에 관한 것이다. ❹ 시도와 실패를 두려워하지 마라. ❺ 시도하는 행동만이 놀라운 여행을 이끌어 내는 삶의 변화 단계가 될 수 있다. ❻ MacDonald가 그 빨간색 클립을 교환하지 않았다면, 그는 그것을 가지고 무언가를 하면 어떤 일이 일어날지 궁금해 하며 그의 손에 클립을 들고 책상에 앉아 있었을 것이다. ❼ 그러나 오늘날, 그는 대중 연설 약속, 책 출판, 사람들에게 영감을 주는 것으로 대부분의 시간을 보내고 있다. ❽ 여러분은 이것을 상상할 수 있는가? ❾ 그저 전진하고 여러분의 꿈을 좇아라. ❿ 그래서 여러분이 실패하면 어떤가? ⓫ 그 두려움이 성공하는 데 가장 큰 장벽이므로 실패를 두려워하지 마라. ⓬ 여러분은 실패를 경험함으로써만 성공할 수 있다.

어구

sequence 명 순서, 차례
generator 명 발전기
contract 명 계약

[문] Complete the crossword puzzle. 크로스워드 퍼즐을 완성해 봅시다.

Crossword Puzzle

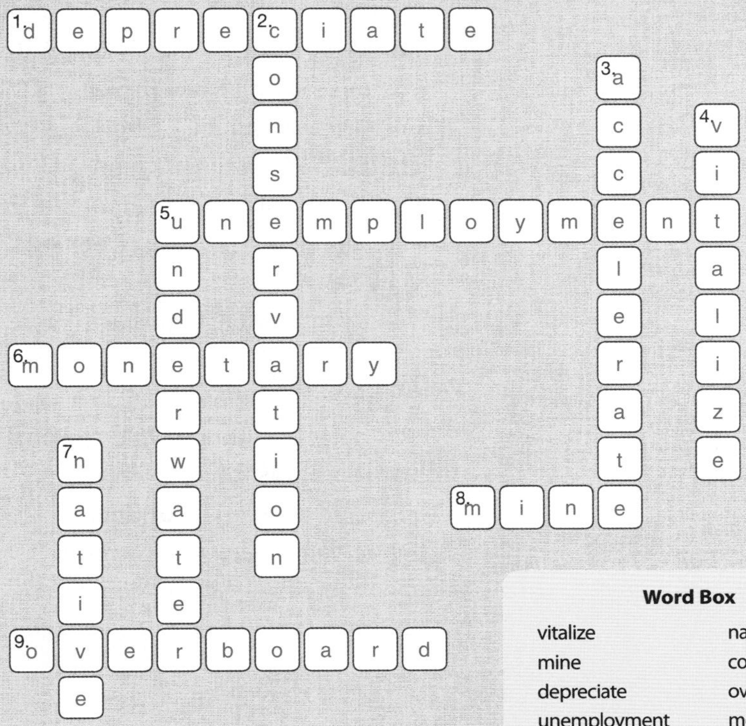

Word Box

vitalize	native
mine	conservation
depreciate	overboard
unemployment	monetary
underwater	accelerate

▶ Across

1. The house is very old and is expected to depreciate greatly sooner or later.
그 집은 아주 오래 되었고 조만간 크게 가치가 하락할 것으로 기대된다.

5. We are living in a period of high unemployment and weak economic growth, but people are spending money carelessly.
우리는 실업률이 높고 경제 성장이 미미한 시기에 살고 있지만 사람들은 돈을 부주의하게 쓰고 있다.

6. Gold was once the basis of the US monetary system.
금은 한때 미국 통화 체계의 기초였다.

8. Many local people were hired to mine the gold.
많은 지역 주민들이 금을 채굴하기 위해 고용되었다.

9. As the fish was too small, the fisherman threw it overboard.
물고기가 너무 작았으므로 어부는 그것을 배 밖으로 던졌다.

▼ Down

2. We need to take action to ensure the conservation of the environment.
우리는 환경 보존을 확실히 하기 위해 조치를 취할 필요가 있다.

3. We use special methods to accelerate the growth of crops.
우리는 작물의 성장을 촉진하기 위해 특별한 방법들을 사용한다.

4. Many people believe that cutting taxes will vitalize the economy.
많은 사람들은 세금을 줄이는 것이 경제에 활력을 줄 것이라고 믿고 있다.

5. I've trained myself to hold my breath underwater for 3 minutes.
나는 3분 동안 물속에서 호흡을 참는 훈련을 해 왔다.

7. These plants are native to South America.
이 식물들은 남미가 원산이다.

어구

vitalize [동] 활력을 부여하다
native [형] 그 지방 고유의
mine [동] 채굴하다
conservation [명] 자연보호, 보존
depreciate [동] 평가절하하다
overboard [부] 배 밖으로
unemployment [명] 실업
monetary [형] 화폐의
underwater [형] 수중의, [부] 수중에서, 수중으로
accelerate [동] 가속하다
sooner or later 조만간

01 다음 영영풀이에 알맞은 것은?

> a system of money in general use in a particular country

① pole　　② currency　　③ priority
④ circulation　　⑤ devaluation

02 다음 문장의 빈칸에 공통으로 알맞은 단어를 쓰시오.

> • Television is a powerful _____ of communication.
> • Cook over a _____ heat for 15 minutes.

03 다음 대화의 주제로 알맞은 것은?

> A I spend the biggest percentage of my money on entertainment. It makes up 50% of my total spending.
> B Did you say fifteen or fifty?
> A What I said was fifty.
> B Oh, I see. Then, what category comes next?
> A Food and drink, which makes up 30%. Transportation is third. It makes up 20%.
> B You mean you don't spend any money on clothing or school supplies?
> A Not me. My parents buy those things for me.
> B I see. As for me, I spend the largest percentage of my money on clothing.
> A I thought you did. It makes sense since you want to be a fashion designer.

① daily routines　　② future dreams
③ spending habits　　④ monetary systems
⑤ favorite entertainers

04 다음 대화의 빈칸에 들어갈 말로 알맞은 것은?

> A Dad, I'm short of money these days. Can you raise my allowance, please?
> B Okay. I was thinking of raising it, too. I'll give you fifteen dollars more per week.
> A Dad, you told me you would raise my allowance by fifty dollars per week, didn't you?
> B Well, you may have misheard me.
> _____
> A Oh, no!

① What I said was fifteen dollars.
② You would raise my allowance.
③ I'll give you a weekly allowance.
④ I'm delighted that you're delighted.
⑤ I have spent my whole allowance for this week.

05 주어진 글 다음에 이어질 글의 순서로 알맞은 것은?

> Can you imagine that dog teeth were once used as money? It may be hard to believe, but it's true!

(A) German traders made things even worse by bringing in artificial dog teeth, causing the tooth currency to end.
(B) Tribes in New Guinea used to use dog teeth for money because dogs were rare there. What happened next?
(C) Knowing that dogs were valuable in New Guinea, Chinese traders brought in hundreds of dogs from China, which destroyed the New Guinea tribal currency because there were many more teeth.

① (A) – (C) – (B)　　② (B) – (A) – (C)
③ (B) – (C) – (A)　　④ (C) – (A) – (B)
⑤ (C) – (B) – (A)

06 자연스러운 대화가 되도록 ⓐ~ⓒ를 순서대로 바르게 배열하시오.

> **A** Kevin, I'm delighted that you've finally decided to get rid of all this stuff.
> ⓐ That's so thoughtful.
> ⓑ I'm delighted that you're delighted.
> ⓒ Look. I've already sold some things. I think I'll donate what I make to a charity.

(　　　) – (　　　) – (　　　)

[07-08] 다음 글을 읽고 물음에 답하시오.

> The island of Yap, located in the Pacific Ocean between Guam and Palau, (A) has / had been untouched by modern civilization until the 1800s. You may think that they (B) shouldn't / mustn't have had their own monetary system because they were not modernized. However, the people of Yap had a very advanced and well-developed system of money. They used rai — large, thick round stone wheels with a hole cut in the middle (C) which / in which they could insert a pole to help transport them. Some rai were very big and weighed about 7 tons!

07 (A), (B), (C)의 네모 안에서 어법에 맞는 것끼리 짝지어진 것은?

	(A)		(B)		(C)
①	has	…	mustn't	…	which
②	has	…	mustn't	…	in which
③	had	…	mustn't	…	in which
④	had	…	shouldn't	…	in which
⑤	had	…	shouldn't	…	which

08 윗글의 내용과 일치하는 것은?

① Yap 섬은 대서양에 위치한다.
② Yap 섬은 1800년대에 현대화되었다.
③ Yap 섬사람들은 화폐 제도를 갖고 있었다.
④ Yap 섬사람들은 두꺼운 나무를 rai로 사용했다.
⑤ Yap 섬사람들은 rai를 항상 가지고 다녔다.

[09-11] 다음 글을 읽고 물음에 답하시오.

> These huge stones were not native to the island. Indeed, they were mined on the Palau Islands, 460km away from Yap. Because Yap islanders used narrow boats, the stones often fell overboard and ⓐgot lost in the sea. (①) ⓑWhat is interesting is that even when rai fell into the sea, people agreed that the incident didn't change either the _____ of the stone ⓒor its owner's ownership. (②) How this system could even work may seem really strange. (③) Our cash in the bank is just like the rai that ⓓlie underwater. (④) Though we can't see cash in the bank, it works perfectly ⓔas money. (⑤) After all, our monetary system is based on credit, just like the rai of Yap.

09 주어진 문장이 들어가기에 가장 적절한 곳은?

> But in fact we have a very similar system today.

①　　　　②　　　　③　　　　④　　　　⑤

10 밑줄 친 ⓐ~ⓔ 중 어법상 틀린 것은?

① ⓐ　　② ⓑ　　③ ⓒ　　④ ⓓ　　⑤ ⓔ

11 빈칸에 들어갈 말로 알맞은 것은?

① value　　　　　② credit
③ circulation　　　④ existence
⑤ depreciation

[12-14] 다음 글을 읽고 물음에 답하시오.

In 1932, in the middle of the Great Depression, the town of Wörgl, Austria, was suffering from a 35% unemployment rate. The town's mayor had a long list of projects to do and only 40,000 Austrian shillings in the bank to pay for them. ①Thinking the depression was caused by lack of money circulation, he decided to issue 40,000 shillings worth of Freigeld, a regional currency. Then, the mayor began to use Freigeld to pay for his projects.

Freigeld, which means "free money," was different from normal money ②in that it depreciated monthly by 1% of its original value. To maintain its original value, people had to buy a stamp that was worth the amount of devaluation and put ③it on their Freigeld.

The purpose of this strange system was to accelerate the circulation of money, and it succeeded! Everybody who was paid in Freigeld spent it as ④quickly as possible because keeping the currency, and not spending it, meant losing wealth. The average speed that money circulated increased by fourteen times, ⑤that consequently revived the economy of the town. In less than two years, Wörgl became the first town in Austria to reach full employment.

The experiment in the small town of Wörgl might suggest that money, as the medium of exchange, should be _____ⓐ_____ appropriately, and that its smooth flow helps to vitalize the economy.

12 윗글의 제목으로 알맞은 것은?

① The Most Wealthy Town in Austria
② How to Overcome Your Depression
③ The Regional Money That Saved a Town
④ Freigeld: The National Currency of Austria
⑤ The Pros and Cons of Currency Devaluation

13 밑줄 친 ①~⑤ 중 어법상 틀린 것은?

①   ②   ③   ④   ⑤

14 빈칸 ⓐ에 들어갈 말로 알맞은 것은?

① saved   ② issued
③ evaluated   ④ circulated
⑤ transported

[15-19] 다음 글을 읽고 물음에 답하시오.

If someone asked you _____(A)_____ 25 dollars was a little or a lot of money, what would you say? To answer this question, imagine what you could do with 25 dollars. _____(B)_____, you and your friends could watch a movie. However, do you know that the same amount of money that you spend on simple entertainment could be used completely differently for people on the other side of the planet?

After retiring from the police force, Steve and Anna Tolan moved to Zambia and set up a charitable organization that provides conservation education programs for children. _____(C)_____ it is a nonprofit organization, they rely on financial donations to keep the organization running.

With 25 dollars, the Tolans could pay for one of the following:

• a full school uniform for a student
• two 25 kilogram bags of corn (the staple food), which is enough to feed a family of six for a month
• two good quality blankets (most children in Zambia don't have one)
• four mosquito nets to help ①carry malaria

Isn't that ②amazing? That's possible because the value of money is relative, just as Gulliver is little in the land of giants and ③huge in the land of tiny people. The same amount of money may have ④different meanings to different people. Therefore, take some time and think about how to spend your money more ⑤meaningfully.

15 빈칸 (A)에 들어갈 말로 알맞은 것은?

① why
② that
③ what
④ which
⑤ whether

16 빈칸 (B), (C)에 알맞은 말끼리 짝지어진 것은?

	(B)		(C)
①	For example	···	Since
②	In addition	···	Unless
③	For example	···	Unless
④	In addition	···	Since
⑤	For example	···	Although

17 다음 뜻을 가진 단어를 두 번째 단락에서 찾아 쓰시오.

the protection of plants and animals, natural areas, and interesting and important structures and buildings, especially from the damaging effects of human activity

18 밑줄 친 ①~⑤ 중 문맥상 쓰임이 알맞지 <u>않은</u> 것은?

①　　②　　③　　④　　⑤

19 the Tolans에 관한 내용과 일치하지 <u>않는</u> 것은?

① 경찰로 근무했었다.
② Zambia로 이주했다.
③ 보호 교육을 제공한다.
④ 아동 교육 기관을 설립했다.
⑤ 기관 운영으로 큰 수익을 얻었다.

20 다음 글의 내용을 한 문장으로 요약할 때 빈칸 (A), (B)에 들어갈 말로 가장 적절한 것은?

It is true that recent changes in technology have led to discussions of a "cashless society" and "virtual money." However, it is fairly obvious that this is a change of form rather than substance. What is implied by a cashless society is that it is possible to imagine payment technology which doesn't use paper or small metal discs. However, a cashless society is definitely not "moneyless." Today, the purpose of business is to "make money," as it always has been. Indeed, under capitalism, new payment technology would not be introduced at all if it could not be made to "pay for" things in the traditional sense.

A cashless society doesn't mean a society without _____(A)_____ but one with new _____(B)_____ of it.

	(A)		(B)			(A)		(B)
①	credit	···	forms		②	money	···	forms
③	money	···	units		④	banking	···	units
⑤	banking	···	designs					

Lesson 2

Unlock Your Creativity

Think Ahead

Do you think you are creative? Why or why not? 여러분은 스스로가 창의적이라고 생각합니까? 왜 혹은 왜 그렇지 않습니까?
[Sample] Yes, I think I am creative. Whenever I do something artistic, I try to do it in a unique way. Also, I try to think of creative solutions to problems that occur in my life. 그렇다, 나는 내가 창의적이라고 생각한다. 내가 무언가 예술적인 것을 할 때면, 나는 그것을 독창적인 방법으로 하려고 노력한다. 또한, 나는 내 삶에 발생하는 문제들에 대한 창의적인 해결책을 생각하려고 노력한다.

Check what you already know.

- [ ] Thank you for saying that. 그렇게 말해줘서 고마워.
- [ ] Do you see what I mean? 내 말의 의미를 알겠니?

- -

- [ ] A couple who just got married is **on the left**. 방금 막 결혼한 부부는 왼쪽에 있다.
- [ ] They **may make the dinosaur look** monstrously tall to the viewer.
  그들은 그 공룡을 시청자들에게 몹시 크게 보이게 만들 수 있다.

In this lesson, I will ...

Listening & Speaking
- learn to respond to words of praise. 칭찬의 말에 답하는 것을 배운다.
- learn to ask someone questions to ensure they clearly understand something. 누군가에게 그들이 무언가를 확실히 이해했는지 확인하기 위해 질문하는 것을 배운다.

Communicative Functions

> - I'm glad you like it. 네가 좋아한다니 기뻐.
> - Is everything clear now? 이제 모든 것이 명확하니?

Culture
- learn about various art techniques from different cultures around the world.
  세계의 다른 문화권으로부터의 다양한 예술 기법을 배운다.

Reading
- read and understand a text about forced perspective.
  인위적 원근법에 대한 글을 읽고 이해한다.

Writing
- write an artist statement. 작가 노트를 쓴다.

Language Forms

> - **On the left** is a couple who just got married.
>   왼쪽에 방금 막 결혼한 부부가 있다.
> - **The dinosaur may be made to look** monstrously tall to the viewer.
>   그 공룡은 시청자들에게 몹시 크게 보이도록 만들어질 수 있다.

Starting Out

THINK **Look at the following picture and check what you think about it.**
다음 그림을 보고 어떻게 생각하는지 체크해 봅시다.

☐ unoriginal 독창적이 아닌   ☐ ordinary 평범한   ☐ weird 기이한

☐ creative 창의적인   ☐ humorous 유쾌한   ☐ On Your Own _____

Sample Answers vary: weird, creative, humorous, etc. 답은 다양하다. 기이한, 창의적인, 유쾌한 등.

LISTEN **Which photo is the man talking about?** 남자가 말하고 있는 사진은 어떤 것입니까?

 ✓ⓐ
 ⓑ
 ⓒ

Script

M: I love taking creative photos. When I take a photo, I always try to see something in a way that most people would not normally see it. A simple technique I use is to play with perspective. Let me show you an example. The photo here looks like my friend is holding up a miniature person. The small looking man is carefully positioned about twenty feet behind my friend — so he's in the background and appears smaller. Actually, you don't need any special equipment but just a bit of creative thinking. Finding different ways of viewing and capturing the world around you opens you up to greater creativity.

| 해석 |

남: 저는 창의적인 사진을 찍는 것을 매우 좋아합니다. 저는 사진을 찍을 때, 대부분의 사람들이 보통 보지 않는 방법으로 무언가를 보려고 항상 노력합니다. 제가 사용하는 간단한 기술은 원근법을 활용하는 것입니다. 예를 하나 보여 드리겠습니다. 여기 이 사진에서 제 친구는 모형 사람을 들고 있는 것처럼 보입니다. 작게 보이는 남성은 제 친구의 20피트 정도 뒤에 조심스럽게 위치되었습니다. 그래서 그는 배경 쪽에 있고 더 작게 보이는 것입니다. 사실, 여러분은 특별한 장비는 전혀 필요하지 않고, 단지 약간의 창의적인 생각만 필요합니다. 여러분 주변의 세상을 보고 포착하는 다른 방법들을 찾는 것은 더 큰 창의성을 여러분에게 열어줄 것입니다.

어구

unoriginal 혱 독창적이 아닌, 모방의 凤 original, unusual
·The story was boring and *unoriginal*. (그 이야기는 지루하고 독창적이지 못했다.)
ordinary 혱 보통의, 평범한
凥 usual, common
weird 혱 기묘한
凥 strange, bizarre
·He's got some *weird* ideas. (그는 좀 기이한 생각을 한다.)

어구

perspective 몡 원근법, 시각
·We learned how to draw buildings in *perspective*. (우리는 건물을 원근법에 맞춰 그리는 법을 배웠다.)
miniature 혱 축소된 몡 축소 모형
position 동 배치하다 凥 place
·She quickly *positioned* herself behind the desk. (그녀는 재빨리 책상에 자리를 잡고 앉았다.)

| 구문 해설 |

·Actually, you **don't** need any special equipment **but** just a bit of creative thinking.: 「not A but B」는 'A가 아니라 B'라는 의미이다. but 뒤에는 you need가 생략되어 있다.

READ

Creativity Makes You Happy

We know there's some sort of connection between happiness and using your imagination, but a recent study suggests any creative pursuit — no matter how small — can help you beat the blues. It only takes a single dose of creativity a day.

The study, published in *The Journal of Positive Psychology*, involved over 650 participants keeping a daily diary for two weeks. They were asked to describe their mood each day and rate how creative they had been. After analyzing the diaries, the researchers suggested that a little creativity goes a long way in being happier in the future. Participants who engaged in creative pursuits one day significantly boosted their mood for the following day. Overall, they reported feeling more enthusiastic and excited.

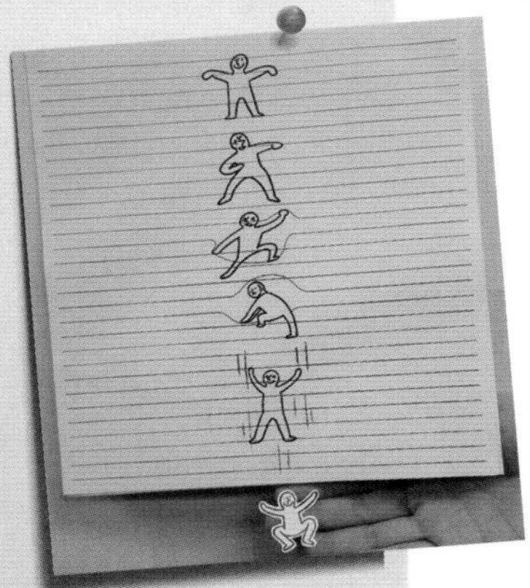

It didn't take much creative activity for participants to gain the benefits. Just one small creative activity a day helped. And you don't have to be a skilled artist, either. Something as simple as mindless doodling, making a joke, or even daydreaming will do.

● **What are some creative things you can do today?**

오늘 여러분이 할 수 있는 몇 가지 창의적인 것들은 무엇입니까?

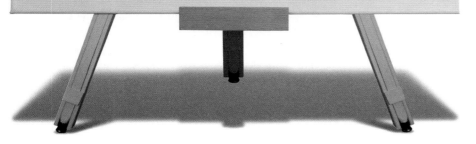

[Sample] I can doodle in my notebook or take a funny picture.
나는 공책에 낙서를 하거나 재미있는 사진을 찍을 수 있다.

| 구문 해설 |

- ~ but a recent study suggests any creative pursuit—**no matter how small**—can help you beat the blues.: no matter how small은 '아무리 작더라도'라는 뜻으로 양보의 의미로 쓰인 삽입절이고 however small로 바꿔 쓸 수 있다.
- They were asked **to describe** their mood each day **and rate** how creative they had been.: '~하도록 요청받다'라는 의미의 「be asked to부정사」 형태의 수동태가 쓰였으며, to describe와 (to) rate는 and로 연결되어 병렬 구조를 이룬다.
- **Participants who** engaged in creative pursuits one day significantly **boosted** their mood for the following day.: Participants는 주어이자 주격 관계대명사 who가 이끄는 절의 수식을 받는 선행사이다. 문장의 동사는 boosted이다.
- **It** didn't take much creative activity **for participants to gain** the benefits.: 「It(가주어)+for+의미상 주어+to부정사(진주어)」 형태가 쓰인 문장이다.
- **Something as simple as** mindless doodling, making a joke, or even daydreaming **will do.**: 주어는 Something이며 동사구는 will do로 문장에서 do는 '~에 도움이 되다, 충분하다'라는 의미로 쓰였다. '…만큼 ~한'이라는 의미의 「as+형용사+as」 형태의 동등 비교 구문이 쓰였다.

어구

connection [명] 관련성, 연결
[유] link
·There's a *connection* between smoking and cancer. (흡연과 암 사이에는 관련성이 있다.)
pursuit [명] 추구 ([동] pursue)
·She traveled the world in *pursuit* of her dreams. (그녀는 자신의 꿈을 추구하며 세계를 여행했다.)
dose [명] 양, 복용량
engage in ~에 참여하다
boost [동] 신장시키다, 북돋우다
[유] increase
·We can *boost* our sales by 40 percent. (우리는 우리의 판매를 40퍼센트까지 올릴 수 있다.)
enthusiastic [형] 열렬한, 열광적인
[유] passionate
doodling [명] 낙서
daydreaming [명] 백일몽

| 해석 |

창의성이 당신을 행복하게 한다

우리는 행복과 당신이 상상력을 사용하는 것 사이에 어떠한 관련성이 있다는 것을 알지만, 최근의 한 연구는 아무리 작더라도 어떤 창의성이든 추구하는 것이 우울함을 이겨내는 데 도움을 준다는 것을 시사했다. 단지 하루에 한 가지 창의성만 있으면 된다.

'긍정 심리학 저널'에 실린 연구에는 2주 동안 일기를 쓴 650명 이상의 실험자들이 참여했다. 그들은 그들의 기분을 매일 묘사하고 그들이 얼마나 창의적으로 지냈는지 평가하도록 요청받았다. 그 일기들을 분석한 뒤, 연구자들은 작은 창의성이 미래에 그들이 오래도록 더 행복하게 한다고 밝혔다. 어느 날 창의성을 추구하는 것에 참여한 실험 참가자들은 그 다음 날 기분이 상당히 고조되었다. 전체적으로 그들은 더 열정적이고 신 나게 느꼈다고 보고했다.

참가자들이 이러한 혜택을 얻기 위해 많은 창의성을 필요로 하지는 않았다. 하루에 하나의 작은 창의적인 활동만으로도 도움이 되었다. 그리고 숙련된 예술가가 될 필요도 없다. 생각 없이 하는 낙서나 농담하는 것, 혹은 몽상하는 것처럼 단순한 것이어도 충분하다.

Listen and Speak 1 교과서 pp. 60~61

Target Expression
I'm glad you like it.
네가 좋아한다니 기뻐.

A **Listen to the interview and fill in the blanks.** 인터뷰를 듣고 빈칸을 채워 봅시다.

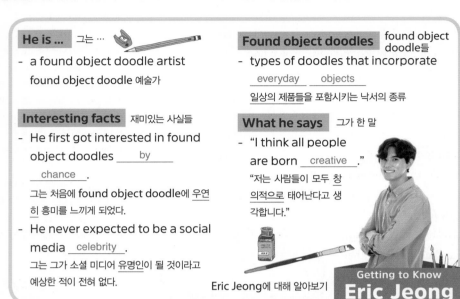

He is ... 그는 …

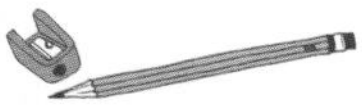

- a found object doodle artist
  found object doodle 예술가

Found object doodles found object doodle들

- types of doodles that incorporate ___everyday___ ___objects___
  일상의 제품들을 포함시키는 낙서의 종류

Interesting facts 재미있는 사실들

- He first got interested in found object doodles ___by___ ___chance___.
  그는 처음에 found object doodle에 우연히 흥미를 느끼게 되었다.
- He never expected to be a social media ___celebrity___.
  그는 그가 소셜 미디어 유명인이 될 것이라고 예상한 적이 전혀 없다.

What he says 그가 한 말

- "I think all people are born ___creative___."
  "저는 사람들이 모두 창의적으로 태어난다고 생각합니다."

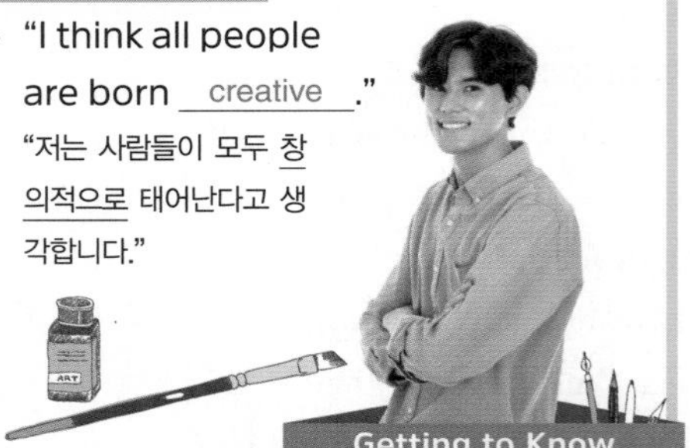

Eric Jeong에 대해 알아보기 Getting to Know **Eric Jeong**

Script

W: Here we have Eric Jeong in our studio today. He is one of the most popular social media celebrities nowadays. Eric, would you introduce yourself to our listeners?
M: Hi, I'm Eric Jeong. I'm an artist, and I do a lot of found object doodles.
W: What are found object doodles?
M: They are types of doodles that incorporate everyday objects.
W: That sounds interesting. How did you first get interested in them?
M: It was just by chance. One day, I accidentally spilled coffee beans on my notebook, and I thought they looked like a woman's curly hair. So, I just doodled the rest of the woman around the beans.
W: What a fortunate spill! Did you know that you were going to become a social media celebrity?
M: Actually no, but I'm so glad people like my posts.
W: Why do you think so many people are crazy about your work?
M: Well, I think all people are born creative. My doodles unlock their inner creativity, I guess, by transforming normal objects into something completely new and different.
W: I hope you continue making people happy with your creative doodles. After the commercial break, we'll take some calls from our listeners. We'll be right back. Stay tuned.

| 해석 |

여: 오늘 우리 스튜디오에는 Eric Jeong 씨를 모셨습니다. 이 분은 요즈음 가장 인기 있는 소셜 미디어 유명인 중 한 분이시죠. Eric, 저희 청취자 분들에게 자기소개를 해주시겠어요?
남: 안녕하세요, 저는 Eric Jeong입니다. 저는 예술가이고, found object doodle을 많이 합니다.
여: found object doodle이란 무엇인가요?
남: 그것은 일상의 제품들을 포함시키는 낙서의 한 종류입니다.
여: 흥미롭네요. 그것들에게 처음 어떻게 흥미를 느끼게 되셨나요?
남: 그냥 우연이었습니다. 어느 날 제가 실수로 커피콩을 제 공책에 쏟았고, 저는 그것이 여자의 곱슬머리처럼 보인다고 생각했습니다. 그래서 저는 여자의 나머지 부분을 커피콩 주변에 그렸습니다.
여: 쏟아진 것이 행운이었네요! 소셜 미디어 유명인이 될 것이라는 것을 알고 계셨나요?
남: 사실 그렇지는 않았지만, 사람들이 제 게시물들을 좋아해 주셔서 저는 매우 기쁩니다.
여: 왜 그렇게 많은 사람들이 당신의 작품에 열광한다고 생각하시나요?
남: 음, 저는 모든 사람들이 창의적으로 태어난다고 생각합니다. 제 낙서가 평범한 사물을 완전히 새롭고 다른 것으로 바꾸는 것을 통해, 그들의 내재된 창의력을 해제시켜주는 것 같아요.
여: 창의적인 낙서로 사람들을 계속 행복하게 만들어 주시기를 바랍니다. 광고 들으신 후 청취자분들과 전화 연결을 해 보겠습니다. 잠시 후 돌아오겠습니다. 채널 고정해 주세요.

어구

found object (미술 용어) 원래는 미술품이 아니면서 미술품으로 취급되는 미적 가치를 지닌 대상을 의미하는 용어로 프랑스어 objet trouvé의 영어 표현
doodle [명] 낙서 [동] 낙서를 끄적거리다
celebrity [명] 유명 인사
· She has become a *celebrity* in Korea. (그녀는 한국에서 유명 인사가 되었다.)
incorporate [동] 포함하다, 결합하다
· We have *incorporated* all the latest safety features into the design. (우리는 그 디자인에 최신 안전 요소들을 모두 포함시켰다.)
by chance 우연히 [유] accidentally
· I met him *by chance*. (나는 우연히 그를 만났다.)
spill [동] 쏟다, 흘리다 [명] 엎지르기
unlock [동] 열다, 드러내다

힌트

소셜 미디어 유명인인 Eric Jeong은 우연히 일상의 제품을 활용한 found object doodle에 흥미를 느끼게 되었으며, 그는 사람들이 차아의적으로 태어나는 것 같다고 이야기했다.

| 구문 해설 |

- They are types of doodles **that** incorporate everyday objects.: that은 주격 관계대명사로 쓰여서 선행사 doodles를 수식한다.
- **What a fortunate spill!**: What a fortunate spill (it is)!은 감탄문이며 「What+관사+형용사+명사(+주어+동사)!」의 어순으로 쓰였다.
  cf. How로 시작하는 감탄문은 「How+형용사/부사(+주어+동사)!」의 어순을 취한다.
- Actually no, but **I'm** so **glad** people like my posts.: 「I'm glad ~」는 상대방의 칭찬이나 격려에 기뻐하는 표현으로 glad 다음에는 접속사 that이 생략되어 있다.

B Complete the comic strip with the sentences from the box and practice the dialog with your partner. 보기의 문장들로 만화를 완성하고, 대화를 짝과 함께 연습해 봅시다.

ⓐ I'm glad you like it.
네가 좋아한다니 기뻐.

ⓑ What do you think of this?
이것에 대해 어떻게 생각하니?

ⓒ Why don't you submit this to it?
이것을 거기에 제출하는 것이 어때?

어구

submit [동] 제출하다 [유] hand in
· You should *submit* your report by email. (너는 너의 보고서를 이메일로 제출해야 한다.)
exhibition [명] 전시회, 전시

힌트

어떻게 생각하는지 의견을 묻는 표현(What do you think of ~?), 칭찬에 기뻐하는 표현(I'm glad you like it.), 제안하는 표현(Why don't you+동사원형 ~?) 등에 유의하여 답을 완성한다.

| 구문 해설 |

- **I'm glad you like it.**: 칭찬이나 격려에 대한 응답으로 쓰이는 표현이며 '네가 좋아한다니 기쁘다.'라는 의미이다.
- **Why don't you** submit this to it?: 「Why don't you+동사원형 ~?」은 '~하는 것이 어때?'라는 제안의 의미로 유사한 표현으로는 「Why not+동사원형?」, 「How(What) about -ing?」 등이 있다.

Lesson 3

C Found Object Doodle for an Online Exhibition 온라인 전시회를 위한 found object doodle

STEP 1 Think of an idea for a found object doodle and share it with your partner.
found object doodle을 위한 아이디어를 생각해 보고 그 아이디어를 짝과 나눠 봅시다.

- What object are you going to use? Sample I'm going to use a pair of scissors. 나는 가위를 사용할 것이다.
어떤 제품을 사용할 것입니까?
- What are you going to draw? Sample I'm going to draw an ostrich. 나는 타조를 그릴 것이다.
무엇을 그릴 것입니까?

| Sample Dialog |

A What are you going to use for your found object doodle?
B I'm thinking of using a pair of scissors.
A What are you going to draw with them?
B I'm going to draw an ostrich.
A That's interesting. How will you draw it?
B Well, I'll put the scissors in the middle, so they look like the ostrich's eyes and beak.
A Wow, that'll look awesome!
B I'm glad you like my idea.

| 해석 |

A: found object doodle에 무엇을 사용할 거야?
B: 나는 가위를 사용하려고 생각하고 있어.
A: 그것으로 무엇을 그릴 거야?
B: 나는 타조를 그릴 거야.
A: 흥미롭다. 어떻게 그것을 그릴 거니?
B: 음, 나는 가위를 가운데에 두어서 그것이 타조의 눈과 부리처럼 보이게 할 거야.
A: 와우, 멋져 보이겠다!
B: 내 아이디어를 좋아해 줘서 기뻐.

| 구문 해설 |

- **I'm thinking of using** a pair of scissors.: I'm thinking of -ing.는 '~하려고 생각하고 있다, ~할 생각이다'라는 의미로 계획이나 의도를 나타내는 표현이다. 유사한 표현으로는 「I'm going to+동사원형」, 「I'm planning to+동사원형」 등이 있다.
- **I'm glad you like** my idea.: 칭찬이나 격려에 답하는 표현으로 I'm glad you like ~.(네가 ~을 좋아해줘서 기쁘다)를 쓴다.

어구

a pair of 한 쌍의
ostrich [명] 타조
·Interestingly, an *ostrich*'s eye is bigger than its brain. (흥미롭게도, 타조의 눈은 타조의 뇌보다 크다.)
beak [명] 부리
·Kiwis are flightless birds with long *beaks*. (키위는 긴 부리를 가진 날지 못하는 새이다.)
awesome [형] 엄청난, 굉장한
·As night fell, the volcano presented an *awesome* sight. (밤이 되면서, 화산은 굉장한 광경을 선사했다.)

STEP 2 **Doodle your idea, take a picture of your doodle, and post it on the class website.**
여러분의 아이디어를 그려보고, 그 낙서의 사진을 찍어서 학급 홈페이지에 게시해 봅시다.

✔Self-Check

	Yes	No	
I can use the target expressions correctly. 나는 목표 표현을 정확하게 쓸 수 있다.	☐	☐	→ Go back to A and B. A와 B로 돌아가세요.
I can communicate effectively. 나는 효과적으로 의사소통할 수 있다.	☐	☐	→ Practice the Sample Dialog in STEP 1 again. STEP 1의 예시 대화를 다시 연습하세요.

Listen and Speak 2 교과서 pp. 62~63

Target Expression
Is everything clear now?
이제 모든 것이 명확하니?

A **Listen to the lecture and complete the following notes.**
강의를 듣고 아래의 노트를 완성해 봅시다.

Topic: Tips to take good pictures of ___People___
주제: 좋은 인물 사진을 찍는 팁

1. ___Framing___ : ___Get close___ to your subject.
   프레임 잡기: 피사체에 가까이 다가가라.
2. ___Lighting___ : Look for ___good light___.
   빛 조절하기: 좋은 빛을 찾아라.
3. **Timing:** Wait for ___the right moment___.
   시간 맞추기: 제대로 된 순간을 기다려라.

Script

W: Are you interested in taking good pictures of people? Then listen up because I have three hot tips for you. You can easily remember these tips by three key words: framing, lighting, and timing. First, get close to your subject. No matter who you're shooting, it almost always helps to get in close. Just walk up closer to your subject if you can. Second, look for good light. If you're outside, it's important to pay attention to the direction of the sun. You almost always want it shining on your subject. If you have to change your camera angle to accommodate the light, do so. Third, wait for the right moment. You have to keep snapping and snapping with the settings you've picked, and you need to keep doing it until the right moment comes. Keep in mind that this may take a lot of patience. Is everything clear now? Remember these tips the next time you're snapping photos of people, and see the amazing results.

| 해석 |

여: 인물 사진을 잘 찍는 것에 흥미가 있으십니까? 그렇다면 잘 들어보세요, 저에게 여러분을 위한 세 가지 훌륭한 조언이 있으니까요. 여러분은 프레임 잡기, 빛 조절하기, 시간 맞추기라는 세 가지 키워드로 이 조언들을 쉽게 기억할 수 있습니다. 첫 번째, 여러분의 피사체에 가까이 다가가세요. 누구를 촬영하고 있더라도, 가까이 다가가는 것은 거의 항상 도움이 됩니다. 가능하다면 피사체에 그냥 더 가까이 걸어가세요. 두 번째, 좋은 빛을 찾으세요. 외부에 있다면, 햇빛의 방향에 주의를 기울이는 것이 중요합니다. 여러분은 대부분 그것이 항상 여러분의 피사체에 비추기를 바랍니다. 만약 빛에 맞추기 위해 카메라의 각도를 바꿔야 한다면, 그렇게 하세요. 세 번째, 제대로 된 순간을 기다리세요. 여러분은 여러분이 고른 설정으로 계속해서 사진을 찍고 또 찍어야 하고, 제대로 된 순간이 올 때까지 그것을 계속해야 합니다. 이것에 많은 인내가 있어야 할지도 모른다는 것을 명심하세요. 이제 모든 것이 명확해졌나요? 다음번에 인물 사진을 찍을 때 이 조언들을 기억하시고, 놀라운 결과를 보세요.

| 구문 해설 |

- **No matter who** you're shooting, it almost always helps to get in close.: No matter who는 '누가 ~하더라도'라는 양보의 의미를 가지고 복합관계대명사 Whoever(Whomever)로 바꿔 쓸 수 있다.
- **Is everything clear now?**: 이해를 확인하는 표현으로 '이제 모든 것이 명확하니?'라는 의미이다. 유사 표현으로는 Do you understand now?, Do you think you've got it now? 등이 있다.

어구

frame [동] 틀을 잡다 [명] 틀, 장면
· The photograph had been *framed.* (그 사진은 틀이 잡혀 있었다.)
subject [명] 대상, 소재
pay attention to ~에 주의를 기울이다
· They could not *pay attention to* the teacher. (그들은 선생님에게 집중할 수 없었다.)
snap [동] (비격식) 사진을 찍다
[유] take photographs
keep in mind 마음에 담아두다, 유념하다
· *Keep in mind* what I told you. (내가 한 말을 명심해라.)
patience [명] 참을성, 인내력
· It takes time and *patience* to photograph wildlife. (야생 동물 촬영에는 시간과 인내력이 필요하다.)

힌트

인물 사진을 잘 찍는 요령에 대한 담화이다. First, Second, Third 등 요령이 하나씩 소개될 때 주의 깊게 듣고 중심 내용을 요약한다.

Lesson 3

B Complete the comic strip with the sentences from the box and practice the dialog with your partner. 보기의 문장들로 만화를 완성하고, 대화를 짝과 연습해 봅시다.

ⓐ Is everything clear now? 이제 모든 것이 명확하니?
ⓑ What do you mean by that? 그게 무슨 의미야?
ⓒ How can I take better pictures of people? 어떻게 하면 인물 사진을 더 잘 찍을 수 있을까?

ⓒ 어떻게 하면 인물 사진을 더 잘 찍을 수 있을까?

피사체가 프레임을 채워야 한다는 것만 기억해.

ⓑ 그게 무슨 의미야?

네가 누군가의 사진을 찍을 때, 그들이 프레임을 채울 때까지 그들에게 더 가까이 다가가. 어떻게 하는지 보여 줄게.

피사체가 프레임을 채울 때까지 들어가. 점점 더 가까이 다가가. 그런 다음, 찍어! ⓐ 이제 모든 것이 명확하니?

조심해! 피사체에 너무 가까이 다가가는 것은 가끔 사진을 망치기도 해.

C Class Yearbook Photo Contest 학급 졸업 앨범 사진 콘테스트

STEP 1 **Imagine your group needs a photo for your graduation yearbook. Think of a theme for your group shot.**
여러분의 모둠이 졸업 앨범을 위한 사진이 필요하다고 상상해 봅시다. 단체 사진 주제를 생각해 봅시다.

Theme: Dream Tree
주제: 꿈 나무

Your theme: ______________________
여러분의 주제

[어구]
ruin [동] 망치다, 엉망으로 만들다
[유] destroy, wreck
·The bad weather *ruined* our trip. (나쁜 날씨가 우리 여행을 망쳐 놓았다.)

[힌트]
인물 사진을 잘 찍는 요령을 주제로 한 대화이다. 이해하지 못하는 것을 묻는 표현(What do you mean by that?)과 명확하게 이해했는지를 확인하는 표현(Is everything clear now?)에 유의한다.

| 구문 해설 |

- **What do you mean by that?**: '그게 무슨 의미야?'라는 의미로 상대방의 의도나 문맥상 의미를 명확히 알고자 할 때 되묻는 표현이다.
- Just remember **that** the subject should fill the frame.: that은 remember의 목적어가 되는 명사절을 이끄는 접속사이다.
- **Getting too close to your subject** sometimes **ruins** your picture.: 문장의 주어는 Getting ~ subject이며 동명사 주어는 단수 취급하므로 단수 동사 ruins가 쓰였다.

[어구]
yearbook [명] 졸업 앨범, 연감
·This is my high school *yearbook* photo. (이것은 나의 고등학교 졸업 앨범 사진이다.)
graduation [명] 졸업
theme [명] 주제, 테마

STEP 2 **Complete the following action plan to take your photo.**
여러분의 사진을 찍기 위한 아래의 실행 계획을 완성해 봅시다.

| Sample Dialog |

A Let's decide when to shoot our group photo first. What about this coming Saturday?
B This Saturday is fine. Where do you think we should take our photo?
C What about Jimmy's Photo Studio? It's big enough for a group photo.
D Great! And we need to bring colorful balloons and flags to decorate around us.
A What should we wear for the photo?
B Let's wear casual clothes like T-shirts and jeans. Everybody has those.
C You're right. I think we're pretty much ready. Is everything clear now?
D Perfect! I'm really looking forward to it.

On Your Own

Sample

When to shoot: This Saturday — 언제 찍을지: 이번 주 토요일
Where to shoot: Jimmy's Photo Studio — 어디서 찍을지: Jimmy's Photo Studio (Jimmy네 사진 스튜디오)
What to bring: Colorful balloons and flags — 무엇을 가져갈지: 색색의 풍선과 깃발
What to wear: T-shirts & jeans — 무엇을 입을지: 티셔츠와 청바지

| 해석 |

A: 우리 단체 사진을 언제 찍을지를 먼저 정해보자. 이번 주 토요일 어떨까?
B: 이번 주 토요일 괜찮아. 우리 사진을 어디서 찍어야 한다고 생각하니?
C: Jimmy의 사진 스튜디오 어때? 단체 사진을 찍을 만큼 충분히 크잖아.
D: 좋아! 그리고 우리는 우리 주변을 장식할 색색의 풍선과 깃발을 가져와야 해.
A: 사진을 위해 어떤 옷을 입어야 할까?
B: 티셔츠와 청바지 같은 캐주얼한 옷을 입자. 모두 그것들을 가지고 있잖아.
C: 네 말이 맞아. 꽤 준비된 것 같다. 이제 모든 것이 명확하니?
D: 완벽해! 정말 기대된다.

STEP 3 **Present your group's theme and action plan to the class and choose the most creative action plan.**
여러분 모둠의 주제와 실행 계획을 반에 발표하고 가장 창의적인 실행 계획을 골라 봅시다.

어구

action plan [명] 행동 (실행) 계획
shoot [동] (영화, 사진 등을) 촬영하다 (shoot-shot-shot)
·The movie was *shot* in black and white. (그 영화는 흑백으로 촬영되었다.)
decorate [동] 장식하다
·They *decorated* the room with flowers and balloons. (그들은 꽃과 풍선들로 방을 꾸몄다.)

| 구문 해설 |

- **What about** Jimmy's Photo Studio?: '~은 어때?'라는 의미로 제안할 때 사용하는 표현이며 유사한 표현으로 How about ~?, Why don't you ~? 등이 있다.
- I'm really **looking forward to** it.: '~을 기대하다, 고대하다'라는 의미의 「look forward to+명사어(구)」 표현이 쓰였다. to는 전치사이므로 뒤에 명사에 상당하는 어구가 와야 함에 유의한다.

Lesson 3

✔Self-Check

	Yes	No	
I can use the target expressions correctly. 나는 목표 표현을 정확하게 쓸 수 있다.	☐	☐	→ Go back to A and B. A와 B로 돌아가세요.
I can communicate effectively. 나는 효과적으로 의사소통할 수 있다.	☐	☐	→ Practice the Sample Dialog in STEP 2 again. STEP 2의 예시 대화를 다시 연습하세요.

Language in Focus

교과서 p. 64

A **Compare the sentences in each pair below and find the differences between them.** 다음 짝지어진 문장들을 비교해 보고 그것들 사이의 차이점을 찾아봅시다.

- A couple who just got married is **on the left.**
  방금 막 결혼한 부부는 왼쪽에 있다.
- **On the left** is a couple who just got married.
  왼쪽에 방금 막 결혼한 부부가 있다.

- The snow came **down** and made the road icy.
  눈이 내렸고 길을 빙판으로 만들었다.
- **Down** came the snow and made the road icy.
  눈이 내렸고 길을 빙판으로 만들었다.

● **Based on what you found, complete the given sentences.**
여러분이 찾은 것을 바탕으로 주어진 문장들을 완성해 봅시다.

1. The students wearing school uniforms sat on the lawn under the large tree.
교복을 입은 학생들이 큰 나무 아래 잔디밭에 앉았다.
→ On the lawn under the large tree __sat the students wearing school uniforms__.
큰 나무 아래 잔디밭에 교복을 입은 학생들이 앉았다.

2. The post office from where I sent you the package is down the street.
내가 네게 소포를 보냈던 우체국은 길 아래편에 있다.
→ Down the street __is the post office from where I sent you the package__.
길 아래편에 내가 네게 소포를 보냈던 우체국이 있다.

어구

package [명] 소포

힌트

부사(구) 내용을 강조하기 위해 부사구가 문장 맨 앞에 위치하면 「동사+주어」의 어순으로 도치된다.

| 구문 해설 |

- A couple **who** just got married is on the left.: who는 주격 관계대명사로 who just got married가 선행사 A couple을 수식하는 한정적 용법으로 쓰였다.
- The post office **from where** I sent you the package is down the street.: 「전치사+관계부사」의 형태로 쓰인 from where는 from which로는 쓸 수가 없다. 관계부사 where는 주절과 관계부사절의 시제가 같을 때 사용되고, from where는 관계부사절의 시제가 주절보다 앞서는 경우 사용된다.
  e.g. The post office from where people send mail is down the street. (×)
  The post office where people send mail is down the street. (○)

Grammar Point

부사(구) 도치

부사(구) 내용을 강조하기 위해 부사구가 문장 맨 앞으로 올 때 주어와 동사가 도치되어 「부사(구)+자동사+주어」의 어순이 된다.

e.g. A tree was **outside the shop.** (나무가 가게 밖에 있었다.)
→ **Outside the shop** was a tree. (가게 밖에 나무가 있었다.)
Jennifer stood **among the people.** (Jennifer가 사람들 사이에 서 있었다.)
→ **Among the people** stood Jennifer. (사람들 사이에 Jennifer가 서 있었다.)

cf. 주어가 대명사인 경우에는 보통 「주어+동사」의 어순이 된다.
e.g. He stood **on the hill.** (그가 언덕 위에 서 있었다.)
→ **On the hill** he stood. (언덕 위에 그가 서 있었다.)

B **Compare the sentences in each pair below and find the differences between them.** 다음 짝지어진 문장들을 비교해 보고 그것들 사이의 차이점을 찾아봅시다.

> - They **may make the dinosaur look** monstrously tall to the viewer.
>   그들은 보는 사람들에게 그 공룡을 몹시 크게 보이게 만들 수 있다.
> - The dinosaur **may be made to look** monstrously tall to the viewer (by them).
>   그 공룡은 (그들에 의해) 보는 사람들에게 몹시 크게 보이도록 만들어질 수 있다.

> - Somebody **saw her cross** the street.
>   누군가가 그녀가 길을 건너는 것을 봤다.
> - She **was seen to cross** the street (by somebody).
>   그녀가 길을 건너는 것이 (누군가에 의해) 보였다.

● **Based on what you found, choose the appropriate expressions to complete the following passage.**
여러분이 찾은 것을 바탕으로 알맞은 표현을 골라 다음 글을 완성해 봅시다.

Even though Tom was a troublemaker in his town, his mother never gave up disciplining him. For example, when he broke a neighbor's window, he [made to pay / ✓was made to pay] for it himself. He had to work part-time to earn the money for it. Another time, he [was made clean / ✓was made to clean] off the graffiti he had painted on a wall. He ended up working even more to earn money due to his mother's insistence. His mother's steady and consistent parenting [made him reflect / was made to reflect] on what he had done, which helped him learn to respect others.

| 해석 |

비록 Tom이 마을의 말썽꾸러기였지만, 그의 엄마는 그를 훈육하는 것을 절대 포기하지 않았다. 예를 들어, 그가 이웃의 창문을 깼을 때 그는 직접 그것에 대한 비용을 지불하게 되었다. 그는 그것을 위한 돈을 벌기 위해 아르바이트를 해야 했다. 다른 때에는 그가 벽에 그렸던 낙서를 청소하게 되었다. 그는 결국 그의 어머니의 고집 때문에 돈을 벌기 위해 훨씬 더 많이 일하게 되었다. 그의 어머니의 꾸준하고 한결같은 양육은 그가 자신이 한 것에 대해 반성하게 했고, 그것은 그가 다른 사람들을 존중하는 것을 배우도록 도와주었다.

Grammar Point

사역동사의 수동태

능동태 문장에서 사역동사나 지각동사는 목적격 보어로 동사원형을 취하는데, 수동태로 전환할 때는 동사를 「be+p.p.」의 형태로 바꾸고 목적격 보어를 「to+동사원형」 형태로 바꾼다.

e.g. I **made him pay** back the money. (나는 그가 돈을 갚게 만들었다.)
→ **He was made to pay** back the money (by me). (그는 (나에 의해) 돈을 갚도록 만들어졌다.)
We **saw him swim** in the river. (우리는 그가 강에서 수영하는 것을 보았다.)
→ He **was seen to swim** in the river (by us). (그가 (우리에 의해) 강에서 수영하는 것이 보였다.)

어구

monstrously (부) 굉장히, 몹시
discipline (동) 훈육하다 (명) 훈육, 규율
·She believes children need *discipline*. (그녀는 어린이들에게 훈육이 필요하다고 믿는다.)
graffiti (명) 낙서, 그라피티
end up -ing 결국 ∼하게 되다
·I *ended up paying* the late fee. (나는 결국 연체료를 내게 되었다.)
due to ∼ 때문에 (유) because of
·The flight was delayed *due to* bad weather. (악천후로 항공기가 지연되었다.)
insistence (명) 고집, 주장
steady (형) 꾸준한, 한결같은
consistent (형) 일관된
·The pattern is strikingly *consistent* in the four samples. (그 유형은 네 가지 샘플에서 눈에 띄게 일관적이다.)
parenting (명) 육아
reflect (동) 반성하다, 곰곰이 생각하다

힌트

첫 번째, 두 번째 표현에서는 각각 주어 he가 '∼하게 된 것'이므로 사역동사 수동태 형태가 와야 한다. 세 번째 표현에서 주어 His mother's ∼ parenting이 '그(him)를 반성하게 한 것'이므로 능동태가 와야 한다.

| 구문 해설 |

·His mother's steady and consistent parenting made him reflect on **what** he had done, **which** helped him learn to respect others.: 문장의 주어는 His mother's ∼ parenting이며, what은 선행사를 포함하는 목적격 관계대명사로 전치사 on의 목적어절을 이끈다. which는 앞 문장의 내용을 선행사로 하는 계속적 용법의 관계대명사로 쓰였다.

Before You Read

Reading Activator

A Match each picture with the most relevant photo technique used in it.

각각의 사진을 그 사진에 사용된 가장 관련 있는 사진 기술에 대한 설명과 연결해 봅시다.

1.
2.
3.

ⓐ Use distance. It creates an illusion of size, making subjects appear larger or smaller.

거리를 사용하라. 그것은 피사체를 더 크거나 작게 보이도록 만들면서 크기에 대한 오해를 만든다.

ⓑ Play with reflections. They make images appear in unlikely places.

반사를 활용하라. 그것은 이미지를 예상치 못한 곳에서 나타나도록 한다.

ⓒ Capture small details. Close-up images that capture small, subtle details can make for really compelling visual content.

작은 세부 사항을 포착하라. 작고 미묘한 세부 사항을 포착하는 클로즈업 이미지는 정말 눈을 뗄 수 없는 시각적 내용에 도움을 준다.

어구

illusion 몡 착각, 환상
reflection 몡 (거울 등에 비친) 상, 반영, 반사
unlikely 혱 예상 밖의, ~일 것 같지 않은
subtle 혱 미묘한
make for ~에 기여하다, ~에 도움이 되다
· Great inventions *make for* the peace and progress of the world. (위대한 발명은 세계 평화와 진보에 기여한다.)
compelling 혱 눈을 뗄 수 없는; 강렬한, 설득력 있는

| 구문 해설 |

· Close-up images **that** capture small, subtle details **can make** for really compelling visual content.: that은 주격 관계대명사로 that ~ details가 문장의 주어인 Close-up을 수식하며 동사는 can make이다.

어구

bizarre 혱 기이한, 특이한
㊡ odd, strange, unusual
gigantic 혱 거대한
㊡ huge, tremendous
monument 몡 기념물
consist of ~로 이루어지다, 구성되다
㊡ be made up of
optical 혱 시각적인

Word Booster

B Guess the meanings of the words in bold from the contexts and choose the appropriate definitions of the words in the box.

굵은 글씨로 된 단어의 의미를 추측해 보고 보기에서 단어의 알맞은 정의를 골라 봅시다.

1. bizarre ⓐ
· That was such a **bizarre** story that I almost didn't believe it.
그것은 아주 기이한 이야기여서 나는 그것을 거의 믿지 않았다.
· Jane has a **bizarre** sense of humor, so we rarely understand her jokes.
Jane은 별난 유머 감각을 가지고 있어서 우리는 그녀의 농담을 거의 이해하지 못한다.

2. gigantic ⓒ
· The earth was once ruled by **gigantic** dinosaurs.
지구는 한때 거대한 공룡들에 의해 지배되었다.
· The monument consists of a circle of **gigantic** stones.
그 기념물은 원형의 거대한 돌들로 이루어져 있다.

3. optical ⓑ
· Magic involves doing tricks using **optical** illusions.
마술은 착시를 이용하는 속임수를 수반한다.
· The movie director is interested in all kinds of **optical** effects that make use of light.
그 영화감독은 빛을 사용하는 모든 종류의 시각 효과에 관심이 있다.

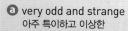

ⓐ very odd and strange
아주 특이하고 이상한
ⓑ related to sight, light, or images 시각, 빛, 또는 이미지에 관련된
ⓒ extremely large in size, amount, or degree 크기, 양, 또는 정도가 매우 큰

View Your World
Differently!

❶ Look at the following pictures. ❷ On the left is a couple who just got married. ❸ It appears that the groom is as tall as a giant, lifting the bride with just one hand. ❹ Is the groom really a giant? ❺ Is the miniature bride a princess right out of a fairy tale? ❻ On the right is an incredibly big hand waking up a man who seems to be sleeping. ❼ What if the hand breaks the man's arm? ❽ Aren't the photography tricks used in the pictures interesting?

ⓠ Guess how the pictures were taken. Then, share your thoughts with the class.
사진들이 어떻게 찍혔는지 추측해 봅시다. 그리고 여러분의 생각을 반 친구들과 공유해 봅시다.

> Sample It seems to me that the photographer used miniature toys to create the shots. The bride and the man lying on the floor look so unreal.
> 내게는 사진가가 이 장면을 만들어 내기 위해 모형 장난감을 사용한 것처럼 보인다. 신부와 바닥에 누워있는 남자는 매우 비현실적이게 보인다.

구문 연구

❷ **On the left is a couple** who just got married.: 부사구 On the left를 강조하여 「동사+주어」의 어순으로 도치되었다.

❸ **It** appears **that** the groom is **as tall as** a giant, **lifting** the bride with just one hand.: 「It(가주어) ~ that(진주어)」 구문이 쓰였다. as tall as는 「as+형용사+as」 형태의 원급 비교 구문이다. lifting 이하는 동시 상황을 나타내는 분사구문으로 쓰여 and he lifts ~의 의미를 나타낸다.

❻ **On the right is an incredibly big hand waking** up a man **who seems to be sleeping.**: 부사구 On the right를 강조하여 「동사+주어」의 어순으로 도치되었다. walking은 현재분사로 앞의 big hand를 수식하며, who는 주격 관계대명사로 선행사 a man을 수식하는 절을 이끈다. 「seem to+동사원형」은 '~인 것 같다, ~처럼 보이다'라는 의미의 표현이다.

❽ **Aren't the photography tricks used** in the pictures **interesting?**: 문장의 주어는 the photography이며 used는 과거분사로 주어를 수식한다. 문장의 동사는 Are이며 interesting이 보어이다.

Check Up

01 다음 문장을 부사구로 시작하여 다시 쓰시오.

(1) The big frog sat on the grass.
→ On the grass _____ .

(2) The table was in the center of the room.
→ In the center of the room _____ .

02 우리말과 일치하도록 주어진 어구를 활용하여 영작하시오.

> 그녀는 아이들을 좋아하는 것 같다.

(it appear that, love)

Pay Attention ♀

L1 On the left is a couple who just got married.

L4 On the right is an incredibly big hand waking up a man who seems to be sleeping.

부사(구) 내용을 강조하기 위해 부사구가 문장 맨 앞에 위치할 때 주어와 동사는 「동사+주어」의 어순으로 도치된다.

어구

groom 몡 신랑 ㈌ bridegroom
bride 몡 신부
miniature 혱 소형의 몡 축소 모형
fairy tale 몡 동화
incredibly 閉 믿을 수 없을 정도로, 엄청나게
· She is *incredibly* popular nowadays. (그녀는 요즘 엄청나게 인기 있다.)

| 해석 |----------------------

세상을 다르게 보라!
❶ 다음 사진들을 보아라. ❷ 왼쪽에는 이제 막 결혼한 부부가 있다. ❸ 신랑은 거인만큼 키가 크고 신부를 한 손만으로 들어 올리는 것처럼 보인다. ❹ 이 신랑은 정말 거인인가? ❺ 모형 신부는 동화에서 바로 나온 공주인가? ❻ 오른쪽에는 자고 있는 것처럼 보이는 남자를 깨우는 믿을 수 없을 만큼 큰 손이 있다. ❼ 저 손이 남자의 팔을 부러뜨리면 어떻게 될까? ❽ 사진에 사용된 사진 기법들이 흥미롭지 않은가?

Lesson 3

❶ Look at the photo of a person [collecting clouds in a jar] and the photo of a car [that looks just like a small toy]. ❷ How were these bizarre pictures created? ❸ Nowadays, photo editing programs make it easy to create these types of pictures, but there is a much more low-tech method [that produces the same amazing results]: the forced perspective technique.

❹ The forced perspective technique **manipulates** our human perception with the use of optical illusions to make objects appear larger, smaller, farther away, or closer than they actually are. ❺ That way you can give the impression [that your photographs were taken in a completely different context]. ❻ Or you can completely change the tone, message, and symbolism of your images.

ⓠ According to the passage, what is the forced perspective technique?
글에 의하면, 인위적 원근법은 무엇입니까?

Sample The forced perspective technique is a way to manipulate human perception with the use of optical illusions to make objects appear larger, smaller, farther away, or closer than they actually are. 인위적 원근법은 물체를 실제보다 더 크거나, 작거나, 멀거나, 혹은 가까워 보이게 만들기 위해 착시를 사용하여 인간의 인지를 조작하는 방법이다.

구문 연구

❶ Look at the photo of a person **collecting** clouds in a jar and the photo of a car **that** looks just like a small toy.: collecting은 현재분사로 a person을 수식한다. that은 주격 관계대명사로 that이 이끄는 절 that ~ toy가 선행사 a car를 수식한다.

❸ Nowadays, photo editing programs make **it easy to create** these types of pictures, but there is a much more low-tech method **that** produces the same amazing results: the forced perspective technique.: it은 가목적어, to create는 진목적어이다. 주격 관계대명사 that이 이끄는 that ~ results가 앞의 a much more low-tech method를 수식하며 이것은 the forced perspective technique와 동격을 이룬다.

❹ The forced perspective technique manipulates our human perception with the use of optical illusions **to make** objects **appear** larger, smaller, farther away, or closer than they actually are.: to make는 목적을 나타내는 to부정사의 부사적 용법으로 쓰였고 목적격 보어로 동사원형 appear를 취했다. 목적어와 목적격 보어가 능동 관계일 때 목적격 보어로 동사원형을 취한다.

Pay Attention

L3 ... Nowadays, photo editing programs make **it** easy **to create** these types of pictures, but ....
it은 가목적어, to create가 진목적어로 쓰인 문장이다.

Highlight

L6 Highlight *manipulates* and guess its meaning from the context.
'manipulate'에 표시하고 문맥에서 그 의미를 추측해 봅시다.

In the context, the word "manipulate" means "to control something skillfully." 문맥에서 'manipulate'라는 단어는 '무언가를 교묘하게 조정하다'라는 의미이다.

| 해석 |

❶ 구름을 병에 모으고 있는 사람의 사진과 작은 장난감처럼 보이는 자동차 사진을 보아라. ❷ 이런 특이한 사진들은 어떻게 만들어질까? ❸ 요즈음에는 사진 편집 프로그램이 이런 종류의 사진들을 만들기 쉽게 하지만, 이와 똑같이 대단한 결과를 만들어 내는 훨씬 더 낮은 기술이 있다: 바로 인위적 원근법 기법이다.

❹ 인위적 원근법 기법은 사물이 실제보다 더 크거나, 작거나, 멀거나, 혹은 가까워 보이게 만들기 위해 착시를 사용하여 인간의 인지를 조작한다. ❺ 이런 방식으로 여러분은 사진이 전혀 다른 상황에서 찍혔다는 인상을 줄 수 있다. ❻ 혹은 여러분은 이미지의 분위기, 메시지, 그리고 상징을 완전히 바꿀 수도 있다.

어구

perspective 몡 원근법, 시각, 관점
manipulate 동 조작하다, 다루다
·He knows how to *manipulate* public opinion. (그는 여론을 조작하는 방법을 알고 있다.)
perception 몡 지각, 인지
illusion 몡 환영, 착각
impression 몡 인상
symbolism 몡 상징, 상징주의

Check Up

01 빈칸에 알맞은 단어를 주어진 철자로 시작하여 쓰시오.

The forced perspective technique (1) m_____ our human perception with the use of optical (2) i_____ to make objects appear larger, smaller, farther away, or closer than they actually are.

02 주어진 단어들을 순서대로 배열하여 문장을 완성하시오.

The big and round table _____ the dishes.

(it, share, easy, made, to)

❶ Forced perspective has been extensively used not only in
현재완료 수동태
photography but also in movie making. ❷ For example, the technique
A뿐만 아니라 B도
can be used in an action or adventure movie scene where dinosaurs
조동사 수동태 (조동사+be+p.p.)   관계부사
are threatening the heroes. ❸ By placing a miniature model of a
                              「by+-ing」 ~함으로써
dinosaur close to the camera, the dinosaur may be made to look
~에 가까운   사역동사의 수동태 (be동사+사역동사 p.p.+to+동사원형)
monstrously tall to the viewer, even though it is just closer to the
                              ~일지라도 (양보 접속사)
camera.

❹ So you don't have to scream like a little kid while watching a
                              ~처럼 (전치사)   you are
                                              부사절 축약
scary movie in a packed theater. ❺ Just remember that the gigantic
                                              목적어절 1
monster on the screen may only be a little plastic toy, and that, using
                                              목적어절 2 분사구문
forced perspective, the movie makers turned it into something
                              「turn A into B」 A를 B로 바꾸다
frightening to the audience.
후치 수식

📷 Look for some movies that use the forced perspective technique and share them
with the class.
인위적 원근법을 사용한 몇몇 영화들을 찾아보고 그것을 반 친구들과 공유해 봅시다.

Sample I heard that the director of the movie *The Lord of the Rings* used forced perspective
shots with a moving camera. The Hobbits looked much smaller that way.
나는 영화 '반지의 제왕'의 감독이 이동 카메라를 가지고 인위적 원근법 장면을 사용했다고 들었다. 호
빗족은 그러한 방식으로 훨씬 작아 보였다.

구문 연구

❶ Forced perspective **has been** extensively **used not only** in photography **but
also** in movie making.: 주어와 동사가 수동의 의미 관계이므로 현재완료 수동태(have(has) been
p.p.)가 쓰였다. 「not only A but also B」 구문이 쓰였으며 A와 B에 어법상 동일한 형태의 전치사구가 왔다.

❷ For example, the technique **can be used** in an action or adventure movie
scene **where** dinosaurs are threatening the heroes.: can be used는 조동사를 포함한
동사구의 수동태 형태 「조동사+be+p.p.」로 쓰였다. 관계부사 where 이하가 선행사 an action or adventure
movie scene을 수식한다.

❸ ~ the dinosaur **may be made to look** monstrously tall to the viewer, even
though it is just closer to the camera.: 사역동사의 수동태에서 목적어가 주어가 되므로 사역동
사를 「be+p.p.」 형태로, 목적격 보어를 「to+동사원형」의 형태로 쓴다.

❹ So you don't have to scream like a little kid **while watching** a scary movie
in a packed theater.: while watching ~은 시간 부사절 while you are watching ~에서 「주
어+be동사」가 생략된 부사절 축약 구문이다. 주절과 시간 부사절의 주어가 같고 부사절의 동사가 be동사일 때
「주어+be동사」를 생략한다.

Pay Attention

L5 ... the dinosaur may be made to look monstrously tall to the viewer,
even though it is just closer to the
camera.
조동사가 있는 사역동사의 수동태는 「조동사+
be+사역동사 p.p.+to+동사원형」이다.

L10 ... the movie makers turned it into something frightening to the audience.
something 같이 -thing으로 끝나는 대명사
는 형용사가 뒤에서 수식하는 형태로 쓰인다.

| 해석 |- - - - - - - - - - - - - - - - - - -

❶ 인위적 원근법은 사진에서뿐만 아니라 영화 제
작에서도 광범위하게 사용되어 왔다. ❷ 예를 들어,
이 기법은 공룡들이 주인공들을 위협하는 액션 영
화나 어드벤처 영화 장면에 사용될 수 있다. ❸ 작
은 공룡 모형을 카메라에 가까이 위치시킴으로써,
비록 카메라에 가까이 있는 것일 뿐일지라도 공룡
은 시청자들에게 굉장히 커 보이게 될 수 있다.
❹ 그러니 여러분은 혼잡한 영화관에서 무서운 영
화를 보며 어린 아이처럼 소리 지르지 않아도 된다.
❺ 스크린 속의 거대한 괴물이 단지 작은 플라스틱
장난감일 수 있다는 것과 영화 제작자들이 인위적
원근법을 사용해서 그것을 관객들이 무서워할만한
것으로 바꿨다는 것만 기억하라.

어구

extensively ⓤ 널리, 광범위하게 ⓤ widely
threaten ⓥ 위협하다
scream ⓥ 소리치다, 비명을 지르다
packed ⓗ ~로 가득한, 꽉 들어찬
ⓤ crowded
· The show was played in a *packed* house.
(그 쇼는 관객들로 꽉 찬 집에서 공연되었다.)

Check Up

01 다음 능동태 문장을 수동태로 바꿔 쓰시오.

(1) His mother made him clean his room.

→ _____

(2) They saw the students go out of the room.

→ _____

02 주어진 단어들을 순서대로 배열하여 문장을 완성하시오.

The movie makers turned a little plastic toy
into _____.

(to, frightening, the audience, something)

❶ There are also cases in some movies where characters need to be
of varying sizes. ❷ The same technique of forced perspective may be
applied: A person intended to be larger will be closer to the camera,
while a person meant to be smaller will be farther from the camera.
❸ Then, it is shot at such an angle that it appears they are next to each
other and that one of them is really big and the other really small.
❹ This sounds simple, until you realize that you need to build a set
on which the actors can interact at the same time, while hiding the
fact that they're far away from each other.

Ⓠ How are characters in movies made to look of varying sizes?
어떻게 영화에서 등장인물들이 다양한 크기로 보이게 됩니까?

정답 A person intended to be larger will be closer to the camera, while a person meant to
be smaller will be farther from the camera.
더 커 보여야 하는 사람은 카메라 가까이 있을 것이고, 반면에 더 작아 보여야 하는 사람은 카메라로부터
멀리 있을 것이다.

구문 연구

❶ There are also **cases** in some movies **where** characters need to be of varying
sizes.: where는 관계부사로 where 이하가 선행사 cases를 수식한다.

❷ The same technique of forced perspective **may be applied**: A person
intended to be larger will be closer to the camera, **while** a person meant to
be smaller will be farther from the camera.: may be applied는 조동사 수동태로 「조동
사+be+p.p.」의 형태로 쓰였다. 「intend to+동사원형」과 「mean to+동사원형」은 '~하려 의도하다'라는 의
미로 쓰였다.

❸ Then, it is shot at **such an angle that** it appears they are next to each other
and **that** one of them is really big and the other really small.: 두 개의 that은 모두
관계부사로 쓰여 that이 이끄는 절이 「such+관사(+형용사)+명사」의 어순으로 쓰인 선행사 such an angle
을 수식한다.

❹ This sounds simple, until you realize **that** you need to build a set **on which**
the actors can interact at the same time, **while hiding** the fact **that** they're
far away from each other.: 첫 번째 that은 realize의 목적어절을 이끄는 접속사이다. on which
는 관계부사 where로 바꿔 쓸 수 있으며 목적격 관계대명사절 on which ~ at the same time이 선행사 a
set을 수식한다. while hiding ~은 부사절 축약 구문으로 while they are hiding ~에서 「주어+be동사」
they are가 생략되었다. 두 번째 that은 the fact와 동격을 이루는 절을 이끄는 접속사이다.

L1 Highlight *where* and compare it
with *where* in the following sentence:
He asked me where we had taken the
pictures.
'where'에 표시하고 그것을 다음 문장의 'where'
와 비교해 봅시다.
그는 내게 어디에서 우리가 그 사진을 찍었는지
물었다.
정답 예시: 의문부사 / L1: 관계부사

One More Step 👆
L8 Choose the word that could be
replaced with *at the same time*.
'at the same time'과 바꿔 쓸 수 있는 단어를
골라 봅시다.
ⓐ similarly 마찬가지로
ⓑ suddenly 갑자기
ⓒ succeedingly 계속되어, 잇따라
✓ⓓ simultaneously 동시에

| 해석 |- -
❶ 어떤 영화에서는 등장인물들이 다양한 크기여
야 하는 경우도 있다. ❷ 인위적 원근법의 같은 기
술이 다음처럼 적용될 수 있다. 더 커 보여야 하는
사람은 카메라 더 가까이 있을 것이고, 반면에 더
작아 보여야 하는 사람은 카메라로부터 더 멀리 있
을 것이다. ❸ 그런 다음 이 장면은 두 등장인물이
서로 옆에 있고, 한 사람은 아주 크고 다른 한 사람
은 아주 작아 보이는 각도에서 촬영된다. ❹ 이것은
배우들이 서로 멀리 있다는 사실을 숨기면서, 연기
자들이 동시에 상호 작용할 수 있는 세트를 만들어
야 한다는 것을 여러분이 깨달을 때까지는 간단하
게 들린다.

어구

apply 동 적용하다, 응용하다
intend 동 의도하다 유 mean
· I did not *intend* to insult you. (나는 당신을
모욕할 의도는 아니었다.)
angle 명 각도, 관점
interact 동 상호작용하다

Check Up

01 다음 문장에서 어법상 틀린 부분을 찾아 바르게 고치시오.

(1) There are also cases in some movies which
characters need to be of varying sizes.

(2) It is shot at so an angle that it appears they
are next to each other.

02 우리말과 일치하도록 주어진 어구를 활용하여 영작하시오.

우리는 음식 맛을 보는 동시에 냄새를 맡는다.

_____

(taste, smell, at the same time)

교과서 p. 70

❶ As you may expect, forced perspective comes from imagination and creativity, [which are, no doubt, very important abilities for success in life]. ❷ There is nothing as boring as [always thinking the same thing as others] and [having an ordinary interpretation of the world]. ❸ Throughout human history, continuous development and progress have come from new ideas and novel interpretations. ❹ It is necessary to reject ordinary thoughts and try to see the world differently. ❺ You don't have to fear failure because there are new things [that you can learn from this approach].

(As: ~처럼 (접속사) / imagination and creativity: 선행사 / which ~: 주격 관계대명사절 (계속적 용법) / as boring as: 「as+형용사 원급+as」 ~만큼 …한 / always thinking ~: 동명사구 1 / as others: ~처럼, ~같이 (전치사) / having ~: 동명사구 2 (병렬 구조) / have come: 현재완료 / It: 가주어 / to reject: 진주어 1 / (to) try: 진주어 2 / don't have to: ~할 필요가 없다 / that ~: 목적격 관계대명사절)

Pay Attention

L6 It is necessary **to reject** ordinary thoughts and **try** to see the world differently.

It은 가주어이고 to부정사 to reject와 (to) try가 진주어로 쓰였다.

Highlight

L8 Highlight *this approach* and find out what it refers to.

'this approach'에 표시하고 그것이 무엇을 가리키는지 알아봅시다.

to reject ordinary thoughts and try to see the world differently
평범한 생각을 거부하고 세상을 다르게 보려고 노력하는 것

구문 연구

❶ As you may expect, forced perspective comes from imagination and creativity, **which** are, **no doubt**, very important abilities for success in life.: which는 계속적 용법의 주격 관계대명사로, 선행사는 imagination and creativity이다. no doubt는 '의심할 바 없이, 틀림없이'라는 의미의 삽입구이다.

❷ There is nothing **as boring as** always **thinking** the same thing as others and **having** an ordinary interpretation of the world.: as boring as는 「as+형용사 원급+as」 형태의 동등 비교로 앞의 대명사 nothing과 동등한 형태의 것을 비교하기 위해 동명사 thinking과 having을 사용했다. thinking과 having이 이끄는 동명사구는 병렬 구조를 이룬다.

❸ Throughout human history, continuous development and progress **have come** from new ideas and novel interpretations.: 과거부터 현재까지 이르는 동안 지속적인 발전과 진보가 되었다는 의미이므로 계속을 나타내는 현재완료(have+p.p.)가 쓰였다.

❹ **It** is necessary **to reject** ordinary thoughts and **try** to see the world differently.: It은 가주어이고, to reject와 (to) try는 진주어이다.

❺ You don't have to fear failure because there are new things **that** you can learn from this approach.: that은 목적격 관계대명사이며 that 이하의 절이 선행사 new things를 수식한다. 이때 that은 which로 바꿀 수 없는데 선행사가 all, something, anything, nothing, little 등인 경우 관계대명사로 that만 쓸 수 있기 때문이다.

Grammar Check

◆ It 가주어 to부정사 진주어

주어로 쓰인 to부정사구나 that절이 긴 경우, 주어가 짧고 간단해 보이도록 주어 자리에 it을 쓰고 to부정사구나 that절을 문장의 뒤로 보낸다. 이때 it은 형식상 주어이므로 가주어라고 하며 '그것은'이라고 해석하지 않는다. to부정사나 that절은 의미상 문장의 주어이므로 진주어라고 한다.

e.g. **It** is impossible **to live** without air. (공기 없이 사는 것은 불가능하다.)

| 해석 |

❶ 여러분도 예상할 수 있는 것처럼 인위적 원근법은 의심할 여지없이 삶의 성공에 매우 중요한 능력인 상상력과 창의성에서 온다. ❷ 늘 남들과 똑같이 생각하고 세상을 평범하게 해석하는 것만큼 지루한 것은 없다. ❸ 인류 역사상 지속적인 개발과 발전은 새로운 아이디어와 참신한 해석으로부터 왔다. ❹ 평범한 생각을 거부하고 세상을 다르게 보려고 노력하는 것이 필수적이다. ❺ 여러분은 실패를 두려워할 필요가 없는데, 이 시도를 통해 배울 수 있는 새로운 것들이 있기 때문이다.

어구

doubt [동] 의심하다 [명] 의심, 의혹

interpretation [명] 해석, 설명

·His *interpretation* of the music was quite interesting. (그 음악에 대한 그의 해석은 꽤 흥미로웠다.)

continuous [형] 연속적인, 부단한

[유] constant, unceasing

novel [형] 새로운, 참신한, 신기한 [유] new

·The plan sounded rather *novel*. (그 계획은 꽤 참신하게 들렸다.)

reject [동] 거절하다

Check Up

01 다음 문장에서 어법상 틀린 부분을 찾아 바르게 고치시오.

(1) Yesterday he visited the art museum, that he'd never been to before.

(2) There was little which intrigued him at the show.

02 우리말과 일치하도록 주어진 어구를 활용하여 영작하시오.

세계 평화를 지키는 것만큼 중요한 것은 아무것도 없다.

____

(there, important, keep peace in the world)

Lesson 3

❻ Why not try to take your own forced perspective photographs?
「Why not+동사원형 ~?」 ~하는 게 어때? (제안)
❼ Don't forget [that the best shots take time to both set up and capture].
forget의 목적어절 「both A and B」 A와 B 모두
❽ In some cases, you may have to wait for one object such as the moon
to부정사의 의미상 주어
or sun to move into position. ❾ In other cases, you may have to move a
wait의 목적어
person into just the right spot. ❿ Try different camera angles to see
to부정사의 부사적 용법 (결과)
[what looks best], but do not forget to take several photographs of each
to see의 목적어절 (관계대명사절) 「forget+to부정사」 ~할 것을 잊다 (미래)
version of your shot. ⓫ Several photographs in various positions will
better ensure [that you pull off that perfect shot]. ⓬ You need to give
ensure의 목적어절 해 내다, 성사시키다
yourself time. ⓭ Don't rush it. ⓮ And, most importantly, use your
「give A B」 A에게 B를 주다
creativity!

[Q] According to the passage, what has led to continuous development and progress throughout human history?

글에 따르면, 무엇이 인류 역사 내내 지속적인 발전과 진보를 이끌어 왔습니까?

[정답] New ideas and novel interpretation have led to continuous development and progress throughout human history.
새로운 아이디어와 참신한 해석이 인류 역사상 지속적인 개발과 발전을 이끌어 왔다.

[Q] If you were a photographer, would you use the forced perspective technique in your pictures? Why or why not?

여러분이 사진가라면 인위적 원근법을 사용할 것입니까? 왜 사용할 것입니까 혹은 왜 사용하지 않을 것입니까?

[Sample] I would use the forced perspective technique. I think it would add humor to my pictures.
나는 인위적 원근법을 사용할 것이다. 나는 그것이 내 사진에 유머를 더해 준다고 생각한다.

구문 연구

❻ **Why not** try to take your own forced perspective photographs?: 「Why not+동사원형 ~?」은 '~하는 게 어때?'라는 제안의 의미이다. 같은 표현으로 「Why don't you+동사원형 ~?」, 「What(How) about -ing?」 등이 있다.

❼ Don't forget **that** the best shots take time to **both** set up **and** capture.: that은 forget의 목적어절을 이끄는 접속사이다. 「both A and B」는 'A와 B 모두'의 의미이다.

❿ Try different camera angles **to see what** looks best, but do not **forget to take** several photographs of each version of your shot.: to see는 결과를 나타내는 to부정사의 부사적 용법으로 쓰였다. what은 관계대명사절 what looks best를 이끌고 what looks best는 to see의 목적어절로 쓰였다. 「forget to+동사원형」은 '(미래에) ~할 것을 잊다'의 의미이다. '(과거에) ~했던 것을 잊다'라는 의미의 표현은 「forget+동명사」이다.

⓫ Several photographs in various positions will better ensure **that** you **pull off** that perfect shot.: that은 ensure의 목적어절을 이끄는 접속사이다. put off는 '~을 해내다, 성사시키다'의 의미이다.

Check Up

01 다음 문장에서 어법상 틀린 부분을 찾아 바르게 고치시오.

(1) Why not going and see a doctor?

(2) Don't forget bringing your textbook next time.

02 우리말과 일치하도록 주어진 어구를 활용하여 영작하시오.

당신은 당신이 이 거래를 성사시킬 수 있다고 생각하십니까?

____

(think, pull off, this deal)

| 해석 |

❻ 여러분 자신만의 인위적 원근법 사진을 찍어 보는 것이 어떨까? ❼ 최고의 사진은 세팅하고 찍는 데 시간이 걸린다는 것을 잊지 마라. ❽ 어떤 경우에는 달이나 태양 같은 피사체가 제 위치로 움직이는 것을 기다려야 할 수도 있다. ❾ 또 어떤 경우에는 인물을 정확한 위치로 옮겨야 할 수도 있다. ❿ 여러 다른 카메라 각도를 시도하여 가장 좋아 보이는 것을 확인해 보되, 각 버전당 여러 장의 사진을 찍는 것을 잊지 마라. ⓫ 다양한 위치에서 찍은 여러 장의 사진들은 완벽한 사진을 얻는 것을 더 잘 보장해 줄 것이다. ⓬ 스스로에게 시간을 줘야 한다. ⓭ 서두르지 마라. ⓮ 그리고 가장 중요한 것은 창의력을 사용하라!

어구

spot [명] 장소, 자리
pull off (힘든 것을) 해 내다, 성사시키다
· We *pulled off* the deal. (우리가 그 거래를 성사시켰다.)

After You Read

교과서 p. 71

Text Miner

A Based on the main text, mark T if the statement is true or F if it is false.

본문의 내용에 다음 진술이 맞으면 T에 표시하고 틀리면 F에 표시해 봅시다.

		T	F
1.	Forced perspective is a high-tech method that can produce bizarre images through the use of photo editing programs. 인위적 원근법은 사진 편집 프로그램을 이용하여 특이한 이미지를 만들 수 있는 첨단 기술이다.	☐	☑
2.	Forced perspective has been extensively used in movie making as well as in photography. 인위적 원근법은 사진뿐만 아니라 영화 제작에서도 광범위하게 사용되어 왔다.	☑	☐
3.	Miniature models have been used in movie making to bring about more dramatic effects. 작은 모형은 영화 제작에서 더 극적인 효과를 만들기 위해 사용되어왔다.	☑	☐
4.	Building everything on the set for a forced perspective shot is very simple. 인위적 원근법 사진을 찍기 위해 모든 것을 세팅하는 것은 매우 단순하다.	☐	☑
5.	Forced perspective comes from imagination and creativity, which are very important abilities for success in life. 인위적 원근법은 상상력과 창의성에서 오는데, 그것은 삶의 성공을 위한 매우 중요한 능력이다.	☑	☐

어구

edit [동] 편집하다
bring about ~을 야기하다, 초래하다
effect [명] 효과

Reading Enhancer

B Listen and write the number in the box in the order the picture is explained.

듣고 사진이 설명되는 순서대로 상자 안에 번호를 써 봅시다.

2
The Leaning Tower of Pisa, Italy
3
The Egyptian pyramids, Egypt
1
The Eiffel Tower, France

Script

1. M: It was very hard for me to have this photo taken. There were other tourists taking photos around me, and I asked my mom to take the photo. I had to repeat the jumping and kicking pose so many times because my mom was having trouble capturing the moment I was in the air. I was really exhausted when my mother finally got the shot.
2. M: This picture was taken during my trip to Europe. It looks like I'm standing right next to the tower, pushing it. Actually, I was standing very far away from it, pretending to push it. When my friend took the picture, he directed me to move back and forth until I was in the right spot. We spent a bit of time to get a successful shot.
3. M: I took this picture using the simple trick of forced perspective. I placed the miniature pyramid model close to the camera. It was made to look tall like a real one. Using a miniature model is one of the easiest ways to create an effect of forced perspective.

| 해석 |

1. 남: 저는 이 사진을 찍는 것이 굉장히 힘들었습니다. 제 주변에는 사진을 찍고 있는 다른 관광객들이 있었고, 저는 엄마에게 사진을 찍어 달라고 요청했습니다. 저는 뛰고 차는 포즈를 정말 여러 번 해야 했는데, 엄마가 제가 공중에 있는 순간을 포착하는 것을 어려워했기 때문입니다. 엄마가 마침내 제대로 된 장면을 찍었을 때 저는 정말 지쳐 있었습니다.
2. 남: 이 사진은 제가 유럽 여행을 하는 동안 찍었습니다. 마치 제가 탑의 바로 옆에 서서 그것을 밀고 있는 것처럼 보입니다. 사실, 저는 그것으로부터 아주 멀리 떨어져 서 있었고 그것을 미는 척 하고 있었습니다. 제 친구가 이 사진을 찍을 때 그는 제가 제대로 된 위치에 올 때까지 제게 앞뒤로 움직이라고 지시했습니다. 저희가 성공적인 사진을 얻기까지는 꽤 시간이 걸렸습니다.
3. 남: 저는 인위적 원근법의 간단한 기교를 이용하여 이 사진을 찍었습니다. 저는 작은 피라미드 모형을 카메라 가까이 위치시켰습니다. 그것은 마치 진짜 피라미드처럼 크게 보이게 되었습니다. 작은 모형을 사용하는 것은 인위적 원근법 효과를 만드는 가장 쉬운 방법 중 하나입니다.

Writing Lab — An Artist Statement
작가 노트 (작품 소개서)

STEP 1 Using the given words, complete the artist statement. With your group members, guess the title of the artwork.
주어진 단어들을 사용하여 작가 노트를 완성해 봅시다. 모둠원들과 함께 작품의 제목을 추측해 봅시다.

a pencil	my cat	a cat	everyday life	the bars
연필	나의 고양이	고양이	일상생활	창살

Title: Prison Break

In this artwork, I depicted ___a cat___ coming out of a room with bars. The cat is clinging to ___the bars___. I used ___a pencil___ to create it. I was inspired by ___my cat___ bothering me while I was drawing a picture. The horizontal lines on the notebook page made me think of bars in a prison, and I imagined a scene where a cat was trying to escape. In creating this artwork, I learned that I could creatively use the little things in my life in my artwork. This drawing led me to think more deeply about things in my ___everyday life___.

Top Tips 🔍
An artist statement is a general introduction to an artwork by the artist who created it.
작가 노트(작품 소개서)는 작품을 창작한 예술가의 작품에 대한 대략적인 소개입니다.

STEP 2 Imagine you are going to submit your artwork to a school exhibition. Answer the following questions to write your own artist statement. 여러분이 학교 전시회에 여러분의 작품을 출품할 예정이라고 상상해 봅시다. 여러분의 작가 노트를 쓰기 위해 다음 질문들에 답해 봅시다.

1. What is the title of your artwork? 당신의 작품명은 무엇입니까?
Sample The title of my artwork is "An Ostrich on My Desk." 제 작품의 제목은 '내 책상 위의 타조'입니다.

2. What does your artwork look like? What did you depict through it?
당신의 작품은 어떻게 생겼습니까? 그것을 통해 무엇을 묘사했습니까?
I depicted an ostrich with yellow and blue feathers. 저는 노란색과 파란색 깃털의 타조를 묘사했습니다.

3. What tools or techniques did you use to create your artwork?
당신의 작품을 만들기 위해 어떤 도구나 기법을 사용했습니까?
I used a pair of scissors and colored pencils. 저는 가위와 색연필을 사용했습니다.

4. Who or what inspired you to create your artwork?
당신의 작품을 만들기 위해 누가 혹은 무엇이 영감을 주었습니까?
I was inspired by the shape of the scissors, which looks like an ostrich's eyes and beak.
저는 가위의 모양으로부터 영감을 받았는데, 그것은 타조의 눈과 부리처럼 보입니다.

5. What did you learn in creating your artwork? 당신의 작품을 만들면서 무엇을 배웠습니까?
In creating this artwork, I learned that using our creativity can make us happy.
이 작품을 창작하면서, 저는 우리의 창의력을 사용하는 것이 우리를 기쁘게 만들 수 있음을 배웠습니다.

어구

artwork (명) 미술품, 예술 작품
depict (동) 그리다, 묘사하다
(유) illustrate, portray
·The movie vividly *depicts* French society in the 1930s. (그 영화는 1930년대의 프랑스 사회를 생생하게 묘사하고 있다.)
cling to ~에 매달리다
·The ivy *clings to* the wall. (담쟁이 덩굴은 벽에 달라붙는다.)
inspire (동) 고무하다, 영감을 주다
horizontal (형) 수평의, 수평선의
(*cf.* vertical 수직의)
·These paintings have *horizontal* and vertical lines in various colors. (이 그림들은 다양한 색깔의 수평 그리고 수직의 선들이 있다.)

| 해석 |- - - - - - - - - - - - - -
제목: 탈옥
이 작품에서, 저는 창살이 있는 방에서 나오고 있는 고양이를 묘사했습니다. 고양이는 창살에 매달려 있습니다. 저는 이것을 만들기 위해 연필을 사용했습니다. 저는 그림을 그리고 있을 때 저를 귀찮게 하던 저의 고양이에게서 영감을 받았습니다. 공책 면에 수평으로 되어있는 줄들이 감옥의 창살을 생각하게 하였고, 저는 고양이가 탈출하려고 하는 장면을 상상했습니다. 이 작품을 창작하면서 저는 제 생활의 작은 것들을 제 작품에 창의적으로 사용할 수 있음을 배웠습니다. 이 그림은 제가 제 일상생활을 더 깊이 생각해 볼 수 있게 해 주었습니다.

어구

feather (명) 깃털
·This blanket is as light as a feather. (이 담요는 깃털만큼 가볍다.)

STEP 3 **Based on STEP 2, write your own artist statement.**

STEP 2를 바탕으로 여러분만의 작가 노트를 써 봅시다.

힌트

STEP 2에서 답변한 순서대로, 작품의 제목과 작가 이름(학생 명), 작품에 대한 묘사, 작품을 만든 도구와 기법, 작품을 만들기 위한 영감, 작품을 만들면서 배운 점 등에 관해 쓴다.

Image of Your Artwork Here

Sample

Title: _An Ostrich on My Desk_

Artist: _Tony Kim_
(That's YOU!) (그것은 당신입니다!)

In this artwork, I depicted _an ostrich with yellow and blue feathers_.

I used _a pair of scissors and colored pencils_.

I was inspired by _the shape of the scissors, which looks like an ostrich's eyes and beak_.

In creating this artwork, I learned that _using our creativity can make us happy_
_____
_____.

| 해석 |---

제목: 내 책상 위의 타조

예술가: Tony Kim

이 작품에서, 저는 노란색과 파란색 깃털의 타조를 묘사했습니다. 저는 가위와 색연필을 사용했습니다. 저는 가위의 모양으로부터 영감을 받았는데, 그것은 타조의 눈과 부리처럼 보입니다. 이 작품을 창작하면서, 저는 우리의 창의력을 사용하는 것이 우리를 기쁘게 만들 수 있음을 배웠습니다.

Self-Edit Read your artist statement and correct any mistakes.

여러분의 작가 노트를 읽어보고 잘못된 부분을 고쳐 봅시다.

✔Peer Feedback	Outstanding	Good	Could do better
Task Completion 과업 완성도			
Clarity of Content 내용의 명확성			
Grammar / Punctuation 문법 / 구두법			
Reader's Comments: 읽은 이의 평가			

Wrap Up

Presenting a Favorite Sculpture
가장 좋아하는 조각 소개하기

STEP 1 **Listen and choose the sculpture that the speaker is talking about.** 🎧
내용을 듣고 화자가 말하고 있는 조각을 골라 봅시다.

✔ ⓐ  ⓑ  ⓒ

Script

[*Music starts.*]

"Imagine all the people living life in peace. You may say that I'm a dreamer. But I am not the only one. I hope someday you'll join us. And the world will live as one."

[*Music ends.*]

W: The sculpture I'd like to talk about today is closely related to the singer of this song. Do you know who the singer is? It's John Lennon. Now, let me show you a picture of the sculpture. The end of the knotted gun is pointing upward. Swedish artist Carl Fredrik Reuterswärd created this in the late 1980s after his good friend John Lennon was murdered. He wanted to honor his friend for his dream of world peace. The sculpture was donated to the UN in 1988 and has become one of the most famous symbols of peace and non-violence.

| 해석 |

[음악이 시작한다.]

"세상의 모든 사람들이 평화 속에서 산다고 상상해 보아요. 당신은 제가 몽상가라고 하실 수 있겠죠. 하지만 저 혼자만 그런 것은 아니에요. 언젠가는 당신도 우리와 함께하기를 바라요. 그리고 세상은 하나로 살게 될 거예요."

[음악이 끝난다.]

여: 제가 오늘 이야기하고자 하는 조각은 이 노래의 가수와 긴밀하게 연관이 있습니다. 이 가수가 누구인지 아시나요? John Lennon입니다. 이제 제가 조각품의 사진을 보여드리겠습니다. 묶여진 총의 끝부분은 위쪽을 향하고 있습니다. 스웨덴의 예술가 Carl Fredrik Reuterswärd는 그의 좋은 친구였던 John Lennon이 살해당한 후 1980년 후반에 이것을 만들었습니다. 그는 세계 평화라는 그의 꿈을 위해 예우하고 싶었습니다. 이 조각품은 1988년에 UN에 기증되었고 평화와 비폭력의 가장 유명한 상징들 중 하나가 되었습니다.

어구

sculpture 명 조소, 조각품
·He collects modern *sculpture*. (그는 현대 조각품을 수집한다.)
be related to ~와 관계가 있다
·One gene *is related to* skin and hair color. (한 유전자는 피부색과 머리색에 관계가 있다.)
knotted 형 매듭이 있는, 얽힌
murder 동 살해하다
honor 동 예우하다, 존중하다

힌트

John Lennon의 'Imagine'이라는 노래의 한 부분으로 시작하고 여자의 담화 내용 The end of the knotted gun is pointing upward.에서 묶여진 총의 끝부분이 위쪽으로 향하고 있다고 했으므로, 이에 맞는 조각을 고르도록 한다.

| 구문 해설 |

· **The sculpture** I'd like to talk about today **is closely related to** the singer of this song.: The sculpture는 문장의 주어이자 선행사로 관계대명사 that이 생략된 목적격 관계대명사절이 I'd like to talk about today의 수식을 받는다. 동사부는 is closely related to이다.

STEP 2 **Which sculpture above is your favorite? Explain why and give it an appropriate title.** 위의 조각 중 가장 마음에 드는 것은 어느 것입니까? 왜 그런지 설명하고 그것에 알맞은 제목을 붙여 봅시다.

| Sample Dialog |

A Among the three sculptures, which one is your favorite?

B I like the one with the stairs most. What about you?

A Me, too. The staircase is pointing to the sky. Its unique shape is really eye-catching.

B Yeah. It looks never-ending. It's really creative.

A What do you think would be an appropriate title for the sculpture?

B What about something like "The Staircase to the Sky"?

A What do you mean by that?

B I feel like I could reach the sky if I kept walking up the stairs.

A I like your idea.

B I'm glad you like it.

| 해석 |

A: 세 개의 조각상 중 어느 것이 가장 마음에 들어?

B: 나는 계단이 있는 것이 가장 좋아. 너는 어때?

A: 나도 그래. 계단은 하늘을 향해 있어. 그것의 독특한 모양이 정말 눈길을 사로잡아.

B: 맞아. 끝이 없어 보여. 정말 창의적이다.

A: 저 조각상에 알맞은 제목은 무엇이라고 생각하니?

B: '하늘로 가는 계단' 같은 것은 어떨까?

A: 그게 무슨 의미니?

B: 나는 저 계단을 계속 걸어 올라가면 하늘까지 닿을 수 있을 것 같은 느낌이 들어.

A: 네 생각이 마음에 든다.

B: 네가 좋다니 기뻐.

- Your choice: _____ ⓒ _____ [Sample]
- Why: I really like its creative and unique shape.
- Title: The Staircase to the Sky

당신의 선택: ⓒ

이유: 나는 그것의 창의적이고 독특한 모양이 정말 좋다.

제목: 하늘로 가는 계단

어구

staircase 몧 계단

eye-catching 휑 눈길을 끄는

· That was an *eye-catching* advertisement. (그것은 눈길을 끄는 광고였다.)

appropriate 휑 적절한

윤 suitable

· Would it be *appropriate* to take her a small gift? (그녀에게 작은 선물을 가져가는 것이 적절할까요?)

STEP 3 **Complete the following notes on your favorite sculpture and present them to the class.** 가장 마음에 드는 조각상에 대한 다음 노트를 완성하고 그것을 반 친구들에게 발표해 봅시다.

[Sample]

Among the three sculptures, _____the one with the stairs_____ is my favorite one. That's because _____I really like its creative and unique shape_____.

I think an appropriate title for it would be " _____The Staircase to the Sky_____."

· You can check the titles of the original sculptures here. Compare your title with the original one. Is it similar to yours? 여러분은 조각의 원제를 여기서 확인할 수 있습니다. 여러분의 제목을 원제와 비교해 봅시다. 그것이 여러분의 것과 비슷한가요?

ⓐ Non-Violence
비폭력

ⓑ Les Voyageurs (The Travelers)
여행자들

ⓒ Diminish and Ascend
감소하고 올라가다

어구

diminish 동 감소하다, 줄어들다

윤 decrease

· The world's resources are rapidly *diminishing*. (세계 자원은 빠르게 감소하고 있다.)

ascend 동 오르다, 올라가다

뫤 descend

· The air became colder as we *ascended*. (우리가 올라갈수록 공기는 더 차가워졌다.)

| 해석 |

세 개의 조각 중에서 계단이 있는 것이 가장 내 마음에 드는 것이다. 나는 그것의 창의적이고 독특한 모양이 정말 좋기 때문이다. 나는 그것의 알맞은 제목이 '하늘로 가는 계단'이라고 생각한다.

Inside Culture Various Techniques in Art History 미술사에서의 다양한 기법들

교과서 p. 75

[A] Match each picture description with the appropriate picture.

각각의 그림 묘사와 알맞은 그림을 연결해 봅시다.

1. This picture features an art technique called frontalism. In the painting, the subject's body faces forward, but his head is turned to the side, with one eye on the viewer's side being fully visible. In ancient Egypt, for thousands of years, this was the one and only technique.

2. This picture uses a western art perspective called one-point perspective. This technique was developed in the early 15th century. It uses imaginary straight lines to represent three-dimensional space. In this picture, the lines on the floor tiles and the columns gather at a single vanishing point on the horizon line.

3. This picture adopts a bird's-eye view perspective, one of the most frequently used techniques in Korean traditional painting. It shows a view as if looking down from the air. In this picture, the artist portrays the whole mountain landscape within a canvas using the technique.

ⓐ

Geumgang jeondo, Jeong Seon
'금강전도', 정선

ⓑ

The wall paintings of the Tomb of Nebamun
네바문 무덤 벽화

ⓒ

The School of Athens, Sanzio Raffaello
'아테네 학당', 산치오 라파엘로

| 구문 해설 |

- This picture adopts a bird's-eye view perspective, **one of the most frequently used techniques** in Korean traditional painting.: 「one of the+최상급+복수 명사」 표현은 '가장 ~한 것 가운데 하나'의 의미이다. used는 techniques를 수식하는 형용사적 용법으로 쓰인 과거분사이다.

[B] Search for more creative art techniques in art history and present them to the class.

미술사에서의 창의적인 예술 기법을 더 찾아보고 반 친구들에게 발표해 봅시다.

[Sample] *Chiaroscuro* is an oil painting technique developed during the Renaissance that uses strong tonal contrasts between light and dark to model three-dimensional forms, often to dramatic effect. 명암법(Chiaroscuro)은 3차원의 형태를 만들거나 종종 극적인 효과를 위해, 명암 사이의 강한 색조 대비를 활용하는 르네상스 시대 동안 발전한 유화 기법이다.

| 해석 |

1. 이 그림은 frontalism이라는 미술 기법이 특징이다. 이 그림에서 객체의 몸은 정면을 향해 있지만, 그의 머리는 보는 사람 방향 쪽의 한 쪽 눈이 완전히 보이도록 측면으로 돌려져 있다. 고대 이집트에서는 수천 년 동안 이것이 유일한 기법이었다.
2. 이 그림은 1점 투시도법(one-point perspective)이라는 서양 미술 원근법을 사용한다. 이 기법은 15세기 초에 개발되었다. 이것은 3차원 공간을 나타내기 위해 상상 속의 직선들을 사용한다. 이 그림에서 바닥 타일과 기둥의 선들이 수평선 위의 하나의 소실점에서 만난다.
3. 이 그림은 한국 전통 그림에서 가장 자주 사용되는 기법 중 하나인 조감도법(bird's-eye view perspective)을 썼다. 이것은 공중에서 내려다보는 것 같은 경관을 보여 준다. 이 그림에서 화가는 이 기법을 사용하여 산 전체의 풍경을 하나의 화폭에 묘사한다.

어구

feature [동] 특징으로 삼다, 특징을 이루다
frontalism [명] 인물을 평면적 자세로 그리는 이집트의 미술 기법
visible [형] (눈에) 보이는, 눈에 띄는 [반] invisible
imaginary [형] 가상의
three-dimensional [형] 3차원의
vanishing point [명] 소점, 소실점
column [명] 기둥
bird's-eye view [명] 조감도법 (높은 곳에서 내려다 본 것처럼 그린 그림 기법)
portray [동] 그리다, 묘사하다 [유] depict
landscape [명] 풍경, 경치, 조망

Test Your Brain with Optical Illusions

착시 현상으로 당신의 두뇌를 시험해 보세요

❶ [How the visual system processes shapes, colors, sizes, etc.] has been researched
주어 (의문사절) 현재완료 수동태 (have(has) been p.p.)
for decades. ❷ One way to understand more about this system is to look at [how
동사 to부정사의 명사적 용법 (보어 1)
we can trick it], that is, to look at [how the brain reacts to optical illusions].
의문사절 즉 to부정사의 명사적 용법 (보어 2) 의문사절
❸ Let's give it a try with the following optical illusions. ❹ There is a trick since
한번 시도해 보다 ~ 때문에
these are illusions, but don't try to be smarter than your brain: Just enjoy being tricked!
동명사 수동형 (being p.p.)

Q1 Can you put the fish in the fishbowl? Stare at the yellow stripe in the middle of the fish for about 10-20 seconds. Then, move your gaze to the fishbowl.

Q2 Have a look at the squares. Are the squares inside the blue and yellow squares all the same color?

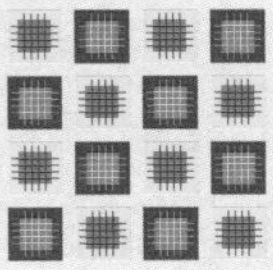

Q3 Stare at the circles for a few seconds. Are the circles moving or not moving? If they are moving, are they moving fast or slow?

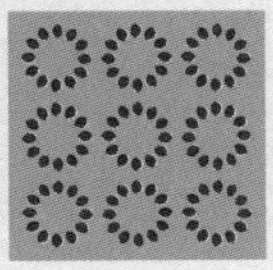

Q4 Take a look at the elephant carefully. Do you see something strange? How many legs does it have?

구문 연구

❶ **How the visual system processes shapes, colors, sizes, etc. has been researched for decades.**: 문장의 주어는 의문사절인 How the visual system ~ etc.이고 동사는 has been researched이다. 수십 년 동안(for decades) 계속 연구되어 오고 있다는 의미이므로 현재완료 수동태(have(has) been p.p.)로 표현했다.

❷ One way to understand more about this system is **to look** at **how we can trick it,** that is, **to look** at **how the brain reacts to optical illusions.**: 두 개의 to look 이하는 문장의 보어이다. 의문사절 how we can trick it이나 how the brain reacts ~ illusions는 각각 전치사 at의 목적어가 되는 명사절이다. that is는 '즉, 달리 말하면'의 의미로 in other words와 바꿔 쓸 수 있다.

❹ There is a trick since these are illusions, but don't try to be smarter than your brain: Just **enjoy being tricked!**: enjoy는 동명사를 목적어로 하는 동사로 enjoy 이하가 문맥에서 '속게 되는 것을 즐기다'라는 수동의 의미이므로 동명사 수동형(being p.p.) 형태로 쓰였다.

| 해석 |

❶ 수십 년 동안 어떻게 시각 시스템이 모양, 색, 크기 등을 처리하는지가 연구되어 왔다. ❷ 이 시스템에 대해 더 많이 이해할 수 있는 한 방법은 우리가 그것을 어떻게 속일 수 있는지를 보는, 즉 두뇌가 착시 현상에 어떻게 반응하는지를 보는 것이다.
❸ 다음의 착시 현상들을 한번 시도해 보자. ❹ 이것들은 착시이기 때문에 속임수가 있지만, 당신의 두뇌보다 더 똑똑해지기 위해 노력하지는 마라. 그냥 속는 것을 즐겨라.
질문 1 당신은 이 물고기를 어항에 넣을 수 있는가? 물고기의 가운데에 있는 노란 줄무늬를 약 10-20초 동안 바라보아라. 그러고 나서 당신의 시선을 어항으로 옮겨가라.
질문 2 사각형들을 보아라. 파란색과 노란색 사각형 안에 있는 사각형들은 모두 같은 색인가?
질문 3 몇 초 동안 원들을 응시해라. 원들이 움직이는가, 움직이지 않는가? 그것들이 움직인다면 그것들이 빠르게 움직이는가 아니면 느리게 움직이는가?
질문 4 코끼리를 신중히 보아라. 이상한 것이 보이는가? 그것은 몇 개의 다리를 가지고 있는가?

어구

optical [형] 눈의, 시각의
give it a try 한번 해 보다, 시도해 보다
fishbowl [명] 어항
stare at ~을 응시하다, 빤히 보다
gaze [동] 응시하다, 지켜보다

Lesson 3

Check Up

01 다음 괄호 안에서 알맞은 것을 고르시오.

How the visual system processes shapes, colors, sizes, etc. (has been / has) researched for decades. One way to understand more about this system is to look at (how we can / how can we) trick it.

02 우리말과 일치하도록 본문에 나온 표현을 활용하여 문장을 완성하시오.

I'm not good at math, but I'll ______________.
(나는 수학은 잘 못하지만 한번 해 볼게.)

Answers and explanations: Compare and contrast your answers with the ones below, and learn about what was going on in your brain while you experienced each of these illusions:

1. Afterimage

❶ If you saw a different colored fish in the bowl, you experienced an afterimage. ❷ In your eyes, there are three types of color receptors that are most sensitive to either red, blue, or green. ❸ When you stare at a particular color for a long time, these receptors get tired. ❹ When you then look at a different background, the receptors that are tired do not work as well. ❺ Therefore, the information from the different color receptors is not in balance. ❻ This will create the color "afterimages."

2. The Bezold Effect

❼ The smaller squares inside the blue and yellow squares are all the same color. ❽ They seem different because a color is perceived differently depending on its relation to its neighboring colors (here, blue or yellow, depending on the outer square).

구문 연구

❷ In your eyes, there are three types of color receptors **that** are most sensitive to **either** red, blue, **or** green.: that은 주격 관계대명사로 that이 이끄는 관계대명사절 that ~ green이 선행사 color receptors를 수식한다. either A or B는 'A 또는 B 둘 중 하나'의 의미이다.

❹ When you then look at a different background, **the receptors that** are tired **do not work as well**.: the receptors가 주절의 주어이고 do not work가 동사구이다. that이 이끄는 that are tired는 주격 관계대명사절로 쓰여 선행사이자 주어인 the receptors를 수식한다. as well은 '~도 역시'의 의미이다.

❽ They **seem different** because a color is perceived differently **depending on** its relation to its neighboring colors (here, blue or yellow, **depending on** the outer square).: 동사 seem은 불완전 자동사로 형용사 보어(different)를 취하고 있다. depending on은 '~에 따라'의 의미로 according to와 바꿔 쓸 수 있다.

| 해석 |

대답과 설명: 여러분의 대답을 아래 대답들과 비교하여 대조해 보고, 여러분이 이런 착시 현상 각각을 경험하는 동안 여러분의 뇌에서 무슨 일이 일어나고 있는지 알아봅시다.

1. 잔상

❶ 어항 속에서 다른 색 물고기를 보았다면 당신은 잔상을 경험한 것이다. ❷ 당신의 눈에는 빨간색, 파란색, 또는 초록색에 가장 민감한 세 가지 종류의 색 수용기가 있다. ❸ 당신이 특정 색을 오랫동안 쳐다볼 때, 이 수용기들은 지치게 된다. ❹ 그 후 다른 배경을 볼 때, 지친 수용기들 역시 작동을 하지 않는다. ❺ 그러므로 다른 색의 수용기들로부터의 정보는 균형이 잡혀 있지 않다. ❻ 이것은 색 '잔상'을 만들어 낼 것이다.

2. Bezold 효과

❼ 파란색과 노란색 사각형 안의 더 작은 사각형들은 모두 같은 색이다. ❽ 그것들은 달라 보이는데, 색은 주변의 색들(여기서는 바깥의 사각형에 따라 파란색이나 노란색)과의 관계에 따라 다르게 인식되기 때문이다.

어구

contrast ⑤ 대조(대비)시키다 ⑨ 대조, 대비
receptor ⑨ 수용기(관), 감각기(관)
sensitive ⑱ 민감한, 예민한
·Her eyes are very *sensitive* to light. (그녀의 눈은 빛에 매우 민감하다.)
particular ⑱ 특정한, 특별한
perceive ⑤ 인식하다
relation ⑨ 관계
neighboring ⑱ 이웃의, 인접한

Check Up

01 다음 괄호 안에서 알맞은 것을 고르시오.

(1) The information from the different color receptors (is / are) not in balance.

(2) They seem (different / differently) because a color is perceived (different / differently) depending (to / on) its relation to its neighboring colors.

02 우리말과 일치하도록 빈칸에 알맞은 말을 쓰시오.

Sightseeing is best done _____ by tour bus _____ by bicycle.
(관광은 관광버스나 자전거로 하는 것이 최고다.)

3. Illusory Motion

❶ The circles appear to be moving even though they are not. ❷ This is due to the effects of interacting color contrasts and shape position. ❸ The circles could seem to be moving slow to some people, or fast to others.

4. Subjective Contour

❹ It is tricky, isn't it? ❺ The artist drew an elephant with only legs and no feet, and then he also drew feet without legs. ❻ This resulted in the illusion [that the elephant has more than four legs]. ❼ This picture contains some subjective contours, such as the Kanizsa Triangle on the right: A triangle (pointing down) can be seen in this figure even though no triangle is actually drawn. ❽ This effect is known as a subjective contour. ❾ The contour of the triangle is created by the shapes around it.

= the triangle

구문 연구

❶ The circles **appear to be moving** even though they are not.: '~인 것 같다'라는 의미의 「appear to+동사원형」 구문이 쓰였으며 진행의 의미를 나타내기 위해 be 뒤에 현재분사 moving이 쓰였다.

❷ This is **due to** the effects of interacting color contrasts and shape position.: 「due to+명사(구)」는 '~ 때문에'라는 의미의 표현으로 to 뒤에는 명사(구)가 오며, because of로 바꿔 쓸 수 있다.

❸ The circles could **seem to be** moving slow to **some** people, or fast to **others**.: '~인 것 같다, ~처럼 보이다'라는 의미의 「seem to+동사원형」이 쓰였으며 진행의 의미를 나타내기 위해 be 뒤에 현재분사 moving이 쓰였다. 「some ~, others ...」는 '어떤 사람(것)은 ~하고, 다른 사람(것)은 …하다'라는 의미의 표현이다.

❻ This resulted in the illusion **that** the elephant has more than four legs.: that은 동격절을 이끄는 접속사로 쓰였으며 that이 이끄는 절이 the illusion과 동격을 이룬다.

❼ ~ A triangle (pointing down) **can be seen** in this figure even though no triangle is actually drawn.: 문맥상 수동의 의미를 표현하므로 조동사 수동태(can be p.p.) 형태가 쓰였다.

| 해석 |

3. 착각 운동

❶ 원들은 그것들이 움직이지 않음에도 불구하고 움직이는 것 같다. ❷ 이것은 상호 작용하는 색상 대비와 형태 위치의 영향 때문이다. ❸ 원들은 어떤 사람들에게는 천천히 움직이는 것처럼 보일 수 있거나, 다른 사람들에게는 빠르게 움직이는 것처럼 보일 수 있다.

4. 주관적 윤곽

❹ 교묘하다, 그렇지 않은가? ❺ 예술가는 발은 없고 다리만 있는 코끼리를 그리고 나서 또한 다리는 없이 발만 그렸다. ❻ 이것은 코끼리가 네 개 이상의 다리를 가진 듯한 착각을 일으킨다. ❼ 이 그림은 오른쪽의 Kanizsa 삼각형처럼 주관적 윤곽을 포함하고 있다. 이 도형에서 삼각형(아래를 향하고 있는)은 실제로 삼각형이 그려지지 않았음에도 불구하고 보일 수 있다. ❽ 이 효과는 주관적 윤곽이라고 알려져 있다. ❾ 삼각형의 윤곽은 그 주변의 형태로 인해 만들어진다.

어구

illusory (형) 환상에 불과한
subjective (형) 주관적인, 마음속에 존재하는
contour (명) 윤곽
tricky (형) 교묘한
result in ~을 낳다, 초래하다
·The war *resulted in* many thousands of deaths. (그 전쟁은 수천 명의 사망자를 낳았다.)
figure (명) 도형

Check Up

01 다음 문장에서 어법상 틀린 부분을 찾아 바르게 고치시오.

(1) The circles appear to be move even though they are not.

(2) This resulted in the illusion which the elephant has more than four legs.

02 우리말과 일치하도록 주어진 표현들을 바르게 배열하시오.

> 이 지역은 빈번한 교통사고 때문에 위험한 곳으로 알려져 있다.

This area _____
frequent traffic accidents.

(a dangerous place, due to, is known as)

Word Play

A. Match the words with their correct meanings. 각 단어를 알맞은 의미와 연결해 봅시다.

1. groom 신랑
2. miniature 소형의
3. reject 거부하다
4. bizarre 특이한, 괴이한
5. perspective 원근법
6. manipulate 조작하다
7. illusion 착각, 환상
8. gigantic 거대한
9. interact 상호 작용하다
10. doubt 의심; 의심하다

ⓐ to communicate with or react to 서로 소통하거나 반응하다
ⓑ much smaller than other things of the same kind 같은 종류의 다른 것보다 훨씬 더 작은
ⓒ a method of showing distance in a picture by making faraway objects smaller 멀리 있는 물체를 더 작게 만듦으로써 그림에서 거리감을 보여 주는 방법
ⓓ extremely large 엄청나게 큰
ⓔ something that is not really what it seems to be 보이는 것이 진짜가 아닌 것
ⓕ a feeling of not being certain about something 무언가에 대해 확신하지 않는 감정
ⓖ to disagree with an idea, argument, or suggestion 생각, 주장, 또는 제안에 대해 동의하지 않다
ⓗ strange and difficult to explain 이상하고 설명하기 어려운
ⓘ a man who has just married or is about to be married 방금 결혼한 또는 결혼하려는 남자
ⓙ to influence someone or control something in a clever or dishonest way 교묘하고 정직하지 않은 방식으로 누군가에게 영향을 미치거나 무언가를 조종하다

B. Fill in the blanks with the appropriate words in A. A에서 알맞은 단어를 골라 빈칸을 채워 봅시다.

1. A large mirror in a bathroom can create the ___illusion___ of space.
   욕실에 있는 큰 거울은 공간에 대한 착각을 일으킬 수 있다.
2. I've recently heard the most ___bizarre___ story.
   나는 최근에 가장 특이한 이야기를 들었다.
3. They tried to ___manipulate___ public opinion in their favor.
   그들은 그들에게 유리하게 여론을 조작하려고 했다.
4. In large classes, students are likely to feel that they cannot ___interact___ with the teacher. 대규모 수업에서 학생들은 그들이 선생님과 상호 작용할 수 없다고 느끼기 쉽다.
5. The ___groom___ was late for his own wedding.
   그 신랑은 자신의 결혼식에 늦었다.
6. The accident raised ___doubt___s about the safety of the device.
   그 사고는 그 장비의 안전성에 대한 의구심을 불러일으켰다.
7. We were overwhelmed to see the ___gigantic___ building.
   우리는 그 거대한 건물을 보고 압도되었다.
8. I bought some ___miniature___ furniture for my daughter's dollhouse.
   나는 내 딸의 인형의 집 용도로 작은 모형 가구를 몇 채 샀다.
9. We had no reason to ___reject___ such a generous offer.
   우리는 그와 같이 관대한 대접을 거부할 이유가 없었다.
10. These trees don't seem to be in ___perspective___ in your drawing because they look too small compared with other things.
    이 나무들이 다른 사물들에 비해 너무 작아 보이기 때문에 당신의 그림에서 이 나무들은 원근법으로 보이지 않는다.

어구

react [동] 반응하다
method [명] 방법, 방식
argument [명] 주장, 논쟁
in one's favor ~에 유리하게
·They applied the rule *in their favor.* (그들은 그들에게 유리하게 규칙을 적용했다.)
overwhelm [동] 압도하다
generous [형] 관대한, 아량 있는

단원 평가

01 다음 영영풀이에 알맞은 것은?

> in a way that covers or affects a large area

① pole　　② incident　　③ priority
④ incredibly　　⑤ extensively

02 다음 문장의 빈칸 ⓐ와 ⓑ에 알맞은 것끼리 짝지어진 것은?

> • If you spend a lot of time with someone who has a huge appetite, you may also end _____ⓐ_____ gaining weight.
> • Putting much effort, we finally pulled _____ⓑ_____ the deal.

① to – by　　② to – off　　③ up – on
④ up – off　　⑤ up – about

03 다음 대화의 빈칸에 들어갈 말로 알맞은 것은?

> A What do you think of this?
> B Wow, it's so cute. I love it!
> A _____
> B How did you think of this idea?
> A When I looked at my pencil on the desk, I thought it looked like a mouse with a long nose.
> B How creative! We're having an art exhibition soon. Why don't you submit this to it?
> A Okay, I'd love to.

① That's all right.
② I'm glad you like it.
③ I'm sorry to hear that.
④ I'm afraid you are lying.
⑤ I'm really looking forward to it.

04 자연스러운 대화가 되도록 빈칸 (1), (2)에 알맞은 표현을 [보기]에서 고르시오.

> A How did you first get interested in found object doodles?
> B (1) _____ One day, I accidentally spilled coffee beans on my notebook, and I thought they looked like a woman's curly hair. So, I just doodled the rest of the woman around the beans.
> A (2) _____

보기
> ⓐ How fortunate I was!
> ⓑ It was just by chance.
> ⓒ What a fortunate spill!
> ⓓ I planned it in advance.

05 다음 대화에서 주어진 문장이 들어가기에 알맞은 곳은?

> Is everything clear now?

> A How can I take better pictures of people?
> B Just remember that the subject should fill the frame. (①)
> A What do you mean by that? (②)
> B When you're taking a picture of someone, get closer to them until they fill the frame. Let me show you how. (③) Go in until the subject fills the frame. Get closer and closer. Then, shoot! (④)
> A Yes, I got it! (⑤)

[06-08] 다음 글을 읽고, 물음에 답하시오.

The study, published in *The Journal of Positive Psychology*, involved over 650 participants keeping a daily diary for two weeks. They were asked to describe their mood each day and rate how creative they ①has been. After analyzing the diaries, the researchers suggested that a little creativity goes a long way in ②being happier in the future. Participants who engaged in creative pursuits one day ③significantly boosted their mood for the following day. Overall, they reported feeling more enthusiastic and excited.

It didn't take much creative activity for participants ④to gain the benefits. Just one small creative activity a day helped. And you don't have to be a skilled artist, either. Something as _____ as mindless doodling, making a joke, or even day dreaming ⑤will do.

06 밑줄 친 ①~⑤ 중 어법상 틀린 것은?

①   ②   ③   ④   ⑤

07 빈칸에 들어갈 말로 알맞은 것은?

① simply   ② simple
③ simpler   ④ simplest
⑤ simplify

08 The Journal of Positive Psychology에 관한 내용으로 일치하지 <u>않는</u> 것은?

① 650명 이상의 참가자들은 2주 동안 일기를 썼다.
② 참가자들은 그들의 기분을 일주일에 한 번 묘사하도록 요구받았다.
③ 연구가들은 작은 창의성이 미래에 더 행복하게 한다고 밝혔다.
④ 참가자들은 많은 창의성을 필요로 하지 않았다.
⑤ 매일 작은 창의적 활동 한 가지로도 도움이 된다.

09 (A), (B), (C)의 각 네모 안에서 어법에 맞는 말끼리 짝지어진 것은?

In this artwork, I depicted a cat coming out of a room with bars. The cat is clinging to the bars. I used a pencil to create it. I was inspired by my cat (A) bothered / bothering me while I was drawing a picture. The horizontal lines on the notebook page made me think of bars in a prison, and I imagined a scene (B) where / which a cat was trying to escape. In creating this artwork, I learned that I could creatively use the little things in my life in my artwork. This drawing led me (C) to think / thinking more deeply about things in my everyday life.

	(A)		(B)		(C)
①	bothering	…	where	…	to think
②	bothering	…	which	…	to think
③	bothering	…	where	…	thinking
④	bother	…	which	…	thinking
⑤	bother	…	where	…	thinking

10 다음 글의 밑줄 친 (1), (2)의 문장을 주어진 어구로 시작하여 다시 쓰시오.

Look at the following pictures. (1)A couple who just got married is on the left. It appears that the groom is as tall as a giant, lifting the bride with just one hand. Is the groom really a giant? Is the miniature bride a princess right out of a fairy tale? (2)An incredibly big hand waking up a man who seems to be sleeping is on the right. What if the hand breaks the man's arm? Aren't the photography tricks used in the pictures interesting?

(1) On the left _____.

(2) On the right _____.

[11-12] 다음 글을 읽고, 물음에 답하시오.

Look at the photo of a person collecting clouds in a jar and the photo of a car that looks just like a small toy. How were these (A) bizarre / typical pictures created? Nowadays, photo editing programs make ⓐ (these, create, of, easy, it, types, to, pictures), but there is a much more low-tech method that produces the same amazing results: the forced perspective technique.

The forced perspective technique manipulates our human perception with the use of optical (B) illusions / realities to make objects appear larger, smaller, farther away, or closer than they actually are. That way you can give the impression that your photographs were taken in a completely (C) same / different context. Or you can completely change the tone, message, and symbolism of your images.

11 (A), (B), (C)의 네모 안에서 문맥상 알맞은 말끼리 짝지어진 것은?

	(A)		(B)		(C)
①	typical	…	illusions	…	different
②	typical	…	realities	…	same
③	bizarre	…	illusions	…	different
④	bizarre	…	illusions	…	same
⑤	bizarre	…	realities	…	different

12 괄호 ⓐ에 주어진 단어들을 바르게 배열하여 쓰시오.

→ _____

[13-14] 다음 글을 읽고, 물음에 답하시오.

Forced perspective has been extensively used not only in photography but also in movie making. ① For example, the technique can be used in an action or adventure movie scene (A) where / which dinosaurs are threatening the heroes. ② By placing a miniature model of a dinosaur close to the camera, the dinosaur may be made (B) look / to look monstrously tall to the viewer, even though it is just closer to the camera.

③ So you don't have to scream like a little kid while watching a scary movie in a (C) packing / packed theater. ④ You are more likely to get scared of a horror movie if you watch it when it's dark outside. ⑤ Just remember that the gigantic monster on the screen may only be a little plastic toy, and that, using forced perspective, the movie makers turned it into something frightening to the audience.

13 윗글에서 전체 흐름과 관계 없는 문장은?

① ② ③ ④ ⑤

14 (A), (B), (C)의 각 네모 안에서 어법에 맞는 말끼리 짝지어진 것은?

	(A)		(B)		(C)
①	where	…	look	…	packing
②	where	…	to look	…	packed
③	where	…	look	…	packed
④	which	…	to look	…	packing
⑤	which	…	look	…	packed

[15-16] 다음 글을 읽고, 물음에 답하시오.

There are also cases in some movies ①where characters need to be of varying sizes.

(A) Then, it is shot at ②such an angle that it appears they are next to each other and that one of them is really big and the other really small.

(B) This sounds simple, until you realize that you need to build a set ③which the actors can interact at the same time, while hiding the fact ④that they're far away from each other.

(C) The same technique of forced perspective may be applied: A person intended to be larger will be closer to the camera, ⑤while a person meant to be smaller will be farther from the camera.

15 주어진 문장 다음에 이어질 글의 순서로 알맞은 것은?

① (A) – (C) – (B)　　② (B) – (A) – (C)
③ (B) – (C) – (A)　　④ (C) – (A) – (B)
⑤ (C) – (B) – (A)

16 밑줄 친 ①~⑤ 중 어법상 틀린 것은?

①　　②　　③　　④　　⑤

[17-18] 다음 글을 읽고, 물음에 답하시오.

As you may expect, forced perspective comes from imagination and ＿＿＿(A)＿＿＿, ①which are, no doubt, very important abilities for success in life. There is nothing as ②boring as always thinking the same thing as others and having an ordinary interpretation of the world. Throughout human history, continuous development and progress ③have come from new ideas and novel interpretations. It is necessary ④that reject ordinary thoughts and try to see the world differently. You don't have to fear failure because there are new things ⑤that you can learn from this approach.

17 문맥상 빈칸 (A)에 알맞은 것은?

① fantasy　　　　② emotion
③ intuition　　　　④ creativity
⑤ cooperation

18 밑줄 친 ①~⑤ 중 어법상 틀린 것은?

①　　②　　③　　④　　⑤

[19-20] 다음 글을 읽고, 물음에 답하시오.

Why not try to take your own forced perspective photographs? Don't ①forget that the best shots ＿＿＿＿＿＿＿＿＿＿＿. In some cases, you may have to wait for one object such as the moon or sun to ②move into position. In other cases, you may have to move a person into just the right spot. Try different camera angles to see what looks ③worst, but do not forget to take several photographs of each version of your shot. Several photographs in various positions will ④better ensure that you pull off that perfect shot. You need to give yourself time. Don't rush it. And, most importantly, use your ⑤creativity!

19 윗글의 빈칸에 들어갈 말로 가장 적절한 것은?

① require creativity and imagination
② are produced by your inborn talents
③ take time to both set up and capture
④ come from your ability to understand nature
⑤ can be achieved with the help of other people

20 밑줄 친 ①~⑤ 중 문맥상 알맞지 않은 것은?

①　　②　　③　　④　　⑤

Achievement Test 1

1. Listen and choose the information that is NOT mentioned in the travel diary. 🎧

다음을 듣고 여행 일기에서 언급되지 <u>않은</u> 정보를 고르시오.

① The date of the trip 여행 날짜
✔② The most delicious food 가장 맛있는 음식
③ The destination of the trip 여행 목적지
④ The most impressive place 가장 인상 깊은 장소
⑤ The weather of the destination 목적지의 날씨

Script

M: June 17th, 2015

Today I traveled around Istanbul, Turkey. The weather was sunny. I had an awesome day! I took a bicycle tour around downtown with my friend Jaehee. Among the places I visited, I liked the Blue Mosque most. I was so impressed by the unique colors of its inside. It was much more beautiful than I expected. What was the most amazing experience today? Well, I got a flat tire while riding along the coast, which was really frustrating. While I was repairing my tire, however, the scenic view of the emerald sea caught my attention. It was terrific. I'll never forget the scenery.

| 해석 |

남: 2015년 6월 17일

오늘 나는 터키, 이스탄불을 여행했다. 날씨는 화창했다. 멋진 하루를 보냈다! 내 친구 재희와 함께 시내를 자전거로 돌아다녔다. 내가 방문했던 장소 중에서 블루 모스크가 가장 좋았다. 나는 내부의 독특한 색상에 매우 감동받았다. 그곳은 내가 예상했던 것보다 훨씬 더 아름다웠다. 오늘 가장 놀라웠던 경험이 무엇이냐고? 음, 해변을 따라 자전거를 탈 때 타이어에 바람이 빠졌는데, 그것이 정말 당황스러웠다. 하지만 타이어를 고치는 동안 에메랄드 빛 바다 경치가 내 시선을 사로잡았다. 정말 멋졌다. 나는 그 풍경을 잊지 못할 것이다.

| 해설 | 남자는 여행 일기에서 여행 날짜(June 17th, 2015), 여행 목적지 (Istanbul, Turkey), 가장 인상 깊은 장소(the Blue Mosque), 목적지의 날씨 (sunny)는 언급했지만 가장 맛있는 음식은 언급하지 않았다.

2. Listen and choose what the speakers are most likely to do next. 🎧

대화를 듣고 화자가 다음에 할 일로 가장 적절한 것을 고르시오.

① buy a soda
탄산음료 사기
② limit their allowance
용돈 제한하기
③ ask for an allowance raise
용돈 인상 요청하기
④ save money to buy a smartphone
스마트폰 구입을 위해 저축하기
✔⑤ download a smartphone application
스마트폰 어플리케이션 내려받기

Script

M: Can you lend me some money? I want to buy a soda, but I'm out of money.
W: I'm afraid I can't. I have spent my whole allowance for this week.
M: You, too? Our allowances are too small. Don't you think so?
W: Well, I don't think my allowance is too small. I just spend it carelessly.
M: Hmm, you're right. We need to spend our money more wisely.
W: Why don't we start tracking our spending?
M: Did you say "trapping our spending"? You mean we should limit our spending?
W: No, what I said was "tracking our spending." We should check where our money goes.
M: Yeah, I agree. To be honest, I don't know exactly where all my money goes.
W: Me, neither. Some of my friends use smartphone applications to help them keep track of their spending. We can use them, too.
M: Oh, I didn't know there were applications like that. Let's download one right now.

| 해석 |

남: 돈 좀 빌려 줄 수 있니? 탄산음료를 사고 싶은데, 돈이 다 떨어졌어.
여: 그럴 수 없어서 유감이야. 나는 이번 주 용돈 전부를 썼어.
남: 너도? 우리 용돈이 너무 적다. 그렇게 생각하지 않니?
여: 글쎄, 나는 내 용돈이 너무 적다고 생각하지 않아. 단지 내가 그것을 부주의하게 쓰는 거지.
남: 음, 네 말이 맞아. 우리는 돈을 좀 더 현명하게 사용할 필요가 있어.
여: 우리의 지출을 추적하는 것을 시작해 보면 어떨까?
남: '우리의 지출을 가둔다'라고 말했니? 우리 지출을 제한해야 한다는 뜻이야?
여: 아니, 내가 말한 건 '우리의 지출을 추적하는 것'이야. 우리는 우리 돈이 어디로 가는지 확인해야 해.
남: 그래, 동의해. 솔직히 말하면, 나는 내 돈 전부가 정확히 어디로 가는지 모르겠어.
여: 나도 그래. 내 친구들 중 몇몇은 그들의 지출을 추적하는 데 도움을 주는 스마트폰 어플리케이션을 사용해. 우리도 그것을 사용할 수 있어.
남: 오, 그런 어플리케이션이 있는 줄 몰랐어. 당장 하나 내려받자.

| 해설 | 대화의 마지막에 남자가 소비 습관을 추적하기 위해 여자가 언급한 어플리케이션을 내려받자고 했다.

3. Listen and choose the relationship between the speakers. 🎧

대화를 듣고 화자의 관계를 고르시오.

① Cartoonist – Fan 만화가 – 팬
② Reporter – Athlete 기자 – 운동선수
③ Art teacher – Student 미술 선생님 – 학생
✓④ Show host – Show guest 쇼 호스트 – 쇼 게스트
⑤ Photographer – Customer 사진작가 – 고객

Script

W: Here we have Eric Jeong in our studio today. He is one of the most popular social media celebrities nowadays. Eric, would you introduce yourself to our listeners?
M: Hi, I'm Eric Jeong. I'm an artist, and I do a lot of found object doodles.
W: What are found object doodles?
M: They are types of doodles that incorporate everyday objects.
W: That sounds interesting. How did you first get interested in them?
M: It was just by chance. One day, I accidentally spilled coffee beans on my notebook, and I thought they looked like a woman's curly hair. So, I just doodled the rest of the woman around the beans.
W: What a fortunate spill! Did you know that you were going to become a social media celebrity?
M: Actually no, but I'm so glad people like my posts.
W: Why do you think so many people are crazy about your work?
M: Well, I think all people are born creative. My doodles unlock their inner creativity, I guess, by transforming normal objects into something completely new and different.
W: I hope you continue making people happy with your creative doodles. After the commercial break, we'll take some calls from our listeners. We'll be right back. Stay tuned.

| 해석 |

여: 오늘 우리 스튜디오에 Eric Jeong 씨를 모셨습니다. 이분은 요즘 가장 인기 있는 소셜 미디어 유명인 중 한 분이시죠. Eric, 저희 청취자분들에게 자기소개를 해 주시겠어요?
남: 안녕하세요, 저는 Eric Jeong입니다. 저는 예술가이고, found object doodle을 많이 합니다.
여: found object doodle이란 무엇인가요?
남: 그것은 일상의 제품들을 포함시키는 낙서의 한 종류입니다.
여: 흥미롭네요. 그것들에게 처음 어떻게 흥미를 느끼게 되셨나요?
남: 그냥 우연이었습니다. 어느 날 제가 실수로 커피 콩을 제 공책에 쏟았고, 저는 그것이 여자의 곱슬머리처럼 보인다고 생각했습니다. 그래서 저는 여자의 나머지 부분을 커피콩 주변에 그렸습니다.
여: 쏟아진 것이 행운이었네요! 소셜 미디어 유명인이 될 것이라는 것을 알고 계셨나요?
남: 사실 그렇지는 않았지만 사람들이 제 게시물들을 좋아해 주셔서 매우 기뻐요.

여: 왜 그렇게 많은 사람들이 당신의 작품에 열광한다고 생각하시나요?
남: 음, 저는 모든 사람들이 창의적으로 태어난다고 생각합니다. 제 낙서가 평범한 사물을 완전히 새롭고 다른 것으로 바꾸는 것을 통해, 그들의 내재된 창의력을 해제시켜 주는 것 같아요.
여: 창의적인 낙서로 사람들을 계속 행복하게 만들어 주시기를 바랍니다. 광고 들으신 후 청취자분들과 전화 연결을 해 보겠습니다. 잠시 후 돌아오겠습니다. 채널 고정해 주세요.

| 해설 | 여자는 스튜디오에서 쇼를 진행하고 있으므로 쇼 호스트임을 알 수 있고, 쇼에 초대되어 인터뷰를 하고 있는 남자는 쇼 게스트임을 알 수 있다.

4. Complete the dialog with the sentences from the box. 상자에 주어진 문장으로 대화를 완성하시오.

A: _____(A)ⓑ_____
B: The number one thing on my travel bucket list is to visit Green Gables on Prince Edward Island in Canada.
A: _____(B)ⓐ_____
B: I'm a huge fan of the book *Anne of Green Gables*. _____(C)ⓒ_____ I'd like to see what it's like in person.

ⓐ Why is that your number one thing to do?
ⓑ What's on your travel bucket list?
ⓒ I'll never forget the scenery that the author described.

| 해석 |

A: ⓑ 너의 여행 버킷 리스트는 무엇이니?
B: 나의 여행 버킷 리스트 중 1위는 캐나다의 Prince Edward 섬에 있는 Green Gables를 방문하는 거야.
A: ⓐ 왜 그것이 할 것 1위니?
B: 나는 '빨강 머리 앤' 책의 열렬한 팬이야. ⓒ 작가가 묘사했던 장면을 결코 잊을 수가 없어. 나는 실제로 어떤지 보고 싶어.

| 해설 | 두 사람은 여행 버킷 리스트에 대해 대화하고 있다. B의 첫 번째 대답에서 B는 자신의 여행 버킷 리스트의 1위인 Prince Edward 섬에 가는 것을 이야기했으므로 (A)에는 이에 대해 묻는 내용인 ⓑ가 오는 것이 자연스럽다. 그 후 A가 그 이유에 대해 묻는 ⓐ가 오고, B가 왜 그렇게 하고 싶은지 답하며 중간에 그 이유를 보충 설명하는 ⓒ가 오는 것이 자연스럽다.

[5~6] Choose the appropriate expression for the blank. 빈칸에 적절한 표현을 고르시오.

5.

> A: I spend the biggest percentage of my money on entertainment. It makes up 50% of my total spending.
> B: Did you say fifteen or fifty?
> A: _____
> B: Oh, I see. Then, what category comes next?
> A: Food and drink, which makes up 30%. Transportation is third. It makes up 20%.
> B: Oh, I see.

① Yes, I did. 응, 맞아.
② Excuse me. 실례할게.
③ What did you say? 뭐라고 말했니?
✓④ What I said was fifty. 내가 말했던 것은 50이었어.
⑤ Say that again please. 다시 한 번 말해 줘.

| 해석 | -
A: 나는 내 돈의 가장 큰 비율을 오락에 사용하고 있어. 내 전체 지출의 50퍼센트를 차지해.
B: 15라고 말했니, 아니면 50이라고 말했니?
A: 내가 말한 것은 50이었어.
B: 오, 알겠어. 그럼 다음 항목은 무엇이니?
A: 30퍼센트를 차지하는 식음료야. 교통비는 세 번째야. 20퍼센트를 차지해.
B: 오, 그렇구나.
- -

| 해설 | B가 Did you say fifteen or fifty?라고 확인하는 질문을 하고 있으므로 fifteen이나 fifty 중 말한 것을 다시 한 번 확인해 주는 답변인 What I said was fifty.가 적절하다.

6.

> A: What are you going to use for your found object doodle?
> B: I'm thinking of using a pair of scissors.
> A: What are you going to draw with them?
> B: I'm going to draw an ostrich.
> A: That's interesting. How will you draw it?
> B: Well, I'll put the scissors in the middle, so they look like the ostrich's eyes and beak.
> A: Wow, that'll look awesome!
> B: _____

① I hadn't decided yet. 나는 아직 결정하지 못했어.
② What a coincidence! 이런 우연이 있나!
③ That doesn't make sense. 그건 말이 되지 않아.
✓④ I'm glad you like my idea. 내 아이디어를 좋아해 줘서 기뻐.
⑤ Thank you for helping me. 나를 도와줘서 고마워.

| 해석 | -
A: found object doodle에 무엇을 사용할 거야?
B: 나는 가위를 사용하려고 생각하고 있어.
A: 그것으로 무엇을 그릴 거야?
B: 나는 타조를 그릴 거야.
A: 흥미롭다. 어떻게 그릴 거니?
B: 음, 나는 가위를 가운데에 두어서 그것이 타조의 눈과 부리처럼 보이게 할 거야.
A: 와, 멋져 보이겠다!
B: 내 아이디어를 좋아해 줘서 기뻐.
- -

| 해설 | found object doodle에 무엇을 활용할 것인지를 묻는 A에게 B가 자신의 아이디어를 설명했고 A는 그것을 칭찬했으므로 이어지는 B의 응답에는 칭찬에 답하는 표현인 I'm glad you like my idea.가 적절하다.

[7~9] Rewrite the underlined parts to complete the sentences. 밑줄 친 부분을 다시 써서 문장을 완성하시오.

7. He said to her, "Are you ready for the test?"
그는 그녀에게 "너 시험 준비가 되었니?"라고 말했다.
➡ He asked her ____whether she was ready for the test____.
그는 그녀에게 시험 준비가 되었는지 물었다.

| 해설 | 직접화법의 의문문을 간접화법으로 바꿔야 하므로 said to를 전달 동사 asked로 바꾸고 목적어 her 뒤에 접속사 whether를 쓴 뒤 대명사와 시제를 변화시켜야 한다. you는 질문을 받는 대상인 she로, are는 주절의 시제에 맞춰 be동사의 3인칭 단수 과거형인 was로 변화시킨다.

8. We can permit this to happen under no circumstances.
우리는 어떤 경우에도 이런 일이 일어나도록 허용할 수 없다.
➡ Under no circumstances ____can we permit this to happen____.
어떤 경우에도 우리는 이런 일이 일어나도록 허용할 수 없다.

| 해설 | 부사구 under no circumstances가 문두로 나간 문장이므로 주어와 동사가 「동사+주어」의 어순으로 도치되도록 쓴다. 이때, 주어는 조동사 can과 본동사 permit 사이에 쓰는 것에 유의한다.

9. He guided me skillfully through every corner of the city <u>even though he had not been to the city before</u>.

그는 전에 그 도시에 다녀오지 않았음에도 불구하고 도시의 곳곳을 능숙하게 안내했다.

➡ He guided me skillfully through every corner of the city as if ___he had been to the city before___ .

그는 마치 전에 그 도시에 다녀왔던 것처럼 도시의 곳곳을 능숙하게 안내했다.

| 해설 | 실제 다녀오지 않은 도시를 마치 다녀왔던 것처럼 안내했다는 의미가 되도록 과거 사실의 반대를 나타내는 as if 가정법 과거완료 형태를 쓴다.

10. Choose the underlined word(s) that is NOT grammatically correct.

밑줄 친 부분 중 어법상 틀린 것을 고르시오.

> We then rode our bikes to the Duomo, Santa Maria del Fiore, one of the largest ①cathedrals in the world. This vast Gothic structure ②was built on the site of the old church of Santa Reparata, and its construction lasted from the late 13th to the early 15th century. It took about two centuries for the cathedral ✓③to complete! Climbing the Duomo was very challenging. However, we forgot this when we got to the top and looked down at the beautiful city. The view of Florence was terrific. I came to understand ④why so many people want to visit this place. We then split a calzone as a late lunch on some grass nearby. A calzone is an Italian dumpling ⑤consisting of pizza dough folded over and filled with meat and vegetables. It was really delicious.

| 해석 | ----------------------------------

그리고 나서 우리는 세계에서 가장 큰 성당 중 하나인 두오모, 산타 마리아 델 피오레 성당으로 자전거를 타고 갔다. 이 거대한 고딕 건축물은 오래된 산타 레파라타 교회의 자리에 지어졌고 그것의 공사는 13세기 말부터 15세기 초까지 계속되었다. 그 성당이 완성되는 데 2세기나 걸렸다! 두오모를 오르는 것은 매우 힘들었다. 그러나 우리가 꼭대기에 도착해서 아름다운 시내를 내려다볼 때 이것을 잊었다. 피렌체의 경치는 아주 멋졌다. 매우 많은 사람들이 이 장소를 방문하고 싶어 하는 이유를 이해할 수 있게 되었다. 우리는 그 이후 근처 잔디밭에서 늦은 점심으로 깔조네를 나눠 먹었다. 깔조네는 고기와 채소로 속을 채워 접은 피자 도우로 이루어진 이탈리아식 만두이다. 그것은 정말 맛있었다.

| 해설 | 의미상 주어 the cathedral과 to complete가 수동 관계이므로 to부정사의 수동태인 to be completed가 되어야 한다.

[11~12] Read the passage and answer the questions. 다음 글을 읽고, 물음에 답하시오.

> Next, we headed to the Galata Bridge, (A) which / on which spans the Golden Horn in Istanbul. This bridge is famous as a symbol of connection between the two continents of Asia and Europe. Since the bridge was first built, it has been reconstructed and renovated several times; the one that stands today was built in 1994. It is known that Leonardo da Vinci designed a bridge to (B) build / be built at this location in 1502. Unfortunately, however, his design was not realized. Still, the current bridge and its surrounding scenery are beautiful. When we arrived there, the view of the Golden Horn was calm and peaceful from the bridge, with many people (C) fishing / fished on it.

| 해석 | ----------------------------------

다음으로 우리는 갈라타 다리로 향했고, 그것은 이스탄불에서 골든 혼을 가로지르고 있다. 이 다리는 아시아와 유럽 두 대륙 사이를 연결하는 상징으로 유명하다. 갈라타 다리는 처음 건축된 이래로 여러 번 재건과 보수를 해 왔다. 현재 서 있는 다리는 1994년에 지어졌다. 1502년 이 자리에 지어질 다리를 레오나르도 다빈치가 디자인한 것으로 알려져 있다. 하지만 불행히도 그의 디자인은 실현되지 못했다. 그럼에도 불구하고 현재 다리와 그것을 둘러싼 경치는 아름답다. 우리가 그곳에 도착했을 때 그 다리에서 보는 골든 혼의 경치는 고요하고 평화로웠고 많은 사람들이 그곳에서 낚시를 하고 있었다.

----

11. Choose the set of words that is appropriate for (A), (B), and (C).

(A), (B), (C)에 적절한 단어끼리 짝지어진 것을 고르시오.

	(A)	(B)	(C)
①	which	build	fishing
✓②	which	be built	fishing
③	which	build	fished
④	on which	be built	fished
⑤	on which	build	fishing

| 해설 | (A) ,(콤마) 이하의 절에 주어가 없으므로 선행사 the Galata Bridge에 맞는 주격 관계대명사 which가 적절하다. (B) 지어질 다리를 설계했다는 의미가 되도록 to부정사의 수동태가 되어야 하므로 be built가 적절하다. (C) 「with+목적어+분사」 구문이고, people과 fish가 능동 관계이므로 현재분사 fishing이 적절하다.

12. Choose the statement that is true about the Galata Bridge.
윗글의 갈라타 다리에 관한 내용과 일치하는 것을 고르시오.

① It is located in the middle of Europe.
유럽의 중앙에 위치한다.

② It is famous as a symbol of Asia.
아시아의 상징으로 유명하다.

✔③ The current bridge was built in 1994.
현재의 다리는 1994년에 건설되었다.

④ It was reconstructed by Leonardo da Vinci.
레오나르도 다빈치에 의해 재건축되었다.

⑤ People are not allowed to fish on the bridge.
사람들은 다리 위에서 낚시하도록 허락되지 않는다.

| 해설 | ① 갈라타 다리는 터키의 이스탄불에 있다.
② 갈라타 다리는 아시아와 유럽을 연결하는 상징으로 유명하다.
④ 레오나르도 다빈치가 그곳에 건설될 다리를 설계한 적은 있지만 그의 설계대로 다리가 건축되지는 않았다.
⑤ 갈라타 다리 위에서 낚시하는 사람들이 많이 있었다고만 언급되어 있을 뿐, 그것이 허락되는지에 대한 정보는 나와 있지 않다.

[13~14] Read the passage and answer the questions. 다음 글을 읽고, 물음에 답하시오.

Can you imagine that dog teeth were once used as money? It may be hard to believe, but it's true! Tribes in New Guinea used to use dog teeth for money because dogs were _____ there. What happened next? Knowing that dogs were valuable in New Guinea, Chinese traders brought in hundreds of dogs from China, which destroyed the New Guinea tribal currency because there were many more teeth. German traders made things even worse by bringing in artificial dog teeth, causing the tooth currency to end.

Besides dog teeth, there have been many other odd kinds of money made from unusual items. For example, among islanders of the Pacific, whale teeth were used as money. In Africa, the tail hair of elephants, zebras, and giraffes was used as money, along with other items such as copper rings.

| 해석 | -
여러분은 개 이빨이 한때 돈으로 쓰였다는 것을 상상할 수 있는가? 그것은 믿기 힘들지도 모르지만, 사실이다! 뉴기니의 부족들은 개가 그곳에서 희귀했기 때문에 개 이빨을 돈으로 사용하곤 했다. 다음에는 어떤 일이 일어났을까? 중국 무역상들은 뉴기니에서 개가 가치가 있다는 것을 알게 되어 수백 마리의 개를 중국으로부터 들여왔고, 개 이빨이 너무 많아져서 그것은 뉴기니 부족의 통화를 망쳤다. 독일 무역상들은 인공 개 이빨을 들여와서 상황을 훨씬 더 심각하게 만들었고, 그것은 개 이빨을 통화로 사용하는 체제를 종식시켰다.

개 이빨 외에도 특이한 물품들로 만들어진 색다른 종류의 돈이 많이 있었다. 예를 들어, 태평양의 섬사람들 사이에서 고래 이빨이 돈으로 사용되었다. 아프리카에서는 코끼리, 얼룩말, 그리고 기린의 꼬리털이 구리 반지와 같은 다른 물품들과 함께 돈으로 사용되었다.

- -

13. Choose the word that best fits in the blank.
빈칸에 가장 적절한 단어를 고르시오.

✔① rare 희귀한　　② usual 평범한
③ popular 인기 있는　　④ common 흔한
⑤ worthless 가치 없는

| 해설 | 글에서 개가 가치 있는(valuable) 동물이라는 설명이 있고 개의 이빨이 통화로 사용됐다는 내용이 나오므로 빈칸에는 희귀하다(rare)가 가장 적절하다.

14. Choose the best title for the passage.
윗글의 제목으로 가장 적절한 것을 고르시오.

✔① Odd Kinds of Money 특이한 종류의 돈
② The History of Money 돈의 역사
③ The Origin of Banking 은행 업무의 기원
④ Stone Age Trade Routes 석기 시대 교역 경로
⑤ What Money Does for the World 돈이 세상을 위해 하는 일

| 해설 | 뉴기니에서 돈으로 쓰였던 개의 이빨을 비롯하여 고래 이빨, 코끼리, 얼룩말, 기린의 꼬리털 등 특이한 종류의 돈에 대해 이야기하는 글이다.

[15~16] Read the passage and answer the questions. 다음 글을 읽고, 물음에 답하시오.

The forced perspective technique (A) manipulates / modifies our human perception with the use of optical illusions to make objects appear larger, smaller, farther away, or closer than they actually are. That way you can give the impression that your photographs were taken in a completely (B) different / same context. Or you can completely change the tone, message, and symbolism of your images.

Forced perspective has been extensively used not only in photography but also in movie making. For example, the technique can be used in an action or adventure movie scene where dinosaurs are threatening the heroes. By placing a miniature model of a dinosaur (C) far from / close to the camera, (D) they may make the dinosaur look monstrously tall to the viewer, even though it is just closer to the camera.

| 해석 | -

인위적 원근법 기법은 사물이 실제보다 더 크거나, 작거나, 멀거나, 혹은 가까워 보이게 만들기 위해 착시를 사용하여 인간의 인지를 조작한다. 이런 방식으로 여러분은 사진이 전혀 다른 상황에서 찍혔다는 인상을 줄 수 있다. 혹은 여러분은 이미지의 분위기, 메시지, 그리고 상징을 완전히 바꿀 수 있다.

인위적 원근법은 사진에서뿐만 아니라 영화 제작에서도 광범위하게 사용되어 왔다. 예를 들어, 이 기법은 공룡들이 주인공들을 위협하는 액션 영화나 어드벤처 영화 장면에 사용될 수 있다. 작은 공룡 모형을 카메라에 가까이 위치시킴으로써, 비록 카메라에 가까이 있는 것일 뿐일지라도 공룡은 시청자들에게 굉장히 커 보이게 될 수 있다.

- -

15. Choose the set of words that is appropriate for (A), (B), and (C).

(A), (B), (C)에 적절한 단어끼리 짝지어진 것을 고르시오.

	(A)	(B)	(C)
①	manipulates	… different	… far from
②	modifies	… different	… close to
✔③	manipulates	… different	… close to
④	modifies	… same	… far from
⑤	manipulates	… same	… far from

| 해설 | (A) 시각 왜곡으로 인간의 인지를 '조작하는' 것이므로 manipulates가 적절하다. modifies는 '수정하다'라는 뜻이다.

(B) 사진을 여러 위치에서 찍으면 사진들이 완전히 '다른' 상황에서 찍힌 것처럼 보일 것이므로 different가 적절하다. same은 '같은'이라는 뜻이다.

(C) 공룡 모형을 카메라에 '가까이' 두어야 크게 보일 것이므로 close to가 적절하다. far from은 '~에서 멀리'라는 뜻이다.

16. Rewrite the underlined part (D) starting with the given words.

밑줄 친 (D) 부분을 주어진 단어로 시작하여 다시 쓰시오.

the dinosaur _____

___ may be made to look monstrously tall to the viewer ___,

공룡은 시청자에게 몹시 크게 보이게 될 수 있다

| 해설 | (D) 부분의 목적어 the dinosaur를 주어로 써야 하므로 수동태 문장이 되어야 한다. 사역동사를 수동태로 만들 때는 사역동사를 「be+p.p.」 형태로 만들고 목적격 보어를 to부정사로 바꾸어 「be+사역동사 p.p.+to부정사」의 형태로 써야 한다. 여기서는 조동사 may가 있으므로 may be made to look ~의 형태로 써야 한다.

17. Choose the sentence that does NOT fit the context. 문맥상 어울리지 않는 문장을 고르시오.

The study, published in *The Journal of Positive Psychology*, involved over 650 participants keeping a daily diary for two weeks. ① They were asked to describe their mood each day and rate how creative they had been. ② After analyzing the diaries, the researchers suggested that a little creativity goes a long way in being happier in the future. ③ Participants who engaged in creative pursuits one day significantly boosted their mood for the following day. ✔④ They also showed increased self-confidence from their experiences of collaborative artwork. ⑤ Overall, they reported feeling more enthusiastic and excited.

| 해석 | -

'긍정 심리학 저널'에 실린 연구에는 2주 동안 일기를 쓴 650명 이상의 실험자들이 참여했다. 그들은 그들의 기분을 매일 묘사하고 그들이 얼마나 창의적으로 지냈는지 평가하도록 요청받았다. 그 일기들을 분석한 뒤, 연구자들은 작은 창의성이 미래에 그들이 오래도록 더 행복하게 한다고 밝혔다. 어느 날 창의성을 추구하는 것에 참여한 실험 참가자들은 그 다음 날 기분이 상당히 고조되었다. 전체적으로 그들은 더 열정적이고 신 나게 느꼈다고 보고했다.

- -

| 해설 | 창의적인 일을 하면 기분이 좋아진다는 취지의 글이므로 예술적 협업의 경험을 통해 자신감이 증대된다는 내용의 ④는 문맥상 어울리지 않는다.

[18~20] Read the passage and answer the questions. 다음 글을 읽고, 물음에 답하시오.

(A) The island of Yap, located in the Pacific Ocean between Guam and Palau, had been untouched by modern civilization until the 1800s. You may think that they shouldn't have had their own monetary system because they were not modernized.

(B) How this system could even work may seem really strange. But in fact we have a very similar system today. Our cash in the bank is just like the rai that lay underwater. Though we can't see cash in the bank, it works perfectly as money. After all, our monetary system is based on _____, just like the rai of Yap.

(C) These huge stones were not native to the island. Instead, they were mined on the Palau Islands, 460 km away from Yap. Because Yap islanders used narrow boats, the stones often fell overboard and got lost in the sea. What is interesting is that even when rai fell into the sea, people agreed that the incident didn't change either the value of the stone or its owner's ownership.

(D) However, the people of Yap had a very advanced and well-developed system of money. They used rai — large, thick round stone wheels with a hole cut in the middle in which they could insert a pole to help transport them. Some rai were very big and weighed about 7 tons!

| 해석 | --
(A) 괌과 팔라우 사이 태평양에 위치한 Yap 섬은 1800년대까지 현대 문명의 손길이 닿지 않았다. 여러분은 그들이 개화되지 않았기 때문에 그들 자신만의 화폐 제도를 가지고 있었을 리가 없다고 생각할 수 있다.

(B) 어떻게 이 제도가 잘 운용될 수 있는지 매우 이상하게 보일지 모른다. 그러나 사실 우리는 오늘날 이것과 매우 유사한 제도를 가지고 있다. 은행에 있는 우리의 현금은 바닷속에 놓여 있는 rai와 꼭 같은 것이다. 은행에 있는 현금은 우리 눈에 보이지 않을지라도 그것은 돈으로써 완벽하게 기능한다. 결국 우리의 화폐 제도는 꼭 Yap 섬의 rai처럼 신용을 기반으로 한다.

(C) 이 거대한 돌은 그 섬에서 나는 것이 아니었다. 대신 그것들은 Yap 섬에서 460 킬로미터 떨어진 팔라우 섬에서 채굴되었다. Yap 섬사람들이 좁은 배를 사용했

기 때문에 그 돌은 종종 배 밖으로 떨어졌고 바닷속에서 유실되었다. 흥미로운 것은 rai가 바닷속으로 떨어졌을 때도 사람들이 그 사고가 그 돌의 가치나 그 주인의 소유권 중 하나라도 변화시키지 않는다는 데에 동의했다는 것이다.

(D) 그러나 Yap 섬의 사람들은 매우 진보적이고 잘 다듬어진 화폐 제도를 가지고 있었다. 그들은 운반을 돕기 위해 막대를 끼울 수 있는 구멍을 가운데에 낸 크고 두껍고 둥근 돌 바퀴인 rai를 사용했다. 몇몇 rai는 아주 컸고 약 7톤의 무게가 나갔다!

- -

18. Put the given passages in order.
주어진 글을 순서대로 배열하시오.

$(A) - (D) - (C) - (B)$

| 해설 | 개화되지 못한 Yap 섬사람들에게는 화폐 제도가 없었을 것이라고 생각할 수 있다고 진술하는 주어진 글 (A) 뒤에 그곳에도 rai라는 무거운 돌을 돈으로 썼다는 내용인 (D)가 오는 것이 자연스럽다. Yap 섬에서는 이 돌이 나지 않아 멀리 떨어진 섬에서 좁은 배를 이용해 채굴해 나르는데, 이 돌이 바다에 떨어져도 가치가 변함이 없다는 (C) 뒤에 이것이 오늘날 은행에 있는 돈의 개념과 매우 유사한 것이라고 설명하는 (B)로 연결되는 것이 자연스럽다.

19. Choose the word that best fits in the blank.
빈칸에 가장 적절한 단어를 고르시오.

① currency 통화　　② compatibility 호환성
③ value 가치　　④ portability 휴대성
✓⑤ credit 신용

| 해설 | 돈이 어디에 있든지 그 가치를 인정하는 '신용'을 기반으로 우리의 통화 체계가 이루어진다는 내용이므로 credit이 가장 적절하다.

20. Choose the statement that is NOT true about Yap. 윗글의 Yap에 관한 내용과 일치하지 않는 것을 고르시오.

① It had not been modernized until the 1800s.
1800년대까지 개화되지 못했다.
✓② It produced the huge stones for rai.
rai로 쓰일 큰 돌을 생산했다.
③ Its people used narrow boats to carry the huge stones. 그곳의 사람들은 큰 돌을 나르기 위해 좁은 배를 사용했다.
④ It had a developed monetary system.
발전된 통화 시스템이 있었다.
⑤ Its currency was rai. 그곳의 통화는 rai였다.

| 해설 | Yap에서는 통화로 쓰이는 큰 돌인 rai를 생산할 수 없었기 때문에 멀리 떨어진 섬에서 돌을 채굴해 날랐다고 했으므로 Yap에서 큰 돌을 생산했다는 ②는 글의 내용과 일치하지 않는다.

Life Is
All About Choices

Think Ahead

What is a difficult decision you have made during high school?
고등학교 동안 여러분이 했던 어려운 결정 사항은 무엇입니까?

> Sample It was difficult to decide on my future career. I had to consider what I am good at and like to do. Also, I had to listen to my parents' opinions.

Check what you already know.

나의 미래 진로를 결정하는 것이 어려웠다. 내가 무엇을 잘하고 무엇을 하길 좋아하는지 생각해야 했다. 또한 나는 부모님의 의견을 들어야 했다.

- ☐ Maybe he really loves you. 아마도 그는 너를 정말 사랑하는 것 같다.
- ☐ I'm worried about what you're going to do. 나는 네가 하려는 것에 대해 걱정하고 있다.

- -

- ☐ You can choose **anything that** you want. 너는 네가 원하는 어떤 것이든지 고를 수 있다.
- ☐ **If** it **doesn't rain** tomorrow, we'll go swimming at the beach.
  내일 비가 오지 않는다면, 우리는 해변에 수영하러 갈 것이다.

In this lesson, I will ...

Listening & Speaking

- learn to express degrees of possibility.
  가능성 정도를 표현하는 방법을 배운다.
- learn to express concern or anxiety.
  염려나 걱정하는 것을 표현하는 방법을 배운다.

Communicative Functions

- It is possible that it'd be extremely noisy.
  매우 시끄러울 가능성이 있다.
- I am afraid I'll make the wrong choice.
  내가 잘못된 선택을 할까 봐 두렵다.

Culture

- read stories about dilemmas and search for them on the Internet.
  딜레마에 대한 이야기를 읽고 인터넷에서 딜레마에 관한 다른 이야기를 찾아본다.

Reading

- read and understand a text about dilemmatic situations.
  딜레마 상황에 관한 글을 읽고 이해한다.

Writing

- write a paragraph with contrasting points.
  비교할 사항에 관한 단락을 쓴다.

Language Forms

- This allows you to have **whatever** experiences you want. 이것은 당신이 원하는 어떤 경험이든지 하게 한다.
- **Unless** he or one of his friends **gathers** the courage to jump, the situation will worsen. 그 또는 그의 친구 중 한 명이 뛰어들 용기를 내지 않으면 상황은 악화될 것이다.

Starting Out

THINK **What would you do in the situation below?**
여러분은 아래 상황에서 무엇을 할 것입니까?

> Oh, my neck hurts! Sitting in the front row is so uncomfortable. Can we move back? There are a lot of empty seats.

오, 목 아파! 앞줄에 앉는 것은 너무 불편해. 우리 뒤로 가도 될까? 빈자리가 많아.

> But these are the seats we bought. Do you think it's okay to sit in seats we didn't pay for?

하지만 이것이 우리가 구매한 좌석이야. 우리가 구매하지도 않은 좌석에 앉는 것이 괜찮다고 생각하니?

Sample I wouldn't move to other seats because we didn't pay for those seats. They're not ours, so it wouldn't be right to use them.
우리가 그 좌석을 구매하지 않았기 때문에 나는 다른 좌석으로 옮기지 않을 것이다. 그것들이 우리 것이 아니므로 그것들을 쓰는 것은 옳지 않다.

LISTEN **Listen and choose the advice that Dr. Smith gives to Jihun.**
다음을 듣고 Smith 박사가 지훈이에게 한 조언을 골라 봅시다.

ⓐ Get as much advice as possible.
가능한 한 많은 조언을 들어라.

ⓑ Try to predict what the outcome of his actions will be.
그의 행동의 결과가 무엇일지 예측하려 노력해라.

✔ⓒ Tell his teacher that his classmate did most of the work.
그의 선생님에게 그의 반 친구가 그 과제의 대부분을 했다고 말해라.

Script -

M: Now it's time for "Help me, Dr. Smith," where we help listeners with their problems. Here's a problem from Jihun.
"Two weeks ago, I was so sick that I couldn't go to school for a few days. Then, I realized that I had to write a report with my classmate. He had already finished pretty much all of the work. I just added a couple of sentences. But my teacher ended up giving me a higher grade than my classmate on the report. Should I say anything to my teacher?"
Please give some advice to Jihun, Dr. Smith.

W: Well, Jihun, you should put yourself in your classmate's shoes. It's unfair for your classmate not to get the grade he deserves. You should be honest and tell your teacher that your classmate did most of the work.

| 해석 | -

남: 이제 청취자들의 고민을 해결하는 데에 도움을 줄 '도와줘요, Smith 박사님.' 시간입니다. 여기 지훈 씨로부터 고민이 왔습니다.
"2주 전에 저는 매우 아파서 며칠 동안 학교에 갈 수 없었어요. 그러고 나서, 저는 반 친구와 리포트를 써야 했다는 것을 깨달았죠. 그는 이미 그 과제의 거의 대부분을 완성했어요. 저는 몇 문장을 덧붙였을 뿐이고요. 그런데 저의 선생님이 결국 그 리포트에 대해 저의 반 친구보다 저에게 더 높은 성적을 주셨어요. 저의 선생님께 뭔가 말씀드려야 할까요?"
지훈 씨에게 조언을 주시죠, Smith 박사님.

여: 네, 지훈 씨, 지훈 씨는 반 친구의 입장에서 생각해 보아야 해요. 반 친구가 받을 만한 성적을 받지 못하는 것은 불공평한 일이죠. 지훈 씨는 정직해야 하고 선생님께 반 친구가 그 과제의 대부분을 했다고 말해야 해요.

어구

row 명 열, 줄
·Our seats are five *rows* from the front. (우리 좌석은 앞에서 다섯 번째 줄이다.)
pay for 대금을 지불하다
·How much did you *pay for* your smartphone? (너는 네 스마트폰에 얼마를 지불했니?)

어구

outcome 명 결과
·We are confident of a successful *outcome*. (우리는 성공적인 결과를 확신한다.)
put oneself in person's shoes ~의 입장이 되어 생각하다
deserve 동 ~할 자격이 있다
·You *deserve* a rest after all that hard work. (그렇게 힘든 일을 했으니 너는 쉴 자격이 있어.)

| 구문 해설 |

·He **had** already **finished** pretty much all of the work.: 인용문의 기본 시제인 과거보다 앞선 상황을 나타내기 위해 대과거 시제를 썼다.
·It's unfair **for your classmate** not **to get** the grade he deserves.: It은 가주어, to get 이하는 진주어이고, for your classmate가 to get의 의미상 주어로 쓰였다. he deserves는 the grade를 수식하는 목적격 관계대명사절로 앞에 that이 생략되었다.

READ · Robin Hood in Your House

Robin Hood is a bank robber. But instead of keeping the money for himself, he donates it to an orphanage to help them feed, clothe, and care for the children. Suppose you happened to encounter Robin Hood, and he was seriously injured. What would you do in this situation? Here are four people's opinions about what you should do.

Bentham

You should not hand in Robin Hood to the police. If he stayed out of jail, the children would have a better life. Of course, the people robbed would still be negatively affected. However, the benefits to the children would cancel that out.

Kant

You should turn in Robin Hood to the authorities. I only look at the action itself. It doesn't matter what his situation is. Whatever his intentions, robbing is morally bad in itself.

Aquinas

I agree with Kant about turning in Robin Hood to the police. If he really wants to help poor people, there are other options like donating his own money or holding a fund raiser. He does not have to rob banks.

Fletcher

It's not that simple. We have to look at the whole situation and all the variables. For example, we need to look at who Robin Hood robbed, who the children were, and how desperately the money was needed. So my answer would differ depending on these variables.

(http://nlcsethicsproject9fsilviasicheri.weebly.com/)

어구

orphanage 몡 고아원
· He donated a piano to the *orphanage*. (그는 고아원에 피아노를 기증했다.)

cancel out 상쇄하다
· Sadness cannot *cancel out* happiness. (슬픔이 행복을 상쇄시킬 수 없다.)

morally 厚 도덕적으로
· He felt *morally* responsible for the accident. (그는 그 사고에 대해 도덕적으로 책임이 있음을 느꼈다.)

variable 몡 변수
· With so many *variables*, it is difficult to calculate the cost. (변수가 너무 많아서 비용을 계산하기가 어렵다.)

| 구문 해설 |

· But **instead of keeping** the money for himself, he donates it to an orphanage to **help them feed**, **clothe**, and **care** for the children.: instead of (~ 대신에) 다음에는 명사(구) 형태가 와야 하므로 동명사 keeping이 쓰였다. 「help+목적어+목적격 보어」의 형태에서 동사원형 feed, clothe, care가 병렬 구조를 이룬다.

· **Suppose** you happened to encounter Robin Hood, ~.: Suppose (that)은 '~이라고 가정해 보라'라는 뜻으로 가정법 대용어구로 쓰이며, 이 문장에서는 명사절을 이끄는 접속사 that이 생략되었다.

| 해석 |

당신 집에 있는 Robin Hood

Robin Hood는 은행 강도이다. 그러나 그 자신을 위해 돈을 소유하는 대신에, 그는 고아원들이 아이들을 먹이고 입히고 보살피는 것을 돕기 위해 고아원에 기부한다. 당신이 Robin Hood를 우연히 마주쳤고, 그가 심각하게 부상을 입었다고 가정해 보라. 이 상황에서 당신은 어떻게 할 것인가? 여기 당신이 해야 할 것들에 대한 네 사람의 의견이 있다.

Bentham 당신은 Robin Hood를 경찰에 인계해서는 안 된다. 그가 감옥 밖에서 머물면 그 아이들은 더 좋은 삶을 누릴 수 있다. 물론, 강도를 당한 사람들은 여전히 부정적인 영향을 받을 것이다. 그러나 그 아이들에게 갈 이익은 그것을 상쇄할 수 있을 것이다.	**Kant** 당신은 Robin Hood를 당국에 고발해야 한다. 나는 행동 그 자체만 본다. 그의 상황이 어떤 것인지는 중요하지 않다. 그의 의도가 무엇이든지간에 절도 행위는 그 자체로 도덕적으로 나쁜 것이다.
Aquinas 나는 Robin Hood를 경찰에 고발하라는 Kant의 의견에 동의한다. 그가 정말 가난한 사람들을 돕고 싶다면 그 자신의 돈을 기부하거나 모금을 하는 것 같은 다른 선택 사항들이 있다. 그는 은행을 털 필요가 없다.	**Fletcher** 이것은 그렇게 간단한 것이 아니다. 우리는 전체 상황과 모든 변수를 봐야만 한다. 예를 들어, 우리는 Robin Hood가 돈을 빼앗은 사람이 누구인지, 그 아이들은 누구인지, 그리고 얼마나 절박하게 그 돈이 필요했는지를 봐야 한다. 그래서 내 대답은 이런 변수들에 따라 달라질 것이다.

● **Whose opinion do you agree with the most? Share your opinion with your partner.** 여러분은 누구의 의견에 가장 동의합니까? 여러분의 의견을 짝과 함께 공유해 봅시다.

Sample I agree with Aquinas the most. I would turn Robin Hood into the police. Robbing is bad, whatever the circumstances. Although Robin Hood did have good intentions, he could have done other things to help the children. 나는 Aquinas의 의견에 가장 동의한다. 나는 Robin Hood를 경찰에 고발할 것이다. 상황이 어떠하든지 절도 행위는 나쁘다. Robin Hood가 정말 좋은 의도를 가지고 있었다 할지라도, 그는 그 아이들을 돕기 위해 다른 일들을 했어야 했다.

Listen and Speak 1 교과서 pp. 82~83

A **Listen to the dialog and fill in the blanks in Jina's Diary.**
대화를 듣고 진아의 일기의 빈칸을 채워 봅시다.

> April 5th
> Today, there was a ___protest___ downtown. They were against the building of a huge department store in town. Chris and I had a little chat about it. I disagreed with the plan. It is possible that small businesses would be forced
>
> to ___close___. Chris thought the department store would offer more and ___cheaper___ goods. I guess we see things ___differently___.

4월 5일
오늘, 시내에서 <u>시위</u>가 있었다. 그들은 동네에 대형 백화점을 건설하는 것을 반대했다. Chris와 나는 그것에 관해 짧은 대화를 잠깐 <u>나눴</u>다. 나는 그 계획에 반대했다. 영세 사업자들이 강제로 <u>문을 닫게</u> 될 가능성이 있다. Chris는 백화점이 더 많고 <u>더 값싼</u> 물건들을 공급할 것이라고 생각했다. 나는 우리가 <u>다르게</u> 본다고 생각한다.

Script

W: Good morning, Chris.
M: Hi, Jina. Did you hear about the protest downtown earlier today?
W: No, I didn't. What were they protesting about?
M: They were against the building of a huge department store in town.
W: So those people probably think it will have a bad effect on small local stores.
M: Yeah. What do you think about having a huge department store built?
W: I don't think it's a good idea. It is possible that many small businesses would be forced to close.
M: But I think a department store would offer more and cheaper goods.
W: That's true. But I don't think that's fair to small businesses.
M: Hmm. I guess you and I see things differently.

| 해석 |

여: 안녕, Chris.
남: 안녕, 진아야. 오늘 일찍 시내에서 있었던 시위에 대해 들었니?
여: 아니, 듣지 못했어. 무엇에 관해 시위를 하고 있었어?
남: 그들은 동네에 대형 백화점 짓는 것을 반대해.
여: 그러면 아마도 그 사람들은 영세한 지역 상점들에 나쁜 영향이 있을 것이라고 생각하는 거네.
남: 그래. 너는 대형 백화점을 짓는 것에 대해 어떻게 생각하니?
여: 나는 그것이 좋은 의견이라고 생각하지 않아. 많은 영세 사업장이 강제로 문을 닫게 될 가능성이 있어.
남: 그렇지만 나는 백화점이 더 많고 싼 물건을 공급할 거라고 생각해.
여: 그렇겠지. 하지만 그건 영세 사업장에 공정하다고 생각하지 않아.
남: 음, 너와 나는 다르게 보는 것 같다.

어구

protest 명 시위
·The riot began as a peaceful *protest*. (그 폭동은 평화 시위로 시작되었다.)
be against ~에 반대하다
·The people seemed to *be against* the war. (국민들은 전쟁에 반대인 듯했다.)

힌트

진아는 백화점 건설에 있어서 영세 사업자들을 생각하며 반대하는 입장이고, Chris는 소비자의 입장에서 찬성하고 있다.

| 구문 해설 |

· **It is possible that** many small businesses would be forced to close. : It은 가주어, that 이하 절이 진주어로 쓰였고 It is possible that ~은 '~할 가능성이 있다'라는 의미의 표현이다.
· What do you think **about having** a huge department store **built**?: 전치사 about의 목적어로 having이 쓰였고 「사역동사 have+목적어+목적격 보어(p.p.)」 형태로 쓰였다.

B Complete the comic strip with the sentences from the box and practice the dialog with your partner. 보기의 문장들로 만화를 완성하고 짝과 함께 대화를 연습해 봅시다.

> [a] Well, I live here. 음, 난 이곳에 살아.
> [b] Where do you think would be a good place? 너는 좋은 장소가 어디라고 생각하니?
> [c] Also, it is possible that it'd be extremely noisy. 또한 매우 시끄러울 가능성도 있어.

요즘 주차할 곳을 찾는 게 점점 더 어려워지고 있어.

나도 알아. 도시에 새 주차장을 지어야 해.

그거 좋은 생각이야.

[b] 너는 좋은 장소가 어디라고 생각하니?

It's getting harder and harder to find a parking spot nowadays.
I know. The city should build a new parking lot.
That's a good idea.
[b]
How about down the street?
I don't think that would be good. It'd create too much traffic on the street. [c]
Wow! You sound like an expert in that matter.
[a] I don't want a parking lot near my house.

길 아래편은 어때?

나는 그곳이 적합하다고 생각하지 않아. 거리에 매우 심한 교통 체증을 야기할 거야. [c] 또한 매우 시끄러울 가능성도 있어.

왜! 너 그 문제에 대해 전문가 같이 들리는데.

[a] 음, 난 이곳에 살아. 나는 내 집 근처에 주차장이 있는 걸 원하지 않아.

어구

extremely [부] 극도로, 매우
· Korea experienced an *extremely* hot summer last year. (한국은 작년에 극도로 뜨거운 여름을 경험했다.)

traffic [명] 교통(량)
· There's a lot of *traffic* on Fridays. (금요일마다 교통이 매우 혼잡하다.)

힌트

주차장을 짓는 곳에 대해서 논의하고 있으며 남자가 말한 곳에 대해 여자가 여러 의견을 제시하는 것은 자신이 근처에 살기 때문이다.

| 구문 해설 |

· **It**'s getting **harder and harder to find** a parking spot nowadays.: It은 가주어, to find가 진주어이며, harder and harder는 「비교급 and 비교급」 형태로 '점점 더 ~하다'라는 의미이다.

C Whose Side Are You Going to Take? 누구의 편이 될 것인가?

■ Suppose that a new recycling center was about to be constructed in your city, and you and your group members were going to discuss it.
여러분의 도시에 새 재활용 센터가 건설될 것이고 여러분과 여러분의 모둠원이 그것에 대해 토론할 것이라 가정해 봅시다.

STEP 1 **Decide a role for each group member.** 각 모둠원의 역할을 정해 봅시다.

• City government official: ___________ 시 정부 공무원	• Environmentalist: ___________ 환경 문제 전문가
• Regular citizen: ___________ 일반 시민	• On Your Own ___________: ___________

어구

recycling [명] 재활용
construct [동] 건설하다
government official [명] 국가 공무원, 정부 관리

Lesson 4

STEP 2 **As a person in your role, do some research for discussion.**
맡은 역할의 사람으로서 토론을 위해 조사를 해 봅시다.

My Role 내 역할	Environmentalist 환경 문제 전문가	
For or Against the Plan 계획에 대한 찬반	I [agree/disagree] with the plan. 나는 그 계획에 동의한다.	I [agree/disagree] with the plan.
Reasons for Decision 결정에 대한 이유	• More recycling can lead to less waste, which is good for the environment. 재활용을 좀 더 많이 하는 것은 쓰레기를 덜 나오게 유도할 수 있고, 그것이 환경에 유익하다.	•

STEP 3 **Have a discussion in your group about the construction of the recycling center.** 여러분의 모둠에서 재활용 센터의 건설에 대해 토론해 봅시다.

| Sample Dialog |

A Hi, I'm Jihun, an environmentalist.
B So what do you think about the new recycling center?
A Well, I agree we should build a new one in our area.
C Why do you think that?
A First, it is possible that more recycling will be done in our city. That will lead to less waste, which is good for the environment.
:

| 해석 |

A: 안녕하십니까, 저는 환경 문제 전문가인 지훈입니다.
B: 그러면 당신은 새 재활용 센터에 대해 어떻게 생각하십니까?
A: 음, 저는 우리 지역에 새 재활용 센터를 건설해야 한다는 의견에 동의합니다.
C: 왜 그렇게 생각하십니까?
A: 첫째, 우리 시에서 재활용이 좀 더 많이 될 가능성이 있습니다. 그것은 쓰레기를 덜 나오도록 유도할 것이고, 이것이 환경에 유익합니다.

STEP 4 **Present your group's discussion to the class and find out what other groups think.**
여러분의 모둠 토론에 대해 반 친구들에게 발표하고 다른 모둠들이 어떻게 생각하는지 알아봅시다.

✔ Self-Check

	Yes	No	
I can use the target expressions correctly. 나는 목표 표현을 정확하게 쓸 수 있다.	☐	☐	→ Go back to A and B. A와 B로 돌아가세요.
I can communicate effectively. 나는 효과적으로 의사소통할 수 있다.	☐	☐	→ Practice the Sample Dialog in STEP 3 again. STEP 3의 예시 대화를 다시 연습하세요.

어구

for or against 찬성과 반대
· Are you *for or against* the plan? (당신은 그 계획에 대해 찬성입니까 아니면 반대입니까?)
lead to ~로 이어지다
· Lack of sleep can *lead to* health problems. (수면 부족은 건강 문제로 이어질 수 있다.)

| 구문 해설 |

· That will lead to less waste, **which** is good for the environment.: which는 계속적 용법으로 쓰인 관계대명사로 「접속사+대명사」 형태인 and it으로 바꿔 쓸 수 있다. 이 문장의 경우 which는 앞 절 전체를 선행사로 한다.

Listen and Speak 2 교과서 pp. 84~85

Target Expression

I am afraid I'll make the wrong choice.
내가 잘못된 선택을 할까 봐 두렵다.

A **Listen to the lecture and fill in the blanks in the summary.**
강의를 듣고 요약문의 빈칸을 채워 봅시다.

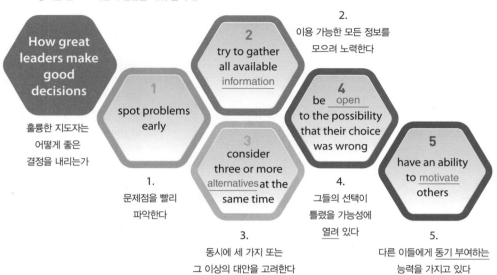

How great leaders make good decisions
훌륭한 지도자는 어떻게 좋은 결정을 내리는가

1. spot problems early
1. 문제점을 빨리 파악한다

2. try to gather all available **information**
2. 이용 가능한 모든 정보를 모으려 노력한다

3. consider three or more **alternatives** at the same time
3. 동시에 세 가지 또는 그 이상의 대안을 고려한다

4. be **open** to the possibility that their choice was wrong
4. 그들의 선택이 틀렸을 가능성에 열려 있다

5. have an ability to **motivate** others
5. 다른 이들에게 동기 부여하는 능력을 가지고 있다

어구

available ⓗ 이용할 수 있는
·This was the only room *available*. (이 방이 이용할 수 있는 유일한 방이었다.)
spot ⓓ 알아내다
alternative ⓝ 대안, 양자택일
·There is no other *alternative* left to me. (나에게 남은 다른 대안이 없다.)
motivate ⓓ 동기 부여를 하다

힌트

요약문은 강의 주제인 의사 결정과 관련한 문제 인식, 정보 수집, 여러 가지 대안 고려, 자신이 틀릴 수 있는 가능성 인정, 그리고 타인에 대한 동기 부여의 다섯 가지 내용을 나열하고 있다.

Script

W: Decision-making is tough. You may often be afraid and uncertain about making a particular decision. I've studied great leaders who are known to be excellent decision makers, and I've found some common qualities among them. First, great leaders usually spot problems early. And in order to solve them, they try to gather all the available information. They don't just settle for the most easily available information. They typically consider three or more alternatives at the same time before choosing the best option. Even after they make their decision, they are still open to the possibility that their choice was wrong. Also, they have an ability to motivate others to follow their decision. By understanding these qualities of great leaders, you can increase the probability of making the right choices in your life.

| 해석 |

여: 의사 결정은 힘듭니다. 여러분은 특정한 의사 결정을 하는 것에 있어 종종 두려워하고 확신이 들지 않을 것입니다. 저는 탁월한 의사 결정자로 알려진 훌륭한 지도자들을 연구해 왔고, 그들 사이에 몇몇 공통적 자질이 있다는 것을 알아냈습니다. 먼저, 훌륭한 지도자들은 대개 문제를 빨리 파악합니다. 그리고 그 문제들을 해결하기 위해, 모든 이용 가능한 정보들을 모으려 노력합니다. 그들은 가장 쉽게 이용 가능한 정보에 안주하지만은 않습니다. 그들은 전형적으로 가장 좋은 사항을 선택하기에 앞서 동시에 세 가지 또는 그 이상의 대안을 고려합니다. 심지어 그들이 결정을 내린 후에도, 그들의 선택이 틀렸을 가능성에 여전히 열려 있습니다. 또한 그들은 다른 이들이 그들의 결정을 따르도록 동기 부여하는 능력을 가지고 있습니다. 훌륭한 지도자의 이런 자질들을 이해함으로써, 여러분은 여러분의 삶에서 올바른 선택을 할 가능성을 높일 수 있습니다.

| 구문 해설 |

· I've studied great leaders **who** are known to be excellent decision makers, **and** I've found ~.: who는 주격 관계대명사이며 관계대명사절 who ~ makers가 선행사 great leader를 수식한다.
· **Even after** they make their decision, they are still open to the possibility **that** their choice was wrong.: Even after는 '~ 이후에도'라는 뜻으로 쓰여 시간 부사절을 이끌고 있으며, that이 이끄는 절은 the possibility와 동격 관계인 명사절이다.

B Complete the comic strip with the sentences from the box and practice the dialog with your partner. 보기의 문장들로 만화를 완성하고 짝과 함께 대화를 연습해 봅시다.

> ⓐ How do you do that? 너는 어떻게 그렇게 하니?
>
> ⓑ Just follow your instincts! 그냥 네 본능을 따라!
>
> ⓒ I am afraid I'll make the wrong choice. 내가 잘못된 선택을 할까 봐 두려워.

서둘러! 너는 30분 동안 어느 치마를 살지 결정하려 애쓰고 있잖아.

Hurry up! You've been trying to decide which skirt to buy for 30 minutes.

결정할 수가 없어. ⓒ 내가 잘못된 선택을 할까 봐 두려워.

I just can't decide. ⓒ

나는 그렇게 느껴 본 적이 없어. 나는 대개 즉시 결정을 내려.

I don't ever feel like that. I usually make decisions right away.

네가 부러워. ⓐ 너는 어떻게 그렇게 하니?

I envy you. ⓐ

Just don't think so much. And follow your instincts.

Okay, then I will buy this one. Let's go get lunch.

Everything looks delicious. I can't decide what to eat.

You've been thinking about what to eat for 10 minutes. ⓑ

그렇게 아주 많이 생각하지 마. 그리고 네 본능을 따라.

알겠어, 그럼 난 이것을 살게. 점심 먹으러 가자.

모든 것이 다 맛있어 보여. 무엇을 먹을지 결정할 수가 없어.

너 10분째 뭘 먹을지 생각하고 있어. ⓑ 그냥 네 본능을 따라!

| 구문 해설 |

· You**'ve been trying** to decide **which skirt to buy** for 30 minutes.: have been trying은 「have been -ing」 형태의 현재완료 진행형이다. which skirt to buy는 decide의 목적어로 쓰이는 의문사구이다.

· You**'ve been thinking** about **what to eat** for 10 minutes. : have been thinking은 현재완료 진행형이고, what to eat은 about의 목적어로 쓰이는 의문사구이다.

C Choosing Your Future Career 미래 직업 선택하기

STEP 1 Think about your future career. Consider the three questions and fill in the blanks with your ideas. 여러분의 미래 직업에 대해 생각해 봅시다. 세 가지 질문을 고려하여 여러분의 의견에 따라 빈칸을 채워 봅시다.

What do you like doing? 뭐 하는 것을 좋아하는가?	What are you good at? 무엇을 잘하는가?	What do your parents want you to do? 부모님은 여러분이 무엇을 하기를 원하는가?
Cooking 요리	Playing sports, especially soccer 스포츠 경기, 특히 축구	Become a government worker 공무원이 되는 것

STEP 2 **Discuss with your partner what you should choose as your future career.**
여러분의 미래 직업으로 선택할 것에 관해 짝과 토론해 봅시다.

| Sample Dialog |

A What do you like doing?
B I like cooking, but I'm not good at it. And I am good at playing sports, especially soccer. That's why I've wanted to be a professional soccer player for a long time.
A What about your parents?
B My parents want me to become a government worker. I'm afraid I will let them down.
A Oh, I see. Well, I think you should choose what you really want to do.
B Thank you for your advice. How about you?
⋮

My Decision Based on the Discussion 토론에 기반한 나의 결정

[Sample] I decided to be a cook. Even though I am not good at cooking now, someday I believe I will be good at it. 나는 요리사가 되기로 결정했다. 내가 지금 요리를 잘하지는 못하지만 언젠가 잘하게 될 거라고 믿는다.

| 해석 |

A: 너는 뭐 하는 것을 좋아하니?
B: 나는 요리하는 것을 좋아하지만, 그것을 잘하지는 못해. 그리고 나는 스포츠 경기, 특히 축구를 잘해. 그것이 내가 오랫동안 프로 축구 선수가 되기를 원했던 이유야.
A: 너의 부모님은 어때?
B: 나의 부모님은 내가 공무원이 되기를 바라셔. 나는 그분들을 실망시킬까 봐 두려워.
A: 오, 알겠어. 음, 나는 네가 정말로 하고 싶은 것을 선택해야 한다고 생각해.
B: 조언 고마워. 너는 어때?
⋮

| 구문 해설 |

- **That's why** I**'ve wanted** to be a professional soccer player ~.: That is the reason why ~. 구문으로 선행사 the reason은 자주 생략되며, 과거부터 현재까지 프로 축구 선수가 되기를 바랐으므로 동사를 현재완료 형태로 썼다.
- **I'm afraid** I will let them down.: I am afraid는 '~하기가 두렵다'라는 뜻의 걱정을 나타내는 표현이며 뒤에 명사절을 이끄는 that이 생략되어 있다.

STEP 3 **Present what you discussed to the class.**
여러분이 토론한 것을 반 친구들에게 발표해 봅시다.

✔Self-Check

	Yes	No	
I can use the target expressions correctly. 나는 목표 표현을 정확하게 쓸 수 있다.	☐	☐	→ Go back to A and B. A와 B로 돌아가세요.
I can communicate effectively. 나는 효과적으로 의사소통할 수 있다.	☐	☐	→ Practice the Sample Dialog in STEP 2 again. STEP 2의 예시 대화를 다시 연습하세요.

어구

career [명] 직업
· She has been concentrating on her *career.* (그녀는 자기 일에 집중해 왔다.)

government worker [명] 정부 직원, 공무원
· My father served the country as a *government worker* for 30 years. (내 아버지는 공무원으로서 30년 간 국가에서 근무하셨다.)

let ~ down ~을 실망시키다
· This machine won't *let* you *down.* (이 기계는 당신을 실망시키지 않을 거예요.)

Language in Focus

A **Compare the following pairs of sentences and find the difference between them.** 다음 짝지어진 문장들을 비교해 보고 그것들 사이의 차이점을 알아봅시다.

> - This allows you to have **any experiences that** you want.
> - This allows you to have **whatever experiences** you want.
>   이것은 여러분이 원하는 어떤 경험이든 하게 한다.

> - We must take **any additional steps that** are necessary.
> - We must take **whatever additional steps** are necessary.
>   우리는 필요한 어떤 추가 조치든 취해야 한다.

● **Based on what you found, rewrite the parts in bold.**
여러분이 찾은 것을 바탕으로 굵은 글씨로 된 부분을 다시 써 봅시다.

 In life, it's important to take personal responsibility for **any choice that** you make. If the result isn't what you wanted, don't blame others for your decision. Taking responsibility will help you learn from good and bad decisions. Therefore, **any decision that** you make is a learning experience.

정답 whatever choice / whatever decision

| 해석 |--

삶에서 여러분이 하는 어떤 선택이든지 개인적 책임감을 가지는 것은 중요하다. 만일 그 결과가 여러분이 원했던 것이 아니라면, 여러분의 결정에 대해 다른 이를 비난하지 마라. 책임을 지는 것은 여러분이 좋은 결정과 나쁜 결정으로부터 배우는 것을 도울 것이다. 그러므로 여러분이 하는 어떤 결정이든지 배움의 경험이다.

Grammar Point

복합관계형용사 whatever
「whatever+명사+주어+동사」의 형태로 쓰이며, 뒤에 오는 명사를 수식함과 동시에 관계사절을 이끈다. whatever는 명사절과 부사절을 이끌 수 있는데, 명사절을 이끌 때는 '무슨(어떤) ~이든', 부사절을 이끌 때는 '무슨(어떤) ~라도'라는 뜻이다. 명사절을 이끄는 「whatever+명사」는 「any+명사+that」으로 바꿔 쓸 수 있다.
e.g. He will eat **whatever** food his son makes for him.
　　 = He will eat **any food that** his son makes for him.
　　 (그는 그의 아들이 그를 위해 만들어 주는 모든 음식이든 먹을 것이다.)

cf. **복합관계대명사 whatever**
복합관계대명사는 명사절이나 양보부사절을 이끈다. 명사절을 이끌 때는 '~하는 것이 무엇이든지'라는 뜻으로 anything that으로 바꿔 쓸 수 있다. 양보부사절을 이끌 때는 '무엇이[을] ~하더라도'라는 뜻으로 no matter what으로 바꿔 쓸 수 있다.
e.g. I will follow **whatever** you do. (나는 네가 무엇을 하든지 따를 것이다.)
　　 = I will follow **anything that** you do.
　　 Whatever she said to him, he would not change his mind.
　　 (그녀가 그에게 무슨 말을 하더라도 그는 그의 마음을 바꾸지 않을 것이다.)
　　 = **No matter what** she said to him, he would not change his mind.

어구

additional 혱 추가의
· Please visit our website if you want to get *additional* information. (추가 정보를 얻기를 원하시면 저희 웹 사이트를 방문해 주세요.)
responsibility 몡 책임, 책임감
· You have to take *responsibility* for your actions. (너는 너의 행동에 대해 책임을 져야 한다.)

힌트

「any+명사+that」은 「whatever+명사」의 형태로 바꿔 쓸 수 있으며, 「whatever+명사」는 명사절을 이끄는 역할을 한다.

| 구문 해설 |

· If the result isn't **what you wanted**, don't blame others for your decision.: what은 선행사가 포함된 관계대명사로 what you wanted는 isn't의 보어로 쓰인 명사절이다.
· **Taking** responsibility will **help you learn** from good and bad decisions.: 동명사구 Taking responsibility가 주어이며, '~가 …하는 데 도움을 주다'라는 뜻의 「help+목적어+목적격 보어(동사원형/to부정사)」의 구문이 쓰였으며 이 문장에서 help는 목적격 보어로 동사원형을 취했다.

B Compare the words in bold and find the difference between them.

굵은 글씨로 된 단어들을 비교하고 그것들 사이의 차이점을 찾아봅시다.

> A   I'm afraid it **will rain** tomorrow.   내일 비가 올 것 같아.
>
> B   Unless we **have** a severe storm in the morning, we will hold the event as planned.   만일 아침에 폭우가 내리지 않는다면, 우리는 계획대로 행사를 개최할 거야.

● **Based on what you found, choose the appropriate expressions to complete the sentences.**

여러분이 찾은 것을 바탕으로 적절한 표현을 고르고 문장을 완성해 봅시다.

I have a problem. My Internet isn't working, and I need to use it.

What? Our presentation is tomorrow.

I'm not going to be able to work on it until the Internet will get / ✓gets fixed. The technician is going to be here around 6.

Okay, just do your best.

All right, thanks. Unless there will be / ✓is another problem, I'll be able to send you my part on time.

어구

severe ⓐ 심각한
·The party suffered *severe* losses during the last election. (그 정당은 지난 선거에서 극심한 손실을 겪었다.)
technician ⓝ 기술자, 기사
·The *technician* came to fix my TV. (기술자가 내 텔레비전을 고치러 왔다.)

힌트

until과 Unless는 각각 시간과 조건을 나타내는 부사절을 이끌고 있으며, 시간과 조건 부사절에서는 현재 시제로 미래 시제를 나타낸다.

| 구문 해설 |

·I'm not going to be able to work on it **until** the Internet **gets** fixed.: until은 '~할 때까지'라는 뜻으로 시간 부사절을 이끌고 있다. 시간과 조건 부사절에서 현재 시제로 미래를 나타내므로 주절은 am not going to be ~으로 미래를 나타내고, 시간 부사절인 until 이하는 현재형 gets로 미래 시제를 나타낸다.

·**Unless** there **is** another problem, I'll be able to send you my part on time.: unless는 '~하지 않는다면'이라는 「if ~ not」의 뜻으로 조건 부사절을 이끌고 있다. 시간과 조건 부사절에서 현재 시제로 미래를 나타내므로 주절은 will be able to send로 미래를 나타내고, 조건 부사절인 unless 이하는 현재형 is로 미래 시제를 나타낸다.

Lesson 4

| 해석 |--

M: 내게 문제가 있어. 인터넷이 작동하지 않는데, 난 그것을 사용해야 해.

W: 뭐라고? 우리 발표가 내일이야.

M: 인터넷이 고쳐질 때까지 나는 그것을 작업할 수 없을 거야. 기술자가 6시쯤 이리로 올 거야.

W: 알겠어, 일단 최선을 다해.

M: 알겠어, 고마워. 만일 다른 문제가 생기지 않는다면, 네게 내 부분을 시간에 맞춰 보낼 수 있을 거야.

Grammar Point

시간, 조건을 나타내는 부사절의 미래 시제

when, before, after 등으로 시간을 나타내는 부사절이나 if, unless 등으로 조건을 나타내는 부사절에서는 현재 시제로 미래를 표현한다. 따라서 미래 시제를 나타내는 주절과 종속절이 있는 문장은 부사절에서는 현재 시제로 미래를 나타내지만, 주절에서는 미래 시제를 써야 함에 유의한다.

e.g. If it **rains** tomorrow, I will not go out. (내일 비가 온다면 나는 밖에 나가지 않을 거야.)

Unless something unexpected **happens**, I'**ll see** you tomorrow. (예상치 못한 일이 생기지 않으면 내일 너를 볼 것이다.)

They **will tell** the story when he **comes** home. (그가 집에 올 때 그들은 이야기를 할 것이다.)

I **will take** a shower after I **clean** my house. (나는 집을 청소한 후에 샤워를 할 거야.)

Before You Read

Reading Activator

A This is a scene from movie *The Matrix*. Read the comic strip below and then discuss with your partner what Neo should choose.

이것은 영화 'The Matrix'의 한 장면입니다. 아래 만화를 읽은 다음 Neo가 무엇을 선택해야 할지 짝과 토론해 봅시다.

내가 어디에 있는 겁니까?

Where am I?

Neo, 당신은 매트릭스, 일종의 가상현실에서 살고 있습니다.

Neo, you have been living in a Matrix, a kind of virtual reality.

그럼, 내 삶이 실제가 아니고 내가 꿈을 꾸게 하는 기계 속에 있다는 말입니까?

Then, you mean that my life is not real and I have been in a machine making me dream?

맞습니다. 당신의 가족, 직업, 그리고 집 …, 아무것도 존재하지 않습니다.

That's true. Your family, job, and house …, nothing exists.

만일 당신이 파란색 약을 먹는다면, 가상현실에 머무르게 될 것입니다.

If you take the blue pill, you will stay in virtual reality.

그러나 당신이 빨간색 약을 먹는다면, 현실과 마주하게 될 것입니다. 그러나 그것이 만족스럽지 않을 수도 있습니다.

But if you take the red pill, you will face reality. It might not be satisfying, though.

나는 행복하지만, 그건 진짜 내가 아니에요. 진짜 나를 찾아야 할까요? 내가 어떻게 해야 할까요?

I'm happy, but it's not the real me. Do I have to find the real me? What should I do?

어구

virtual 형 가상의
· New technology has enabled the development of an online '*virtual* library.' (새로운 과학 기술은 온라인 '가상 도서관'의 개발을 가능하게 했다.)

exist 동 존재하다

pill 명 알약
· Take this *pill* three times a day. (하루에 세 번 이 알약을 드세요.)

Sample I think Neo should choose the red pill. It is more important for him to face reality than to stay in virtual reality. 나는 Neo가 빨간색 약을 선택해야 한다고 생각한다. 그가 가상현실에 안주하는 것보다 현실을 마주하는 것이 더 중요하다.

Word Booster

B Complete the following sentences using the appropriate words from the box.

보기에서 적절한 단어를 사용하여 다음 문장들을 완성해 봅시다.

ⓐ nudge: to push something or someone gently 살살 밀다: 어떤 것이나 사람을 부드럽게 밀다

ⓑ stimulate: to cause a response in something 자극하다: 어떤 것의 반응을 야기하다

ⓒ address: to give attention to or deal with a matter or problem
다루다, 처리하다: 어떤 일이나 문제에 주의를 기울이거나 다루다

1. · Good discussions ⓑ stimulate people's minds in a positive way.
좋은 토론은 긍정적인 방법으로 사람들의 마음을 자극한다.

· The drugs ⓑ stimulate damaged tissues into repairing themselves.
그 약은 손상된 세포 조직을 스스로 고치도록 자극한다.

2. · I ⓐ nudge (e)d the cat off the chair so that I could sit down.
나는 내가 앉을 수 있도록 고양이를 의자에서 슬쩍 밀어냈다.

· I ⓐ nudge (e)d him and whispered, "Look who's just come in."
나는 그를 밀어내면서 "누가 들어오는지 봐요."라고 속삭였다.

3. · Your writing doesn't ⓒ address the real issues of our society.
너의 글은 우리 사회의 진짜 쟁점에 대해 다루지 않는다.

· Airports are trying to ⓒ address security concerns without causing inconvenience to passengers. 공항은 승객의 불편을 야기하지 않고 보안 문제를 다루려고 노력하고 있다.

어구

nudge 동 슬쩍 밀다
· She *nudged* me out of the way. (그녀는 길을 비키도록 나를 슬쩍 밀었다.)

stimulate 동 자극하다
· The exhibition has *stimulated* interest in her work. (그 전시회는 그녀의 작품에 대한 관심을 자극했다.)

address 동 다루다
· Your essay does not *address* the current issues. (너의 에세이는 현재 쟁점에 대해서 다루지 않는다.)

교과서 p. 88

Brain Teasers for Thinking

❶ [From seemingly unimportant daily choices, like deciding what to eat for lunch, to huge life-changing decisions, like choosing our future career], we face many situations [where we have to make difficult decisions]. ❷ Some of these situations could be dilemmatic, [requiring you to make a difficult choice between two or more alternatives]. ❸ Read the following stories and think about [how you would react in each of the dilemmatic situations].

A부터 B까지 / 부사 / 형용사 / 명사 / ~ 같은 / 「의문사+to부정사」 무엇을 할지 / ~ 같은 / 부사구 / 주어 / 동사 / 관계부사절 / 분사구문: 이유 (= because they require ~) / 의문사절: think about의 목적어절

구문 연구

❶ **From** seemingly unimportant daily choices, **like** deciding what to eat for lunch, **to** huge life-changing decisions, **like** choosing our future career, ~.: 'A부터 B까지'라는 뜻의 「From A to B」 표현이 쓰였으며 A에 해당하는 부분은 seemingly ~ lunch이고 B에 해당하는 부분은 huge life ~ career이다. like는 '~ 같은'이라는 뜻의 전치사로 뒤에 동명사(구)를 취한다. 두 개의 like가 각각 seemingly unimportant daily choices와 huge life-changing decisions의 예를 들고 있다.

❷ Some of these situations could be dilemmatic, **requiring you to make** a difficult choice ~.: requiring 이하는 이유를 나타내는 분사구문으로 because they require ~의 의미를 나타낸다. requiring you to make는 '~(목적어)가 …(목적격 보어)하도록 요구하다'라는 뜻의 「require+목적어+목적격 보어(to부정사)」의 형태로 쓰인 것이다.

❸ **Read** the following stories and **think** about **how** you would react in each of the dilemmatic situations.: 동사원형 Read와 think로 시작하는 두 개의 명령문을 and가 병렬 연결하고 있다. how는 의문사로 동사구 think about의 목적어절을 이끈다.

Pay Attention

L4 Some of these situations could be dilemmatic, **requiring** you to make a difficult choice between two or more alternatives.

requiring 이하는 이유를 나타내는 분사구문이다.

| 해석 |

생각해야 할 어려운 문제들

❶ 점심에 무엇을 먹을지 결정하는 것 같은 보기에 중요하지 않아 보이는 매일 하는 선택에서부터, 미래 직업을 선택하는 것 같은 인생을 바꾸는 결정까지, 우리는 어려운 결정을 내려야 하는 많은 상황들을 마주한다. ❷ 이 중 어떤 상황들은 둘 혹은 그 이상의 대안 사이에서 어려운 선택을 요구하기 때문에 딜레마가 될 수 있다. ❸ 다음 이야기들을 읽고 각 딜레마 상황에서 여러분이 어떻게 반응할지 생각해 보자.

어구

dilemmatic [형] 딜레마의, 진퇴양난이 된
· He found himself facing a moral *dilemmatic* situation. (그는 도덕적 딜레마 상황에 직면한 자신을 발견했다.)

alternative [명] 대안, 양자택일
· We have no *alternative* but to leave here. (우리는 여기를 떠나는 것 말고는 대안이 없다.)

Check Up

01 다음 문장에서 어법상 틀린 부분을 찾아 바르게 고치시오.

(1) I did a lot of housework, from cleaning my room to do the dishes.

(2) I was waiting for my son at the bus stop, read the newspaper.

02 우리말과 일치하도록 주어진 어구를 활용하여 빈칸에 알맞은 말을 쓰시오.

위대한 사람이 되고 싶다면, 그냥 네 최선을 다하고, 다른 사람들에게 친절하라.

If you want to be a great person, ______________ ______________________________.

(kind, do one's best, others)

교과서 p. 88

1. To Plug in or Not?

❶ Imagine scientists have come up with an amazing new invention called the Experience Machine. ❷ It works like this: You go into a lab and sit down with the staff and tell them about everything you've ever wanted to do in life. ❸ Then, you put on some gear that connects to the machine and go into a tank of fluid. ❹ The scientists induce you into a coma that you will never awaken from. ❺ The machine will stimulate your brain, and you'll think and feel that you are doing the things that you have always desired. ❻ This allows you to have whatever experiences you want for the duration of your life. ❼ In this virtual reality, you are happy.

Q What does the Experience Machine allow you to do?
'경험 기계'가 여러분이 할 수 있도록 해 주는 것은 무엇입니까?

Sample This allows us to have whatever experiences we want for the duration of our life.
이것은 우리가 우리의 인생 동안 원하는 어떤 경험이든 하게 한다.

구문 연구

❶ **Imagine** scientists have come up with an amazing new invention **called** the Experience Machine.: 동사원형 Imagine으로 시작하는 명령문이다. Imagine 뒤에는 목적어절을 이끄는 접속사 that이 생략되었고, an amazing new invention을 수식하는 과거분사 called 앞에는 「주격 관계대명사+be동사」 which is가 생략되었다.

❸ Then, you **put** on some gear **that** connects to the machine and **go** into a tank of fluid.: 동사 put과 go가 and로 인해 병렬 연결되었다. 주격 관계대명사 that이 이끄는 that connects to the machine은 선행사로 문장의 목적어인 some gear를 수식한다.

❺ ~ and you'll think and feel **that** you are doing the things **that** you have always desired.: 첫 번째 that은 think and feel의 목적어인 명사절을 이끄는 접속사이고, 두 번째 that은 선행사 the things를 수식하는 목적격 관계대명사이다.

❻ This **allows** you **to have whatever experiences you want** for the duration of your life.: 'A가 ~하게 하다'라는 의미의 「allow A to부정사」 구문이 쓰였으며 experiences를 수식하는 복합관계형용사 whatever가 이끄는 절은 to have의 목적어로 쓰였다.

Pay Attention

L19 This allows you to have **whatever experiences** you want for the duration of your life.
복합관계형용사 whatever가 명사 experiences를 수식하여 '어떤 ~이든'의 의미를 나타낸다.

| 해석 |

1. 접속할 것인가 말 것인가?
❶ 과학자들이 '경험 기계'라고 불리는 엄청난 새로운 발명을 하게 되었다고 상상해 보자. ❷ 그것은 이렇게 작동한다. 여러분이 실험실에 들어가서 직원들과 자리에 앉아서 그들에게 여러분이 인생에서 하고 싶었던 모든 것들을 이야기한다. ❸ 그러고 나서 여러분은 기계에 접속하는 몇 개의 장치를 장착하고 액체 탱크로 들어간다. ❹ 과학자들은 여러분을 다시는 깨어나지 못할 혼수상태로 유도한다. ❺ 그 기계는 여러분의 뇌를 자극하고, 여러분은 여러분이 항상 바라던 것들을 하고 있다고 생각하고 느낄 것이다. ❻ 이것은 여러분이 여러분의 인생 동안 원하는 어떤 경험이든 하게 한다. ❼ 이 가상 현실에서 여러분은 행복하다.

어구

gear 명 장비
fluid 명 액체
induce 동 유도하다, 설득하다
· Camomile tea can settle your stomach and *induce* sleep. (캐모마일 차는 위를 달래 주고 수면을 유도한다.)
coma 명 혼수상태
stimulate 동 (~을) 자극하다
duration 명 기간
· The school was used as a hospital for the *duration* of the war. (그 학교는 전쟁 기간 중에 병원으로 쓰였다.)

Check Up

01 다음 문장에서 어법상 틀린 부분을 찾아 바르게 고치시오.
(1) I have a great friend in my hand calling 'Smartphone.'
(2) Smartphones allow us communicate with others easily.

02 우리말과 일치하도록 주어진 어구를 활용하여 영작하시오.
이 학교에서 너는 네가 원하는 어떤 수업이든 들을 수 있다.

____
(whatever, take, classes, at this school)

❶ Of course, you wouldn't know [that you were in the tank; you'd think [that everything was all actually happening]. ❷ Maybe you wouldn't have a good reason to deny something substantially better than reality—even if it was "artificial." ❸ But what about human dignity? ❹ And the satisfaction of our "true" desires? ❺ The truth is that you would just be floating in a tank filled with fluid. ❻ If the Experience Machine was available to you and guaranteed to work flawlessly, would you plug into it for life, [pre-programming your life experiences?

Q Would you plug into the Experience Machine? Why or why not?
여러분은 '경험 기계'에 접속할 것입니까? 왜 접속할 것입니까 아니면 왜 접속하지 않을 것입니까?

Sample I would not plug into the machine. My life might not be perfect, but I love my life because it's my own. 나는 기계에 접속하지 않을 것이다. 내 삶은 완벽하지 않지만 나는 그것이 내 자신의 것이기 때문에 내 삶을 사랑한다.

구문 연구

❶ Of course, you **wouldn't know that** you were in the tank; you'd think **that** everything was all actually happening.: 가정법의 주절이므로 동사 would't know가 쓰였고, 두 개의 that 모두 명사절을 이끄는 접속사이다. 세미콜론 (;)은 앞 문장과 연결성이 강할 때 사용하는 문장 부호로 이 문장에서는 and의 뜻으로 쓰였다.

❷ Maybe you **wouldn't have** a good reason to deny something substantially better than reality — even if it **was** "artificial.": 가정법의 의미를 포함하고 있는 주절이므로 동사 wouldn't have가 쓰였으며 양보 부사절 even if절에도 과거형 was가 사용되었다.

❺ The truth is **that** you **would** just **be** floating in a tank **filled** with fluid.: that은 보어절을 이끄는 접속사이며, that절 역시 가정법 동사로 would be가 사용되었다. filled 이하는 앞의 명사 a tank를 수식하는 과거분사구로 쓰였다.

❻ **If** the Experience Machine **was** available to you and **guaranteed** to work flawlessly, **would** you **plug** into it for life, **pre-programming** your life experiences?: 가정법 과거 조건절과 주절이 모두 있는 의문문으로 조건절의 동사 was와 guaranteed는 과거형으로 쓰였으며 주절의 동사는 「would+동사원형」인 would plug가 쓰였다. pre-programming 이하는 동시 상황을 나타내는 분사구문으로 and you would pre-program ~으로 바꿔 쓸 수 있다.

One More Step
L4 Choose the word that has a similar meaning to *artificial*.
'인위적인'과 비슷한 의미를 가진 단어를 골라 봅시다.

ⓐ artistic 예술적인
ⓑ genuine 진짜의
✓ⓒ unnatural 자연스러운 것이 아닌
ⓓ state-of-the-art 최신식의

| 해석 |------------------------

❶ 당연히 여러분은 여러분이 탱크에 있다는 것을 알지 못할 것이다. 그리고 여러분은 모든 것이 실제로 일어나고 있다고 생각할 것이다. ❷ 아마도 여러분은 그것이 비록 '인위적인 것'일지라도 현실보다 상당히 더 나은 것을 거절할 타당한 이유가 없을 것이다. ❸ 하지만 인간의 존엄성은 어떤가? ❹ 그리고 우리의 '진정한' 욕구에 대한 만족은? ❺ 사실은 여러분이 액체로 가득 찬 탱크에 떠있을 뿐이라는 것이다. ❻ 만약 '경험 기계'가 사용 가능하고 결점 없이 작동할 것이라는 보증이 된다면, 여러분은 여러분의 삶의 경험을 미리 프로그램하면서 일생 동안 그 기계에 접속할 것인가?

어구

substantially 🄫 상당히, 많이
artificial 🄐 인공적인, 인위적인
·He uses specially made *artificial* legs.
(그는 특수하게 만들어진 인공 다리를 사용한다.)
dignity 🄝 존엄, 위엄
float 🄥 (물에) 뜨다, 떠오르다
flawlessly 🄫 완벽하게, 흠 없이
pre-program 🄥 사전에 ~의 프로그램을 만들다
·The animals are *pre-programmed* by nature to behave in this way. (그 동물들은 이런 방식으로 행동하도록 선천적으로 사전에 프로그램 된다.)

Check Up

01 다음 문장에서 어법상 틀린 부분을 찾으시오.

The truth is ①that you would just be floating in a tank ②fill with fluid. If the Experience Machine was available to you and ③guaranteed to work flawlessly, would you plug into it for life, ④pre-programming your life experiences?

02 우리말과 일치하도록 주어진 어구를 활용하여 영작하시오.

내가 돈을 충분히 가지고 있다면, 나는 1년 동안 여행을 할 텐데.

_____

_____

(have enough money, travel, a year)

2. To Help or Not to Help?

❶ Thomas Nagel is a famed professor of philosophy at New York University. ❷ He addresses issues of non-interference and the meaningfulness of life in a story. ❸ One day, he noticed a little spider living in the urinal of the restroom at Princeton University, where he was teaching.

"❹ The spider appeared to have an awful life, living in a smelly and dirty place. ❺ He didn't seem to like it. ❻ Whenever I went to the restroom, the spider seemed to try to scramble out of the way. ❼ Often, he would get caught, fall, and get soaked by the flushing water. ❽ The worst part was that there was no way for the spider to get out and no way to tell if he even wanted to. ❾ None of the other students or professors did anything to alter the situation.

❿ One day toward the end of the term, I took a paper towel from the wall dispenser and extended it to him. ⓫ His legs grasped the end of the towel, and I lifted him out and placed him on the floor. ⓬ He just sat there, not moving a muscle. ⓭ I nudged him to go anywhere he wanted."

Q What did Thomas Nagel do to alter the spider's situation?
Thomas Nagel은 거미의 상황을 바꾸기 위해 무엇을 했습니까?

Sample He took a paper towel from the wall dispenser and extended it to the spider. Then, he lifted him out and placed him on the floor. 그는 종이 타월 한 장을 벽에 걸린 디스펜서에서 빼내 거미에게 내밀었다. 그러고 나서 그는 그를 들어 올려서 바닥에 내려놓았다.

구문 연구

❸ One day, he **noticed a little spider living** in the urinal of the restroom at Princeton University, **where** he was teaching.: 지각동사 notice, 목적어 a little spider, 목적격 보어 living이 쓰인 문장이며, 거미의 현재 상황을 표현하므로 '진행'의 의미를 가진 현재분사를 썼다. 관계부사 where가 이끄는 절이 Princeton University를 수식한다.

❹ The spider appeared to have an awful life, **living** in a smelly and dirty place.: 현재분사 living은 동시 상황을 나타내는 분사구문을 이끌며 as he lived ~로 바꿔 쓸 수 있다.

❻ **Whenever** I went to the restroom, the spider seemed to try to scramble out of the way.: Whenever는 시간이나 양보를 나타내는 부사절을 이끄는 복합관계부사로 이 문장에서는 '~할 때마다'라는 뜻으로 시간 부사절을 이끌며 any time (that/when)으로 바꿔 쓸 수 있다.

❽ The worst part was **that** there was **no way** for the spider **to get** out and **no way to tell** if he even **wanted to**.: that은 문장의 보어절을 이끌고 있다. that절의 실질 주어인 두 개의 no way는 각각 to부정사 to get과 to tell의 수식을 받고 있으며, to tell은 if절을 목적어로 취한다. if절의 동사 want의 목적어는 to get out인데 앞부분과 중복을 피하기 위해 get out을 생략한 대부정사 to를 썼다.

⓬ He just sat there, **not moving** a muscle.: not moving 이하는 동시 상황을 나타내는 분사구문으로 분사구문을 부정할 때는 분사 앞에 not을 쓴다. 이 분사구문은 as he did not move ~로 바꿔 쓸 수 있다.

Pay Attention

L8 Whenever I went to the restroom, the spider seemed to try to scramble out of the way.
복합관계부사 whenever는 이 문장에서 '~할 때마다'라는 뜻으로 시간의 부사절을 이끌며 any time (that/when)과 바꿔 쓸 수 있다. 또한 '언제 ~하더라도'라는 뜻으로 양보의 부사절을 이끌어 no matter when과 바꿔 쓸 수 있다.

L18 He just sat there, not **moving** a muscle.
moving 이하는 분사구문으로 쓰였으며 분사구문을 부정할 때는 not을 분사 앞에 쓴다.

| 해석 |

2. 도울 것인가 말 것인가?

❶ Thomas Nagel은 뉴욕 대학교의 저명한 철학 교수이다. ❷ 그는 이 이야기에서 불간섭과 삶의 유의미성이라는 문제를 다룬다. ❸ 어느 날, 그는 자신이 가르치고 있던 프린스턴 대학교의 화장실 소변기에 살고 있는 작은 거미를 발견했다.

"❹ 그 거미는 냄새나고 더러운 곳에 살면서 끔찍한 인생을 사는 것처럼 보였어요. ❺ 그는 그것을 좋아하지 않는 것처럼 보였죠. ❻ 제가 화장실에 갈 때마다, 거미는 허둥지둥 기어나가려 노력하는 것처럼 보였습니다. ❼ 그는 자주 변기 물에 잡히고, 굴러 떨어지고, 빠졌습니다. ❽ 최악의 것은 거미가 그곳을 나갈 수 있는 방법이 없었고, 그가 (그곳을 나가기를) 원하는지 아닌지 말할 방법도 없었다는 것입니다. ❾ 다른 학생들이나 교수 중 아무도 그 상황을 바꾸기 위해 무언가를 하지 않았습니다.

❿ 학기 말 무렵 어느 날, 저는 종이 타월 한 장을 벽에 걸린 디스펜서에서 빼내 그에게 내밀었습니다. ⓫ 그의 다리는 타월의 끝을 붙잡았고, 나는 그를 들어 올려서 바닥에 내려놓았습니다. ⓬ 그는 근육 하나 움직이지 않고 그곳에 그저 앉아 있었습니다. ⓭ 나는 그가 원하는 어디로든 가라고 그를 슬쩍 밀었습니다."

어구

famed (형) 유명한 (유) famous
address (동) (문제를) 다루다
non-interference (명) 불간섭
urinal (명) (남자 화장실의) 소변기
scramble (동) 기어오르다
soak (동) ~에 푹 담그다, 흠뻑 적시다
alter (동) 변하다, 고치다 (유) modify, change
grasp (동) 붙잡다, 쥐다

교과서 p. 91

❶ Was it okay for Nagel to act out of empathy, [assuming [that the spider would fare better — and perhaps even enjoy life — outside of its normal existence]? ❷ After Nagel put the spider on the floor, it didn't move. ❸ He left and came back two hours later. ❹ He found [that the spider had drowned in some water, [probably while the restroom was being cleaned]]. ❺ This leads to a dilemma: [Even though our intentions are good], should we interfere in others' lives? ❻ What if our interference accidentally causes unexpected harm?

(it: 가주어 / for Nagel: 의미상 주어 / to act: 진주어 / 분사구문: 동시 상황 (= as he assumed ~) / assuming의 목적어절 / it = the spider / found의 목적어절 / had drowned: 대과거 / 시간 부사절 / was being cleaned: 과거 진행 수동태 (was(were)+being+p.p.) / 양보 부사절 / What if: ~라면 어떨까)

[Q] Do you think Thomas Nagel's behavior was right or wrong?
여러분은 Thomas Nagel의 행동이 옳았다고 생각합니까 아니면 틀렸다고 생각합니까?

[Sample] Even though his intention was good, he harmed the spider. Thus, I think his behavior was wrong. 그의 의도가 선하다 할지라도 그는 거미에게 해를 끼쳤다. 그러므로 나는 그의 행동이 틀렸다고 생각한다.

구문 연구

❶ Was **it** okay **for Nagel to act** out of empathy, **assuming that** the spider would fare better ~?: it이 가주어, to act 이하가 진주어, for Nagel이 의미상 주어로 쓰인 의문문이다. assuming은 동시 상황을 나타내는 분사구문으로 as he assumed ~로 바꿔 쓸 수 있다. that이 이끄는 절은 분사 assuming의 목적어절이다.

❹ He found **that** the spider **had drowned** in some water, probably **while** the restroom **was being cleaned**.: that은 found의 목적어절을 이끌며, 거미가 익사한 것은 Nagel이 거미를 발견한 것보다 이전의 일이므로 that절의 동사는 주절의 동사 found보다 한 시제 앞선 대과거 시제 had drowned로 쓰였다. while은 시간 부사절을 이끌며, while이 이끄는 절의 동사는 화장실이 누군가에 의해 청소되고 있었음을 나타내기 위해 과거 진행 수동태 was being cleaned가 쓰였다.

Grammar Check

◆ 복합관계부사 whenever

복합관계부사 whenever는 '시간'이나 '양보'를 나타내는 부사절을 이끈다.

e.g. You can ask for help **whenever** you need it. 〈시간 부사절〉
(네가 필요할 때는 언제나 도움을 요청할 수 있다.)
= You can ask for help any time (that) you need it.
Whenever you email us, we'll respond within ten minutes. 〈양보 부사절〉
(당신이 우리에게 언제 이메일을 보내도 우리는 십 분 내에 답장할 것이다.)
= No matter when you email us, we'll respond within ten minutes.

Highlight

Highlight all the instances of *it* and find what each means.
'it'의 모든 쓰임을 표시하고 각각 무엇을 의미하는지 찾아봅시다.
[정답] ① it: to act out of empathy
② it: the spider on the floor

Pay Attention

L5 He **found** that the spider **had drowned** in some water, ...
주절의 과거 시제(found) 보다 거미가 물에 빠진 것이 과거 이전에 일어났던 일이므로 대과거 시제 had drowned가 쓰였다.

| 해석 |

❶ 거미가 자신의 평범한 생활을 벗어나 더 잘 살고, 아마도 그의 삶을 즐길 것이라고 가정하며, Nagel이 감정 이입하여 행동하는 것이 괜찮았을까? ❷ Nagel이 거미를 바닥에 내려놓은 후에 거미는 움직이지 않았다. ❸ 그는 그곳을 떠났다가 두 시간 후에 돌아왔다. ❹ 그는 아마도 화장실이 청소되는 동안 거미가 물에서 익사한 것을 발견했다. ❺ 이것은 딜레마로 이끈다. 즉, 우리의 의도가 선하다 할지라도 우리가 다른 사람의 삶에 개입해야 할까? ❻ 우리의 개입이 우연히 예기치 않은 피해를 야기한다면 어떨까?

어구

fare [동] ~하다, 잘 ~해내다
· You may go farther and *fare* worse. (지나치면 더 안 좋을 수 있다. = 과유불급)
existence [명] 생활; 존재
· He led a poor but happy enough *existence* as a child. (그는 어렸을 때 가난했지만 충분하게 행복한 생활을 했다.)
drown [동] 익사하다
interfere [동] 개입하다
· The police are very unwilling to *interfere* in family problems. (경찰은 가족 문제에 대해서는 개입하기를 무척 꺼린다.)

Lesson 4

Check Up

01 다음 문장에서 어법상 틀린 부분을 바르게 고치시오.
(1) I lost the umbrella that I buy the day before.
(2) A flock of birds appeared, covered the whole sky.

02 우리말과 일치하도록 주어진 어구를 활용하여 영작하시오.

표를 일찍 예매하는 것이 그들에게는 좋은 일이다.

It is ______________________.
(early, reserve, good, tickets)

교과서 p. 92

3. Who Dives First?

❶ There is a penguin (that is) [living in Antarctica with his friends]. ❷ They're completely surrounded by snow and ice. ❸ It is really hard for the penguin and his friends to find food, and quite literally they are starving. ❹ For survival, they must jump into the sea and hunt for fish. ❺ But the penguin hesitates and says to himself, "I'm so scared. The sea is full of dangers!" ❻ It's true. ❼ There might be a huge killer whale in the sea, [which no doubt would be very dangerous]. ❽ In fact, all the other penguins think the same thing, and they also wait to dive into the water [until others safely do it]. ❾ The penguin gets more and more hungry. ❿ [Unless he or one of his friends gathers the courage to jump], the situation will worsen. ⓫ [If you were the penguin], [what would you do]? ⓬ [Would you summon up the courage and become the first diver]? ⓭ Or [would you keep waiting for others to jump into the sea first]?

(There: 형식 주어 / is: 동사 / a penguin: 실질 주어 / It: 가주어 / for the penguin and his friends: 의미상 주어 / to find: 진주어 / jump … hunt: 병렬 구조 / himself: 재귀대명사 / which: 계속적 용법 (= and it) / until …: 시간 부사절 / gets more and more hungry: 「get+형용사」 ~하게 되다 / Unless …: 조건 부사절 / gathers: 현재 동사 (시간·조건 부사절에서는 현재 시제가 미래를 대신함) / If you were the penguin: 가정법 과거 조건절 / what would you do: 가정법 과거 주절 / ⓬: 조건절이 없는 가정법 과거 의문문 / ⓭: 조건절이 없는 가정법 과거 의문문 / keep waiting: 「keep -ing」 계속 ~하다)

구문 연구

❶ There is a penguin **living** in Antarctica with his friends.: living은 앞의 a penguin을 수식하는 현재분사이며 a penguin과 living 사이에 「주격 관계대명사+be동사」 that is가 생략되었다.

❸ **It** is really hard **for the penguin and his friends to find** food, and quite literally they are starving.: It은 가주어이고 to find 이하가 진주어이며 for the penguin and his friends가 의미상 주어이다.

❼ There might be a huge killer whale in the sea, **which** no doubt would be very dangerous.: 콤마(,) 다음에 쓰인 which는 계속적 용법의 관계대명사절을 이끌며 and it으로 바꿔 쓸 수 있다. 관계대명사 which는 선행사로 앞 문장 전체의 내용을 받는다.

❾ The penguin **gets more and more hungry**.: '~하게 되다'의 뜻을 가진 「get+형용사」와 '점점 더 ~하게 되다'의 뜻을 가진 「비교급 and 비교급」 구문이 쓰였다.

❿ **Unless** he or one of his friends **gathers** the courage to jump, the situation **will worsen**.: Unless가 이끄는 조건 부사절에서는 현재 시제가 미래를 나타내므로 동사의 현재형 gathers가 쓰였고, 주절에서는 미래 시제 그대로 나타내야 하므로 will worsen이 쓰였다.

⓫ **If** you **were** the penguin, what **would** you **do**?: 「If+주어+동사 과거형 ~, 조동사 과거형+주어+동사원형 ...?」 형태의 가정법 과거 의문문이다.

⓬ **Would** you **summon** up the courage and **become** the first diver?: 조건절이 없는 가정법 과거 의문문이며 동사 summon과 become이 병렬 구조를 이룬다.

⓭ Or **would** you **keep waiting for others to jump** into the sea first?: 조건절이 없는 가정법 과거 의문문이며, keep -ing는 '계속 ~하다'라는 의미이다. for others는 to부정사 to jump의 의미상 주어이다.

Pay Attention

L11 Unless he or one of his friends **gathers** the courage to jump, the situation will worsen.

unless 등이 이끄는 조건 부사절에서는 현재 시제가 미래를 대신한다.

One More Step

Choose the appropriate phrase related to the dilemma of the penguins.

펭귄의 딜레마와 관련된 적당한 표현을 골라 봅시다.

✓ⓐ Bell the cat. 고양이 목에 방울달기. (위험한 일을 떠맡다.)
ⓑ Walls have ears. 벽에도 귀가 있다. (낮말은 새가 듣고 밤말은 쥐가 듣는다.)
ⓒ Time flies like an arrow. 시간은 화살과 같이 흐른다. (시간이 빨리 흐른다.)
ⓓ Out of sight, out of mind. 눈에서 멀어지면, 마음에서도 멀어진다.

| 해석 |

3. 누가 먼저 뛰어들까?

❶ 남극에서 친구들과 함께 살고 있는 한 펭귄이 있다. ❷ 그들은 눈과 얼음으로 완전히 둘러 싸여 있다. ❸ 펭귄과 친구들은 먹이를 찾기가 너무 힘들고, 그들은 말 그대로 굶주리고 있다. ❹ 생존을 위해, 그들은 바다로 뛰어 들어가 물고기를 잡아야만 한다. ❺ 하지만 펭귄은 망설이며 "나는 너무 무서워. 바다에는 위험한 것들이 가득해!"라고 혼잣말을 한다. ❻ 그것은 사실이다. ❼ 바닷속에는 거대한 범고래가 있을지도 모르는데, 그것은 의심할 여지 없이 매우 위험할 것이다. ❽ 사실, 다른 모든 펭귄들도 똑같이 생각하고, 그들 역시 다른 펭귄들이 그것을 안전하게 해낼 때까지 물속으로 다이빙하는 것을 기다리고 있다. ❾ 펭귄은 점점 배가 고프게 된다. ❿ 그나 그의 친구들 중 하나가 뛸 용기를 모으지 않으면 상황은 더 나빠질 것이다. ⓫ 여러분이 만약 그 펭귄이라면 어떻게 할 것인가? ⓬ 여러분은 용기를 내서 첫 번째 다이버가 될 것인가? ⓭ 아니면 다른 이들이 먼저 바다에 뛰어들기를 계속 기다릴 것인가?

어구

Antarctica [명] 남극 (대륙)
literally [부] 말[문자] 그대로
starve [동] 굶주리다
hesitate [동] 주저하다, 망설이다
· I didn't *hesitate* for a moment before taking the job. (나는 그 일을 하기 전에 잠시도 망설이지 않았다.)
summon up the courage 용기를 내다

⑭ How would you react in each of the three dilemmatic situations? ⑮ Answering this question is not so easy. ⑯ In your personal life, you probably encounter similar situations. ⑰ In these situations, [where you have to make tough decisions], try to step back and think things through. ⑱ This will help you make wiser decisions.

(Answering: 주어 (동명사) / is: 동사 (단수) / these situations: 선행사 / where ~ decisions: 관계부사절 / to step ~ think: 병렬 구조 / help you make: help+목적어+목적격 보어(동사원형))

| 해석 |

⑭ 여러분은 이 세 가지의 딜레마 상황에서 어떻게 반응할 것인가? ⑮ 이 질문에 답하는 것은 그렇게 쉽지 않다. ⑯ 여러분의 개인 삶에서 여러분은 아마도 비슷한 상황을 마주칠 수 있다. ⑰ 어려운 결정을 해야 하는 이런 상황에서, 뒤로 물러나 충분히 그 상황을 생각하려고 노력해 보라. ⑱ 이것이 여러분이 더 현명한 결정을 내리도록 도와줄 것이다.

어구

encounter [동] 접하다, 맞닥뜨리다

[유] meet, face

· We *encountered* a number of difficulties in the first week. (우리는 첫째 주에 몇 가지 어려움에 맞닥뜨렸다.)

think through 충분히 생각하다

· I didn't *think through* the consequences of the project. (나는 그 프로젝트의 결과에 대해서 충분히 생각하지 않았다.)

[Q] Why are the penguins afraid of jumping into the sea first?

왜 펭귄들은 먼저 바다에 뛰어드는 것을 두려워합니까?

[정답] They are afraid because the sea is full of dangers. There might be a huge killer whale in the sea, which no doubt would be very dangerous.
그들은 바다가 위험으로 가득하기 때문에 두려워한다. 바다 속에는 거대한 범고래가 있을지도 모르고, 그것은 의심할 여지 없이 매우 위험할 것이다.

[Q] Among the three dilemmas, which do you think would be the most difficult one to deal with?

세 개의 딜레마 중에서 여러분은 어떤 것이 해결하기에 가장 어려운 것이라고 생각합니까?

[Sample] I think the third dilemma would be the most difficult one to deal with. I'm not sure if I'd be the first penguin to jump.
세 번째 딜레마가 해결하기에 가장 어려운 것이라고 생각한다. 나는 (바다에) 뛰어들 첫 번째 펭귄이 될지 확신할 수 없다.

구문 연구

⑭ **How would you react** in each of the three dilemmatic situations?: 조건절이 없는 가정법 과거 의문문이다.

⑮ **Answering** this question **is** not so easy.: 문장의 주어가 동명사 Answering이므로 동사로 단수형 is가 쓰였다.

⑯ In these situations, **where** you have to make tough decisions, try **to step** back and **think** things through.: 관계부사 where가 이끄는 절 where ~ decisions가 선행사 these situations를 수식한다. 주절은 동사원형 try로 시작하는 명령문으로 to step과 think가 try에 연결되어 병렬 구조를 이룬다.

⑰ **This** will **help you make** wiser decisions.: This는 앞 문장 전체 내용을 지칭하며, 「help+목적어+목적격 보어(동사원형)」의 구조가 쓰였다.

Check Up

01 다음 문장에서 어법상 틀린 부분을 찾아 바르게 고치시오.

(1) We will leave the cups untouched unless they will need to be cleaned.

(2) This charity aims to help people helping themselves.

02 우리말과 일치하도록 주어진 어구를 활용하여 영작하시오.

나는 새 가방을 샀지만, 그것은 쓸모없었다.

____

(which, purchase, useless, a new bag)

Lesson 4

After You Read

Text Miner

A **Fill in the blanks with the expressions in the box to complete the summaries of the dilemmas.** 보기에서 알맞은 표현으로 빈칸을 채워 딜레마에 관한 요약문을 완성해 봅시다.

1. With the Experience Machine, you can have whatever ___experiences___ you want for the duration of your life. However, you will be induced into ___a coma___, floating in a tank. Would you ___plug into___ the Experience Machine for life, pre-programming your life experiences?

2. Thomas Nagel addresses issues of non-interference and the meaningfulness of life in a story about ___a spider___ in a restroom urinal. He tried to help the spider, but eventually the spider died. Even though our intentions are good, should we ___interfere___ in others' lives? What if it could cause unexpected harm?

3. For survival, penguins have to jump into the sea and hunt for fish. But the sea is full of ___dangers___. They wait to dive into the water until others safely do it. Would you summon up the courage and become ___the first diver___ or keep ___waiting___ for others to jump into the sea first?

| a coma |
| waiting |
| a spider |
| dangers |
| plug into |
| interfere |
| experiences |
| the first diver |
| unexpected harm |

| 해석 |

1. '경험 기계'로, 여러분은 일생 동안 하고 싶었던 어떤 경험이든 할 수 있다. 그러나 여러분은 탱크 안에서 떠 있는 채 혼수상태로 유도될 것이다. 여러분은 여러분의 삶의 경험을 미리 프로그래밍하면서 일생 동안 그 '경험 기계'에 접속할 것인가?

2. Thomas Nagel은 화장실 소변기에 있는 거미에 관한 이야기에서 불간섭과 삶의 유의미성이라는 문제를 다룬다. 그는 거미를 돕고자 했지만, 결국 거미는 죽었다. 우리의 의도가 선하다 할지라도 우리가 다른 사람의 삶에 개입해야 하는가? 그것이 예치치 않은 피해를 야기할 수 있다면 어떨까?

3. 생존을 위해서 펭귄들은 바다 속으로 뛰어들어야 하고 물고기를 사냥해야 한다. 그러나 바다는 위험으로 가득하다. 그들은 다른 이들이 그것을 안전하게 할 때까지 물에 뛰어드는 것을 기다린다. 여러분은 용기를 모아 첫 번째 다이버가 될 것인가 아니면 다른 이들이 먼저 바다 속으로 뛰어들기를 기다릴 것인가?

Reading Enhancer

B **Read the comic strip and consider whether the girl's action is good or bad. Share your thoughts with your partner.**
만화를 읽고 소녀의 행동이 좋은지 나쁜지 생각해 봅시다. 여러분의 생각을 짝과 함께 공유해 봅시다.

어구

abandon 통 버리다, 유기하다
·Once you adopt a pet, you should not *abandon* it. (일단 애완동물을 입양하면 그것을 버려서는 안 된다.)
shelter 명 보호소, 쉼터; 주거지
·The hairdresser volunteered at a homeless *shelter*. (그 미용사는 노숙자 쉼터에서 자원봉사를 했다.)

너 정말 귀엽다. 그런데 배고프고 추워 보여. 네 엄마는 어디에 있니?

You are so cute. But you look hungry and cold. Where is your mom?

아마도 엄마가 너를 버린 것 같아. 내가 너를 동물 보호소에 데려다줄게.

Maybe your mom abandoned you. I'll take you to the animal shelter.

I am just sleeping here. Who are you?

저는 여기서 자고 있을 뿐이에요. 누구세요?

No, please don't. My mom will be back soon. Where are you taking me?

안 돼, 그러지 마세요. 우리 엄마가 곧 돌아올 거예요. 저를 어디로 데려가는 거예요?

Sample Even though the girl's intention was good, she ended up harming the baby cat. In my opinion, she should have considered the results of her actions in more detail.
소녀의 의도가 선했다 할지라도 그녀는 결국 아기 고양이에게 피해를 입혔다. 내 의견으로는 그녀가 그녀의 행동에 대한 결과를 좀 더 세심하게 고려했어야 했다.

Writing Lab
A Paragraph with Contrasting Points
비교할 사항이 있는 글

■ There are many works like *Harry Potter* or *The Lord of the Rings* which are books and movies. Which do you prefer, reading books or watching movies?
책과 영화인 'Harry Potter(해리 포터)'나 'The Lord of the Rings(반지의 제왕)' 같은 많은 작품들이 있습니다. 여러분은 책을 읽는 것 또는 영화를 보는 것 중 어느 것을 더 선호합니까?

STEP 1 **Think about the characteristics of movies and books.**
영화와 책의 특징에 대해 생각해 봅시다.

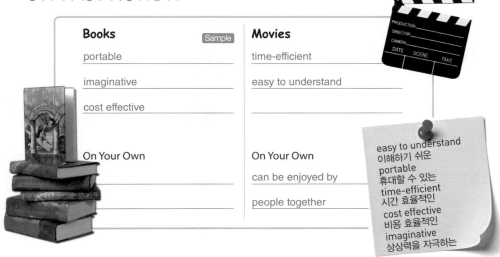

Books [Sample]	Movies
portable	time-efficient
imaginative	easy to understand
cost effective	
On Your Own	On Your Own
	can be enjoyed by
	people together

easy to understand 이해하기 쉬운
portable 휴대할 수 있는
time-efficient 시간 효율적인
cost effective 비용 효율적인
imaginative 상상력을 자극하는

STEP 2 **Complete the following table with sentences to support your ideas.**
여러분의 아이디어를 뒷받침하는 문장으로 다음 표를 완성해 봅시다.

[Sample]	Characteristics 특징	Supporting Details 뒷받침 세부 내용
Books 책	They are portable. 휴대할 수 있다.	Wherever I am, I can enjoy reading books. 내가 어느 장소에 있든지 책 읽는 것을 즐길 수 있다.
	They are imaginative. 상상력을 자극한다.	I can imagine what I am reading in my mind. There is no limit. 읽는 것을 마음속에서 상상할 수 있다. (상상의) 제한이 없다.
	They are cost effective. 비용 효율적이다.	I only need to pay for the book. 책값만 지불하면 된다.
Movies 영화	They are time-efficient. 시간 효율적이다.	Usually movies last about two hours, while books take much longer to finish. 영화는 대개 두 시간 정도 계속되는 반면에 책은 끝내는 데 더 오래 걸린다.
	They are easy to understand. 이해하기에 쉽다.	I can see what is happening in front of me. 내 앞에서 어떤 일이 일어나는지 볼 수 있다.
	They can be enjoyed by people together. 사람들과 같이 즐길 수 있다.	I can see movies together with my friends. 친구들과 함께 영화를 볼 수 있다.

[어구]
characteristic [명] 특징
portable [형] 휴대가 쉬운, 휴대용의
· How much does a light *portable* computer weigh? (가벼운 휴대용 컴퓨터의 무게가 어느 정도 나갑니까?)

Decide which you like more: reading books or watching movies. Then, develop the following comparison paragraph with your opinion.

책을 읽는 것 또는 영화를 보는 것 중 어느 것이 더 좋은지 결정해 봅시다. 그러고 나서 여러분의 의견으로 다음 비교 글의 내용을 전개해 봅시다.

어구

comparison 몡 비교, 비유
personally 묀 개인적으로, 직접

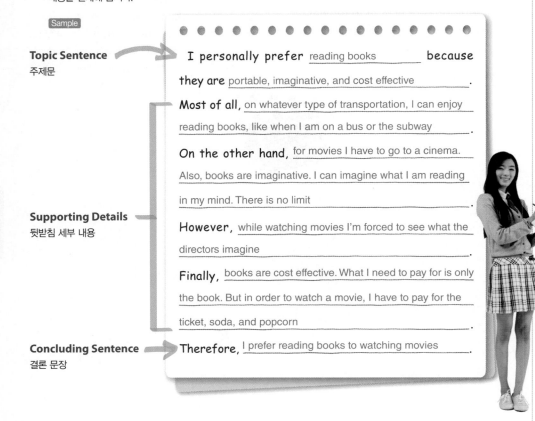

Topic Sentence
주제문

Supporting Details
뒷받침 세부 내용

Concluding Sentence
결론 문장

Sample

I personally prefer reading books because they are portable, imaginative, and cost effective .

Most of all, on whatever type of transportation, I can enjoy reading books, like when I am on a bus or the subway .

On the other hand, for movies I have to go to a cinema. Also, books are imaginative. I can imagine what I am reading in my mind. There is no limit .

However, while watching movies I'm forced to see what the directors imagine .

Finally, books are cost effective. What I need to pay for is only the book. But in order to watch a movie, I have to pay for the ticket, soda, and popcorn .

Therefore, I prefer reading books to watching movies .

| 해석 |- -

나는 개인적으로 책을 읽는 것을 선호하는데 책은 휴대할 수 있고, 상상력을 자극하며, 비용 효율적이기 때문이다. 무엇보다도 내가 버스나 지하철을 타고 있는 때와 같이 어떤 교통수단에서든지 책 읽는 것을 즐길 수 있다. 반면에, 영화의 경우 영화관에 가야 한다. 또한 책은 상상력을 자극한다. 읽고 있는 것을 마음속에서 상상할 수 있다. 제한이 없다. 그러나 영화를 보는 동안 나는 감독이 상상하는 것을 보도록 강요받는다. 마지막으로, 책은 비용 효율적이다. 책값만 지불하면 된다. 그러나 영화를 보기 위해서는 영화표, 청량음료, 그리고 팝콘 값을 지불해야 한다. 그러므로 나는 책 읽는 것을 영화를 보는 것보다 선호한다.

Self-Edit Read your paragraph and correct any mistakes.
자신의 글을 읽고 잘못된 부분을 고쳐 봅시다.

✔Peer Feedback	Outstanding	Good	Could do better
Main Idea 주제			
Supporting Details 뒷받침 내용			
Organization of Paragraph 단락 구성도			
Grammar / Punctuation 문법 / 구두법			
Reader's Comments: 읽은 이의 평가			

Wrap Up

The Last Item to Give Up

포기할 마지막 물품

교과서 p. 96

■ Imagine you have a big magic bag that can hold anything, regardless of size. You put eight precious items in the bag. But there is a problem. The bag gets smaller and smaller as time passes. You have to take out one item at a time as it shrinks.

여러분이 크기에 상관없이 어느 것이든 넣을 수 있는 큰 마술 주머니를 가지고 있다고 상상해 봅시다. 여러분은 주머니에 여덟 가지 소중한 물품을 넣습니다. 그러나 한 가지 문제가 있다. 그 주머니가 시간이 지나면서 점점 작아집니다. 여러분은 주머니가 한 번 줄어들 때마다 한 개의 물품을 꺼내야 합니다.

STEP 1 **Make a list of eight precious items you have or you want to have in the magic bag with your group members.**

모둠원들과 함께 마술 주머니에 넣을 것이나 넣고 싶은 여덟 가지 소중한 물품 목록을 작성해 봅시다.

Precious items

[Sample] camera, smartphone, money, family photo, food, credit card, earphones, diary

STEP 2 **Discuss what you will take out first. Then, repeat the steps until there is one item left in your bag.**

여러분이 먼저 꺼낼 것에 대해 의견을 나눠 봅시다. 그러고 나서 주머니에 한 개의 물품이 남을 때까지 (토론의) 단계를 반복해 봅시다.

| Sample Dialog |

A Okay, here are the eight items. What should we take out first?
B I think we should take out the camera first.
C Why do you think that?
B We still have a smartphone, which has a camera.
D Then, do we all agree to take out the camera first?
A I do. How about you, Jina?
C I'm okay with that.
D Unless there is no other opinion, let's move on to the second item to take out.

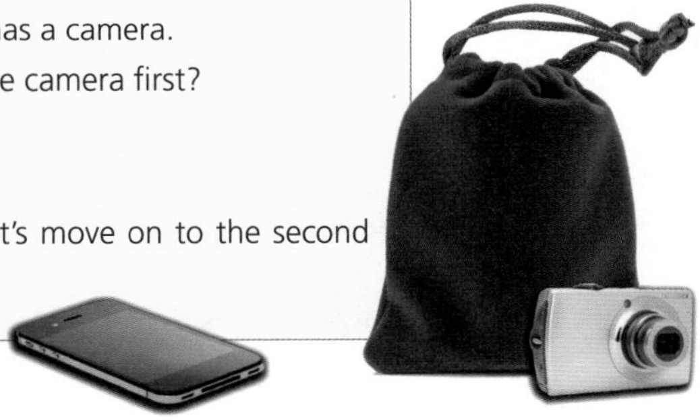

STEP 3 **Present the last item you will take out to the class and explain why you decided to take it out last.**

여러분이 꺼낼 마지막 물품에 대해 반 친구들에게 발표하고, 그것을 마지막에 꺼내기로 결정한 이유를 설명해 봅시다.

[Sample]

We thought it was difficult to take out any item from the bag. In the end, we decided to take out __the smartphone__ last. Unless we had it, it __would be difficult to communicate with others__. Also, it __has multiple functions__, so we think __the smartphone__ is the most important item.

어구

regardless of ~에 상관없이
· Our club welcomes all new members *regardless of* age. (우리 동아리에서는 나이에 상관없이 모든 신입 회원들을 환영한다.)

precious [형] 소중한

shrink [동] 줄어들다, 오그라들다
· My sweater *shrank* in the wash. (내 스웨터는 세탁해서 줄어들었다.)

| 해석 |

A: 좋아, 여기 여덟 가지 물품이 있어. 우리가 첫 번째로 무엇을 꺼내야 할까?
B: 나는 우리가 첫 번째로 카메라를 꺼내야 한다고 생각해.
C: 왜 그렇게 생각하니?
B: 우리는 아직 스마트폰을 가지고 있고, 그것은 카메라 기능이 있어.
D: 그러면 카메라를 첫 번째로 꺼내는 것에 모두 동의하니?
A: 나는 동의해. 너는 어때, 진아야?
C: 나도 그게 좋아.
D: 다른 의견이 없다면 꺼낼 두 번째 물품으로 넘어가자.

| 해석 |

우리는 주머니에서 어떤 물품을 꺼내는 것이 어렵다고 생각했다. 결국 우리는 스마트폰을 마지막에 꺼내기로 결정했다. 그것을 가지고 있지 않으면, 다른 이들과 소통하는 것이 어려울 것이다. 또한 그것은 다양한 기능을 가지고 있어서 우리는 스마트폰을 가장 중요한 물품이라고 생각한다.

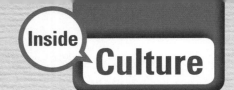

Inside Culture

Tales of Dilemmas from Around the World 세계의 딜레마에 관한 이야기

교과서 p. 97

A **Read the following tales of dilemmas from around the world and answer the questions.** 세계의 딜레마에 관한 다음 이야기를 읽고 질문에 답해 봅시다.

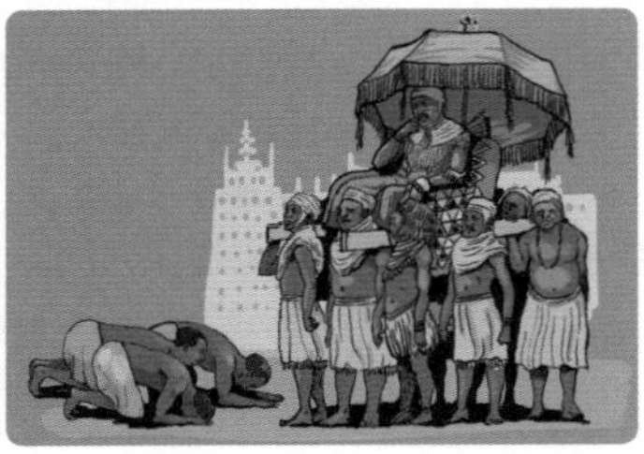

Once upon a time in Africa, there lived a fisherman, a repairman, and a hunter. They went by boat to rescue the king's little daughter who had been captured by an eagle. The king promised great riches to the person who could save his daughter. The hunter shot the eagle with an arrow. The eagle and the daughter fell through the sky toward the water. The fisherman quickly placed his boat under them to save the daughter from drowning. Suddenly, the boat started leaking. The repairman in a nearby boat fixed the leak and they all safely rowed to shore. The king promised riches to the person who was most helpful in saving his daughter. Only one person could receive the reward. **Who should receive it?**

[Sample] I think the hunter should receive the reward. Without him, it would have been impossible to shoot the eagle and rescue the daughter. But after receiving the reward, the hunter should share it with the other two people. 나는 사냥꾼이 보상을 받아야 한다고 생각한다. 그가 없었다면 독수리를 쏘아 딸을 구하는 것은 불가능했을 것이다. 그러나 보상을 받은 후에 사냥꾼이 그것을 다른 두 사람과 나눠야 한다.

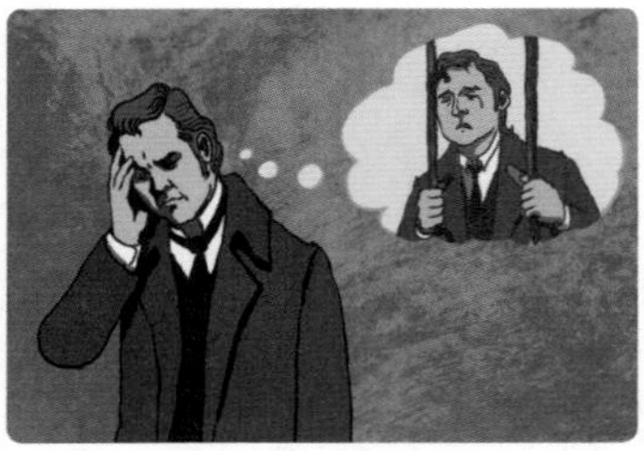

Jean Valjean, the main character of *Les Miserables*, just learned through Javert that they have captured a man named Champ Mathieu. He has been identified by three of the prisoners as Jean Valjean, and he is about to testify the next day at trial. Jean Valjean does not know what to do because he knows that someone falsely accused of being him could go to jail even though that person is innocent. If he saves the man by revealing that he is the real Valjean, then his position as owner of a factory and mayor of the town will be at risk. But if he doesn't reveal himself, he will have the sense of freedom he wants. **What should he do?**

[Sample] I think he should confess that he is the real Jean Valjean. It is a matter of honesty. If he remains silent, nobody will know and the other man will be harmed. However, as an innocent person is involved, he should do what's right to free the falsely accused man. 나는 Jean Valjean이 그가 진짜 Jean Valjean이라고 고백해야 한다고 생각한다. 그것은 정직의 문제이다. 그가 조용히 있으면 아무도 알지 못하고 다른 남자는 피해를 입을 것이다. 그러나 결백한 사람이 연루되기 때문에 그는 잘못 체포된 남자를 풀어 줄 옳은 일을 해야 한다.

B **Find another tale of a dilemma from around the world and present it to the class.** 세계의 다른 딜레마 이야기를 찾아보고 그것을 반 친구들에게 발표해 봅시다.

[Sample] Belling the cat (Ancient Greece) – Some mice once called a meeting to decide on a plan to free themselves of their enemy, a cat. Many plans were discussed, but none of them were thought to be good. At last, a very young mouse got up and said, "I have a plan. All we have to do is to hang a bell around the cat's neck. When we hear the bell ringing, we will know immediately that our enemy is coming." All the mice were surprised that they had not thought of such a plan. But an old mouse arose and said, "I will say that the plan of the young mouse is very good. But let me ask one question. Who will bell the cat?" 고양이 목에 방울 달기 (고대 그리스) – 옛날에 몇몇 생쥐들이 그들의 적인 고양이로부터 그들 자신을 자유롭게 하기 위한 계획을 결정하기 위해 회의를 소집했다. 많은 계획들을 토론했지만, 그것들 중 아무것도 좋다고 생각되는 것은 없었다. 마침내 가장 젊은 생쥐가 일어나 말했다. "저에게 계획이 하나 있습니다. 우리가 해야 할 일은 고양이 목 주위에 방울을 다는 것입니다. 우리는 방울이 울리는 소리를 들을 때 우리의 적이 오고 있다는 것을 즉시 알아차릴 수 있을 것입니다." 모든 생쥐들이 자신들이 그런 계획을 생각하지 못했음에 놀라워했다. 그러나 한 늙은 생쥐가 일어나 말했다. "젊은 생쥐의 계획은 매우 훌륭하다고 할 수 있을 것입니다. 그러나 한 가지 질문을 하겠습니다. 누가 고양이에게 방울을 달 것입니까?"

| 해석 |

옛날 아프리카에 어부, 수선공, 그리고 사냥꾼이 살았다. 그들은 독수리에게 잡혀 있던 왕의 어린 딸을 구하기 위해 배를 타고 갔다. 왕은 그의 딸을 구한 사람에게 큰 부를 약속했다. 사냥꾼은 화살로 독수리를 쐈다. 독수리와 딸은 하늘에서 물로 떨어졌다. 어부는 딸이 익사하지 않도록 재빨리 그의 배를 그들 아래에 댔다. 갑자기 배에 물이 새기 시작했다. 배 근처에 있던 수선공은 누수 부위를 고쳤고 그들 모두가 안전하게 해안가로 노를 저어 왔다. 왕은 그의 딸을 구하는 데에 가장 도움이 된 사람에게 부를 약속했다. 한 사람만이 그 보상을 받을 수 있다. 그것을 누가 받아야 하는가?

어구

capture [동] ~을 붙잡다
leak [동] (물 등이) 새다
row [동] 노를 젓다

| 해석 |

'Les Miserables(레미제라블)'의 주인공인 Jean Valjean은 Javert를 통해 그들이 Champ Mathieu라는 이름을 가진 사람을 체포했음을 알았다. 그는 죄수 세 명으로부터 Jean Valjean으로 신원이 밝혀졌고, 다음날 재판에서 증언할 예정이다. Jean Valjean은 그 사람이 결백함에도 불구하고 잘못 고발한 누군가가 그를 교도소에 보낼 수 있다는 것을 알았기 때문에 그가 무엇을 해야 할지 알지 못한다. 만일 그가 진짜 Valjean이라는 것을 알려서 그 남자를 구한다면 공장주이자 그 마을의 시장으로서 자신의 위치는 위험해질 것이다. 그러나 그가 그 자신을 밝히지 않는다면 그는 그가 원하는 자유를 가질 것이다. 그는 무엇을 해야 하는가?

어구

identify [동] 확인하다, 알아보다
testify [동] 증언하다
trial [명] 재판
accuse of ~의 죄로 고발하다
reveal [동] ~을 밝히다, 드러내다

Think Outside the Box

The Story of Two Pebbles

두 개의 조약돌 이야기

❶ Many years ago in a small Chinese village, a farmer [called Feng] had the
who was
misfortune of owing a large sum of money to a village moneylender. ❷ The
「owe A to B」 B에게 A를 빚지다
moneylender, [who was old and ugly], was in love with the farmer's beautiful
주어   주격 관계대명사절   동사
daughter, Mei. ❸ So he proposed a bargain.

❹ He said [he would forgive Feng's debt [if he could marry his daughter]].
that said의 목적어절   조건절
❺ Both the farmer and his daughter were frightened by the proposal. ❻ So the
A와 B 둘 다   복수 동사
moneylender suggested that they let fate decide the matter. ❼ He told them [that
제안동사 suggest that+주어(+should)+동사원형 / 사역동사 let+목적어+목적격 보어(동사원형)
he would put a black pebble and a white pebble into an empty bag]. ❽ Then, Mei
told의 목적어절
would have to pick one pebble from the bag.

— ❾ If Mei picked the black pebble, she would become his wife and her father's
가정법 과거 (If+주어+동사 과거형 ~, 주어+조동사 과거형+동사원형 …)
debt would be forgiven.

— ❿ If she picked the white pebble, she need not marry him and her father's debt
가정법 과거   「need not+동사원형」 ~할 필요 없다
would still be forgiven.

— ⓫ But if she refused to pick a pebble, her father would be thrown in jail.
가정법 과거   「refuse to+동사원형」 ~할 것을 거부하다
⓬ Without any good options, Feng and his daughter accepted the moneylender's
proposal. ⓭ They all went to a pebble-scattered path in Feng's field. ⓮ As they
~한 대로 (접속사)
talked, the moneylender bent over to pick up two pebbles. ⓯ As he picked them
to부정사의 부사적 용법 (목적)   ~할 때 (접속사) 동사+대명사 목적어
up, the sharp-eyed girl noticed [that he had picked up two black pebbles and put
부사   noticed의 목적어절 대과거 (had p.p.)   had
them into the bag]. ⓰ He then asked the girl to pick a pebble from the bag.
「ask+목적어+목적격 보어 (to부정사)」 ~에게 …하라고 요청하다

구문 연구

❷ The moneylender, **who** was old and ugly, was in love with the farmer's beautiful daughter, Mei.: 주격 관계대명사절 who ~ ugly가 선행사 The moneylender를 수식한다. the farmer's beautiful daughter와 Mei는 콤마(,)로 연결된 동격이다.

❻ So the moneylender **suggested** that they **let fate decide** the matter.: 주절에 제안동사 suggest가 쓰여 that절의 주어 다음에 should가 생략되고 동사원형 let으로 쓰였으며, 사역동사 let은 목적어로 fate를, 목적격 보어로 동사원형 decide를 취했다.

❿ **It she picked** the white pebble, she **need** not **marry** him and her father's debt **would** still **be** forgiven.: 「If+주어+동사 과거형 ~, 주어+조동사 과거형+동사원형 …」 형태의 가정법 과거가 쓰였다. need는 과거를 나타내는 조동사이며 조동사로 쓰일 때 need에 ed를 붙이지 않는다.

⓮ **As** he **picked them up**, the sharp-eyed girl **noticed that** he **had picked** up two black pebbles and **put** them into the bag.: 이 문장에서 As는 '~할 때'라는 뜻의 접속사로 쓰였다. pick up은 이어동사로 목적어 them이 대명사이기 때문에 동사와 부사 사이에 위치했다. 주절의 동사는 noticed로 과거형이며 noticed의 목적어인 that절에서 he가 주절보다 앞서 행동했으므로 동사 had picked와 (had) put은 대과거 시제로 쓰였다.

| 해석 |

❶ 오래 전 중국의 작은 마을에 Feng이라고 불리는 농부가 마을의 대금업자에게 큰 액수의 빚을 지는 불운을 겪었다. ❷ 나이 많고 못생긴 대금업자는 농부의 아름다운 딸 Mei를 사랑했다. ❸ 그래서 그는 거래를 제안했다.

❹ 그는 그가 Feng의 딸과 결혼할 수 있다면 Feng의 빚을 탕감해 주겠다고 말했다. ❺ 농부와 그의 딸은 그 제안에 소스라치게 놀랐다. ❻ 그래서 대금업자는 그들이 그 문제를 운명이 결정하도록 할 것을 제안했다. ❼ 그는 그들에게 그가 빈 주머니에 검은색 조약돌 한 개와 하얀색 조약돌 한 개를 넣을 것이라고 말했다. ❽ 그러면 Mei가 주머니에서 한 개의 조약돌을 꺼내야 할 것이었다.

— ❾ 만일 Mei가 검은색 조약돌을 집으면, 그녀는 그의 아내가 될 것이고 그녀 아버지의 빚은 탕감될 것이다.

— ❿ 만일 그녀가 하얀색 조약돌을 집으면, 그녀는 그와 결혼할 필요가 없고 그녀 아버지의 빚은 여전히 탕감될 것이다.

— ⓫ 그러나 만일 그녀가 조약돌 집기를 거부하면, 그녀의 아버지는 감옥에 가게 될 것이다.

⓬ 어떤 좋은 선택지가 없어서 Feng과 그의 딸은 대금업자의 제안을 받아들였다. ⓭ 그들은 모두 Feng의 밭에 있는 조약돌이 깔린 길로 갔다. ⓮ 그들이 말한 대로 대금업자는 두 개의 조약돌을 줍기 위해 허리를 숙였다. ⓯ 그가 그것들을 주울 때, 눈이 예리한 소녀는 그가 검은색 조약돌 두 개를 주워 주머니에 넣는 것을 알아차렸다. ⓰ 그리고 나서 그는 소녀에게 주머니에서 조약돌 한 개를 집으라고 요청했다.

어구

pebble 몡 조약돌
misfortune 몡 불행
sum 몡 금액, 총액
moneylender 몡 대금업자
bargain 몡 거래, 합의, 흥정
debt 몡 빚
path 몡 도로, 길
sharp-eyed 웽 눈이 예리한, 관찰력 있는

Lesson 4

❶ Now, imagine [that you were standing in the field]. ❷ [What would you have done if you were the girl]? ❸ If you had to advise her, what would you tell her?
imagine의 목적어절 / 혼합가정 (가정법 과거완료 주절+가정법 과거 조건절) / 가정법 과거

– ❹ Mei should refuse to pick a pebble.
「refuse+to부정사」 ~하기를 거부하다

– ❺ Mei should say [(that) she saw the moneylender put two black pebbles in the bag].
지각동사+목적어+동사원형(현재분사)

– ❻ Mei should pick a pebble and (should) sacrifice herself in order to save her father from his debt and imprisonment.
「in order to+동사원형」 ~하기 위해

❼ What would you recommend Mei to do? ❽ Well, here is [what she did].
「recommend+목적어+목적격 보어(to부정사)」 ~에게 …을 추천하다 / 도치 구문 / 동사 / 관계대명사절: 주어

❾ Mei put her hand into the bag and took out a pebble. ❿ Without looking at it, she let it fall onto the pebble-scattered path, [where it immediately became lost among all the other pebbles].
「without -ing」 ~하지 않고 / 사역동사 let+목적어+목적격 보어 (동사원형) / 관계부사절 (= and there ~)

⓫ "Oh, how careless I am," Mei said. ⓬ "But never mind, if you look in the bag for the one [that is left], you will be able to tell [which pebble I picked]."
감탄문 (how+형용사+주어+동사) / 주격 관계대명사절 / tell의 목적어절 (간접의문문)

⓭ Since the remaining pebble was black, it had to be assumed [that she had picked the white one]. ⓮ And since the moneylender dared not admit his dishonesty, the girl changed [what seemed like an unavoidably negative situation] into an extremely positive one.
= Because / 가주어 / 진주어절 / = because / 「change A into B」 A를 B로 바꾸다 / 관계대명사절: changed의 목적어 / = situation

- **What do you think about Mei's solution? What can you learn from this story?**
  여러분은 Mei의 해결책에 대해 어떻게 생각합니까? 여러분은 이 이야기에서 무엇을 배울 수 있습니까?
  [Sample] I couldn't think of her solution, but it's brilliant. I think the story means that we should think creatively and that there is always a solution, even in the most difficult situation.
  나는 그녀의 해결책에 대해 생각할 수 없었지만, 그것은 현명한 것이다. 이 이야기는 우리가 창의적으로 생각해야 하고 가장 어려운 상황에서조차 해결책이 항상 존재한다는 것을 의미한다고 생각한다.

구문 연구

❷ What **would** you **have done if** you **were** the girl?: 주절에서는 이야기 속 '과거' 상황에서의 행동을 표현하기 위해 가정법 과거완료(조동사 과거형+have p.p.)를 사용했고, 조건절인 if절에서는 현재 사실의 반대를 가정하기 때문에 가정법 과거(if+주어+동사 과거형)를 사용했다. 이렇게 주절과 종속절에 다른 시제를 쓰는 가정법을 혼합가정법이라고 한다.

❸ **If** you **had** to advise her, what **would** you **tell** her?: 주절과 종속절 모두 현재 사실의 반대를 가정하므로 가정법 과거(If+주어+동사 과거형 ~, 주어+조동사 과거형+동사원형 …)을 사용했다.

⓮ And since the moneylender dared not admit his dishonesty, the girl **changed what** seemed like an unavoidably negative situation **into** an extremely positive one.: 'A를 B로 바꾸다'라는 뜻의 「change A into B」의 구문이 쓰였다. A에 해당하는 내용은 what ~ situation으로 관계대명사 what이 이끄는 절이며 changed의 목적어로 쓰였다.

| 해석 |

❶ 이제 여러분이 그 밭에 서 있다고 상상해 보라. ❷ 당신이 그 소녀라면 어떻게 했을 것인가? ❸ 만일 여러분이 소녀에게 조언을 해야 한다면 그녀에게 무엇이라고 말할 것인가?
– ❹ Mei는 조약돌 집는 것을 거부해야 한다.
– ❺ Mei는 대금업자가 주머니에 두 개의 검은색 조약돌을 넣는 것을 보았다고 말해야 한다.
– ❻ Mei는 빚과 수감되는 것으로부터 그의 아버지를 구하기 위해 조약돌을 집어야 하고 그녀 자신을 희생해야 한다.
❼ 여러분은 Mei에게 무엇을 하라고 추천할 것인가? ❽ 음, 여기 그녀가 한 것이 있다.
❾ Mei는 주머니에 손을 넣고 한 개의 조약돌을 꺼냈다. ❿ 그것을 보지 않고 그녀는 그것을 조약돌이 깔린 길에 던졌고 그것은 그곳의 다른 조약돌들 사이에서 즉시 사라졌다.
⓫ "오, 내가 정말 부주의했어요." Mei가 말했다. ⓬ "하지만 신경 쓰지 마세요. 당신이 주머니에 남은 하나를 보면, 내가 어느 조약돌을 주웠는지 알 수 있을 거예요."
⓭ 남은 조약돌이 검은색이었기 때문에 그녀가 하얀색 조약돌을 집었다고 추정되어야 했다. ⓮ 그리고 대금업자는 감히 그가 정직하지 못했음을 인정할 수 없었기 때문에, 그 소녀는 피할 수 없었던 부정적 상황처럼 보였던 것을 매우 긍정적인 상황으로 변화시켰다.

어구

imprisonment [명] 수감, 투옥
· She was shocked by the *imprisonment* of her son. (그녀는 그녀의 아들이 수감되어 충격을 받았다.)

Check Up

01 다음 문장에서 어법상 틀린 부분을 찾아 바르게 고치시오.
(1) I will try not to let him bothering you.
(2) That's the reason why I refuse going there.

02 우리말과 일치하도록 주어진 어구를 활용하여 영작하시오.

내가 공부를 게을리 한다면, 담임 선생님은 나에게 많은 숙제를 시키실 것이다.

(neglect my study, give me a lot of homework)

Word Play

Complete the crossword puzzle. 크로스워드 퍼즐을 완성해 봅시다.

Crossword Puzzle

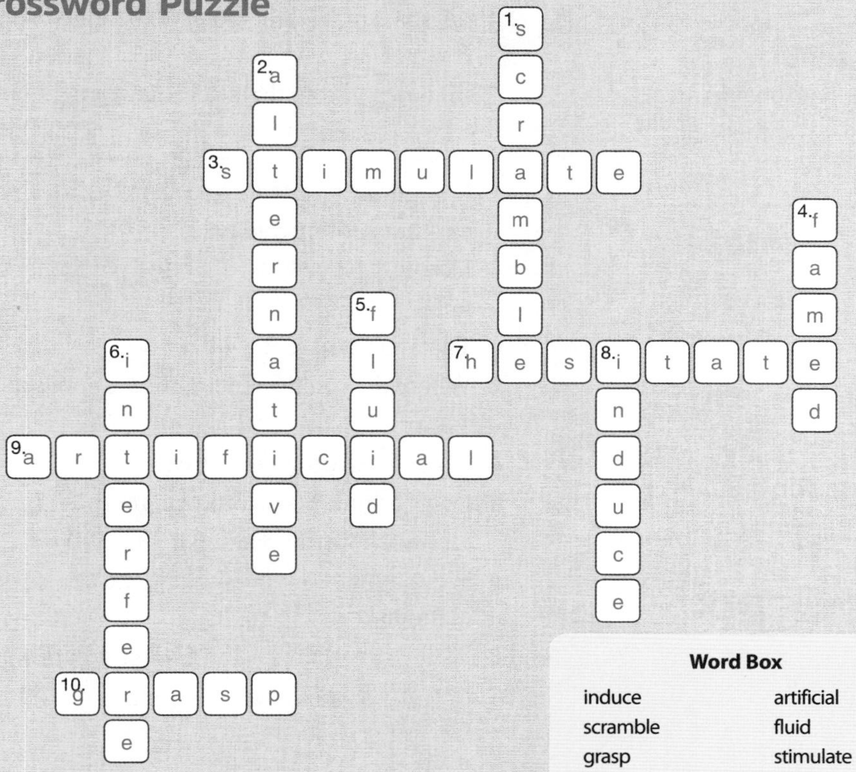

Word Box

induce	artificial
scramble	fluid
grasp	stimulate
famed	interfere
alternative	hesitate

▶ Across

3. The government is planning to cut taxes to __stimulate__ the economy.
정부는 경제를 활성화하기 위해 세금 감세를 계획하고 있다.

7. If you need anything, please don't __hesitate__ to contact me.
만일 필요한 것이 있다면 주저하지 말고 연락하세요.

9. Our products are natural and don't use any __artificial__ colors and flavors.
우리 제품은 천연이고 인공적인 색소나 감미료를 쓰지 않는다.

10. You must __grasp__ the rope hard to ensure your safety.
너는 안전을 확보하기 위해서 밧줄을 단단히 잡아야 한다.

▼ Down

1. He tried to __scramble__ over the car roof to clean it.
그는 차를 청소하기 위해 차 지붕으로 기어 올라가려고 노력했다.

2. There must be a better __alternative__ to the current system.
현재 시스템에 더 나은 대안이 있음에 틀림없다.

4. The city is __famed__ for its old and elegant bridge.
그 도시는 오래되고 우아한 다리로 유명하다.

5. If you have a fever, you need to drink lots of __fluid__s.
네가 열이 있다면 마실 것을 많이 마셔야 한다.

6. It's their problem and I'm not going to __interfere__.
그것은 그들의 문제이고 나는 개입하지 않을 것이다.

8. They thought that their work would __induce__ social change.
그들은 그들의 작업이 사회적 변화를 유도할 것이라고 생각했다.

어구

- **induce** [동] 설득하다, 유도하다
- **artificial** [형] 인공적인
- **scramble** [동] 기어서 나오다
- **fluid** [명] 액체; 수분, 마실 것
- **grasp** [동] (손으로) 잡다, 쥐다
- **stimulate** [동] 자극하다, 활발하게 하다
- **famed** [형] 유명한
- **interfere** [동] 간섭하다, 개입하다
- **alternative** [명] 대안
- **hesitate** [동] 주저하다

01 다음 영영풀이에 알맞은 것은?

> made by human beings rather than occurring naturally, especially as a copy of something natural

① famed   ② artificial   ③ alternative
④ dilemmatic   ⑤ unexpected

02 다음 중 나머지 넷과 단어의 품사가 다른 것은?

① smelly   ② literally   ③ flawlessly
④ seemingly   ⑤ substantially

03 다음 대화의 빈칸에 들어갈 말로 알맞은 것은?

> A What do you like doing?
> B I like cooking, but I'm not good at it. And I am good at playing sports, especially soccer. That's why I've wanted to be a professional soccer player for a long time.
> A What about your parents?
> B My parents want me to become a government worker. _____
> A Oh, I see. Well, I think you should choose what you really want to do.
> B Thank you for your advice.

① I forced them to choose their own jobs.
② They teach me how to play sports.
③ I know exactly what I should do.
④ I'm afraid I will let them down.
⑤ They are down the street.

04 다음 대화에서 주어진 문장이 들어갈 위치로 알맞은 곳은?

> Also, it is possible that it'd be extremely noisy.

> A It's getting harder and harder to find a parking spot nowadays.
> B I know. The city should build a new parking lot. (①)
> A That's a good idea.
> B Where do you think would be a good place? (②)
> A How about down the street?
> B I don't think that would be good. It'd create too much traffic on the street. (③)
> A Wow, you sound like an expert in that matter. (④)
> B Well, I live here. I don't want a parking lot near my house. (⑤)

05 자연스러운 대화가 되도록 ⓐ~ⓔ를 순서대로 바르게 배열하시오.

> A Did you hear about the protest downtown earlier today?
> B No, I didn't. What were they protesting about?
> ⓐ So those people probably think it will have a bad effect on small local stores.
> ⓑ I don't think it's a good idea. It is possible that many small businesses would be forced to close.
> ⓒ They were against the building of a huge department store in town.
> ⓓ Yeah. What do you think about having a huge department store built?
> ⓔ But I think a department store would offer more and cheaper goods.
> B That's true. But I don't think that's fair to small businesses.
> A Hmm. I guess you and I see things differently.

06 다음 문장에서 어법상 어색한 부분을 고쳐 쓰시오.

> If you will miss the train, you will be late for the interview.

[07-08] 다음 글을 읽고, 물음에 답하시오.

> Robin Hood is a bank robber. But instead of ①keeping the money for himself, he donates it to an orphanage to help them feed, clothe, and ②care for the children. Suppose you happened to encounter Robin Hood, and he was seriously injured. What would you do in this situation? Here are people's opinions about what you should do.
> **Bentham:** You should not hand in Robin Hood to the police. If he ③stayed out of jail, the children would have a better life. Of course, the people robbed would still be negatively affected. _____(A)_____, the benefits to the children would cancel that out.
> **Fletcher:** It's not that simple. We have to look at the whole situation and all the variables. _____(B)_____, we need to look at who Robin Hood robbed, who the children were, and ④what desperately the money was needed. So my answer would differ ⑤depending on these variables.

07 밑줄 친 ①~⑤ 중 어법상 틀린 것은?

①   ②   ③   ④   ⑤

08 빈칸 (A), (B)에 알맞은 말끼리 짝지어진 것은?

	(A)		(B)
①	However	⋯	Despite
②	However	⋯	In short
③	However	⋯	For example
④	Therefore	⋯	For example
⑤	Therefore	⋯	In contrast

[09-10] 다음 글을 읽고, 물음에 답하시오.

> Imagine scientists ①have come up with an amazing new invention called the Experience Machine. It works like this: You go into a lab and sit down with the staff and tell them about everything you've ever wanted to do in life.

(A) This allows you to have ②what experiences you want for the duration of your life. In this virtual reality, you are happy. Of course, you wouldn't know that you were in the tank; you'd think that everything was all actually happening. Maybe you wouldn't have a good reason ③to deny something substantially better than reality — even if it was "artificial." But what about human dignity?

(B) Then, you put on some gear that connects to the machine and go into a tank of fluid. The scientists induce you into a coma ④that you will never awaken from. The machine will stimulate your brain, and you'll think and feel that you ⑤are doing the things that you have always desired.

(C) And the satisfaction of our "true" desires? The truth is that you would just be floating in a tank filled with fluid. If the Experience Machine was available to you and guaranteed to work flawlessly, would you plug into it for life, pre-programming your life experiences?

09 주어진 글에 이어질 글의 순서로 알맞은 것은?

① (B) – (A) – (C)   ② (B) – (C) – (A)
③ (C) – (A) – (B)   ④ (C) – (B) – (A)
⑤ (A) – (C) – (B)

10 밑줄 친 ①~⑤ 중 어법상 틀린 것은?

①   ②   ③   ④   ⑤

[11-13] 다음 글을 읽고, 물음에 답하시오.

"The spider appeared to have an ①awful life, living in a smelly and dirty place. He didn't seem to like it. Whenever I went to the restroom, the spider seemed to try to ②scramble out of the way. Often, he would get caught, fall, and get soaked by the flushing water. The ③best part was that there was no way for the spider to get out and no way to tell if he even wanted to. None of the other students or professors did anything to alter the situation.

One day toward the end of the term, I took a paper towel from the wall dispenser and ④extended it to him. His legs grasped the end of the towel, and I lifted him out and placed him on the floor. He ⓐ(a, just, moving, muscle, not, sat, there). I ⑤nudged him to go anywhere he wanted."

After Nagel put the spider on the floor, it didn't move. He left and came back two hours later. He found that the spider had drowned in some water, probably while the restroom was being cleaned.

11 밑줄 친 ①~⑤ 중 문맥상 알맞지 않은 것은?

① ② ③ ④ ⑤

12 괄호 ⓐ에 주어진 단어들을 바르게 배열하여 쓰시오.

→ _____

13 윗글에 나타난 딜레마로 알맞은 것은?

① 안 좋은 상황을 기꺼이 감수해야 하는가?
② 상황을 변화시키기 위해 언제나 노력해야 하는가?
③ 다른 사람이 하기 싫은 일을 내가 먼저 해야 하는가?
④ 언제나 나의 처지보다 남의 상황을 먼저 생각해야 하는가?
⑤ 좋은 의도를 가졌다면 다른 사람의 인생에 개입해도 되는가?

[14-15] 다음 글을 읽고, 물음에 답하시오.

There is a penguin living in Antarctica with his friends. They're completely surrounded by snow and ice. It is really hard for the penguin and his friends to find food, and quite literally they are starving. For survival, they must jump into the sea and hunt for fish. But the penguin hesitates and says to ___(A)___, "I'm so scared. The sea is full of dangers!" It's true. ①There might be a huge killer whale in the sea, which no doubt would be very dangerous. ②The killer whale is a toothed whale belonging to the oceanic dolphin family. ③In fact, all the other penguins think the same thing, and they also wait to dive into the water until others safely do it. ④The penguin gets more and more hungry. ⑤Unless he or one of his friends ___(B)___ the courage to jump, the situation will worsen. If you were the penguin, what would you do? Would you summon up the courage and become the first diver? Or would you keep waiting for others to jump into the sea first?

14 빈칸 (A), (B)에 어법상 맞는 말끼리 짝지어진 것은?

(A) (B)
① him … gather
② him … gathers
③ himself … gathers
④ himself … gathered
⑤ himself … gathering

15 윗글에서 전체 흐름과 관계 없는 문장은?

① ② ③ ④ ⑤

Once upon a time in Africa, there lived a fisherman, a repairman, and a hunter. They went by boat to rescue the king's little daughter who ⓐcapture by an eagle. (①) The king promised great riches to the person who could save his daughter. (②) The hunter shot the eagle with an arrow. (③) The eagle and the daughter fell through the sky toward the water. (④) Suddenly, the boat started leaking. (⑤) The repairman in a nearby boat fixed the leak and they all safely rowed to shore. The king promised riches to the person who was most helpful in saving his daughter. Only one person could receive the reward. _____ⓑ_____

16 주어진 문장이 들어갈 위치로 알맞은 곳은?

The fisherman quickly placed his boat under them to save the daughter from drowning.

①   ②   ③   ④   ⑤

17 밑줄 친 ⓐ**capture**의 어법상 올바른 형태를 쓰시오.

18 빈칸 ⓑ에 들어갈 말로 알맞은 것은?

① Who should be saved?
② Who should receive it?
③ How much should be paid?
④ Who should pay for saving the princess?
⑤ Who should be blamed for killing the eagle?

The moneylender said he would forgive Feng's debt if he could marry his daughter. Both the farmer and his daughter were ①frightened by the proposal. So the moneylender suggested that they ②let fate decide the matter. He told them that he would put a black pebble and a white pebble ③into an empty bag. Then, Mei would have to pick one pebble from the bag.
- If Mei picked the black pebble, she would become his wife and her father's debt would be forgiven.
- If she picked the white pebble, she ④needed not marry him and her father's debt would still be forgiven.
- But if she refused to pick a pebble, her father would be thrown in jail.

_____ⓐ_____, Feng and his daughter accepted the moneylender's proposal. They all went to a pebble-scattered path in Feng's field. As they talked, the moneylender bent over to pick up two pebbles. As he picked them up, the sharp-eyed girl noticed that he ⑤had picked up two black pebbles and put them into the bag. He then asked the girl to pick a pebble from the bag.

19 밑줄 친 ①～⑤ 중 어법상 틀린 것은?

①   ②   ③   ④   ⑤

20 빈칸 ⓐ에 들어갈 말로 알맞은 것은?

① As all options are good
② Without any good options
③ As his intention was good
④ Because of the good options
⑤ Although his intention was good

For a More Beautiful World

What could you do to enhance the appearance of your school?
여러분은 학교의 외관을 더 나아지게 하기 위해서 무엇을 할 수 있습니까?

Sample I could clean the playground or plant flowers around the school.

Check what you already know. 나는 운동장을 청소하고 학교 주변에 꽃을 심을 수 있다.

- ☐ I want to go there with you. 나는 너와 그곳에 가고 싶다.
- ☐ I want to stress the importance of using kind words. 나는 친절한 단어 사용의 중요성을 강조하고 싶다.

- ☐ It is **not** beautiful, **but** it is useful. 그것은 아름다운 것이 아니라 유용하다.
- ☐ He **may be** sick. 그는 아플 수도 있다.

In this lesson, I will ...

Listening & Speaking

- learn to express wishes and desires.
  바람과 소원을 표현하는 것을 배운다.
- learn to emphasize the importance of something.
  무언가의 중요성을 강조하는 것을 배운다.

Communicative Functions

- I wish I could do that. 나도 그렇게 할 수 있으면 좋을 텐데.
- It's important to change our world for the better.
  우리의 세상을 더 좋게 바꾸는 것이 중요해.

Culture

- learn about places where people enhanced the surroundings by making artistic changes.
  사람들이 예술적 변화를 통해 환경을 더 나아지게 한 장소에 관해서 배운다.

Reading

얀 바밍에 관한
연설문을 읽고 이해한다.

- read and understand a speech about yarn bombing.

Writing

- write a volunteer opportunity advertisement.
  자원봉사자 구인 광고를 쓴다.

Language Forms

- I tried **not** to take away its identity or its functionality **but** to give it a well-tailored suit out of knitting.
  나는 그것의 정체성이나 기능성을 빼앗으려 한 것이 아니라 뜨개질로 잘 만들어진 정장을 주려고 노력했다.
- People **may have thought** I was a master knitter when I began yarn bombing. 사람들은 내가 얀 바밍을 시작했을 때 내가 뜨개질 고수였을 것이라고 생각할지도 모른다.

Starting Out

교과서 pp. 102~103

THINK **What do you think about the mural painted on the building?**
여러분은 이 건물 위에 그려진 벽화에 관해서 어떻게 생각합니까?

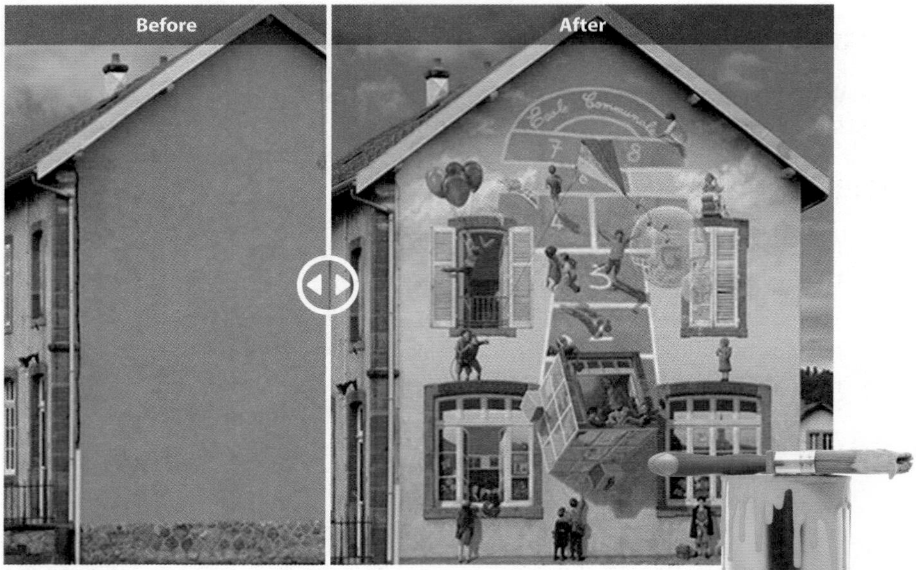

Sample I think it's cool. It makes the building more lively and beautiful.
멋있다고 생각한다. 그것은 건물을 더 생기 있고 아름답게 만들어 준다.

어구

mural [명] 벽화
· A *mural* can bring life to an ordinary place. (벽화는 일반적인 장소에 생기를 더해줄 수 있다.)

LISTEN **Why is the woman calling?** 여자는 왜 전화를 하고 있습니까?

ⓐ To sign up for a knitting class 뜨개질 수업을 신청하려고
ⓑ To get a job at a charity organization 자선 단체에 일을 구하려고
✓ⓒ To receive information about donating 기부에 관한 정보를 얻으려고

Script

[*Telephone rings.*]
M: Hello, this is Warm Up Korea. Currently, our office is closed. If you leave a message, we'll call you back as soon as we can. Thanks!
[*Beep sound*]
W: Hello. I have knitted some baby blankets, and I'd like to donate them to an orphanage. If you could please let me know how I could do that, I'd greatly appreciate it. My name is Mary, and my phone number is 7678-4599. Thank you.

| 해석 |

[*전화기가 울린다.*]
남: 안녕하세요, 여기는 Warm Up Korea입니다. 현재 저희 사무실은 문을 닫았습니다. 메시지를 남기시면 가능한 빨리 전화 드리겠습니다. 감사합니다!
[*삐 소리*]
여: 안녕하세요. 아기용 담요를 몇 개 짰는데, 그것들을 고아원에 기부하고 싶어요. 제가 어떻게 하면 그렇게 할 수 있는지 알려주신다면 정말 감사하겠습니다. 제 이름은 Mary이고, 제 전화번호는 7678-4599입니다. 감사합니다.

어구

currently [부] 현재는
· Our club *currently* has about 80 members. (우리 동아리는 현재 약 80 명의 회원들이 있다.)

knit [동] 뜨개질하다, 뜨다
· Did you *knit* your hat yourself? (네 모자를 떴니?)

orphanage [명] 고아원
· He lost his parents at the age of 5, and grew up in an *orphanage*. (그는 5살에 부모님을 여의고 고아원에서 성장했다.)

| 구문 해설 |

· If you leave a message, we'll call you back **as soon as** we can.: as soon as는 '~하자마자, ~하자 곧'이라는 뜻이다.

READ

Various Efforts to Make the World Beautiful

Today, more and more people live in big cities. Despite many advantages, living in a big city can be stressful. To solve this problem, many people do various things to make their places colorful and cozy.

For example, 104-year-old grandmother Grace Brett just might be the oldest street artist in the world. She decorates her town with her crochet items. She says, "I like seeing my work displayed for everyone else and making the town look lovely."

Also, five high school students in the City of Albuquerque, New Mexico, spent 167 hours painting murals on the white walls of the West-side Winter Shelter. Thanks to their hard work, the shelter now has a warm and welcoming atmosphere.

Finally, Richard Reynolds, a 30-year-old office worker, plants flowers in the neglected flower beds in his neighborhood. "So many people live in big cities and don't have land of their own, but that doesn't mean they shouldn't be able to garden," says Richard.

Thanks to people like them, the world is getting more and more beautiful.

● **How would you feel if you saw these on the street?**
여러분이 이것들을 거리에서 본다면 어떻게 느낄 것 같습니까?

Sample If I saw those on the street, I would feel happy knowing that there were many people trying to make the world more beautiful. 내가 그것들을 거리에서 본다면, 세상을 더 아름답게 만들기 위해 노력하는 많은 사람들이 있다는 것을 알아서 행복하다고 느낄 것이다.

| 구문 해설 |

· She says, "I **like seeing** my work **displayed** for everyone else and **making the town look** lovely.": 동사 like의 목적어는 seeing과 making으로 병렬 연결되었다. my work가 '전시되어지는 것'이므로 수동의 의미를 나타내는 과거분사 displayed가 쓰였고, 사역동사 make는 목적어 the town 다음에 목적격 보어로 동사원형을 취하므로 look이 온 형태이다.

· "So many people live in big cities and don't have land of their own, but **that** doesn't mean they shouldn't be able to garden," says Richard.: that은 지시대명사로서 앞 절 내용 전체, 즉 '많은 사람들이 대도시에 살면서 자신의 땅을 갖고 있지 않는 것'을 가리킨다.

어구

cozy (형) 아늑한, 안락한
· The room was warm and cozy. (그 방은 따뜻하고 아늑했다.)
crochet (명) 코바늘 뜨개질 (동) 코바늘 뜨개를 하다
· I learned basic crochet stitches from my mother. (나는 기본적인 코바늘 뜨개질을 어머니로부터 배웠다.)
winter shelter (노숙자들이 추위를 피할 수 있는) 겨울 쉼터
neglected (형) 방치된, 무시된
· The badly neglected paintings have all been carefully restored. (완전히 방치되었던 그림들이 모두 조심스럽게 복원되었다.)

| 해석 |
아름다운 세상을 만들기 위한 다양한 노력
오늘날, 더 많은 사람들이 대도시에서 살고 있다. 많은 이점에도 불구하고, 대도시에 사는 것은 스트레스가 될 수 있다. 이러한 문제를 해결하기 위해 많은 사람들은 그들의 장소를 다채롭고 편안하게 만드는 다양한 일들을 한다.
예를 들면, 104세의 Grace Brett 할머니는 세계에서 가장 나이가 많은 거리 예술가일 수도 있다. 그녀는 그녀의 코바늘 뜨개질 소품들로 마을을 꾸민다. 그녀는 "나는 다른 모든 이들을 위해서 내 작업이 전시되어서 보이는 것과 마을을 사랑스럽게 보이도록 만드는 것을 좋아해요."라고 말한다.
또한, 뉴멕시코, Albuquerque 시의 다섯 명의 고등학생들은 West-side 겨울 쉼터의 하얀색 벽에 벽화를 그리는 데에 167시간을 보냈다. 그들의 고된 작업 덕분에 쉼터는 지금 따뜻하고 환영하는 분위기이다.
마지막으로, 30세의 직장인인 Richard Reynolds는 그의 주변에 방치되어 온 꽃밭에 꽃을 심는다. "대도시에 아주 많은 사람들이 살고 있고 그들만의 땅을 갖고 있지 않지만 그것이 그들이 정원을 가꿀 수 없어야 한다는 것을 의미하지는 않죠."라고 Richard는 말한다.
그들과 같은 사람들 덕분에 세상은 더욱 더 아름다워지고 있다.

Lesson 5

Listen and Speak 1 교과서 pp. 104~105

A **Listen to the dialog and fill in the blanks in the advertisement.**
대화를 듣고 광고의 빈칸을 채워 봅시다.

Save the Children: Knit One, Save One

Nearly 4 million babies die each year in their first month of life. Baby ___caps___ are a simple and effective tool that can keep babies ___warm___ and ultimately contribute to reducing newborn deaths in the developing world. The caps you make are sent to Save the Children newborn health programs in Africa.
Knitting a cap is very easy! Just follow the instructions in the ___video___ ___clip___ on our website. Thanks!

Save the Children: 뜨개질을 하고 하나의 생명을 구하세요
거의 4백만의 아기들이 매해 그들이 태어난 첫 달에 사망합니다. 아기 모자는 아기들을 따뜻하게 하고 궁극적으로는 개발도상국의 신생아 사망을 줄이는 데 기여하는 단순하고 효과적인 수단입니다. 여러분이 만드는 모자는 아프리카의 Save the Children 신생아 건강 프로그램으로 보내집니다.
모자를 뜨는 것은 매우 쉽습니다! 저희 웹 사이트에 있는 동영상의 설명을 따라 하기만 하면 됩니다. 고맙습니다!

어구

nearly ⑨ 거의
·I've *nearly* finished that book you lent me. (네가 나에게 빌려준 그 책 거의 다 읽었어.)
ultimately ⑨ 궁극적으로
·His ambition is *ultimately* to run his own business. (그의 야망은 궁극적으로 자신의 사업체를 경영하는 것이다.)
contribute to ~에 기여하다
·I would like to *contribute to* the church restoration fund. (나는 교회 재건축 기금에 기여하기를 원합니다.)
instruction ⑩ 설명, 지시
·We need clear *instructions* on what to do next. (우리는 다음에 무엇을 할 것인지에 대한 분명한 설명이 필요하다.)

힌트

여자는 아프리카의 아기들을 위한 모자를 뜨고 있다. 아프리카도 밤에는 추워질 수 있기 때문에 아기들이 따뜻하려면 모자를 써야 한다. 남자는 뜨개질하는 법은 모르지만 웹 사이트의 동영상 설명대로 하면 된다는 여자의 말을 듣고 시도해 보기로 한다.

Script

M: What are you knitting, Amanda?
W: I'm knitting a baby cap.
M: Oh, do you know someone who just had a baby?
W: No, I'm making this cap to donate it to the Save the Children Foundation. It'll be sent to Africa.
M: Why there? It's hot there.
W: It can get cold there at night, so babies need a cap to stay warm. In some cases, it's a matter of survival.
M: Wow, I didn't know that. What you're doing is very meaningful.
W: Why don't you knit one to donate, too?
M: I wish I could do that. But I don't know how to knit.
W: That's okay. There's a video clip on the Save the Children website. You can just follow the instructions in the video.
M: Oh, cool. I'll give it a try.

| 해석 |

남: Amanda, 무엇을 뜨고 있니?
여: 아기 모자를 뜨고 있어.
남: 오, 최근에 아기를 가진 누군가를 알고 있구나?
여: 아니, 이 모자를 Save the Children 재단에 기부하기 위해서 만들고 있어. 아프리카에 보내질 거야.
남: 왜 그곳이니? 거기는 덥잖아.
여: 그곳은 밤에 추워질 수 있어서 아기들이 따뜻하게 있기 위해서 모자가 필요해. 어떤 경우에 그것은 생사의 문제이기도 해.
남: 와, 나는 몰랐어. 네가 하는 일이 매우 의미가 있구나.
여: 너도 기부할 모자를 하나 떠보는 게 어때?
남: 나도 그렇게 할 수 있으면 좋을 텐데. 하지만 나는 뜨개질하는 법을 몰라.
여: 괜찮아. Save the Children 웹 사이트에 동영상이 있어. 동영상에 나오는 설명을 따라 하기만 하면 돼.
남: 오, 멋진데. 시도해 볼게.

| 구문 해설 |

·Baby caps are a simple and effective tool that can **keep babies warm** and ultimately **contribute to reducing** newborn deaths in the developing world.: keep babies warm은 「keep+목적어+목적격 보어」의 형태로 쓰여서 '아기들을 따뜻하게 유지하다'라는 뜻이다. 동사 contribute의 주어는 Baby caps이며, contribute to는 '~하는 데 기여하다'라는 뜻으로 여기서 to는 전치사이므로 뒤에 동명사(reducing)가 쓰였다.
·**I wish I could do** that.: 「I wish+가정법 과거」 형태가 쓰여서 '~할 수 있다면 좋을 텐데'라는 의미로 바람이나 소원을 표현한다.

150 Lesson 5

B Complete the comic strip with the sentences from the box and practice the dialog with your partner. 보기의 문장들로 만화를 완성하고 짝과 함께 대화를 연습해 봅시다.

ⓐ I wish I could do that. 나도 그렇게 할 수 있으면 좋을 텐데.
ⓑ Why don't you do it, too? 너도 이것을 해 보는 게 어때?
ⓒ Let me give it a try. 한번 해 볼게.

왜 신발에 그림을 그리고 있니?

유니세프 프로그램의 한 부분이야. 이것들은 어려움에 처한 어린이들에게 보내질 거야. ⓑ 너도 이것을 해 보는 게 어때?

ⓐ 나도 그렇게 할 수 있으면 좋을 텐데. 하지만 나는 그림 그리는 데 소질이 없어.

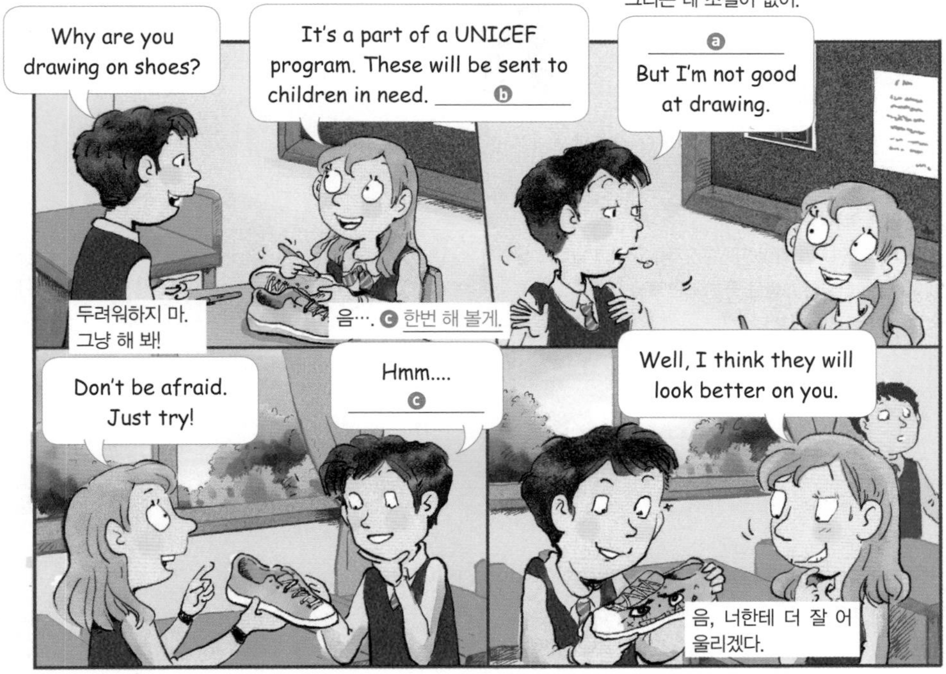
Why are you drawing on shoes?
It's a part of a UNICEF program. These will be sent to children in need. ____ ⓑ ____
____ ⓐ ____ But I'm not good at drawing.
두려워하지 마. 그냥 해 봐!
음…. ⓒ 한번 해 볼게.
Don't be afraid. Just try!
Hmm.... ____ ⓒ ____
Well, I think they will look better on you.
음, 너한테 더 잘 어울리겠다.

어구

give it a try 한번 해 보다
· Every accomplishment was made possible by someone who decided to *give it a try*. (모든 성과는 한번 해 보기로 결심한 사람에 의해 가능하게 되었다.)

힌트

신발에 그림 그리기 활동을 하는 친구를 보고 비록 소질은 없지만 한번 해 보겠다고 하는 상황이다.

| 구문 해설 |

· These **will be sent** to children **in need**.: 「will+be+과거분사(p.p.)」 형태로 미래 수동태 구문이 쓰였다. in need는 '어려움에 처한'이라는 의미이다.

C Recruiting People to Volunteer at a Nursing Home 양로원 자원봉사 인력 모집하기

STEP 1 **Check the types of volunteer work that you would like to do at a nursing home.** 여러분이 양로원에서 하고 싶은 자원봉사 활동을 체크해 봅시다.

☐ paint murals 벽화 그리기	☐ play board games 보드 게임하기
☐ do laundry 빨래하기	☐ read books 책 읽기
☐ plant flowers 꽃 심기	☐ play music 음악 연주하기
☐ clean rooms 방 청소하기	On Your Own

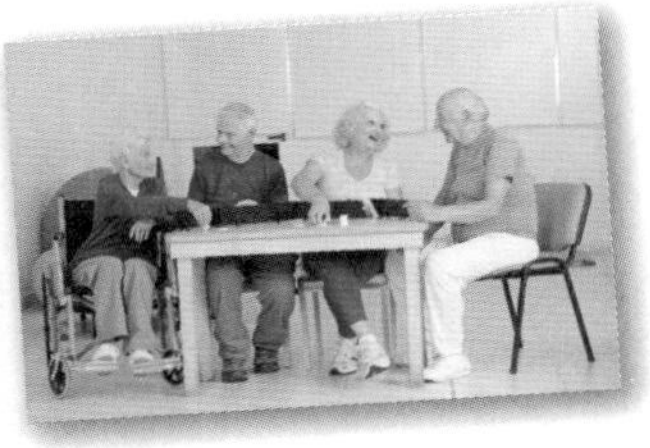

어구

recruit [동] (사람을) 모집하다
· The company *recruits* 20 new staff each year. (그 회사는 해마다 20명의 신입 사원을 모집한다.)
nursing home 양로원

STEP 2 Choose a type of volunteer work you and your partner would like to do together. 여러분과 여러분의 짝이 함께 하고 싶은 자원봉사 활동을 골라 봅시다.

| Sample Dialog |

A Why don't we volunteer together at a nursing home?

B That's a good idea. What kind of volunteer work shall we do?

A What about painting murals? I heard that Moonlight Nursing Home is looking for volunteers to paint some.

B Sounds nice, but I'm not good at painting. I wish I could paint well like you.

A Painting murals is not so difficult. I'm sure you can do it.

B Really? Okay, let's do that.

| 해석 |- -

A: 양로원에서 함께 자원봉사 하는 게 어떠니?

B: 좋은 생각이야. 우리가 할 수 있는 자원봉사 활동은 어떤 종류가 있을까?

A: 벽화를 그리는 것은 어때? Moonlight 양로원에서 몇몇 벽화를 그릴 자원봉사자를 구하고 있다고 들었어.

B: 괜찮게 들리지만, 난 그림 그리는 것을 잘하지 못해. 나도 너처럼 그림을 잘 그리면 좋을 텐데.

A: 벽화 그리는 것은 그렇게 어렵지 않아. 나는 네가 할 수 있다고 확신해.

B: 정말? 좋아, 그것을 해 보자.

STEP 3 Based on STEP 2, write an online recruitment advertisement with your partner and present it to the class.
STEP 2를 바탕으로 짝과 함께 온라인 구인 광고를 쓰고 그것을 반 친구들에게 발표해 봅시다.

1365
@1365admin

We are looking for volunteers to paint murals at Moonlight Nursing Home. The murals will beautify the nursing home. Painting experience is not necessary. If interested, please contact us.

On Your Own

Sample volunteer@sunshine_admin

We are looking for volunteers to do laundry at Sunshine Nursing Home. The experience of helping others will make you feel proud and give you a sense of personal fulfillment. If interested, please contact us.

우리는 Sunshine 양로원에서 빨래를 할 자원봉사자를 찾고 있습니다. 다른 사람들을 돕는 경험은 여러분을 자랑스럽게 느끼도록 만들어 주고 개인적 성취감을 가질 수 있도록 할 것입니다. 관심이 있으시면 저희에게 연락주세요.

| 해석 |- -

우리는 Moonlight 양로원에서 벽화를 그릴 자원봉사자를 찾고 있습니다. 벽화는 양로원을 아름답게 만들어 줄 거예요. 그림 그리기 경험은 필요하지 않아요. 관심이 있으시면 저희에게 연락주세요.

✓Self-Check   Yes No

I can use the target expressions correctly.
나는 목표 표현을 정확하게 쓸 수 있다.   ☐ ☐ → Go back to A and B.
A와 B로 돌아가세요.

I can communicate effectively.
나는 효과적으로 의사소통할 수 있다.   ☐ ☐ → Practice the Sample Dialog in STEP 2 again.
STEP 2의 예시 대화를 다시 연습하세요.

| 구문 해설 |- - - - - - - -

· I heard **that** Moonlight Nursing Home is looking for volunteers to paint **some**.: that은 접속사로 heard의 목적어절을 이끈다. some은 some murals를 의미한다.

어구

beautify 동 아름답게 하다[꾸미다]
· We *beautified* the room with flowers. (우리는 꽃으로 방을 아름답게 하였다.)
necessary 형 필요한
· He has the *necessary* skills for the job. (그는 그 직업에 필요한 기술을 가지고 있다.)
fulfillment 명 성취, 달성
· They are seeking *fulfillment* in their family life. (그들은 그들의 가정 생활에서 성취감을 찾고 있다.)

Listen and Speak 2 교과서 pp. 106~107

Target Expression

It's important to change our world for the better.
우리의 세상을 더 좋게 바꾸는 것이 중요해.

A **Listen to the lecture and fill in the blanks in the summary.**
강의를 듣고 요약문의 빈칸을 채워 봅시다.

The Liz Christy Community Garden: How Guerrilla Gardening Started

In 1973, New York City was suffering economically, and many parts of the city were not being taken care of. Artist Liz Christy thought that it was important to ___change___ the situation. So she and her friends cleaned up some ___abandoned___ land and planted various plants. This was the first instance of guerrilla gardening. Their actions were actually ___illegal___ because the land was not theirs. However, people liked the garden very much, so the New York City government bought the land and made it a(n) ___community___ garden.

Liz Christy 지역사회 공원: 게릴라 가드닝이 어떻게 시작되었는가
1973년, 뉴욕 시는 경제적으로 어려움을 겪고 있었고 도시의 많은 부분이 관리되고 있지 않았다. 예술가 Liz Christy는 상황을 변화시키는 것이 중요하다고 생각했다. 그래서 그녀와 그녀의 친구들은 일부 버려진 땅을 치우고 다양한 식물을 심었다. 이것이 게릴라 가드닝의 첫 번째 사례이다. 그 땅이 그들의 소유가 아니었기 때문에 그들의 행동이 사실은 불법이었다. 그러나 사람들이 그 공원을 매우 좋아해서 뉴욕 시 정부는 그 땅을 사서 그것을 지역사회 공원으로 만들었다.

Script

W: Have you ever been walking down a dull street and suddenly spotted a beautiful flower garden? It could have happened in New York in 1973. At that time, many parts of the city were not being taken care of properly because the economy was so bad. Artist Liz Christy thought that it was important to change the situation. So she assembled some friends to clean up some abandoned land and plant vegetables, flowers, and trees. Liz and her friends called themselves "Green Guerrillas." Their activities triggered a worldwide guerrilla gardening movement. In fact, their activities were illegal because they didn't own the land. However, people in New York liked the garden very much so the city government bought the land and made it a community garden. The garden was named The Liz Christy Community Garden in 1986. It continues to be maintained by community volunteers from all walks of life and has become a popular destination for locals and tourists alike.

| 해석 |

여: 여러분은 무미건조한 거리를 걷다가 갑자기 아름다운 꽃이 있는 정원을 발견한 적이 있나요? 이런 일이 1973년 뉴욕에서 일어났었을 것입니다. 그 당시에, 경제가 매우 나빴기 때문에 도시의 많은 부분이 적절하게 관리되고 있지 않았습니다. 예술가 Liz Christy는 상황을 변화시키는 것이 중요하다고 생각했습니다. 그래서 그녀는 친구들 몇 명을 모아서 일부 버려진 땅을 치우고 채소, 꽃과 나무들을 심었습니다. Liz와 그녀의 친구들은 그들 자신을 '그린 게릴라'라고 불렀습니다. 그들의 행동은 세계적으로 게릴라 가드닝 활동을 유발했습니다. 사실, 그들이 그 땅을 소유한 것이 아니었기 때문에 그들의 행동은 불법이었습니다. 그러나 뉴욕 사람들은 그 정원을 매우 좋아해서 시 정부는 그 땅을 사서 지역사회 공원으로 만들었습니다. 그 공원은 1986년에 Liz Christy 지역사회 공원이라고 이름이 붙여졌습니다. 그곳은 사회 각계각층의 지역 자원봉사자들에 의해 계속해서 유지되고 있으며 지역 주민과 여행자들 모두에게 인기 있는 목적지가 되었습니다.

| 구문 해설 |

- It **could have happened** in New York in 1973.: could have p.p.는 '~할 수 있었을 것이다'는 뜻으로 과거 사실에 대한 추측을 나타낸다.
- **It continues** to be maintained by community volunteers from all walks of life and **has become** a popular destination for locals and tourists alike.: 주어 It은 앞 문장의 주어인 The garden을 가리킨다. 동사는 continues와 has become이다.

어구

economically [부] 경제적으로
· *Economically*, our country has been improving steadily these past ten years. (우리나라는 경제적으로 지난 10년간 꾸준히 향상되었다.)

assemble [동] 모으다, 집합시키다 [유] collect
· I've already begun to *assemble* a team for the job. (나는 그 일을 위해서 이미 내 팀을 모으기 시작했다.)

abandoned [형] 버려진
· Recently the number of *abandoned* pets has increased sharply. (버려진 애완동물의 수가 최근에 급격히 증가했다.)

trigger [동] (사건 · 반응 따위를) 일으키다, 유발하다 [유] bring about

illegal [형] 불법의
· Fireworks are *illegal* in many places. (불꽃놀이는 많은 곳에서 불법이다.)

힌트

1973년에 뉴욕 시에서 일어난 게릴라 가드닝을 소개하는 강의이다. 예술가 Liz Christy와 그녀의 친구들은 관리되지 않는 버려진 땅에 꽃과 나무를 심어 아름다운 정원을 만들었다. 비록 불법적인 행동이긴 했으나 사람들이 좋아하자 뉴욕 시는 공원을 매입하여 지역사회가 함께 가꾸는 공원으로 만들었다.

참고

게릴라 가드닝(Guerrilla Gardening): '도심에 버려졌거나 아무도 돌보지 않는 땅에 꽃과 식물을 심어 작은 정원을 만드는 활동'을 말한다. 동네 공터는 쓰레기가 쌓이거나 흡연 공간으로 활용되어지는 경우가 많으므로 이곳에 꽃을 심음으로써 땅 주인 혹은 시민들에게 '땅을 올바르게 사용하자'라는 메시지를 던진다. '가드닝'이라는 원예 활동에 '게릴라(스페인어로 '작은 전쟁')'라는 전쟁 용어를 붙인 이유는 이런 활동이 대부분 소규모로 은밀하게 진행되기 때문이다.

[B] Complete the comic strip with the sentences from the box and practice the dialog with your partner. 보기의 문장들로 만화를 완성하고 짝과 함께 대화를 연습해 봅시다.

> [a] You shouldn't do that. 그건 하면 안 돼.
> [b] Are you sending secret plans to someone? 누군가에게 비밀 계획을 보내고 있니?
> [c] You know, it's important to change our world for the better.
> 너도 알다시피, 우리의 세상을 더 좋게 바꾸는 것이 중요해.

탑 아래에서. 오후 10시. 어두운 옷을 입어라. 정원 가꾸는 도구를 가져와라. 아무에게도 말하지 마라.

뭐 하고 있니? [b] 누군가에게 비밀 계획을 보내고 있니?

응. 게릴라 가드닝 팀을 모으고 있어. [c] 너도 알다시피, 우리의 세상을 더 좋게 바꾸는 것이 중요해.

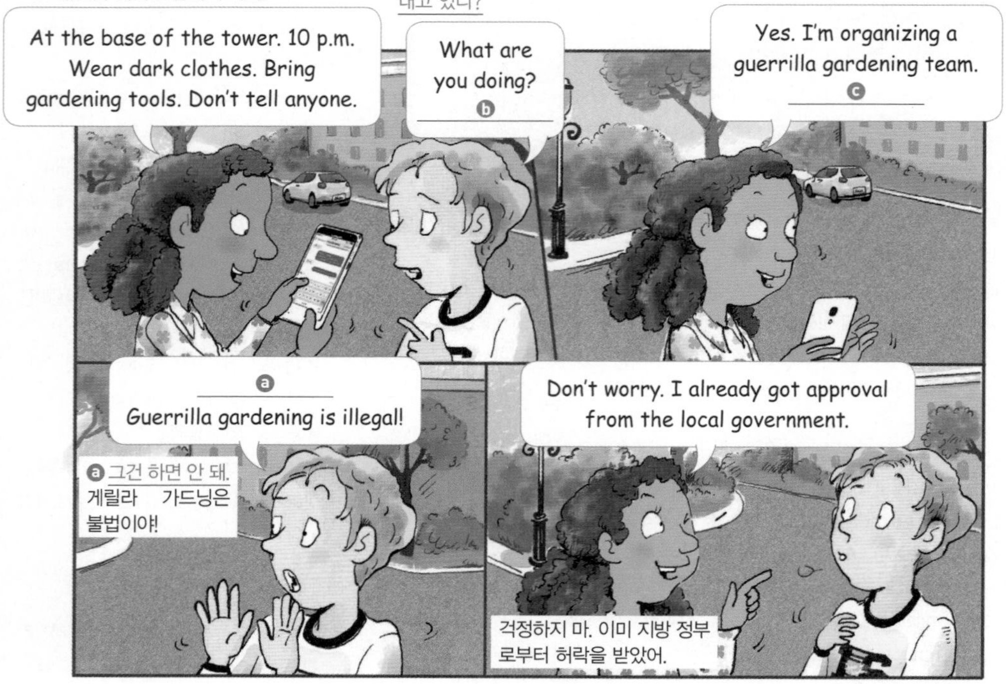
At the base of the tower. 10 p.m. Wear dark clothes. Bring gardening tools. Don't tell anyone.
What are you doing? [b]
Yes. I'm organizing a guerrilla gardening team. [c]
[a] Guerrilla gardening is illegal!
[a] 그건 하면 안 돼. 게릴라 가드닝은 불법이야!
Don't worry. I already got approval from the local government.
걱정하지 마. 이미 지방 정부로부터 허락을 받았어.

| 구문 해설 |

- You know, **it's important to change** our world for the better.: 「it's important to ~」 구문은 to 이하에 오는 내용의 중요성을 강조하기 위한 표현이다.

어구

base [명] 맨 아래 부분
·At the *base* of the cliff was a rocky beach. (절벽 아래에는 바위 투성이의 해안이 있었다.)

approval [명] 허가, 승인
·He showed his *approval* by smiling broadly. (그는 크게 미소 지어서 그가 승인했음을 보여 주었다.)

힌트

여자가 게릴라 가드닝 활동을 하려는 것을 보고 남자가 불법이라며 말리지만 여자는 이미 지방 정부로부터 허락을 받아서 걱정하지 말라고 말한다.

[C] Planning to Make Your School Look Better 여러분의 학교를 더 좋게 보이도록 계획하기

STEP 1 Circle the most suitable place for a garden at the school.
학교에서 정원으로 가장 적절한 곳에 동그라미 표 해 봅시다.

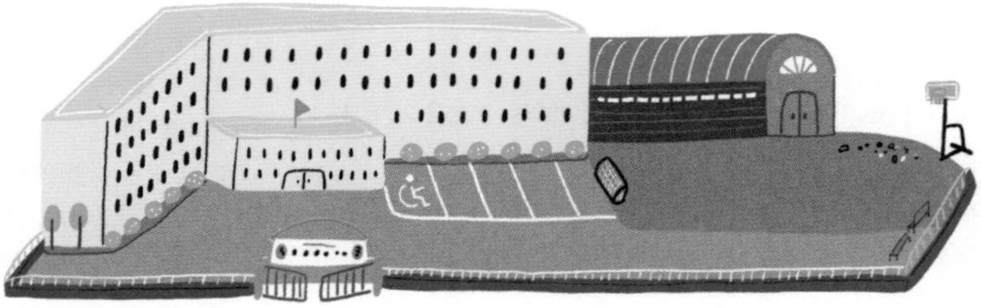

어구

suitable [형] 적절한
·The game is not *suitable* for children. (그 게임은 어린이들에게는 적절하지 않다.)

STEP 2 Within your group, choose a place to make a garden and complete the table with details.

여러분의 모둠 내에서 정원을 만들 장소를 고르고 세부 사항들로 표를 완성해 봅시다.

| Sample Dialog |

A I was thinking the parking lot is the most suitable place to make a garden.

B Well, I think it's important to find a place not being used. What about the far corner of the playground?

C That's a good idea. It'd make that place look better.

D Okay. What flowers do you have in mind?

A Daffodils? We can make a heart-shaped garden with daffodils.

B That sounds great. What tools do we need?

D I think some trowels and gardening gloves.

A All right. We're all set! Let's do it this coming Saturday.

Sample

Place	the far corner of the play ground 운동장의 먼 구석	**Garden Design**
Plants	some daffodils 수선화	
Tools	trowels and gardening gloves 모종삽과 정원용 장갑	
Date	May 5th, this coming Saturday 5월 5일 이번 주 토요일	

| 해석 |

A: 나는 주차장이 정원을 만들 가장 적절한 곳이라고 생각했어.

B: 음, 사용하고 있지 않는 장소를 찾는 것이 중요하다고 생각해. 운동장 저쪽 먼 구석은 어때?

C: 좋은 생각이다. 그곳을 더 좋아 보이도록 할 것 같아.

D: 알았어. 어떤 꽃을 생각하고 있니?

A: 수선화 어떠니? 수선화로 하트 모양 정원을 만들 수 있어.

B: 멋지게 들린다. 우리가 필요한 도구는 뭐니?

D: 모종삽 몇 개와 정원용 장갑일 것 같아.

A: 좋아. 모든 준비가 되었어! 이번 주 토요일에 그것을 하자.

| 구문 해설 |

·I **was thinking** the parking lot is the most suitable place **to make** a garden.: '과거에 ~하고 있었다'라는 뜻으로 진행을 나타내는 과거진행형 was thinking 다음에 목적어절을 이끄는 접속사 that이 생략된 문장이다. to make는 앞의 명사 the most suitable place를 수식하는 to부정사의 형용사적 용법으로 쓰였다.

STEP 3 Present your group's gardening plan to the class.

여러분 모둠의 정원 가꾸기 계획을 반 친구들에게 발표해 봅시다.

✔Self-Check

	Yes	No	
I can use the target expressions correctly. 나는 목표 표현을 정확하게 쓸 수 있다.	☐	☐	→ Go back to A and B. A와 B로 돌아가세요.
I can communicate effectively. 나는 효과적으로 의사소통할 수 있다.	☐	☐	→ Practice the Sample Dialog in STEP 2 again. STEP 2의 예시 대화를 다시 연습하세요.

Language in Focus

교과서 p. 108

A **Compare the following pairs of sentences and find the difference between them.** 다음 짝지어진 문장을 비교해 보고 그것들 사이의 차이점을 찾아봅시다.

- I did **not** try to take away its identity or its functionality, **but** I tried to give it a well-tailored suit out of knitting.
  나는 그것의 정체성이나 기능성을 빼앗으려 하지 않았고, 뜨개질로 잘 만들어진 정장을 주려고 노력했다.
- I tried **not** to take away its identity or its functionality **but** to give it a well-tailored suit out of knitting.
  나는 그것의 정체성이나 기능성을 빼앗으려 한 것이 아니라 뜨개질로 잘 만들어진 정장을 주려고 노력했다.

- We did **not** make the law to reject technology, **but** we made the law to make the technology safe and secure.
  우리는 기술을 거부하는 법을 만드는 것이 아니라 기술을 안전하고 확실하게 만드는 법을 만들었다.
- We made the law **not** to reject technology **but** to make it safe and secure.
  우리는 기술을 거부하는 것이 아니라 그것을 안전하고 확실하게 만드는 법을 만들었다.

● **Based on what you found, choose the appropriate words.**
여러분이 찾은 것을 바탕으로 적절한 단어들을 골라 봅시다.

"The most important thing in the Olympic Games is not to win but [take / to take ✓] part, just as the most important thing in life is not the triumph, but the struggle. The essential thing is not to have conquered but [fighting / to have fought ✓] well."
– Pierre de Coubertin

| 해석 |

"올림픽 경기에서 가장 중요한 것은 이기는 것이 아니라 참가하는 것인데, 마찬가지로 인생에 있어 가장 중요한 것은 승리하는 것이 아니라 노력하는 것이다. 근본적인 것은 정복해 왔냐는 것이 아니라 잘 싸워 왔냐는 것이다."
– Pierre de Coubertin

Grammar Point

not A but B

「not A but B」는 'A가 아니라 B'라는 뜻의 선택을 나타내는 상관 접속사 구문으로, 상관 접속사로 연결되는 어구는 동일한 품사이거나 어법상 성격이 같은 것이어야 한다. 예를 들어 not 뒤에 to부정사구를 썼다면 but 뒤에도 to부정사구를 써야 하고 to부정사의 용법 역시 같은 것이어야 한다.

e.g. I said this **not** to be obstructive **but** to be helpful.
(나는 방해하려는 것이 아니라 도움이 되라고 이것을 말했다.)
→ to be obstructive와 to be helpful은 둘 다 부사적 용법 중 목적을 나타내는 to부정사로 쓰였다.
She lives **not** in Australia, **but** in Austria.
(그녀는 오스트레일리아가 아니라 오스트리아에서 산다.)
→ in Australia와 in Austria는 둘 다 부사구로 쓰였다.

어구

identity [명] 정체성
· As children grow, they establish their own *identities*. (아이들은 성장하며 자신들만의 정체성을 확립해간다.)

functionality [명] 기능성
· The cameras are comparable in price and *functionality*. (그 사진기들은 가격과 기능성 면에서 비슷하다.)

reject [동] 거부하다, 거절하다
· I applied for a job as a car mechanic, but I was *rejected*. (나는 자동차 정비사 자리에 지원했으나 거절당했다.)

secure [형] 확실한, 안전한
· This ladder doesn't look *secure* to me. (이 사다리는 내가 보기에 안전한 것 같지 않다.)

triumph [명] 승리
· The game ended in *triumph* for the home team. (그 경기는 홈팀의 승리로 끝났다.)

힌트

「not A but B」 구문이 쓰인 문장에서는 A와 B가 어법상 동등한 구조와 성격을 가져야 한다. 여기서는 각각 to부정사 to win과 to have conquered가 A 부분에 쓰였으므로 B에 해당하는 부분에도 to부정사가 와야 한다.

| 구문 해설 |

- ~ just as the most important thing in life is **not** the triumph, **but** the struggle.: 「not A but B」 구문이 쓰여 A와 B에는 둘 다 명사가 왔다.

B **Compare the following pairs of sentences and find the difference between them.** 다음 짝지어진 문장을 비교해 보고 그것들 사이의 차이점을 찾아봅시다.

> - **It is possible that people thought** I was a master knitter when I began yarn bombing.
>   내가 얀 바밍을 시작했을 때 사람들이 나를 뜨개질 고수라고 생각했을 가능성이 있다.
> - **People may have thought** I was a master knitter when I began yarn bombing.
>   사람들은 내가 얀 바밍을 시작했을 때 나를 뜨개질 고수라고 생각했을지도 모른다.

> - **It is possible that he made** an important discovery that would change the world.
>   그가 세상을 바꿀 중요한 발견을 했을 가능성이 있다.
> - **He may have made** an important discovery that would change the world.
>   그가 세상을 바꿀 중요한 발견을 했을지도 모른다.

● **Based on what you found, read the following and choose the word that could be changed into the form "may have -ed."**
여러분이 찾은 것을 바탕으로 다음을 읽고 'may have -ed' 형식으로 바꿀 수 있는 단어를 골라 봅시다.

> Mom grabbed my hand and ⓐ<u>started</u> to run. "We have to hurry, Mike," she said. When we ⓑ<u>arrived</u> at the bus stop in front of the pizza restaurant, the bus was nowhere in sight. "I'm not sure, but we ✓ⓒ<u>missed</u> it. I'll ask inside," Mom said. She ⓓ<u>entered</u> the restaurant and asked, "Has the bus left yet?" The man at the counter hardly ⓔ<u>looked</u> at her and said, "You just missed it."

| 해석 |- -

엄마는 내 손을 잡고 달리기 시작했다. "우리는 서둘러야 해, Mike"라고 그녀는 말했다. 우리가 피자집 앞 버스 정류장에 도착했을 때, 버스는 아무 곳에도 보이지 않았다. "확실하진 않지만, 우리는 버스를 놓친 것 같구나. 내가 안에 들어가서 물어볼게."라고 엄마는 말했다. 그녀는 피자집에 들어가서 물었다. "버스가 이미 떠났나요?" 계산대에 있는 남자가 그녀를 거의 쳐다보지도 않고 말했다. "버스를 방금 놓치셨어요."

Grammar Point

추측을 나타내는 조동사 may

may는 불확실한 추측이나 가능성을 나타내는 조동사이며, 「may+동사원형」은 '~일지 모른다'라는 의미로 현재나 미래에 대한 불확실한 추측이나 가능성을 나타내고, 「may have p.p.」는 '~했을지도 모른다'는 의미로 과거 사실에 대한 불확실한 추측을 나타낸다.

e.g. She **may have been** at home yesterday.
　(그녀는 어제 집에 있었을지도 모른다.)
　= It is possible that she was at home yesterday.
　　(그녀가 어제 집에 있었을 가능성이 있다.)
　He **may have left** for Los Angeles last Sunday.
　(그가 지난 일요일에 LA로 떠났을지도 모른다.)
　= It is possible that he left for Los Angeles last Sunday.
　　(그가 지난 일요일에 LA로 떠났을 가능성이 있다.)

어구

master ⓝ 대가, 거장
·Jan van Eyck was a *master* of oil painting. (Jan van Eyck는 유화의 대가였다.)
discovery ⓝ 발견
·Leonardo made many scientific *discoveries*. (Leonardo는 많은 과학적 발견을 했다.)
grab ⓥ 움켜잡다
·The little boy *grabbed* onto his mother's leg and wouldn't let go. (그 어린 소년은 어머니의 다리를 꼭 움켜잡고 보내주지 않았다.)

힌트

엄마와 Mike가 버스 정류장에 도착했을 때 버스는 아무 곳에도 보이지 않았고 ⓒ 앞에서 버스를 놓친 것이 확실하지 않다고 말하고 있으므로 과거의 불확실한 추측을 나타내는 「may have p.p.」 형태의 표현이 와야 한다.

| 구문 해설 |

·She **entered** the restaurant and **asked**, "**Has** the bus **left yet**?": 동사 entered와 asked가 병렬 구조로 쓰였다. 「Has+주어+p.p. ~?」의 형태인 현재완료의 의문문이 yet과 함께 쓰여서 완료의 의미를 나타낸다.

Before You Read

Reading Activator

A Look at the pictures and highlight the words that you think are appropriate for describing them.

사진을 보고 그것들을 묘사하는 데 적절하다고 생각하는 단어에 표시해 봅시다.

Sample cozy, pretty, soft ...

warm 따뜻한	cozy 아늑한	pretty 귀여운	natural 자연스러운	clean 깨끗한
dirty 더러운	soft 부드러운	messy 지저분한	cold 차가운	dull 지루한

어구

messy (형) 지저분한, 엉망인
·His bedroom is always *messy*.
(그의 침실은 항상 지저분하다.)
dull (형) 따분한; 우둔한
·To my disappointment, his new book was *dull* and conventional.
(실망스럽게도 그의 새 책은 따분하고 진부했다.)

Word Booster

B Guess the meanings of the underlined words and match them with their appropriate definitions on the right.

밑줄 친 단어의 의미를 유추하여 오른쪽의 알맞은 정의와 연결해 봅시다.

1. If your plan is to intrigue me, you've already succeeded. I'm really absorbed in your idea.
당신의 계획이 내 관심을 끄는 것이라면, 이미 당신은 성공한 것이다. 나는 정말로 당신의 생각에 빠져들었다.

   ⓐ to make someone very interested in knowing more about something
   누군가에게 어떤 것에 관해서 더 아는 데 매우 관심을 갖게 만들다

2. Greg used to speak without thinking, but this time he started to ponder what he should say to his father about the problem.
Greg은 생각 없이 말하곤 했지만, 이번에는 그 문제에 관해서 그의 아버지에게 무슨 말을 해야 할지 심사숙고하기 시작했다.

   ⓑ to think carefully about something before making a decision
   결정을 내리기 전에 무언가에 관해 신중하게 생각하다

어구

intrigue (동) 흥미를 불러일으키다
·I was *intrigued* by her way of talking. (나는 그녀의 말하는 방식에 흥미를 갖게 되었다.)
absorb (동) (마음을) 열중케 하다
ponder (동) 숙고하다, 깊이 생각하다
(유) contemplate
·We *pondered* whether we could afford the trip. (우리는 우리가 그 여행을 갈 여유가 있는지 숙고했다.)

┃구문 해설┃

·Greg **used to speak** without thinking, but this time he started to ponder what he should say to his father about the problem.: 「used to+동사원형」은 '~하곤 했다'라는 뜻으로 지금은 하지 않는 과거의 규칙적 습관을 나타낼 때 사용하는 표현이다.

교과서 p. 110

Towards a Softer World: YARN BOMBING

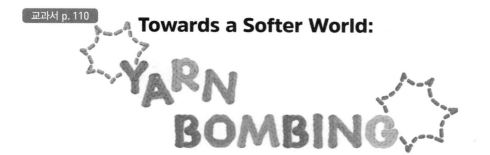

❶ Good evening. ❷ My name is Magda Sayeg. ❸ I'm a textile artist [who is] most widely known for starting the yarn bombing movement. ❹ Have you heard of yarn bombing? ❺ It is taking knitted or crocheted material out into the urban environment. ❻ You may think [that it's similar to graffiti]. [「be similar to」 ~와 유사하다] ❼ Unlike [~와 다르게] graffiti, however, yarn bombing doesn't damage structures or the natural landscape. ❽ It is also temporary and removable. ❾ Some people worry [that yarn bombing is not legal]. [목적어절] ❿ That's technically true, but no one has ever given me any trouble because yarn bombs look very innocent. ⓫ Besides [게다가], most artists [주어] today do [동사 (복수)] yarn installations with permission from property owners or even at their request. [「at one's request」 ~의 요청에 따라]

구문 연구

❸ I'm **a textile artist** most widely **known for** starting the yarn bombing movement.: a textile artist는 known의 수식을 받으며 뒤에 「주격 관계대명사+be동사」 who is가 생략되어 있다. be known for는 '~로 알려지다'라는 뜻의 표현이다.

❿ **That**'s technically true, but no one has ever given me any trouble because yarn bombs **look** very **innocent**.: That은 앞 문장의 yarn bombing is not legal이라는 사실을 말한다. 감각동사 look은 보어로 형용사 innocent를 취했다.

Highlight

Highlight all the expressions that show how yarn bombing is different from graffiti.

얀 바밍이 그라피티(낙서)와 어떻게 다른지 보여 주는 모든 표현에 표시해 봅시다.

[정답] 일곱 번째, 여덟 번째 문장 yarn bombing doesn't damage structures or the natural landscape. It is also temporary and removable.

| 해석 |

더 부드러운 세상을 향해: 얀 바밍(Yarn Bombing)

❶ 안녕하세요. ❷ 제 이름은 Magda Sayeg입니다. ❸ 저는 얀 바밍 운동을 시작한 것으로 가장 널리 알려진 직물 예술가입니다. ❹ 얀 바밍에 대해 들어 보신 적이 있나요? ❺ 얀 바밍은 뜨개질이나 코바늘로 짠 것을 도시 환경 속으로 가지고 나오는 것입니다. ❻ 여러분은 아마 이것이 그라피티와 비슷하다고 생각할 수 있습니다. ❼ 하지만 그라피티와 다르게 얀 바밍은 구조물이나 자연 경관에 해를 주지 않습니다. ❽ 그것은 또한 일시적이고 제거할 수 있습니다. ❾ 몇몇 사람들은 얀 바밍이 합법이 아니라는 점을 걱정합니다. ❿ 그것은 엄밀히 따지면 사실이지만 아무도 저를 힘들게 하지 않았는데, 털실 작품들은 매우 순수해 보이기 때문입니다. ⓫ 게다가 요즘 대부분 예술가들이 주인들에게 허락을 받거나 심지어 그들의 요청에 따라 털실 작품을 설치합니다.

어구

yarn [명] 털실
textile [명] 직물, 옷감
temporary [형] 일시적인
removable [형] 제거할 수 있는
· The figure came with a *removable* champion belt. (그 피규어는 제거 가능한 챔피언 벨트가 채워진 채 출시되었다.)
installation [명] 설치
permission [명] 허가, 허용
property [명] 소유물, 재산, 부동산

Lesson 5

Check Up

01 다음 문장에서 어법상 틀린 부분을 찾아 바르게 고치시오.

(1) Her son looks cutely in red shorts.

(2) The place had no power, and it smelled terribly.

02 우리말과 일치하도록 주어진 어구를 활용하여 영작하시오.

그 도시는 지역사회 공원으로 알려져 있다.

____

(community garden, be known for)

⑫ When I started this over 10 years ago, I didn't have a word for it, I didn't have any ambitious ideas about it, and I had no grand expectations. ⑬ All [I wanted to see] was something warm, fuzzy, and human on the cold gray steel things [that I looked at every day]. ⑭ So I wrapped a door handle. ⑮ I call this the Alpha Piece. ⑯ Little did I know [that this tiny piece would change the course of my life].

주어 / 동사 (단수) / 목적격 관계대명사절 / 「call+목적어+목적격 보어」 ~을 …라고 부르다 / 부정어 도치 구문 「부정어+조동사+주어+본동사」

[Q] Where did Magda install her first yarn bombing item?
Magda는 그녀의 첫 번째 얀 바밍 아이템을 어디에 설치했습니까?
[정답] She installed it on a door handle. 그녀는 문고리에 그것을 설치했다.

구문 연구

⑫ When I started this over 10 years ago, **I didn't have** a word for it, **I didn't have** any ambitious ideas about it, and **I had** no grand expectations.: 세 개의 절이 and로 병렬 연결되어 주절을 이루고 있다.

⑬ **All** I wanted to see **was something warm, fuzzy,** and **human** on the cold gray steel things **that** I looked at every day.: 목적격 관계대명사절 I wanted to see가 주어 All을 수식하고 all은 단수 취급하므로 동사로 was가 쓰였다. -thing으로 끝나는 대명사 something은 형용사 warm, fuzzy, human이 후치 수식하고 있다. that 이하는 목적격 관계대명사절로 선행사 the cold gray steel things를 수식한다.

⑭ **Little did I know** that this tiny piece would change the course of my life.: 의미를 강조하기 위해 부정어 little이 문장 앞으로 이동하여 주어와 동사가 「조동사+주어+동사원형」의 어순으로 도치되었다. 도치 전 문장은 I knew little ~.이다.

Grammar Check

◆ 부정어(구) 도치

little, few, no, not, never, hardly, scarcely, rarely, seldom 등 부정의 의미를 가진 부사어가 의미를 강조하기 위해 문장 앞으로 이동하면 「부정어+조동사+주어+본동사」의 어순으로 도치된다.

e.g. **Never did she explain** anything about the situation.
(그녀는 그 상황에 대해 아무 설명도 하지 않았다.)
Little did he know that he was fueling his son with a passion that would last for a lifetime. (그는 자신이 평생토록 지속될 열정을 그의 아들에게 불어넣고 있음을 알지 못했다.)
Not until this morning did I know she had won the gold medal.
(오늘 아침까지 나는 그녀가 금메달 딴 것을 알지 못했다.)

| 해석 |

⑫ 제가 이것을 10년보다 더 전에 시작했을 때, 저는 이것을 부를 말도 없었고, 이것에 대한 야심찬 생각도 없었고, 거창한 기대도 없었습니다. ⑬ 제가 보고 싶었던 것은 제가 매일 보는 차가운 잿빛 쇠붙이 위에 따뜻하고 보송보송하며 인간다운 것이 있는 것이었습니다. ⑭ 그래서 저는 문고리를 감쌌습니다. ⑮ 저는 이것을 Alpha Piece라고 부릅니다. ⑯ 이 작은 것이 제 삶의 향로를 바꿀 것이라는 것을 저는 알지 못했습니다.

어구

ambitious [형] 야심 있는
expectation [명] 기대
· In later years his *expectations* changed. (수년 후에 그의 기대는 변했다.)
fuzzy [형] (솜털이) 보송보송한
· Her pet cats are *fuzzy* and cute. (그녀의 애완 고양이는 털이 보송보송하고 귀엽다.)

Check Up

01 다음 문장에서 어법상 틀린 부분을 찾으시오.

All I wanted to see ① were something warm, fuzzy, and human on the cold gray steel things ② that I looked at every day. So I ③ wrapped a door handle. I call ④ this the Alpha Piece.

02 우리말과 일치하도록 주어진 어구를 활용하여 영작하시오.

어제까지 그녀는 그 소식을 알지 못했다.

____
(she, not until, know, the news)

❶ People's reactions were great. ❷ It intrigued me and I thought, "What else could I do? Could I do something in public [that would get the same reaction?]" 주격 관계대명사절 ❸ So I wrapped the stop sign pole near my house. ❹ The reaction was wild. ❺ People would park their cars, get out of 동사 1 동사 2 their cars, stare at it, and take pictures of it. ❻ I was really excited and I 동사 3 동사 4 (병렬 구조) wrapped every stop sign pole in the neighborhood. ❼ And the more that I did, the stronger the reaction. 「the+비교급, the+비교급」 ~할수록 더 …하다 ❽ This was the point [when I became fascinated by yarn bombing]. 관계부사절 ❾ I found my new passion, and the urban environment was my playground. ❿ I was very curious about this idea of enhancing the ordinary, the boring, even the ugly. ⓫ And I tried not to take away its 「the+추상명사」= 복수 보통명사 (~한 것들) 「not A but B」A가 아니라 B이다 identity or its functionality but to give it a well-tailored suit out of knitting. ⓬ This was fun for me. ⓭ It was really enjoyable [to take boring 가주어 진주어 objects and make them come to life]. to = boring objects

구문 연구

❺ People **would park** their cars, **get** out of their cars, **stare** at it, and **take** pictures of it.: 「would+동사원형」은 '~하곤 했다'라는 뜻으로 과거의 불규칙적인 습관을 나타내며, 조동사 would에 이어진 동사원형 park, get, stare, take가 병렬 구조를 이룬다.

❼ And **the more** that I did, **the stronger** the reaction.: 「the+비교급(+주어+동사), the+비교급(+주어+동사)」는 '~할수록 더 …하다'라는 뜻의 표현이다. 이 문장에서 the more 뒤의 that은 목적격 관계대명사이고 did는 내용상 앞 문장의 wrap을 받는 대동사이므로, And the more that I did는 '내가 감싼 것이 많을수록'이라는 뜻을 가진다. 뒷부분은 the stronger가 보어이고 the reaction이 주어로서 보어가 앞으로 나가면서 동사와 주어가 도치되며 동사인 was가 생략된 것이다. 이처럼 「the+비교급」 구문에서 be 동사는 종종 생략된다.

❽ This was **the point when** I became fascinated by yarn bombing.: 관계부사 when이 이끄는 절이 선행사 the point를 수식하고 있다. 이처럼 시간, 장소 등을 나타내는 관계부사절이 추상적 의미를 가진 명사를 수식하는 경우가 종종 있다.

❿ I was very curious about this idea of enhancing **the ordinary**, **the boring**, even **the ugly**.: 「the+추상명사」는 복수 보통명사를 나타낸다. 이 문장에서 the ordinary, the boring, the ugly는 각각 '평범한 것들, 지루한 것들, 못생긴 것들'을 뜻한다.

⓫ I tried **not to take** away its identity or its functionality **but to give** it a well-tailored suit out of knitting.: 「not A but B」 구문에서 A와 B는 어법상 동등한 구조를 가져야 하므로 각각 to부정사인 to take와 to give가 쓰였다.

Check Up

01 다음 괄호 안에서 알맞은 것을 고르시오.

(1) There is something (which / that) I don't understand.

(2) The doctor's task is not to tell patients what to do (and / but) to educate them about various treatment options.

02 우리말과 일치하도록 주어진 어구를 활용하여 영작하시오.

> 우리가 더 많이 공유할수록 우리는 더 많이 갖게 된다.

_____

(the, more, share, have)

Pay Attention 🔍

L12 And I tried **not** to take away its identity or its functionality **but** to give it a well-tailored suit out of knitting.

「not A but B」는 'A가 아니라 B이다'라는 뜻을 가진 구문으로, not과 but 뒤에 나오는 표현은 어법상 동등한 구조를 가진다.

| 해석 |-----------------------

❶ 사람들의 반응은 대단했습니다. ❷ 그것은 제게 흥미를 불러일으켰고, 저는 "내가 어떤 다른 것을 할 수 있을까? 같은 반응을 얻을 어떤 일을 공공장소에서 해도 될까?"라고 생각했습니다. ❸ 그래서 저는 집 근처의 멈춤 표지판을 감쌌습니다. ❹ 반응은 강렬했습니다. ❺ 사람들은 차를 주차하고 차에서 내려 그것을 바라보고 사진을 찍곤 했습니다. ❻ 저는 정말 신이 났고 인근의 모든 멈춤 표지판을 감쌌습니다. ❼ 그리고 제가 하면 할수록 반응은 더 강력했습니다. ❽ 이것이 제가 얀 바밍에 매료된 순간이었습니다. ❾ 저는 저의 새로운 열정을 찾았고, 도시 환경은 제 놀이터였습니다. ❿ 저는 평범하고, 지루하고, 심지어는 못생긴 것들의 가치를 높이는 이 아이디어에 굉장히 호기심이 많았습니다. ⓫ 그리고 저는 물건의 정체성이나 기능을 빼앗으려 한 것이 아니라 뜨개질로 잘 만들어진 정장을 주려고 노력했습니다. ⓬ 제게는 이것이 재미있었습니다. ⓭ 따분한 대상을 고르고 그것들에게 생기를 부여하는 것은 정말 즐거웠습니다.

어구

fascinated ⓗ 매료된, 마음을 빼앗긴
·We were absolutely *fascinated* by the game. (우리는 그 시합에 완전히 매료되었다.)
functionality ⓝ 기능성

⑭ I could have laughed and let it pass, but I didn't. ⑮ I wanted to take
「could have p.p.」 ~할 수 있었을 텐데 (그러나 하지 않았다)
it seriously. ⑯ I wanted to analyze it. ⑰ I wanted to know [why I was
know의 목적어절 1
letting this take over my life], [why I was passionate about it], and [why
let(사역동사)+목적어+목적격 보어(동사원형) 목적어절 2 목적어절 3
other people were reacting so strongly to it]. ⑱ And I realized something.
간접의문문 (의문사+주어+동사)
⑲ We all live in this fast-paced world, but we still crave something [that's
주격 관계대명사절
relatable]. ⑳ I think [we've all become dull by our overdeveloped cities
think의 목적어절 1
[that we live in], traffic signs, advertisements, and giant parking lots], and
= where we live
[we don't even complain about that stuff any more]. ㉑ So when you come
think의 목적어절 2 우연히 마주치다
across a stop sign pole [that's wrapped in knitting], which seems so out
주격 관계대명사절 계속적 용법의 주격 관계대명사
of place, you gradually—weirdly—find a connection to it. ㉒ That is
the moment. ㉓ That is the moment [I love], and that is the moment
[I love to share with others].

[Q] Why do people react so strongly to yarn bombing?
왜 사람들은 얀 바밍에 그렇게 강렬하게 반응합니까?
[정답] It's because people crave something that's relatable.
그것은 사람들이 공감할 수 있는 것을 열망하기 때문이다.

구문 연구

⑭ I **could have laughed** and **let it pass**, but I didn't.: 「could have p.p.」는 '~할 수 있었을 텐데 (하지 않았다)'라는 뜻으로 과거 사실에 대한 가능성을 나타내는 표현이다. 사역동사 let은 목적어로 it, 목적격 보어로 동사원형 pass를 취했다.

⑰ I wanted to know **why** I was letting this take over my life, **why** I was passionate about it, and **why** other people were reacting so strongly to it.: 의문사 why가 이끄는 세 개의 의문사절이 and로 병렬 연결되어 know의 목적어절로 쓰였다.

⑳ I think we've all become dull **by our overdeveloped cities that** we live in, **traffic signs, advertisements**, and **giant parking lots**, and we don't even complain about that stuff any more.: our overdeveloped cities, traffic signs, advertisements, giant parking lots는 모두 전치사 by의 목적어로 쓰였다. that은 목적격 관계대명사절을 이끌며 that we live in이 앞의 our overdeveloped cities를 수식한다.

㉑ So when you come across a stop sign pole **that**'s wrapped in knitting, **which** seems so out of place, you gradually—weirdly—find a connection to it.: 주격 관계대명사절 that ~ knitting은 선행사 a stop sign pole을 수식하고, 주격 관계대명사 which는 계속적 용법으로 쓰여 앞 절 전체 내용을 선행사로 받는다.

One More Step

L24 Choose the word that has a similar meaning with *out of place*.
'out of place'와 비슷한 뜻을 가진 표현을 골라 봅시다.

ⓐ separated 분리된
ⓑ elementary 기본적인
ⓒ bothersome 귀찮은
✓ⓓ inappropriate 부적절한

| 해석 |

⑭ 그냥 웃고 넘어갈 수도 있었지만, 저는 그러지 않았습니다. ⑮ 저는 그것을 심각하게 받아들이고 싶었습니다. ⑯ 저는 그것을 분석하고 싶었습니다. ⑰ 저는 왜 제가 이것이 제 삶을 차지하도록 허용하고 있는지, 왜 제가 이것에 열정적인지, 그리고 왜 다른 사람들이 그토록 강렬하게 그것에 반응하는지 알고 싶었습니다. ⑱ 그리고 저는 무언가를 깨달았습니다. ⑲ 우리는 모두 빠르게 돌아가는 세상에 살고 있지만, 여전히 공감할 수 있는 것을 열망합니다. ⑳ 제 생각에 우리 모두는 우리가 살고 있는 과도하게 개발된 도시와 교통 표지판, 광고, 그리고 거대한 주차장에 둔감해졌고, 그런 것들에 대해 더 이상 불평조차 하지 않습니다. ㉑ 그래서 뜨개질로 감싸져 있는 멈춤 표지판을 보게 되면 그것이 아주 부적절해 보이지만, 당신은 희한하게도 점차 그것과의 관련성을 찾게 됩니다. ㉒ 그것이 바로 그 순간입니다. ㉓ 그것이 제가 사랑하는 순간이고, 다른 사람들과 나누고 싶은 순간입니다.

어구

passionate [형] 열렬한, 열정적인
fast-paced [형] 진행 속도가 빠른, 빠르게 돌아가는
crave [동] 열망하다
·He says he didn't *crave* power for its own sake. (그는 권력 그 자체를 열망한 것은 아니라고 말한다.)
relatable [형] 관련지을 수 있는, 공감할 수 있는
·One of the reasons for her success is that the characters in her books are so *relatable*. (그녀 성공의 이유 중 하나는 그녀의 책 속 인물들이 아주 공감할 만하다는 것이다.)
out of place 부적절한, 어울리지 않는

Check Up

01 다음 문장의 빈칸에 공통으로 들어갈 알맞은 의문사를 쓰시오.

I wanted to know ________ I was letting this take over my life, ________ I was passionate about it, and ________ other people were reacting so strongly to it. And I realized something.

02 우리말과 일치하도록 주어진 어구를 활용하여 영작하시오.

나는 그 택시를 탈 수 있었지만 그러지 않았다.

____

(could have, take, the taxi)

❶ So at this point, my curiosity grew. ❷ It went <u>from</u> decorating the fire hydrants and the stop sign poles <u>to</u> thinking about what else I could do with this material. ❸ Could I do <u>something large-scale and more widespread</u>? ❹ That's [when the double-decker bus project happened]. ❺ This changed everything for me. ❻ <u>Up to</u> that point, I <u>hadn't wrapped</u> anything so big in knitting. ❼ I <u>spent many weeks collecting</u> materials, and then took all the materials to London. ❽ I was given only three days to finish the project. ❾ It was very stressful, but I was able to finish it. ❿ The result was really satisfying.

🅠 If you were a yarn bomber, what would you wrap in knitting?
만약 여러분이 얀 바머라면 뜨개질로 무엇을 감싸겠습니까?

> Sample If I were a yarn bomber, I would wrap my chair in knitting.
> 만약 내가 얀 바머라면 뜨개질로 내 의자를 감쌀 것이다.

구문 연구

❷ It went from decorating the fire hydrants and the stop sign poles to thinking about **what else I could do** with this material.: what else I could do 는 「의문사＋주어＋동사」 형태의 의문사절로 전치사 about의 목적어로 쓰였다.

❸ Could I do **something large-scale** and **more widespread**?: something, anything, nothing, everything 등 -thing으로 끝나는 대명사를 수식하는 형용사는 대명사 뒤에 위치한다. 이 문장에서는 large-scale과 more widespread가 something을 수식하고 있다.

❻ Up to that point, I **hadn't wrapped anything so big** in knitting.: 2층 버스 프로젝트를 하게 된 시점 이전부터 프로젝트를 시작한 시점인 과거까지의 상황을 표현해야 하므로 과거완료(hadn't wrapped) 시제가 쓰였다. anything이 -thing으로 끝나는 대명사이므로 so big은 anything의 뒤에서 수식한다.

❿ The result was really **satisfying**.: 사물 주어인 '그 결과'가 만족스러운 것이므로 능동의 의미를 가진 현재분사 satisfying이 쓰였다. 주어가 사람일 경우에는 수동의 의미를 가진 과거분사 satisfied가 쓰여야 한다.

Grammar Check

◆ from A to B
「from A to B」는 from과 to가 각각 전치사이므로 그 뒤에 명사 상당 어구가 오며, 관련 있는 말 또는 반의어의 형태가 쓰인다.
e.g. **from** hand **to** hand (손에서 손으로)
   from bottom **to** top (아래부터 맨 위까지)

Check Up

01 다음 문장에서 어법상 틀린 부분을 찾아 바르게 고치시오.

(1) Did you notice strange anything about him?
(2) He spends about two hours to play video games.

02 우리말과 일치하도록 주어진 어구를 활용하여 영작하시오.

> 그때까지 나는 10통의 편지를 그들에게 보냈다.

(up to, send, ten letters)

Pay Attention 📍
L1 It went **from** decorating the fire hydrants and the stop sign poles **to** thinking about what else I could do with this material.

「from A to B」는 'A부터 B까지'라는 뜻을 가진 구문으로, from과 to가 전치사이므로 뒤에 명사(구, 절)가 온다.

| 해석 |
❶ 그래서 이 시점에 제 호기심이 자랐습니다. ❷ 그것은 소화전과 멈춤 표지판을 꾸미는 것에서부터 이 재료로 어떤 다른 것을 할 수 있을까에 대해 생각해 보는 것까지 나아갔습니다. ❸ 내가 규모가 크고 더 일반적인 어떤 일을 할 수 있을까? ❹ 그때가 바로 2층 버스 프로젝트가 있었던 때입니다. ❺ 이것이 제게서 모든 것을 바꿨습니다. ❻ 그 시점까지 저는 뜨개질로 그렇게 큰 것을 감싸본 적이 없었습니다. ❼ 저는 재료를 모으느라 여러 주를 보냈고, 그러고 나서 그 모든 재료를 런던으로 가지고 갔습니다. ❽ 그 프로젝트를 마치는 데 저에게 단지 3일이 주어졌습니다. ❾ 그것은 스트레스가 아주 컸지만, 저는 그것을 끝낼 수 있었습니다. ❿ 결과는 정말 만족스러웠습니다.

어구

fire hydrant 소화전
large-scale ⑱ 대규모의, 대대적인
widespread ⑱ 널리 퍼진, 폭넓은, 일반적인
· There's *widespread* agreement that the law should be changed. (그 법이 바뀌어야 한다는 폭넓은 동의가 있다.)
double-decker ⑱ 2층 버스
up to ~까지

교과서 p. 114

❶ Suddenly, I began witnessing something interesting: People from all over the world started yarn bombing. ❷ It had reached global status. ❸ Though I started it, I certainly don't own it any more. ❹ And I know this because I have traveled to certain parts of the world [that I'd never been to], and have stumbled upon stop sign poles [that were wrapped up]. ❺ These experiences have shown me the hidden power of this craft and have revealed [that there is a common language {I have with the rest of the world}]. ❻ It was through this common hobby that I found a connection with people [whom I never thought {I'd have one with}].

(과거완료 (과거 이전의 일 나타냄) / ~이지만 / 주격 관계대명사절 / ~을 우연히 만나다 / 주어 / 동사구 1 / 동사구 2 / have revealed의 목적어절 / It ~ that 강조 구문 / 목적격 관계대명사절 / that / = a connection)

| 해석 |

❶ 갑자기 저는 흥미로운 것을 목격하기 시작했습니다. 온 세상의 사람들이 얀 바밍을 시작한 것입니다. ❷ 그것은 세계적인 지위에 이르게 되었습니다. ❸ 제가 시작하기는 했지만, 확실히 더 이상 제 것이 아닙니다. ❹ 그리고 제가 이 사실을 아는 것은 한 번도 가보지 않았던 세상의 어떤 곳을 여행하다가 (얀 바밍으로) 감싸여 있는 멈춤 표지판을 우연히 만났기 때문입니다. ❺ 이런 경험들은 이 공예의 숨겨진 힘을 저에게 보여 주었고, 제가 세상 사람들과 함께 갖는 공용어가 있음을 알려 주었습니다. ❻ 제가 관계를 맺게 될 것이라고는 전혀 생각하지 못했던 사람들과의 연결고리를 찾은 것은 이 흔한 취미를 통해서였습니다.

구문 연구

❹ And I know this because I **have traveled** to certain parts of the world **that I'd never been** to, and **have stumbled** upon stop sign poles **that** were wrapped up.: because절의 동사는 각각 과거부터 현재까지의 경험을 나타내는 현재완료 have traveled와 have stumbled이다. that I'd never been은 certain parts of the world를 수식하는 목적격 관계대명사절이고 주절보다 이전에 일어난 일이므로 과거완료 형태를 썼다. 두 번째 that 이하는 선행사로 stop sign poles를 수식하는 주격 관계대명사절로 쓰였다.

❻ **It was** through this common hobby **that** I found a connection with people whom I never thought I'd have **one** with.: 「It was ~ that ...」 강조 구문이 쓰여 부사구 through this common hobby를 강조하고 있다. one은 a connection의 반복을 피하기 위해 쓴 대명사이다.

어구

witness [동] 목격하다, 증언하다 [명] 목격자
· Police have appealed for anyone who *witnessed* the incident to contact them. (경찰은 그 사건을 목격한 누구라도 그들에게 연락해 달라고 호소했다.)

status [명] 지위, 상태; 신분
· We try to promote the *status* of retired people as useful members of society. (우리는 사회의 유능한 일원으로서 퇴직자들의 지위를 향상시키기 위해 노력한다.)

stumble upon ~을 우연히 만나다
[유] come across
· I *stumbled upon* this rare book at the flea market. (나는 우연히 이 희귀본을 벼룩시장에서 접하게 되었다.)

reveal [동] 드러내다, 밝히다
· She would not *reveal* her true identity to the police. (그녀는 그녀의 진짜 정체를 경찰에게 드러내고자 하지 않았다.)

Grammar Check

◆ 강조 구문 *vs.* 가주어 – 진주어

「It is ~ that ...」 문장이 강조 구문인지 「가주어 – 진주어」 구문인지 구분할 때는 It is와 that을 빼고 문장이 완전한지 아닌지 여부를 확인해 본다. It is와 that을 빼고 어순을 조정했을 때 완전한 문장이 되는 경우 이 문장은 강조 구문이다. 반면 「가주어 – 진주어」 구문의 경우, that 이하가 진주어이므로 that을 빼고 읽으면 문장이 성립하지 않는다.

e.g. **It was** Mike **that** gave this to me. (→ It was와 that을 빼면)
→ Mike gave this to me. (완전한 문장이므로 강조 구문)
It was certain **that** someone would be fired. (→ It was와 that을 빼면)
→ Certain someone would be fired. (×)
(어순을 바꾸어도 불완전한 문장이므로 가주어 – 진주어 구문)

Check Up

01 다음 문장이 강조 구문이면 '강', 가주어 – 진주어 구문이면 '가'를 쓰시오.

(1) It was important that we score the first goal.
(2) It was under the table that I found the book.

02 우리말과 일치하도록 주어진 어구를 활용하여 영작하시오.

내가 Bob을 처음 만난 것은 2015년이었다.

____

(Bob, that, first, meet, it, in 2015)

❼ So as I tell my story today, I'd also like to convey to you [that hidden power can be found in the most ordinary places, and we all possess skills [that are just waiting to be discovered]]. ❽ If you think about our hands, these tools [that are connected to us], and [what they're capable of doing]—building houses and furniture, and painting giant murals—it's funny [that most of the time we're just holding a remote control or a cell phone]. ❾ And I'm totally guilty of this as well. ❿ [But what would happen if you put those things down]? ⓫ What would you make? ⓬ What would you create with your own hands?

~하면서 (접속사) / convey의 목적어절 / 주격 관계대명사절 / to부정사의 수동태 / 동격 / 주격 관계대명사절 / 관계대명사절 / 가주어 / 진주어절 / 대부분의 시간에 손에 리모컨과 휴대 전화를 들고만 있는 것 / 가정법 과거

Q What does Magda mean when she says she certainly doesn't own yarn bombing any more?

Magda가 확실히 더 이상 얀 바밍을 소유하고 있지 않다고 말할 때 그녀의 말이 의미하는 것은 무엇입니까?

[정답] Yarn bombing has reached global status because people from all over the world started it.
전 세계 모든 사람들이 그것(얀 바밍)을 시작했기 때문에 얀 바밍은 세계적인 지위에 이르게 되었다.

Q Do you agree with Magda when she says we all possess skills that are just waiting to be discovered?

여러분은 우리 모두는 그저 발견되기를 기다리는 기술들을 가지고 있다고 하는 Magda의 말에 동의합니까?

[Sample] Yes, I do. I think we are all capable of doing things that we're not aware of.
네, 동의한다. 우리 모두 인지하지 못하는 것을 할 수 있다고 생각한다.

구문 연구

❼ ~ I'd also like to convey to you **that** hidden power can be found in the most ordinary places, and we all possess skills **that** are just waiting **to be discovered**.: 첫 번째 that은 명사절을 이끄는 접속사로 that ~ discovered가 convey의 목적어절로 쓰였다. 두 번째 that은 선행사 skills를 수식하는 주격 관계대명사절을 이끄는 관계대명사이다. 관계대명사절의 동사구가 '발견되어지기를 기다리는'라는 수동의 의미가 되어야 하므로 to be discovered가 쓰였다.

❽ If you think about **our hands, these tools that** are connected to us, and what they're capable of doing — building houses and furniture, and painting giant murals — **it**'s funny **that** most of the time ~.: If 조건절과 주절로 이루어진 문장이며, our hands와 these tools ~ giant murals는 동격으로 쓰였다. 대시(—)로 삽입된 구는 앞의 손이 할 수 있는 일에 관한 부연 설명을 하고 있다. 주절인 it's funny that ~.에서 it은 가주어, that 이하는 진주어이다.

❿ But **what would happen if** you **put** those things **down**?: 「의문사 주어+조동사 과거형+동사원형+if+주어+동사의 과거형 ~?」의 형태로 쓰인 가정법 과거 의문문이다. put down은 「동사+부사」로 이루어진 이어동사로 목적어가 명사이면 부사 뒤 또는 동사와 부사 사이에 올 수 있고, 목적어가 대명사이면 동사와 부사 사이에만 올 수 있다.

Highlight

L16 Highlight *this* and find out what it refers to.
'this'가 무엇을 가리키는지 찾아 표시해 봅시다.
[정답] most of the time we're just holding a remote control or a cell phone

| 해석 |

❼ 제가 오늘 저의 이야기를 해드리면서 저는 또한 숨겨진 힘은 가장 평범한 곳에서 발견될 수 있다는 것과 우리 모두는 그저 발견되기를 기다리는 기술들을 가지고 있음을 여러분께 전하고 싶습니다. ❽ 우리에게 연결되어 있는 이런 도구인 우리의 손에 대해 생각해 보면, 그리고 집과 가구를 만들고 커다란 벽화를 그리는 것 같은 그것들(손)이 할 수 있는 것을 생각해 보면, 우리가 대부분의 시간에 리모컨이나 휴대 전화를 들고만 있다는 것은 우스운 일입니다. ❾ 그리고 저 또한 이것에 대해서 떳떳하지 못합니다. ❿ 하지만 여러분이 그것들을 내려놓는다면 어떤 일이 일어날까요? ⓫ 무엇을 만드실 건가요? ⓬ 여러분의 손으로 무엇을 만들어 낼 건가요?

어구

convey [동] 전달하다, 운반하다 [유] carry
· A good photograph can *convey* a story better than words. (좋은 사진 한 장이 말보다 이야기를 더 잘 전달할 수 있다.)

possess [동] 소유하다 [유] own
· The gallery *possesses* a number of the artist's early works. (그 미술관은 그 화가의 초기 작품 다수를 소유하고 있다.)

mural [명] 벽화

as well 또한, ~도 역시
· The costs are said to be higher *as well*. (비용 또한 더 높다고 한다.)

Lesson 5

Check Up

01 다음 문장에서 어법상 틀린 부분을 고르시오.

If you think about our hands, these tools ①that are connected to us, and ②that they're capable of doing—building houses and furniture, and painting giant murals—it's funny ③that most of the time we're just holding a remote control or a cell phone. ④And I'm totally guilty ⑤of this as well.

02 우리말과 일치하도록 주어진 어구를 활용하여 영작하시오.

내가 그 곰을 만진다면 어떤 일이 일어날까요?

____

(if, happen, what would, touch)

교과서 p. 116

❶ People may have thought I was a master knitter when I began yarn bombing, but I actually had no idea how to knit. ❷ Nonetheless, I did something interesting with knitting [that had never been done before]. ❸ I wasn't "supposed to be" an artist in the sense that I wasn't formally trained to do this. ❹ I majored in math actually. ❺ So I didn't think [I'd ever do this], but I also know [that I didn't stumble upon it]. ❻ And when this happened to me, I held on tight, I fought for it, and I'm proud to say [that I'm a working artist today]. ❼ So as you ponder your future, remember [that it might not be so seamless]. ❽ And one day, you might be as bored as I was and knit a door handle to change your world forever. ❾ Thank you.

(「may have p.p.」 ~했을지도 모른다 / 「how+to부정사」 ~하는 방법 / 그럼에도 불구하고 / 주격 관계대명사절 / ~라는 점에서 / ~을 전공하다 / that / didn't think의 목적어절 / know의 목적어절 / say의 목적어절 / ~할 때 (접속사) / remember의 목적어절 / 「as ~ as ...」 동등 비교 / bored / might / to부정사의 부사적 용법 (결과))

Q What things could you do to make your surroundings look better?
여러분은 주변을 더 좋게 보이도록 하기 위해서 무엇을 할 수 있습니까?

[Sample] I could bring small flower pots to the classroom to make it look better.
교실이 더 좋아 보이도록 하기 위해서 교실에 작은 화분들을 가져올 수 있다.

구문 연구

❶ People **may have thought** I was a master knitter when I began yarn bombing, but I actually had no idea **how to knit**.: may have p.p.는 '~했을지도 모른다'라는 뜻으로 과거 사실에 대한 불확실한 추측을 나타낸다. how to knit는 '~하는 방법'이라는 뜻의 「how+to부정사」의 형태로 쓰였다.

❷ Nonetheless, I did something interesting with knitting **that had never been done before**.: that은 주격 관계대명사로 that ~ before가 something interesting with knitting을 수식한다. had never been done before는 '이전에 결코 된 적이 없는'의 뜻으로 과거에 얀 바밍을 하기 전 상황을 나타내므로 과거완료 수동태가 쓰였다.

❸ I wasn't "supposed to be" an artist **in the sense that** I wasn't formally trained to do this.: 「in the sense that ~」은 '~라는 점에서'라는 뜻의 표현으로 in that으로 바꿔 쓸 수 있다.

❽ And one day, you might be **as bored as I was** and knit a door handle **to change** your world forever.: 「as+형용사+as+주어+동사」 형태의 동등 비교 구문이 쓰였으며 was 뒤에는 반복을 피하기 위해 bored가 생략되어 있다. to change는 결과를 나타내는 to부정사의 부사적 용법으로 쓰였다.

Pay Attention

L1 People **may have thought** I was a master knitter when I began yarn bombing, but I actually had no idea how to knit.

「may have p.p.」는 '~했을지도 모른다'라는 뜻으로 과거 사실에 대한 불확실한 추측을 나타낸다.

One More Step

L9 Choose the word that has a similar meaning with *seamless*.
'seamless'와 비슷한 뜻을 가진 단어를 골라 봅시다.

ⓐ truthful 진실한
✓ⓑ smooth 매끄러운
ⓒ corrupt 오염된
ⓓ stressful 스트레스가 많은

| 해석 |

❶ 사람들은 제가 얀 바밍을 시작했을 때 뜨개질 고수라고 생각했을지도 모르지만, 사실 저는 뜨개질 하는 방법을 몰랐습니다. ❷ 그럼에도 불구하고 저는 이전에 된 적 없었던 뜨개질을 이용한 재미있는 것을 해냈습니다. ❸ 저는 이 일을 하기 위해 정식 훈련을 받은 적이 없다는 점에서 예술가가 '되기로 되어 있었던' 것도 아니었지요. ❹ 사실 저는 수학을 전공했습니다. ❺ 그래서 저는 제가 이런 것을 할 거라고 생각하지 않았지만, 제가 이것을 그저 우연히 만난 것이 아니라는 것도 압니다. ❻ 그리고 이 일이 제게 일어났을 때, 저는 그것을 꽉 붙잡았고, 그것을 위해 맞서 싸웠으며, 오늘 제가 현직 예술가라고 말할 수 있는 것이 자랑스럽습니다. ❼ 그러니 미래에 대해 생각하실 때, 미래가 아주 매끄럽지는 않을 수 있다는 것을 기억하세요. ❽ 그리고 언젠가 여러분도 제가 그랬던 만큼 지루해져서 문고리에 뜨개질을 하여 여러분의 세상을 영원히 바꿀 수도 있습니다. ❾ 감사합니다.

어구

be supposed to ~하기로 되어 있다, ~할 것으로 기대되다
ponder [동] 숙고하다
seamless [형] 매끄러운, 이음매 없는

Check Up

01 다음 문장에서 어법상 틀린 부분을 고르시오.

So ①as you ②ponder your future, remember ③that it might not be so seamless. And one day, you might be as ④boring as I was and knit a door handle ⑤to change your world forever. Thank you.

02 우리말과 일치하도록 주어진 어구를 활용하여 영작하시오.

사람은 말할 수 있다는 점에서 동물과 다르다.

____

(men, speak, animals, differ from, in the sense that)

After You Read

Text Miner

A Fill in the blanks with the expressions in the box to complete the interview with Magda Sayeg.

보기의 표현으로 빈칸을 채워 Magda Sayeg와의 인터뷰를 완성해 봅시다.

> Magda, could you tell us about how you started yarn bombing in the first place?
>
> Magda, 처음에 얀 바밍을 어떻게 시작했는지에 관해 우리에게 말씀해 주실 수 있나요?

> I couldn't stand the cold, dull atmosphere surrounding me. I wanted to turn it into <u>something warm, fuzzy, and human</u>.
>
> 저는 저를 둘러싼 차갑고 지루한 환경을 참을 수가 없었어요. 그것을 따뜻하고 보송보송하며 인간적으로 바꾸기를 원했죠.

> Did you have any formal training in <u>knitting or crocheting</u>?
>
> 뜨개질이나 코바늘뜨개에 관해서 어떤 정식 교육을 받으셨나요?

> No. Actually, I had no idea how to knit. I majored in math.
>
> 아니요. 사실은 어떻게 뜨개질하는 방법을 몰랐어요. 수학을 전공했거든요.

> That's very impressive. You may have had a hard time learning how to knit.
>
> 매우 인상적이네요. 뜨개질하는 방법을 배우실 때 매우 힘들었겠어요.

> You're right, but it was so fun. I'm very happy that I'm <u>a textile artist</u> now.
>
> 맞아요, 하지만 정말 재미있었어요. 지금은 직물 예술가라서 아주 행복해요.

| a textile artist | something warm, fuzzy, and human | knitting or crocheting |

Reading Enhancer

B Listen to the lecture about things to consider to start yarn bombing and fill in the blanks. Then, add your own idea and share it with your partner. 🎧

얀 바밍을 시작하기 위해 고려할 것에 관한 강의를 듣고 빈칸을 채워 봅시다. 그러고 나서 여러분의 생각을 덧붙여 그것을 짝과 공유해 봅시다.

1. Make a(n) <u>plan</u>.
계획을 세워라.

2. Get <u>permission</u>.
허락을 얻어라.

Things to consider to start yarn bombing
얀 바밍을 시작하기 위해 고려해야 하는 것들

3. Be <u>creative</u>.
창의적으로 하라.

Sample
On Your Own
Recruit people to join you.
함께할 사람을 모집하라.

Script

W: Hello, students! My name is Magda Sayeg. I am really excited to speak to you today. I started yarn bombing a few years ago. What I'd like to share with you are some things to consider to start yarn bombing on your own. First, make a plan. Because yarn bombing is temporary, you need to plan when to take it down as well as when to put it up. Even if you make a date to take it down, don't be surprised if someone takes it down before that. That's part of the unexpectedness of street art. Second, get permission. Before you yarn bomb anything, make sure you have permission from the owner. Even though yarn bombing is pretty harmless, it's illegal without permission. It's a good idea to start on your own things before doing other people's things. Third, be creative. Try to yarn bomb new things or in new ways. When it comes to yarn bombing, the sky is the limit.

| 해석 |

여: 안녕하세요, 학생 여러분! 제 이름은 Magda Sayeg입니다. 오늘 저는 여러분 앞에서 말하게 되어 정말 기쁩니다. 저는 몇 년 전에 얀 바밍을 시작했습니다. 여러분과 나누고 싶은 것은 여러분 자신만의 얀 바밍을 시작하기 위해 고려해야 하는 몇 가지 것들입니다. 첫째, 계획을 세우세요. 얀 바밍은 일시적인 것이어서 언제 그것을 설치해야 하는 지뿐만 아니라 언제 그것을 걷어 내야 할지를 계획하는 것도 필요합니다. 심지어 여러분이 그것을 걷어 낼 날짜를 정했다고 해도, 누군가가 그 전에 걷어 내도 놀라지 마세요. 그것이 거리 예술의 예측 불가능한 부분입니다. 둘째, 허가를 얻으세요. 어떤 것을 얀 바밍하기 전에 꼭 소유주로부터 허락을 받으세요. 얀 바밍이 매우 무해하다 할지라도 허가가 없이는 불법입니다. 다른 사람의 것을 하기 전에 여러분의 것으로 시작하는 것은 좋은 생각입니다. 셋째, 창의적으로 하세요. 새로운 것이나 새로운 방법으로 얀 바밍을 하도록 시도해 보세요. 얀 바밍에 관한 한 제한이 없습니다.

Lesson 5

Writing Lab

A Volunteer Opportunity Advertisement
자원봉사자 구인 광고

교과서 pp. 118~119

STEP 1 **Read the invitation letter for a school's 50th anniversary celebration and fill in the blanks with the appropriate words.**
학교 50주년 기념행사 초대장을 읽고 적절한 단어로 빈칸을 채워 봅시다.

Haneul High School's 50th Anniversary Celebration

Dear Haneul High School parents,

I am pleased to invite you to Haneul High School's 50th anniversary celebration, on June 12th. The following activities will take place:

• ___Opening Event___ **: 10:00 a.m. – 11:00 a.m.**
There will be an introductory speech, and students will give various performances. A free lunch will be available from 12:00 to 1:00 p.m.

• ___Yarn Bombing Event___ **: 11:00 a.m. – 4:00 p.m. / School Playground**
Student volunteers have knitted various beautiful yarn items and covered fifty tree trunks in the school playground. These will be on display. There will also be various outdoor games and activities.

• ___School History Exhibition___ **: 11:00 a.m. – 4:00 p.m. / Art Room**
There will be photos, books, and video clips that show the history of Haneul High School on display.

Thank you for your continued support of Haneul High School. All of us at the school look forward to seeing you at our 50th anniversary celebration.

Yours faithfully,
Tony McGill
Principal

Opening Event
Yarn Bombing Event
School History Exhibition

STEP 2 **Suppose you were in charge of the Yarn Bombing Event, and you had to recruit student volunteers. Fill in the blanks with necessary information to complete your advertisement to recruit volunteers.**
여러분이 얀 바밍 행사를 맡았고 학생 자원봉사자를 모집해야 한다고 가정해 봅시다. 필요한 정보로 빈칸을 채워서 자원봉사자를 모집하는 광고를 완성해 봅시다.

Sample

• The purpose of the event is to celebrate ___the school's 50th anniversary___.
이 행사의 목적은 학교 50주년을 축하하기 위한 것입니다.

• Student volunteers are going to ___knit various beautiful yarn items and cover fifty tree trunks in the school playground___.
학생 자원봉사자들이 다양하고 아름다운 털실 제품들을 만들고 학교 운동장에 있는 50여개의 나무 기둥을 감쌀 것입니다.

• ___No special___ skills are necessary.
특별한 기술은 필요 없습니다.

• Volunteers can apply by turning in an application to ___the student council___.
자원봉사자들은 학생회에 신청서를 제출해서 지원할 수 있습니다.

• The application deadline is ___May 22nd___.
지원 마감일은 5월 22일입니다.

어구

anniversary [명] 기념일
·It was their 40th wedding *anniversary* last Saturday. (지난 토요일이 그들의 40번째 결혼기념일이었다.)
available [형] 이용 가능한
trunk [명] 나무 기둥 (몸통)

| 해석 |

하늘 고등학교 50주년 기념행사
친애하는 하늘 고등학교 학부모님께,
6월 12일에 열릴 하늘 고등학교 50주년 기념행사에 여러분을 초대하게 되어 기쁩니다. 다음 행사들이 개최될 것입니다:
• 오프닝 행사: 오전 10시 - 오전 11시
소개 연설과 학생들이 다양한 공연을 할 예정입니다. 12시부터 1시까지 무료로 점심식사를 할 수 있습니다.
• 얀 바밍 행사: 오전 11시 - 오후 4시 / 학교 운동장
학생 자원봉사자들이 다양하고 아름다운 털실 제품들을 만들었고 학교 운동장에 있는 50여개의 나무 기둥을 감쌌습니다. 이것들이 전시될 예정입니다. 다양한 야외 경기와 행사 또한 열릴 것입니다.
• 학교 역사 전시: 오전 11시 - 오후 4시 / 미술실
하늘 고등학교의 역사를 보여 주는 사진, 서적과 동영상을 전시할 예정입니다.
하늘 고등학교를 지속적으로 지원해 주셔서 감사합니다. 학교 측 모두는 여러분을 50주년 기념행사에서 만나게 되기를 고대합니다.
존경하는 부모님께
Tony Mcgill
교장

| 구문 해설 |

• All of us at the school **look forward to seeing** you at our 50th anniversary celebration.: 「look forward to+명사(구)」는 '~하기를 고대[기대]하다'라는 뜻으로 to가 전치사이므로 뒤에 동명사 seeing이 쓰였다.

STEP 2를 바탕으로 광고를 완성해 봅시다.

Sample

Volunteers Wanted

Student volunteers to participate in the Yarn Bombing Event are urgently needed.

- **The purpose of the event:** _____

  The purpose of the event is to celebrate the school's 50th anniversary.

- **What volunteers will do:** Student volunteers are going to make yarn items and cover fifty tree trunks in the school playground.

- **Required skills:** There are no special skills necessary. Beginner knitters will be shown how to knit.

- **How to apply:** You can apply by turning in an application to the student council.

- **Application deadline:** The application deadline is May 22nd.

- **Contact:** If you have any questions, please email jasonlee@mail.com or call 01-234-5678.

Haneul High School Student Council

| 해석 |

자원봉사자 모집

얀 바밍 행사에 참가할 학생 자원봉사자들이 급히 필요합니다.

- 행사의 목적: 이 행사의 목적은 학교 50주년을 기념하기 위한 것입니다.
- 자원봉사자들이 할 일: 학생 자원봉사자들이 털실 제품들을 만들고 학교 운동장에 있는 50여개의 나무 기둥을 감쌀 것입니다.
- 필요한 기술: 특별한 기술은 필요 없습니다. 뜨개질 초보자들에게는 뜨개질하는 방법을 알려줄 것입니다.
- 지원하는 방법: 학생회에 신청서를 제출하여 지원할 수 있습니다.
- 지원 마감일: 지원 마감일은 5월 22일입니다.
- 연락처: 궁금한 점이 있으시면, jasonlee@mail.com으로 이메일을 보내주시거나 01-234-5678로 전화를 주세요.

하늘 고등학교 학생회

Lesson 5

Self-Edit Read your advertisement and correct any mistakes.

자신의 광고를 읽고 잘못된 부분을 고쳐 봅시다.

✓Peer Feedback	Outstanding	Good	Could do better
Task Completion 과업 완성도			
Effectiveness of Advertisement 광고의 효과			
Grammar / Punctuation 문법 / 구두법			
Reader's Comments: 읽은 이의 평가			

Wrap Up

Pros and Cons about Yarn Bombing on Trees

나무에 얀 바밍하는 것에 관한 찬반 토론

교과서 p. 120

STEP 1 Match the sentences with "Pros" and "Cons" of yarn bombing trees.

문장들을 나무에 얀 바밍하는 것에 관한 '찬성'과 '반대'에 연결해 봅시다.

[a] It evokes feelings of comfort, warmth, and caring.
그것은 편안함, 따뜻함과 보살핌의 감정을 불러일으킨다.

[b] If you don't have permission, you are violating the law.
허가를 얻지 않는다면 당신은 법을 어기고 있다.

[c] People do it not to help trees but to please themselves.
사람들은 그것을 나무를 돕기 위해서가 아니라 자신들을 즐겁게 하기 위해서 한다.

Pros

Cons

[d] It takes away from the natural beauty of trees.
그것은 나무의 자연스러운 아름다움을 빼앗아 간다.

[e] It can convey important messages such as peace.
그것은 평화와 같은 중요한 메시지를 전달할 수 있다.

Sample
On Your Own
It can be used to raise money for charities.
그것은 자선 모금으로도 쓰일 수 있다.

어구

evoke [동] 떠올려 주다, 환기시키다
·Music can be used to *evoke* childhood. (음악은 어린 시절을 떠올려줄 수 있다.)

violate [동] 어기다, 위반하다
·If you *violate* the rules, you will feel guilty. (만약 그 규칙들을 어긴다면, 너는 죄책감을 느낄 것이다.)

STEP 2 Think about your position on whether yarn bombing trees is good or bad. Share your thoughts with your partner.

얀 바밍이 좋은지 나쁜지에 대하여 여러분의 입장에 관해 생각해 봅시다. 짝과 함께 자신의 생각을 공유해 봅시다.

| Sample Dialog |

A Are you in favor of yarn bombing on trees?
B Yes, I am. It evokes feelings of comfort, warmth, and caring. I wish I could join a yarn bombing project.
A Well, to be honest, I feel differently.
B Really? Why is that?
A For me, trees are extremely beautiful the way they are. Yarn bombing them just covers up that beauty.
B But many people enjoy the beauty of yarn bombing.
A I know, but not everybody.
B All right. I never thought about that, but it makes sense.

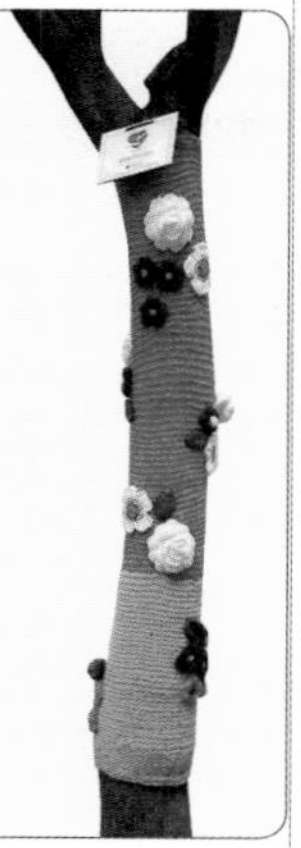

어구

in favor of ~을 찬성하여
to be honest 솔직히 말해서

| 해석 |

A: 나무에 얀 바밍을 하는 것을 찬성하니?
B: 응, 그래. 그것은 편안함, 따뜻함과 보살핌의 감정을 불러일으켜. 나도 얀 바밍 프로젝트에 참가할 수 있으면 좋을 텐데.
A: 음, 솔직히 말해서 나는 다르게 느끼고 있어.
B: 정말? 왜 그런데?
A: 나에게, 나무는 그 자체로도 정말 아름다워. 나무에 얀 바밍은 그 아름다움을 그냥 덮어버리는 거야.
B: 하지만 많은 사람들은 얀 바밍의 아름다움을 즐기고 있어.
A: 나도 알아, 하지만 모두는 아니야.
B: 알았어. 나는 그렇게 생각해 본 적은 없지만, 이해는 된다.

STEP 3 Write about your position on yarn bombing trees. Present it to the class.

나무에 얀 바밍하는 것에 관한 여러분의 입장에 대해 써 봅시다. 그것을 반 친구들에게 발표해 봅시다.

Sample
I'm in favor of yarn bombing trees.
It evokes feelings of comfort, warmth, and caring. Also, it can convey important messages such as peace.
나는 얀 바밍 나무에 대해 찬성해. 그것은 편안함, 따뜻함과 보살핌의 감정을 불러일으켜. 또한, 그것은 평화와 같은 중요한 메시지를 전달해 줄 수 있어.

Sample
I'm against yarn bombing trees.
It takes away from their natural beauty.
나는 얀 바밍 나무에 대해 반대해. 그것은 나무들의 자연적 아름다움을 빼앗아 가.

Inside Culture — Artistic Changes Around the World
전 세계의 예술적인 변화들

교과서 p. 121

A Read about artistic changes around the world.
전 세계의 예술적인 변화들에 관해서 읽어 봅시다.

Before

After

The Berlin Wall was constructed in 1961 to separate West and East Berlin. The gray concrete wall looked very ugly, but after the reunification of Germany, it became the world's largest canvas.

베를린 장벽은 서베를린과 동베를린을 분리하기 위해서 1961년에 건설되었다. 회색의 콘크리트 벽은 매우 보기에 안 좋았지만, 독일이 다시 통일한 후에 그것은 세계의 가장 큰 캔버스가 되었다.

Traffic signal boxes in Brisbane, Australia used to be just a boring gray color. However, they have become works of art through city-citizen collaboration.

오스트레일리아, 브리즈번의 교통 신호 제어기는 그저 지루한 회색으로만 되어 있었다. 하지만 그것들은 시와 시민의 협력을 통해서 예술 작품이 되었다.

Las Palmitas in Mexico used to lack liveliness. But some young artists filled the whole town with street art. They painted waves of vivid rainbow colors on over 200 houses. The town is now full of liveliness.

멕시코의 라스팔미타스는 생기가 부족했다. 그러나 몇몇 젊은 예술가들이 마을 전체를 거리 예술로 채웠다. 그들은 200채가 넘는 집을 선명한 무지개 색 물결로 칠했다. 마을은 이제 생기로 가득 차 있다.

B Search the Internet for artistic changes in Korea and present them to the class.
한국에서의 예술적인 변화를 인터넷으로 검색해 보고 그것을 반 친구들에게 발표해 봅시다.

Sample Dongpirang Village in Tongyeong / Ihwa Mural Village in Seoul
통영의 동피랑 마을 / 서울의 이화 벽화 마을

어구

construct 통 건설하다, 세우다
separate 통 분리하다, 나누다
concrete 형 콘크리트의
reunification 명 재통일, 재통합
collaboration 명 협력, 공동 작업
·The two playwrights worked in *collaboration* on the script. (그 두 극작가는 그 대본에 대해 협력하여 작업했다.)
liveliness 명 생기, 활기
vivid 형 선명한, 생생한 반 dull
·She was wearing a *vivid* red shirt. (그녀는 선명한 붉은색 셔츠를 입고 있었다.)

| 구문 해설 |

·Traffic signal boxes in Brisbane, Australia **used to be** just a boring gray color.: 「used to+동사원형」은 '(과거에) ~했었다'라는 뜻으로 과거의 규칙적인 습관을 나타내며 동작과 상태를 모두 표현할 수 있다. 이 문장에서는 과거의 상태를 나타낸다. 형태가 비슷한 '~하는 데 익숙하다'라는 뜻의 「be used to -ing」와 혼동하지 않도록 유의해야 한다.

Lesson 5

NEW TYPES OF GRAFFITI
그라피티의 새로운 유형들

If you thought graffiti was limited to spray paint, think again.

REVERSE GRAFFITI

❶ There's hardly a kid [who hasn't drawn something onto a dirty car window].
❷ We all have done it. ❸ Sometimes we wrote short messages with simple pictures, such as smiley faces, flowers, or puppies. ❹ However, we probably didn't know [that we were actually doing a type of street art called reverse graffiti]. ❺ Reverse graffiti is the generic term for creating temporary images on walls or other surfaces by removing a layer of dirt from the surface. ❻ This is also known as clean graffiti. ❼ It is perhaps the most environmentally conscious form of street art, as well as the most temporary. ❽ Its artistic tools are cleaning supplies such as water, soap, pressure cleaners, and sometimes even fingers!

어구

reverse ⓐ 뒤집어진 ⓥ 뒤집다 ⓝ 반대
hardly ⓐ 거의 ~아니다
·The instructions are printed so small I can *hardly* read them. (그 지시 사항은 너무 작게 인쇄되어 있어서 내가 거의 읽을 수 없다.)
smiley face ⓝ 웃는 얼굴 이모티콘
generic ⓐ 포괄적인, 일반적인
·Jazz is a *generic* term for a wide range of different styles of music. (재즈는 다양한 스타일의 음악에 대한 포괄적인 용어이다.)

| 해석 |

그라피티가 스프레이 페인트에 국한된 것으로 생각했다면 다시 생각하세요.
반전 그라피티
❶ 더러운 자동차 창문 위에 무언가를 그려 보지 않은 아이는 거의 없을 것이다. ❷ 우리는 모두 그것을 해 본 적이 있다. ❸ 때때로 우리는 웃고 있는 얼굴, 꽃, 또는 강아지들과 같은 간단한 그림과 함께 짧은 메시지를 적었다. ❹ 하지만 우리는 아마도 우리가 사실 반전 그라피티라고 불리는 일종의 거리 예술을 하고 있었다는 것을 몰랐을 것이다. ❺ 반전 그라피티는 표면의 먼지 층을 제거함으로써 벽이나 다른 표면에 일시적인 이미지를 만들어 내는 데 대한 총칭이다. ❻ 이것은 또한 클린 그라피티로도 알려져 있다. ❼ 그것은 아마도 가장 일시적일 뿐만 아니라 가장 환경 의식을 가진 거리 예술 형태일 것이다. ❽ 그것의 미술 도구는 물, 비누, 고압 세척기, 그리고 때로는 심지어 손가락과 같은 청소 용품들이다!

구문 연구

❶ There's **hardly** a kid **who hasn't drawn** something onto a dirty car window.: 형식 주어와 be동사인 There is 다음에 쓰인 hardly는 '거의 ~ 아니다'라는 부정의 의미를 가진 부사로 be동사나 조동사 뒤, 일반동사 앞에 위치한다. barely, scarcely 등과 바꿔 쓸 수 있으며, hardly가 문두로 올 경우 「조동사[be동사]+주어+동사」의 어순으로 도치된다. who 이하는 주격 관계대명사절로 선행사 a kid를 수식하며 관계사절의 동사는 과거부터 현재까지의 경험을 나타내는 현재완료 시제로 썼다.

❹ However, we probably didn't know **that** we were actually doing a type of street art **called** reverse graffiti.: that 이하는 know의 목적어절로 쓰였다. called 앞에는 「주격 관계대명사+be동사」 that is 또는 which is가 생략되어 있다.

❼ It is perhaps the most environmentally conscious form of street art, **as well as** the most temporary.: 「A as well as B」는 'B뿐만 아니라 A도 역시'라는 뜻의 표현이며 「not only A but (also) B」 형태로 바꿔 쓸 수 있다.

MOSS GRAFFITI

❶ As people become more environmentally aware, the idea of making living,
~함에 따라 (접속사)   └── 동격 ──┘
breathing graffiti has become an exciting outlet for graffiti artists. ❷ One of those
현재완료 (계속)   「one of+복수 명사」 ~들 중 하나
ideas is moss graffiti, also called eco-graffiti or green graffiti. ❸ Moss graffiti
주어가 One이므로 동사 (단수)   which is
replaces spray paint, paint-markers, or other such toxic chemicals and paints with
「replace A with B」 A를 B로 대체하다
a paintbrush and "moss paint"[that can grow on its own] ❹ It can also be considered
                            └── 주격 관계대명사절   조동사의 수동태 (~으로 여겨지다)
another form of guerrilla gardening.

구문 연구

❶ **As** people become more environmentally aware, **the idea** of making living, breathing graffiti **has become** an exciting outlet for graffiti artists.: as는 '~함에 따라'라는 뜻의 접속사로 쓰였고 according as와 바꿔 쓸 수 있다. 주절의 주어는 the idea이고 of로 연결된 making living, breathing graffiti와 동격으로 쓰였으며, 동사는 과거부터 현재까지 계속적인 상태를 나타내므로 현재완료 시제인 has become이 쓰였다.

❷ **One of those ideas is** moss graffiti, also **called** eco-graffiti or green graffiti.: 「one of+복수 명사」 형태가 쓰여서 '~ 중 하나'라는 뜻을 나타내며, 실제 주어는 3인칭 단수인 One이므로 동사 역시 단수형 is 가 쓰였다. called는 moss graffiti를 수식하며 「주격 관계대명사+be동사」 which is가 called 앞에 생략된 형태이다.

❸ Moss graffiti **replaces** spray paint, paint-markers, or other such toxic chemicals and paints **with** a paintbrush and "moss paint" **that** can grow **on its own**.: 「replace A with B」는 'A를 B로 대체하다'는 뜻의 표현이며, that 이하는 주격 관계대명사절로 선행사 "moss paint"를 수식하고 있다. on its own은 '자기 힘으로, 스스로'라는 뜻의 표현이다.

어구

moss 명 이끼
· The rocks near the river were covered with *moss*. (강 근처의 바위들은 이끼로 덮여 있었다.)

aware 형 인식이 있는
· I wasn't even *aware* that she was ill. (나는 그녀가 아프다는 것을 인식하지도 못했다.)

outlet 명 (감정, 생각 등의) 표현 수단, 배출구
· Writing poetry was his only form of emotional *outlet*. (시를 쓰는 것은 그의 감정을 표출하는 유일한 형태이다.)

toxic 형 유독한
· These substances can be *toxic* to humans. (이 물질들은 인간에게 유독할 수 있다.)

| 해석 |- - - - - - - - - - - - - - - -
이끼 그라피티
❶ 사람들이 환경에 관한 인식이 커짐에 따라 살아 숨 쉬는 그라피티를 만든다는 아이디어는 그라피티 예술가들에게 신나는 표현 수단이 되어 왔다. ❷ 이러한 아이디어 중 하나가 이끼 그라피티이며, 에코 그라피티 또는 그린 그라피티라고도 불린다. ❸ 이끼 그라피티는 스프레이 페인트, 페인트 마커, 또는 기타 유독 화학 물질과 페인트를 페인트 붓과 스스로 자랄 수 있는 '이끼 페인트'로 대체한다. ❹ 그것은 게릴라 가드닝의 또 다른 형태로 여겨질 수도 있다.

Check Up

01 다음 괄호 안에서 알맞은 것을 고르시오.

(1) There's (hard / hardly) any room left on your ship.

(2) She started a community movement (call / called) Green Guerrillas.

02 우리말과 일치하도록 주어진 어구를 활용하여 영작하시오.

┌─────────────────────────────────┐
│ 그 연극은 재미있을 뿐만 아니라 교육적이기도 하다. │
└─────────────────────────────────┘

_____

(as well as, educational, entertaining, the play)

Lesson 5

❺ The steps of making moss graffiti are as follows. ❻ First, gather up as much moss as you can find or buy. ❼ Second, wash the moss to get as much soil out of the roots as possible. ❽ Third, make the "moss paint." ❾ You can make it by mixing water, yogurt, and sugar with the moss. ❿ Fourth, pour the mixture into a bucket. ⓫ Fifth, use a paintbrush to apply the moss paint to the surface[on which you wish your design to grow]. ⓬ Then, wait and watch your moss graffiti grow!

「as much+셀 수 없는 명사+as you can+동사원형」 네가 ~할 수 있는 만큼 많은 …

「as much+셀 수 없는 명사+as possible」 가능한 한 많은 …

전치사+목적격 관계대명사절

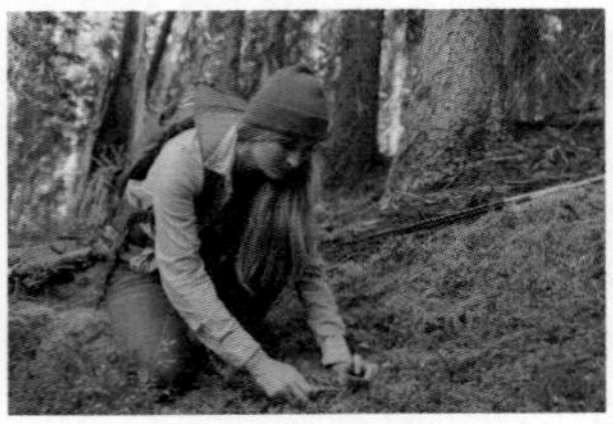
Gather up moss.
이끼를 모아라.

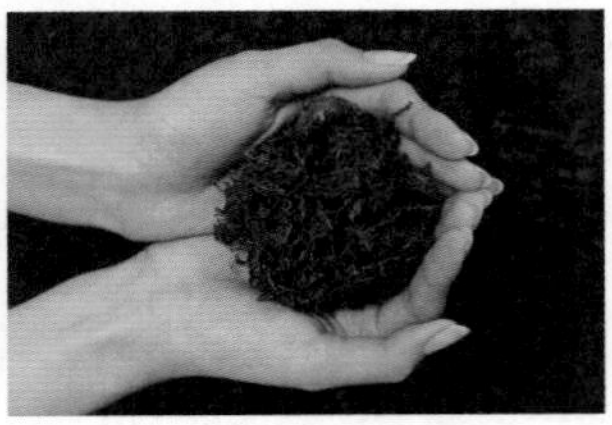
Wash the moss.
이끼를 씻어라.

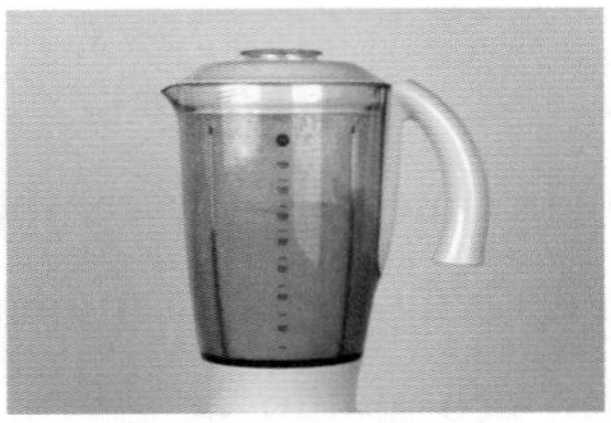
Make the moss paint.
이끼 페인트를 만들어라.

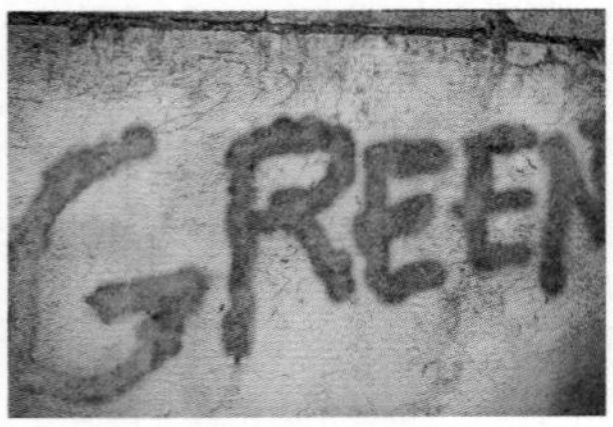

Wait and watch!
기다리며 지켜보아라!

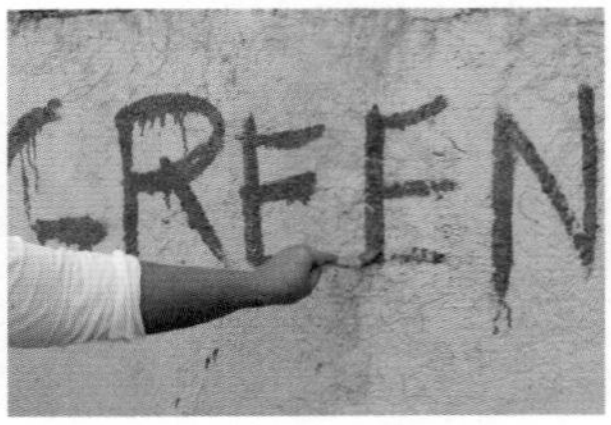

Apply the moss paint to a wall.
벽에 이끼 페인트를 발라라.

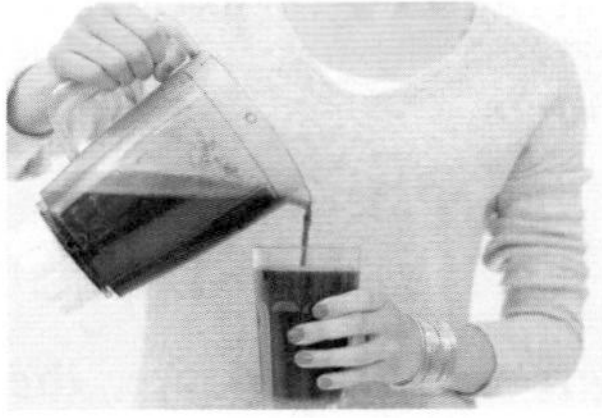
Pour the moss paint.
이끼 페인트를 부어라.

- **Think about other new kinds of graffiti and talk with your partner about them.**
  그라피티의 다른 새로운 형태에 대해 생각해 보고 그것에 관해 짝과 이야기해 봅시다.

[Sample] I think graffiti made with flowers would be beautiful.
꽃으로 만든 그라피티가 아름다울 것이라고 생각한다.

구문 연구

⓫ Fifth, use a paintbrush to apply the moss paint to the surface **on which** you wish your design to grow.: on which는 「전치사+목적격 관계대명사」로 선행사는 the surface이다. 관계대명사절로 바뀌기 전 문장은 You wish your design to grow on the surface.이며 앞 절과의 연결을 위해 「전치사+선행사」인 on the surface가 앞으로 이동하고 the surface가 관계대명사 which로 바뀐 형태이다.

⓬ Then, **wait** and **watch your moss graffiti grow**!: 동사원형으로 시작되는 명령문이며, 지각동사 watch는 목적어로 your moss를, 목적격 보어로 동사원형 grow를 취했다.

어구

pour [동] 붓다, 쏟다

mixture [명] 혼합물

· Pour the cake *mixture* into the bowl. (케이크 반죽을 볼에 부어라.)

apply [동] 바르다, 적용하다

paintbrush [명] (그림 그리는) 붓

surface [명] 표면, 외관

· The ball rolled onto the frozen *surface* of the pond. (공은 연못의 얼어붙은 표면 위로 굴러갔다.)

| 해석 |

❺ 이끼 그라피티를 만드는 단계는 다음과 같다. ❻ 첫째, 여러분이 찾거나 살 수 있는 만큼 많은 이끼를 모아라. ❼ 둘째, 뿌리에서 가능한 한 많은 흙을 제거하도록 이끼를 씻어라. ❽ 셋째, '이끼 페인트'를 만들어라. ❾ 여러분은 물, 요구르트, 그리고 설탕과 이끼를 함께 섞어서 그것을 만들 수 있다. ❿ 넷째, 그 혼합물을 양동이에 부어라. ⓫ 다섯째, 여러분의 디자인이 자라기를 원하는 표면에 페인트 붓을 사용하여 이끼 페인트를 발라라. ⓬ 그러고 나서 여러분의 이끼 그라피티가 자라는 것을 기다리며 지켜보아라!

Check Up

01 우리말과 일치하도록 빈칸에 알맞은 말을 쓰시오.

나는 그 일을 가능한 한 빨리 끝내고 싶다.

I want to finish the work ________ soon ________ ________.

02 다음 글에서 어법상 틀린 것을 골라 바르게 고치시오.

First, gather up as ①much moss as you can find or buy. Second, wash the moss to get as much soil out of the roots ②as possible. Third, make the "moss paint." Fourth, pour the mixture ③into a bucket. Fifth, use a paintbrush to apply the moss paint to the surface ④on which you wish your design to grow. Then, wait and watch your moss graffiti ⑤grown!

Word Play

A. Match the words with their correct meanings. 각 단어를 알맞은 의미와 연결해 봅시다.

1. seamless
솔기 없는, 매끄러운
2. temporary
일시적인, 임시의
3. innocent
순진한, 무해한
4. installation
설치
5. property
자산, 사유지
6. widespread
폭넓은, 광범위한
7. intrigue
흥미를 불러일으키다
8. enhance
향상시키다
9. witness
목격하다
10. ponder
심사숙고하다

ⓐ existing, done, or used for only a limited period of time
제한된 기간 동안만 존재하고 행해지거나 사용되는

ⓑ to make someone very interested in knowing more about something
누군가가 무언가에 대해 더 아는 것에 매우 관심을 갖게 하다

ⓒ land and the buildings on it
땅과 그 위의 건물들

ⓓ changing or continuing very smoothly and without stopping 아주 매끄럽고 멈춤 없이 바뀌거나 지속되는

ⓔ the act of putting something in place for use
무언가를 사용하기 위해 어떤 곳에 두는 행동

ⓕ not intended to harm or upset anyone
누군가에게 해를 입히거나 화나게 할 의도가 아닌

ⓖ to improve the quality, amount, or strength of something
무언가의 품질, 양, 또는 강도를 개선하다

ⓗ to see something happen
어떤 일이 일어나는 것을 보다

ⓘ to think carefully about something for a long time
어떤 것에 대해 오랫동안 주의 깊게 생각하다

ⓙ happening or existing in many places
여러 장소에서 발생하거나 존재하는

B. Fill in the blanks with the appropriate words in A.

A에서 알맞은 단어를 골라 빈칸을 채워 봅시다.

1. That small old box has always ___intrigue___d me.
그 작고 낡은 상자는 항상 나에게 흥미를 불러일으켰다.
2. Fortunately, the change has been ___seamless___ and causes no trouble at all.
다행히 그 변화는 매끄러웠고 아무런 문제를 일으키지 않는다.
3. It was just a(n) ___innocent___ remark; there is no need to get upset.
그건 그저 악의 없는 말이었어요. 화낼 필요 없어요.
4. The new policies are expected to ___enhance___ people's quality of life.
새 정책들은 사람들의 삶의 질을 향상시킬 것으로 기대된다.
5. David ___ponder___ed what he should say to his mother.
David는 어머니에게 무슨 말을 해야 할지 심사숙고했다.
6. The notice said "Private ___property___ — keep off!"
그 게시판에는 "사유지. 출입 금지!"라고 적혀 있었다.
7. Did anyone ___witness___ the fire get started?
누군가가 화재가 시작되는 것을 목격했나요?
8. The movement has received ___widespread___ support.
그 운동은 폭넓은 지지를 받아 왔다.
9. This is only a(n) ___temporary___ solution that won't last long.
이것은 오래 지속되지 않을 일시적인 해결책일 뿐이다.
10. The ___installation___ of the new network system will take about a week.
새로운 네트워크 시스템의 설치는 약 일주일이 걸릴 것이다.

어구

intend [동] 의도하다, 작정하다
remark [명] 발언, 말 [동] 언급하다
be expected to ~할 것으로 기대되다

단원 평가

정답 p. 227

01 다음 영영풀이에 알맞은 것은?

> to feel a powerful desire for something

① crave ② convey ③ ponder
④ reveal ⑤ intrigue

02 다음 빈칸에 공통으로 알맞은 단어를 쓰시오.

> • I can eat up _____ four pieces of pizza.
> • You were supposed _____ submit your report by yesterday.

03 다음 대화의 빈칸에 들어갈 말로 알맞은 것은?

> **A** Why don't we volunteer together at a nursing home?
> **B** That's a good idea. What kind of volunteer work shall we do?
> **A** What about painting murals? I heard that Moonlight Nursing Home is looking for volunteers to paint some.
> **B** Sounds nice, but I'm not good at painting.
> _____
> **A** Painting murals is not so difficult. I'm sure you can do it.
> **B** Really? Okay, let's do that.

① I wish I could paint well like you.
② The nursing home has nice murals.
③ Painting murals might be a good idea.
④ I haven't been to Moonlight Nursing Home.
⑤ Let's paint murals on the walls of our school.

04 자연스러운 대화가 되도록 ⓐ~ⓓ를 순서대로 바르게 배열하시오.

> **A:** At the base of the tower. 10 p.m. Wear dark clothes. Bring gardening tools. Don't tell anyone.
> ⓐ Yes. I'm organizing a guerrilla gardening team. You know, it's important to change our world for the better.
> ⓑ Don't worry. I already got approval from the local government.
> ⓒ You shouldn't do that. Guerrilla gardening is illegal!
> ⓓ What are you doing? Are you sending secret plans to someone?

(   ) – (   ) – (   ) – (   )

05 자연스러운 대화가 되도록 빈칸 (1), (2), (3)에 알맞은 표현을 [보기]에서 고르시오.

> **A** I was thinking the parking lot is the most suitable place to make a garden.
> **B** (1) _____ What about the far corner of the playground?
> **C** That's a good idea. It'd make that place look better.
> **D** Okay. (2) _____
> **A** Daffodils? We can make a heart-shaped garden with daffodils.
> **B** That sounds great. (3) _____
> **D** I think some trowels and gardening gloves.
> **A** All right. We're all set! Let's do it this coming Saturday.

보기
ⓐ What tools do we need?
ⓑ What flowers do you have in mind?
ⓒ Well, I think it's important to find a place not being used.

Hello, students! My name is Magda Sayeg. I am really excited to speak to you today. I started yarn bombing a few years ago. What I'd like to share with you are some things _____.
First, make a plan. Because yarn bombing is ①temporary you need to plan when to take it down as well as when to put it up. Even if you make a date to take it down, don't be ②surprised if someone takes it down before that. That's part of the unexpectedness of street art. Second, get permission. Before you yarn bomb anything, make sure you have ③permission from the owner. Even though yarn bombing is pretty harmless, it's ④legal without permission. It's a good idea to start on your own things before doing other people's things. Third, be creative. Try to yarn bomb new things or in new ways. When it comes to yarn bombing, the sky is the ⑤limit.

06 빈칸에 들어갈 말로 알맞은 것은?

① about how your hobbies can make you money
② to neglect if you want to fully enjoy yarn bombing
③ to consider to start yarn bombing on your own
④ about the possibilities of yarn bombing being illegal
⑤ you should keep in mind to become a great person

07 밑줄 친 ①~⑤ 중 문맥상 알맞지 않은 것은?

①   ②   ③   ④   ⑤

[08-09] 다음 문장에서 어법상 틀린 부분을 찾아 바르게 고쳐 쓰시오.

08

The report, which analyzed six works by Leonardo da Vinci, suggests that the artist may have crossed eyes.

_____ → _____

09

The aim of the Olympic games is not to win the games, but share the friendship.

_____ → _____

10 다음 글의 빈칸 (A), (B)에 알맞은 말끼리 짝지어진 것은?

Today, more and more people live in big cities. _____(A)_____ many advantages, living in a big city can be stressful. To solve this problem, many people do various things to make their places colorful and cozy. _____(B)_____, 104-year-old grandmother Grace Brett just might be the oldest street artist in the world. She decorates her town with her crochet items. She says, "I like seeing my work displayed for everyone else and making the town look lovely."

	(A)		(B)
①	Due to	⋯	Furthermore
②	Despite	⋯	For example
③	As a result	⋯	For instance
④	In spite of	⋯	On the contrary
⑤	According to	⋯	At the same time

11 다음 글의 밑줄 친 ①~⑤ 중 어법상 **틀린** 것은?

Five high school students in the City of Albuquerque, New Mexico, spent 167 hours ①painted murals on the white walls of the West-side Winter Shelter. Thanks to ②their hard work, the shelter now has a warm and welcoming atmosphere.

Richard Reynolds, a ③30-year-old office worker, plants flowers in the neglected flower beds in his neighborhood. "So many people live in big cities and don't have land of their own, but ④that doesn't mean they shouldn't be able to garden," says Richard.

Thanks to people like them, the world is getting ⑤more and more beautiful.

12 주어진 글 다음에 이어질 글의 순서로 가장 적절한 것은?

Good evening. My name is Magda Sayeg. I'm a textile artist most widely known for starting the yarn bombing movement.

(A) Unlike graffiti, however, yarn bombing doesn't damage structures or the natural landscape. It is also temporary and removable. Some people worry that yarn bombing is not legal.

(B) That's technically true, but no one has ever given me any trouble because yarn bombs look very innocent. Besides, most artists today do yarn installations with permission from property owners or even at their request.

(C) Have you heard of yarn bombing? It is taking knitted or crocheted material out into the urban environment. You may think that it's similar to graffiti.

① (A) – (C) – (B)　　② (B) – (A) – (C)
③ (B) – (C) – (A)　　④ (C) – (A) – (B)
⑤ (C) – (B) – (A)

[13-15] 다음 글을 읽고, 물음에 답하시오.

When I started this over 10 years ago, I didn't have a word for it, I didn't have any ambitious ideas about it, and I (A) have / had no grand expectations. All I wanted to see was something warm, fuzzy, and human on the cold gray steel things (B) what / that I looked at every day. So I wrapped a door handle. I call this the Alpha Piece. Little (C) was / did I know that this tiny piece would change the course of my life.

People's reactions were great. It intrigued me and I thought, "What else could I do? Could I do something in public that would get the same reaction?" So I wrapped the stop sign pole near my house. The reaction was wild. People would park their cars, get out of their cars, stare at it, and take pictures of it. I was really excited and I wrapped every stop sign pole in the neighborhood. And the more that I did, _____. (the / strong / reaction).

This was the point when I became ①fascinated by yarn bombing. I found my new passion, and the ②urban environment was my playground. I was very curious about this idea of ③neglecting the ordinary, the boring, even the ugly. And I tried not to take away its identity or its functionality but to give it a ④well-tailored suit out of knitting. This was fun for me. It was really enjoyable to take ⑤boring objects and make them come to life.

13 (A), (B), (C)의 각 네모 안에서 어법에 맞는 말끼리 짝지어진 것은?

	(A)		(B)		(C)
①	have	…	what	…	was
②	have	…	that	…	was
③	have	…	what	…	was
④	had	…	that	…	did
⑤	had	…	what	…	did

14 빈칸에 알맞은 말을 주어진 단어를 활용하여 쓰시오. (주어진 단어를 반복하여 사용할 수 있음.)

→ _____

15 밑줄 친 ①~⑤ 중 문맥상 알맞지 않은 것은?

① ② ③ ④ ⑤

[16-17] 다음 글을 읽고, 물음에 답하시오.

Suddenly, I began witnessing something interesting: People from all over the world started yarn bombing. It had reached global status. Though I started it, I certainly don't own it any more. And I know this because I have traveled to certain parts of the world that I'd never been to, and have stumbled upon stop sign poles that were wrapped up. These experiences have shown me the hidden power of this craft and have revealed that there is a ____(A)____ language I have with the rest of the world. It was through this ____(B)____ hobby that I found a connection with people whom I never thought I'd have one with.

16 밑줄 친 **These experiences**가 가리키는 내용을 우리말로 쓰시오.

→ _____

17 빈칸 (A), (B)에 공통으로 들어갈 말로 알맞은 것은?

① foreign ② difficult
③ different ④ common
⑤ interesting

[18-20] 다음 글을 읽고, 물음에 답하시오.

People may have thought I was a master knitter when I began yarn bombing, but I actually had no idea how to knit. Nonetheless, I did something interesting with knitting that had never been done before. (①) I wasn't "supposed to be" an artist in the sense that I wasn't formally trained to do this. I majored in math actually. (②) And when this happened to me, I held on tight, I fought for it, and I'm proud to say that I'm a working artist today. (③) So as you ponder your future, remember that it might not be so seamless. (④) And one day, you might be as bored as I was and knit a door handle to change your world forever. (⑤) Thank you.

18 윗글에서 다음 뜻을 가진 단어를 찾아 쓰시오.

happening without any sudden changes, interruption, or difficulty; perfect and having no flaws or errors

19 주어진 문장이 들어가기에 알맞은 곳은?

So I didn't think I'd ever do this, but I also know that I didn't stumble upon it.

① ② ③ ④ ⑤

20 윗글의 내용과 일치하지 않는 것은?

① 사람들은 I를 뜨개질 고수라고 생각했을지도 모른다.
② I는 뜨개질을 어떻게 하는지 전혀 몰랐다.
③ I는 뜨개질로 이전에 한 적 없었던 재미있는 것을 해 냈다.
④ I는 수학을 전공했다.
⑤ I는 현재 예술가가 되기 위해 노력한다.

Lesson 5

See Beyond What You See

Think Ahead

What could a 🔒 shape mean in a text message? 문자 메시지에서 자물쇠 모양이 무엇을 의미할 수 있습니까?

Sample It could mean "I will keep my promise," or "I'm not going to say anything."
그것은 '나는 약속을 지킬 것이다.' 또는 '나는 어떤 말도 하지 않을 것이다.'를 의미할 수 있다.

Check what you already know.

💬
- ☐ This means you are about to leave now. 이것은 네가 막 떠나려는 것임을 의미한다.
- ☐ I think everybody loves listening to music. 나는 모든 사람들이 음악 듣는 것을 매우 좋아한다고 생각한다.

📝
- ☐ **Sitting** in my chair, I was thinking about what to do.
  의자에 앉아서 나는 무엇을 할지에 대해 생각하고 있었다.
- ☐ **If** you donate to our organization, that will mean a lot.
  당신이 우리 단체에 기부를 한다면 그것은 많은 것을 의미할 것이다.

In this lesson, I will ...

Listening & Speaking

- learn to define or explain the meaning of something. 정의하거나 어떤 것의 의미를 설명하는 것을 배운다.
- learn to express one's opinion. 의견 표현하기를 배운다.

Communicative Functions

- The meaning of the sign is, "No Bullying!"
  그 표지판의 의미는 "괴롭히기 금지!"이다.
- In my opinion, she was praising you.
  내 생각에 그녀는 너를 칭찬하는 거야.

Culture

- learn about various symbolic meanings of frogs around the world.
  전 세계 개구리의 다양한 상징적 의미에 대해 배운다.

Reading

- read and understand a text about various symbols in *The Wonderful Wizard of Oz*. '오즈의 위대한 마법사'에 나오는 다양한 상징에 대한 글을 읽고 이해한다.

Writing

- write a shape poem.
  형태시를 쓴다.

Language Forms

- **Having been dramatized** into movies, it **is** one of the best-known classics.
  영화로 각색되어 왔기 때문에 그것은 가장 잘 알려진 고전 중 하나이다.
- You can interpret the story any way you want **as long as** you can support your ideas.
  여러분은 여러분의 아이디어를 뒷받침할 수 있는 한 여러분이 원하는 어떤 방식으로든 그 이야기를 해석할 수 있다.

Starting Out

교과서 pp. 126~127

THINK **Look at the following text message conversation between two people and try to figure out the meaning of the texts.**

두 사람 사이의 다음 문자 메시지 대화를 보고 글의 의미를 유추해 봅시다.

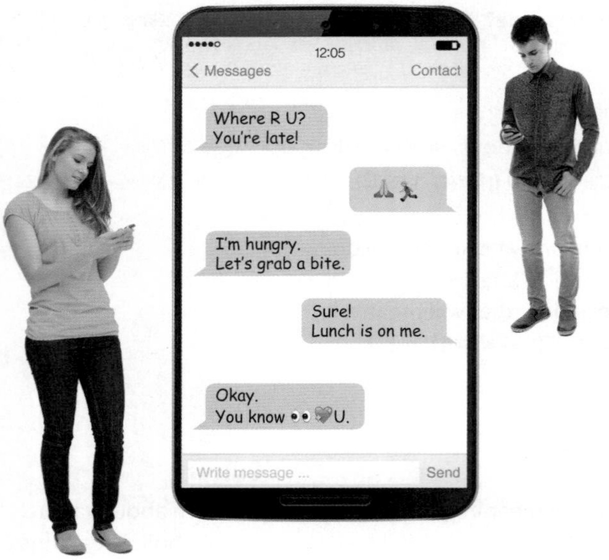

Sample

A: Where are you? You're late!
너 어디야? 늦었어!

B: Sorry, I'm coming!
미안해. 가고 있어.

A: I'm hungry. Let's grab a bite.
나 배고파. 우리 간단히 뭐 먹자.

B: Sure! Lunch is on me.
물론이지! 점심은 내가 쏠게.

A: Okay. You know I love you.
좋아. 내가 너 사랑하는 거 알지.

어구

grab a bite (간단히) 먹다

· Do you want to *grab a bite* to eat? (너 뭐 좀 먹고 싶지 않니?)

LISTEN **Which symbol is the woman talking about?**

여자가 말하고 있는 것은 어느 기호입니까?

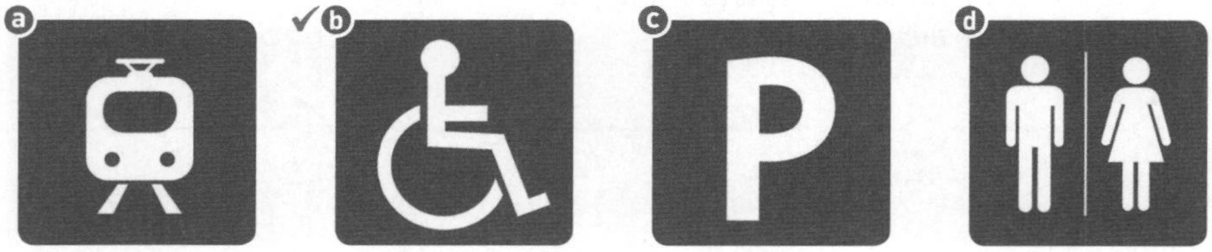

Script

W: Today, I'd like to start off by talking about the International Symbol of Access. It is a royal blue square laid over in white with an image of a person using a wheelchair. Its design is the same in every country in the world. Since 1968, when Susanne Koefoed submitted her design for the symbol, it has been used internationally. It's used to mark parking spaces, vehicles, and restrooms for disabled people. Which symbol am I talking about?

| 해석 |

여: 오늘, 저는 국제 휠체어 기호에 대해 이야기를 시작하려고 합니다. 그것은 휠체어를 사용하는 한 사람의 하얀색 이미지가 놓여 있는 감청색 정사각형입니다. 그것의 디자인은 세계 모든 나라에서 같습니다. Susanne Koefoed가 이 기호에 대한 디자인을 제출했던 1968년 이후, 그것은 국제적으로 사용되어 왔습니다. 그것은 장애인을 위한 주차 공간, 차량, 화장실을 표시하기 위해 사용됩니다. 제가 말하고 있는 것은 어느 기호일까요?

어구

access [명] 이용, 접근

· No one is currently allowed *access*. (현재 이용이 허락된 사람이 없다.)

submit [동] ~을 제출하다

· Completed projects must be *submitted* by 10 March. (완성된 프로젝트는 3월 10일까지 제출되어야 한다.)

| 구문 해설 |

· It is a royal blue square **laid** over in white ~.: 과거분사 laid over는 a royal blue square를 수식하며 앞에 「관계대명사+be동사」인 which is가 생략되어 있다.

· Since 1968, when Susanne Koefoed submitted her design for the symbol, it **has been used** internationally.: 1968년이라는 시점부터 디자인이 현재까지 사용되므로 현재완료 수동태 형태를 썼다.

READ

How Symbolism Is Used

Symbolism is the use of an object or a word to represent an abstract idea. Anything can have a symbolic meaning. Writers often use symbolism to enhance their writing. For example, the sentence "He is a rock," can mean that a person is strong and dependable. And when a character in a play says, "All the world is a stage," it may mean that people play many roles over the course of their lives. Symbolism is used in everyday life, too. Our language contains a lot of symbols whose intended meaning is well-known. For example, the color red can be used to represent passion or danger. And birds can symbolize freedom. Any time there is something that represents more than its literal meaning, this can be an example of symbolism.

(https://literarydevices.net/symbolism/)

어구

abstract 몡 추상적인
·We may talk of beautiful things but beauty itself is *abstract*. (우리가 아름다운 것들에 대해 말할 수는 있지만 아름다움 자체는 추상적인 것이다.)
enhance 동 ~을 향상시키다
·It is good for *enhancing* your concentration. (이것은 네 집중력 향상에 도움이 된다.)
literal 형 문자 그대로의

Lesson 6

| 해석 |-----

상징이 어떻게 사용되는가

상징은 추상적인 개념을 표현하기 위해 대상이나 단어를 사용하는 것이다. 어느 것이든 상징적 의미를 가질 수 있다. 작가들은 종종 그들 글의 질을 높이기 위해 상징을 사용한다. 예를 들어 "그는 바위이다."라는 문장이 어떤 사람이 강인하고 신뢰할 수 있다는 것을 의미할 수 있다. 그리고 극에서 등장인물이 "모든 세상은 무대이다."라고 말할 때, 그것은 사람들이 그들 삶의 과정에서 많은 역할을 한다는 것을 의미할 수 있다. 상징은 일상생활에서도 사용된다. 우리 언어는 의도한 의미가 잘 알려진 많은 상징을 포함한다. 예를 들어 빨간색은 열정과 위험을 나타내는 데에 사용될 수 있다. 그리고 새는 자유를 상징할 수 있다. 문자 그대로의 뜻 이상을 나타내는 어떤 것이 있을 때는 언제나 이것이 상징의 예가 될 수 있다.

● **What is a symbol you know about?**

여러분이 알고 있는 상징은 무엇입니까?

Sample ⓘ At tourist attractions, I have seen signs with an "i" in a circle. The "i" stands for information. Thus, tourists who need information about the area can get some help there.
여행 관광지에서 나는 원 안에 'i'가 있는 표지판을 본 적이 있다. 'i'는 정보를 상징한다. 그러므로 그 지역에 관한 정보를 필요로 하는 관광객들은 그곳에서 몇몇 도움을 얻을 수 있다.

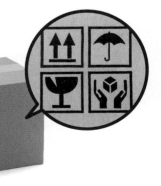

| 구문 해설 |-----

·Our language contains a lot of symbols **whose** intended meaning is well-known.: whose는 소유격 관계대명사로 of symbols의 의미이며 whose 이하가 선행사 symbols를 수식한다.
·**Any time** there is something **that** represents more than its literal meaning, ~.: Any time은 every time, each time 등과 같이 whenever의 의미를 갖는 시간 부사절을 이끄는 접속부사로 쓰였다. that은 주격 관계대명사로 쓰여서 that 이하가 선행사 something을 수식한다.

Listen and Speak 1 교과서 pp. 128~129

A Listen to the dialog and fill in the blanks in the picture.
대화를 듣고 그림의 빈칸을 채워 봅시다.

The meaning of the sign is, "___Repairs___ are being carried out on the road ahead."

It means, "The road work is finished, and the road is ___open___ and in ___good___ ___shape___."

ROAD WORK

어구

keep -ing ⑧ 계속해서 ~하다
· *Keep smiling*! (계속 웃어!)
in good shape 상태가 좋은
· My car is *in good shape*. (내 자동차는 상태가 좋다.)
confusing ⑧ 혼란스러운
· The new signs will be very *confusing* for tourists. (새로운 표지판은 여행객들에게 매우 혼란스러울 것이다.)

힌트

ROAD WORK를 '명사+명사'로 읽으면 '도로 공사'가 될 수 있다. 하지만 work를 '작동하다, 효과가 있다'라는 뜻의 동사로 보면 다른 의미가 된다.

Script

M: It's so nice to finally take a bike ride together, Sally.
W: Yes, it really is, Jihun. Wait! We can't go any further.
M: Why not?
W: Look at the sign. It says, "ROAD WORK."
M: Yes, so what? We can keep going.
W: No, we can't. The meaning of the sign is, "Repairs are being carried out on the road ahead."
M: But, to me, it means, "The road work is finished and the road is open and in good shape."
W: I don't think that's what it means. This sign is used as a warning.
M: It's a little confusing. It'd be clearer if the sign had a picture, too.
W: Right. Anyway, let's take a different road.

해석

남: 드디어 우리가 자전거를 함께 타게 되다니 정말 좋다, Sally.
여: 그래, 진짜 그렇네, 지훈아. 잠깐! 우리는 더 이상 갈 수 없어.
남: 왜 못 가?
여: 저 표지판을 봐. "ROAD WORK"라고 쓰여 있어.
남: 그래, 그런데 뭐? 우리는 계속 갈 수 있어.
여: 아니, 우리는 갈 수 없어. 그 표지판의 의미는 "길 앞에서 정비 공사가 수행되고 있다."라는 것이야.
남: 하지만 내게는 그것이 "도로 공사는 끝나고 도로는 개통되어 좋은 상태입니다."라는 의미인데.
여: 내 생각에는 이게 그걸 의미하는 건 아닌 것 같아. 이 표시판은 경고로 쓰였어.
남: 표지판이 좀 헷갈리네. 표지판에 그림도 있다면 더 명확했을 텐데.
여: 맞아. 어쨌든 다른 도로로 가자.

구문 해설

· **The meaning of** the sign **is**, "Repairs are being carried out on the road ahead.": The meaning of ~ is ...은 '~의 의미는 ...이다'라는 뜻으로 사물이나 말의 정의를 나타낼 때 사용하는 표현이다. 「~ means ...」라는 표현으로 바꿔 쓸 수 있다.
· I don't think **that's what it means.**: think의 목적어로 쓰인 명사절에 접속사 that이 생략되어 있으며, 이 절의 주어는 that, 동사는 is이고, 보어는 관계대명사절 what it means이다.
· **It'd be** clearer **if** the sign had a picture, too.: 「주어+조동사의 과거형+동사원형 ~, if+주어+조동사의 과거형 ...」형태의 가정법 과거 구문이 쓰였으며 현재 앞의 표지판에 그림이 없는 상황을 있을 때의 상황으로 가정하면서 아쉬움을 나타냈다.

B Complete the comic strip with the sentences in the box and practice the dialog with your partner. 보기의 문장들로 만화를 완성하고 짝과 함께 대화를 연습해 봅시다.

ⓐ Can you guess what it means?
이것이 어떤 의미인지 추측해 볼 수 있겠니?

ⓑ The meaning of it is, "No bullying!"
그것의 의미는 "괴롭히기 금지"네요!

ⓒ Maybe it could mean, "Don't run in the classroom."
"교실에서 뛰지 마라."라는 의미일 수도 있어요.

What are you posting on the board, Mr. Kim?
I made a sign with one of the class rules. ⓐ
It means, "Take your time," right?
ⓒ
It means something else. Focus on the animal.
It's a bull. ⓑ

게시판에 뭘 붙이고 계세요, 김 선생님?

학급 규칙 중 하나에 대한 표지판을 만들었단다. ⓐ 이것이 어떤 의미인지 추측해 볼 수 있겠니?

"시간을 가져라"라는 의미죠, 맞나요?

ⓒ "교실에서 뛰지 마라."라는 의미일 수도 있어요.

다른 것을 의미한단다. 동물에 초점을 맞춰 보렴.

이것이 황소니까. ⓑ 그것의 의미는 "괴롭히기 금지"네요!

어구

bully [동] ~을 괴롭히다, 따돌리다, 협박하다

· The students in my class never *bully* each other. (우리 반의 학생들은 서로를 못살게 굴지 않는다.)

post [동] ~을 게시하다

· The results will be *posted* on the website. (결과는 웹 사이트에 공지될 것이다.)

C Designing a Pictogram for a Better Social Life

더 나은 사회생활을 위한 픽토그램 디자인하기

STEP 1 With your group members, think of some tips to have a better social life.
모둠원들과 함께 더 나은 사회생활을 하기 위한 몇 가지 팁을 생각해 봅시다.

Sample

- Always give others heartfelt praise. 다른 이들에게 항상 진심 어린 칭찬을 해라.
- Be kind to people who serves you. 너를 돕는 사람들에게 친절하게 대하라.
- Have one good friend, instead of many. 많은 친구보다 좋은 친구 한 명을 가져라.
- Remember what I did wrong but forget others' mistake.
  내가 잘못한 것은 기억하고 남의 실수는 잊어라.

| 구문 해설 |

· Always **give others heartfelt praise.**: give는 수여동사이며 '~ (간접 목적어)에게 … (직접 목적어)을 주다'라는 의미를 나타내는 「give+간접목적어+직접목적어」 형식의 문장이 쓰였다. heartfelt는 '진심 어린'이라는 의미의 합성어이자 분사 형태의 형용사로 명사 praise를 수식한다.

어구

heartfelt [형] 진심 어린

· Please accept our *heartfelt* apology. (우리의 진심 어린 사과를 받아 주세요.)

STEP 2 Choose one tip from STEP 1 and make it into a pictogram.

STEP 1에서 하나의 팁을 고르고 픽토그램으로 만들어 봅시다.

| Sample Dialog |

A How can we put "Always give others heartfelt praise" into a picture?

B Well, I have an idea. How about this? We draw a hand with the thumb up.

C That could mean just "praise" because the meaning of a thumb-up is "Good job."

D Right. So how can we symbolize "heartfelt praise"?

A I think we should include a heart image.

B Good idea. That fits perfectly.

C Now, we just need to put the two images together.

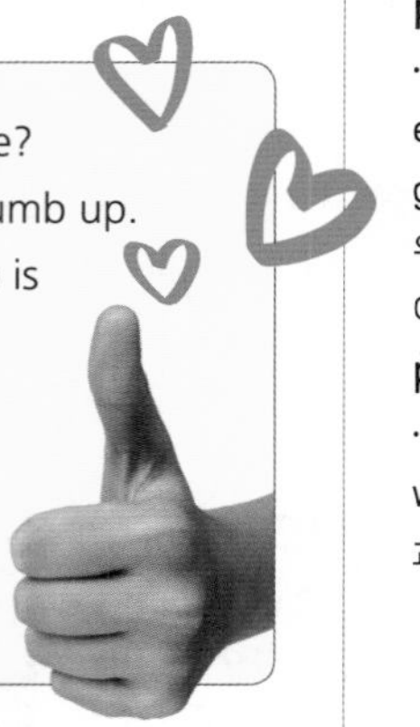

	Example	Your Group's Tip
Tip	Always give others heartfelt praise.	
Pictogram		

| 해석 |

A: "다른 이들에게 항상 진심 어린 칭찬을 해라."를 어떻게 그림으로 나타낼 수 있을까?
B: 음, 나 생각해 본 것이 하나 있어. 이건 어때? 엄지손가락을 올린 손을 그리는 거야.
C: 엄지손가락을 올리는 것의 의미가 "잘했어."이니까 그건 단지 "칭찬"만 의미할 수 있어.
D: 맞아. 그럼 "진심 어린 칭찬"을 어떻게 상징화할 수 있을까?
A: 하트 이미지를 포함시켜야 할 것 같아.
B: 좋은 생각이야. 그것이 완벽하게 들어맞네.
C: 이제 두 개의 이미지를 함께 놓기만 하면 돼.

| 구문 해설 |

- That could mean just "praise" **because** the meaning of a thumb-up is "Good job.": because는 뒤에 「주어+동사」를 가진 절을 이끌며, because of는 명사나 명사구를 목적어로 취한다. because절의 주어는 the meaning of a thumb up이며 그 중 핵심 주어는 the meaning이므로 동사를 주어의 수에 일치시켜 단수형인 is를 썼다.

STEP 3 Present your pictogram to the class and let them guess its meaning.

여러분의 픽토그램을 반 친구들에게 발표하고 그들에게 의미를 유추하게 해 봅시다.

✔ Self-Check

	Yes	No	
I can use the target expressions correctly. 나는 목표 표현을 정확하게 쓸 수 있다.	☐	☐	→ Go back to A and B. A와 B로 돌아가세요.
I can communicate effectively. 나는 효과적으로 의사소통할 수 있다.	☐	☐	→ Practice the Sample Dialog in STEP 2 again. STEP 2의 예시 대화를 다시 연습하세요.

어구

pictogram [명] 그림 문자
· The use of *pictograms* to explain the voting process was a good choice. (투표 과정을 설명하기 위해 그림 문자를 사용한 것은 좋은 선택이었다.)

praise [명] 칭찬
· A few words of *praise* work wonders. (몇 마디의 칭찬은 엄청난 효과가 있다.)

Listen and Speak 2 교과서 pp. 130~131

In my opinion, she was praising you.
내 생각에 그녀는 너를 칭찬하는 거야.

A **Listen to the lecture and fill in the summary.** 강의를 듣고 요약문의 빈칸을 채워 봅시다.

Animal Idioms in English

영어 속 동물 관용어

Idioms	Animal's Behavior	Meanings of the Idioms
1. watch like a hawk 매처럼 관찰하다	• watch ___prey___ from high in the sky 하늘 높은 곳에서 먹잇감을 관찰하다면밀하게 관찰하다	• ___monitor___ closely 면밀하게 관찰하다
2. busy as a ___bee___ all day 하루 종일 벌처럼 바쁘다	• work hard and continuously 지속적으로 열심히 일하다	• be ___extremely___ busy all day 하루 종일 극도로 바쁘다

Script

M: If your supervisor used the idiom, "I'm watching you like a hawk," would you understand what he or she meant? In fact, it's very common to use animal idioms in our language. Why do you think that is? In my opinion, animals are used to communicate human behavior. Hawks, for example, have good eyes, so they can watch prey from high in the sky. Now, think about supervisors. They tend to monitor their employees closely from a distance. Here's another idiom that uses an animal: "He's been as busy as a bee all day." I'm sure you can guess what that means. Bees work hard and continuously. So if people work like bees, they are extremely busy all day. Next class, we'll continue this discussion. For homework, find some more animal idioms online.

| 해석 |

남: 만약 여러분의 관리자가 "내가 당신을 매처럼 지켜보고 있어요."라는 관용어를 사용한다면 당신은 그 또는 그녀의 말이 의미하는 것을 이해할까요? 사실 우리 언어에서 동물과 관련된 관용어를 사용하는 것은 매우 흔하죠. 왜 그럴까고 생각하나요? 제 생각에 동물은 사람의 행동을 전달하기 위해 쓰이는 것 같아요. 예를 들어 매는 시력이 좋아서 하늘 높은 곳에서 먹잇감을 지켜봐요. 이제 관리자를 생각해 보세요. 그들은 그들의 직원들을 멀리서 면밀하게 관찰합니다. 여기 동물을 이용한 또 하나의 관용어가 있어요. "그는 하루 종일 벌처럼 바쁘다." 저는 여러분이 그것이 의미하는 것을 유추할 수 있을 것이라 확신해요. 벌은 열심히 지속적으로 일하죠. 그래서 사람들이 벌처럼 일하면 그들은 하루 종일 극도로 바쁘다는 것이에요. 다음 시간에 우리는 이 토론을 계속할 거예요. 숙제로 온라인에서 더 많은 동물 관련 관용어를 찾아보세요.

Lesson 6

| 구문 해설 |

· **If** your supervisor **used** the idiom, "I'm watching you like a hawk," **would you understand what** he or she meant?: 「If+주어+동사의 과거형 ~, 조동사의 과거형+주어+동사원형 …?」의 형태로 쓰인 가정법 과거 의문문이 쓰였다. what은 선행사를 포함하는 관계대명사절이며 what이 이끄는 절이 understand의 목적어절이다.
· **In my opinion**, animals are used to communicate human behavior.: In my opinion, ~.은 상대에게 자신의 의견을 나타내는 표현이며, I think (that) ~. 또는 In my view, ~. 등으로 바꿔 말할 수 있다.
· I'm sure **you** can guess **what that means**.: you 앞에는 명사절을 이끄는 접속사 that이 생략되어 있는 목적어절이며, 이 절의 동사 guess는 의문사절 what that means를 목적어절로 취한다.

B Complete the comic strip with the sentences from the box and practice the dialog with your partner. 보기의 문장들로 만화를 완성하고 짝과 함께 대화를 연습해 봅시다.

> ⓐ Can I ask you something? 뭐 좀 물어봐도 될까?
>
> ⓑ You're as cold as a machine. 너는 기계처럼 차가워.
>
> ⓒ In my opinion, she was praising you. 내 생각에 그녀는 너를 칭찬하는 거야.

어구

calculator 몡 계산기
·He cannot solve a math problem without a *calculator*. (그는 계산기 없이 수학 문제를 풀지 못한다.)

힌트

계산기는 기계적이라는 상징을 가질 수도 있지만, 수학 선생님이 수학 수업 시간에 말했다면 계산이 빠르고 정확하다는 칭찬일 수 있다.

| 구문 해설 |

· In my math class, my teacher **called me a calculator**.: call의 목적어는 me이고 목적격 보어는 a calculator 이다.

 C Guessing Who a Person Is 누구인지 추측하기

> **STEP 1** Choose a person that everybody in your class personally knows. Then, brainstorm some words from each category to describe that person.
> 여러분의 반 친구 모두가 개인적으로 알고 있는 한 사람을 선택해 봅시다. 그러고 나서 그 사람을 묘사하기 위해 각 범주별로 몇몇 단어를 브레인스토밍해 봅시다.

어구

category 몡 범주, 분류
·This book falls into the *category* of science fiction. (이 책은 공상 과학소설의 범주로 분류된다.)

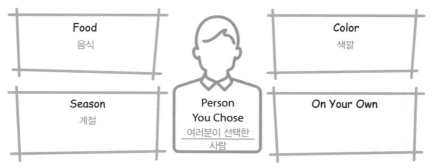

STEP 2 Discuss with your group members how the person you chose could be best described.

여러분이 선택한 사람을 가장 잘 묘사할 수 있는 방법을 여러분의 모둠원들과 의견을 나눠 봅시다.

| Sample Dialog |

A Why don't we describe Mr. Jackson, our English teacher?

B Okay. How can we describe him with food?

C I think he is like fast food. Whenever we ask him questions, he answers quickly.

D That's so true. I have an idea about color. I think we can say he is red.

B You mean to say he's passionate, right?

A Yeah. What season do you think describes him best?

D In my opinion, spring is best because his classes are uplifting, like spring.

어구

passionate ⑱ 열정적인
· I think Korean players are very *passionate*. (나는 한국 선수들이 정말 열정적이라고 생각해.)
uplifting ⑱ 희망(행복감)을 주는
· The book shows a charming and *uplifting* love story. (그 책은 매혹적이고 기분 좋게 하는 사랑 이야기를 보여 준다.)

| 해석 |

A: 우리 영어 선생님인 Jackson 선생님을 묘사해 보는 게 어떨까?

B: 좋아. 우리가 그분을 음식으로 어떻게 묘사할 수 있을까?

C: 나는 그가 패스트푸드 같다고 생각해. 우리가 그에게 질문할 때마다 그는 빨리 대답하잖아.

D: 그렇고말고. 나는 색에 대한 아이디어가 하나 있어. 우리는 그를 빨간색이라고 말할 수 있을 거라 생각해.

B: 그가 매우 열정적이라고 말하려는 거지, 맞지?

A: 그래. 어떤 계절이 그를 가장 잘 묘사할 수 있을 거라 생각하니?

D: 내 생각에 그의 수업이 봄처럼 희망을 주니까 봄이 가장 좋을 거야.

| 구문 해설 |

· **Whenever** we ask him questions, he answers quickly.: whenever는 '~할 때마다, 할 때면 언제든지'라는 뜻을 가진 복합관계부사로 시간 부사절을 이끈다.

· You **mean to say he's passionate**, right?: 주절의 동사 mean은 목적어로 to부정사인 to say를 취하며 to say는 that이 생략된 명사절 he's passionate를 목적어로 취했다.

STEP 3 Present your description to the class and let other groups guess who the person is.

여러분의 묘사 내용을 반 친구들에게 발표하고 다른 모둠들이 그 사람이 누구인지 추측하게 해 봅시다.

✔**Self-Check**   Yes   No

I can use the target expressions correctly.   ☐   ☐   → Go back to A and B.
나는 목표 표현을 정확하게 쓸 수 있다.   A와 B로 돌아가세요.

I can communicate effectively.   ☐   ☐   → Practice the Sample Dialog in STEP 2 again.
나는 효과적으로 의사소통할 수 있다.   STEP 2의 예시 대화를 다시 연습하세요.

Lesson 6

Language in Focus

교과서 p. 132

A **Compare the expressions in bold and find the difference between them.**
굵은 글씨로 된 표현을 비교해 보고 그것들 사이의 차이점을 알아봅시다.

- **As it has been dramatized** into movies, it **is** one of the best-known classics.
- **Having been dramatized** into movies, it **is** one of the best-known classics.
  영화로 각색되어 왔기 때문에 그것은 가장 잘 알려진 고전 중의 하나이다.

- **As he had met** her before, he **could recognize** her instantly.
- **Having met** her before, he **could recognize** her instantly.
  그가 그녀를 전에 만난 적이 있기 때문에 그는 그녀를 즉시 알아볼 수 있었다.

● **Based on what you found, rewrite the parts in bold.**
여러분이 찾은 것을 바탕으로 굵은 글씨로 된 부분을 다시 써 봅시다.

My friend Jihun was born in Suwon and lived there for 15 years. Now he is sharing a dorm room with me in Seoul. Last week, my friend Kevin from Canada came to visit. **As he had been to Seoul before** (└ Having been to Seoul before), he wanted to visit other cities. When I told this to Jihun, he offered to give Kevin and me a personal tour of Suwon. **As we walked around Suwon** (Walking around Suwon), we had such a great time.

| 해석 |

내 친구 지훈이는 수원에서 태어났고 15년 동안 그곳에서 살았다. 지금 그는 서울에서 기숙사 방을 나와 함께 사용하고 있다. 지난주에 캐나다 출신의 내 친구 Kevin이 방문하러 왔다. 그는 이전에 서울을 방문했기 때문에 다른 도시를 방문하고 싶어 했다. 내가 지훈이에게 이 이야기를 했을 때 그는 Kevin과 나에게 수원 개별 투어를 제안했다. 우리는 수원 구석구석을 걸어 다니면서 매우 좋은 시간을 보냈다.

Grammar Point

완료 분사구문
종속절(부사절)의 시제가 주절보다 앞서는 경우, 시제 차이를 나타내는 분사구문이다.
e.g. **Having known** her for a long time, I can understand her.
= As I have known her for a long time, I can understand her.
(그녀를 오랫동안 알아 왔기 때문에 나는 그녀를 이해한다.)

완료 분사구문을 만드는 법
① 종속절의 접속사를 생략한다. 단, 종속절이 시간이나 양보 등 의미를 명확히 해야 할 경우에는 접속사를 남겨 둘 수 있다.
② 종속절의 주어와 주절의 주어가 같을 때 종속절의 주어를 생략한다. 주어가 다를 경우 종속절의 주어를 남겨 두며 이런 형태의 분사구문을 독립분사구문이라고 한다.
e.g. As the project was finished last week, we have nothing to do now.
= The project **having been finished** last week, we have nothing to do now.
(그 프로젝트가 지난주에 끝났기 때문에 우리는 지금 할 일이 없다.)
③ 종속절의 시제가 주절보다 앞서므로 종속절의 동사를 Having p.p. 형태로 바꾼다.
④ 분사구문이 being 또는 having been으로 시작하는 경우 being / having been은 생략하는 경우가 많다.
e.g. As he watched the news program on TV, he knows the news.
= **Having watched** the news program on TV, he knows the news.
(그는 뉴스 프로그램을 시청했기 때문에 그 소식을 안다.)

어구

dramatize [동] 각색하다, 극적으로 표현하다
· His whole life will be *dramatized* in a TV series. (그의 전 생애가 텔레비전 시리즈로 각색될 것이다.)
dorm [명] 기숙사 (= dormitory)
· How much does your *dorm* cost a semester? (기숙사는 한 학기에 비용이 얼마나 드니?)

힌트

첫 번째 As로 시작하는 종속절은 주절보다 앞서는 대과거 시제로 쓰였으므로 완료 분사구문 Having been p.p.의 형태가 되어야 한다. 두 번째 As로 시작하는 종속절은 주절의 시제와 같은 과거 시제로 쓰였으므로 단순 분사구문인 Walking ~의 형태가 되어야 한다.

| 구문 해설 |

- As he **had been** to Seoul before, he **wanted** to visit other cities.: 종속절의 동사 had been 주절의 동사 wanted보다 한 시제 앞선 대과거를 나타낸다.
- When I told **this** to Jihun, he **offered to give** Kevin and me a personal tour of Suwon.: 대명사 this는 앞 문장 전체의 내용을 가리킨다. offer는 to부정사인 to give를 목적어로 취했다.

B Guess the meaning and usage of "as long as" in the dialog.

대화에서 'as long as'의 의미와 쓰임을 유추해 봅시다.

A Ms. Kim, can I use the conference room for our club meeting?
B **As long as** you clean it up after you're done, I don't mind.
A Then, is it okay to use the printer?
B Yes, you can. **As long as** you use it for something related to the club, I'll allow it.

| 해석 |

A: 김 선생님, 우리 동아리 모임을 위해 회의실을 써도 될까요?
B: 사용 후에 청소한다면 상관없단다.
A: 그러면 인쇄기를 사용하는 것은 괜찮을까요?
B: 그래, 사용할 수 있지. 동아리 활동과 관련된 것에 사용한다면 허락할게.

- **Rearrange the given words to complete the sentences.**

주어진 단어를 재배열하여 문장을 완성해 봅시다.

HAPPINESS LIBRARY

FAQ

1. How do I get library membership?

Bring a photo ID that shows your current home address. (a resident / of / the city / as / are / as / you / long), you can get library membership and check out up to five books a week. As long as you are a resident of the city

2. How do I know when my books are ready for pick-up?

(your phone number / as / long / provide / us / with / as / you), we will send you a text message when they are ready. As long as you provide us with your phone number

| 해석 |

행복 도서관

자주하는 질문과 답

1. 도서관 멤버십은 어떻게 만들 수 있습니까?
현재 집 주소를 알 수 있는 사진이 있는 신분증을 가져오십시오. 이 도시의 거주민이라면 도서관 멤버십을 만들 수 있고 일주일에 책 다섯 권을 대출할 수 있습니다.
2. 책을 수령할 준비가 된 때를 어떻게 알 수 있습니까?
저희에게 전화번호를 제공하시면 책이 준비되었을 때 문자 메시지를 보내드립니다.

Grammar Point

조건절을 이끄는 as long as

as long as는 '~이기만 하면' 또는 '~ 하는 한'이라는 의미로 사용되어 조건을 나타내는 접속사 if 대신 쓰일 수 있으며, so long as로 바꿔 쓸 수 있다. 이와 같이 if 대신 사용할 수 있는 어구에는 suppose[supposing], providing[provided], in case 등이 있다.

e.g. Check-out is at noon, but **as long as** you are out by two, it should be okay.
(체크아웃 시각은 12시이지만 2시까지 퇴실하신다면 괜찮습니다.)

[어구]

conference [명] (여러 날 대규모로 열리는) 학회, 회의
· The hotel is used for exhibitions, *conferences*, and social events. (호텔은 전시회, 회의, 그리고 사교 행사들에 이용된다.)

[어구]

current [형] 현재의, 지금의
· Our *current* financial situation is not good. (우리의 현재 자금 상황은 좋지 않다.)

resident [명] 거주자, 주민
· Are you a *resident* here? (당신은 이곳 주민이세요?)

check out 대출하다
· The book has been *checked out*. (그 책은 대출된 상태입니다.)

[힌트]

조건절을 이끄는 「as long as+주어+동사」의 어순으로 문장을 완성한다.

| 구문 해설 |

· Bring a photo ID **that** shows your current home address.: that은 주격 관계대명사로 that이 이끄는 절이 선행사 a photo ID를 수식한다.

Before You Read

교과서 p. 133

Reading Activator

A Fill in the blanks to complete the story.

빈칸을 채워 이야기를 완성해 봅시다.

a brain	a heart	silver slippers	the Yellow Brick Road	tornado	courage

Dorothy is a girl who lives on a farm in Kansas with her dog, Toto.

While in her house, she gets carried to Oz by a huge __tornado__. By accident, she kills the Wicked Witch of the East and gets a pair of silver slippers.

In order to get back home, she follows __the yellow brick road__ to get to the Emerald City to meet the Wizard of Oz.

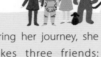

During her journey, she makes three friends: Scarecrow, Tin Man, and Cowardly Lion.

After meeting the Wizard, they get what they want: __a brain__, __a heart__, and __courage__.

The Wizard can't take Dorothy home. She can get back home with the power of her __silver slippers__.

| 구문 해설 |

- **After meeting** the Wizard, they get what they want: after는 시간을 나타내는 접속사이기 때문에 분사구문에서 생략할 경우 의미가 불명확해질 수 있으므로 생략하지 않고 분사 앞에 쓸 수 있다.

Word Booster

B Guess the meanings of the underlined words and match them with their appropriate definitions on the right.

밑줄 친 단어의 의미를 추측하여 오른쪽의 알맞은 정의와 연결해 봅시다.

1.
- The silver slippers represent Dorothy's own potential power.
  은 슬리퍼는 Dorothy 자신의 잠재력을 나타낸다.
- To many people, diversity represents the identity of the USA.
  많은 사람들에게 다양성은 미국의 정체성을 나타낸다.

2.
- The author never revealed his true intentions with respect to *The Wonderful Wizard of Oz* to anyone.
  작가는 '오즈의 위대한 마법사'에 관해 그의 진짜 의도를 드러낸 적이 없었다.
- Nothing is changing with respect to the current situation.
  아무것도 현재 상황에 관해 변화할 수 없다.

ⓐ in reference to or concerning something
무언가에 관하여 또는 관련하여

ⓑ to be a sign or symbol of something
어떤 것의 신호나 상징이 되다

[어구]

by accident 우연히
·Many great inventions came about *by accident.* (많은 발명품들은 우연히 만들어졌다.)
journey [명] 여행, 여정
·A *journey* of a thousand miles begins with a single step. (천 마일을 가는 여행도 첫걸음부터 시작한다. [천 리 길도 한 걸음부터])
cowardly [형] 겁 많은, 소심한
·It was *cowardly* of him to say so. (그렇게 말하다니 그는 비겁했다.)

| 해석 |

- Dorothy는 그녀의 개, Toto와 함께 캔자스에 있는 농장에 사는 소녀이다.
- 그녀가 집에 있는 사이 거대한 토네이도에 의해 오즈로 옮겨진다. 우연히 그녀는 사악한 동쪽 마녀를 죽이고 은 슬리퍼를 한 켤레를 얻는다.
- 집으로 돌아가기 위해 그녀는 노란 벽돌 길을 따라가서 에메랄드 시티에 도착하고 오즈의 마법사를 만난다.
- 여행 동안 그녀는 세 친구인 허수아비, 깡통 나무꾼, 겁 많은 사자를 사귄다.
- 마법사를 만난 후 그들은 그들이 원하는 것, 두뇌, 심장, 그리고 용기를 얻는다.
- 마법사는 Dorothy를 집에 데려다주지 못한다. 그녀는 그녀가 가진 은 슬리퍼의 힘으로 집에 돌아갈 수 있다.

[어구]

potential [형] 잠재적인, 가능성이 있는
·It is a *potential* engine for economic growth. (그것은 경제 성장의 잠재적인 원동력이다.)
identity [명] 정체성, 동일성
·Most boys and girls go through an *identity* crisis at puberty. (대부분의 소년, 소녀들은 사춘기 때 정체성 위기를 겪는다.)
intention [명] 의도, 의사
·He didn't make his *intentions* clear in his letter. (그는 편지에서 그의 의도를 명확하게 나타내지 않았다.)

교과서 p. 134

Symbolism in *The Wonderful* WIZARD *of* OZ

❶ *The Wonderful Wizard of Oz* was written by the American author L. Frank Baum. ❷ It tells the story of Dorothy, a young girl, who ends up in a tornado and gets carried from her Kansas farm home to an unknown land, Oz. ❸ After Dorothy's house falls on and accidentally kills the Wicked Witch of the East in Munchkin Land, Dorothy is welcomed to her new land by the Munchkins because she freed them from the bondage of the witch. ❹ The Good Witch of the South, Glinda, then explains to Dorothy that in order to get back home, she needs to follow the Yellow Brick Road to reach the Emerald City. ❺ There, she needs to ask the Wizard of Oz how to get back home to Kansas. ❻ On her way down the Yellow Brick Road, Dorothy meets some new friends, who all have something to ask the great wizard. ❼ However, when they finally get to the Emerald City and meet the Wizard of Oz, they discover he is just a liar and that everything they have been searching for can be found within themselves.

구문 연구

❷ It tells the story of **Dorothy, a young girl, who ends up** in a tornado and **gets carried** from her Kansas farm home to an unknown land, Oz.. : a young girl은 앞의 Dorothy를 추가 설명하며 동격을 이룬다. who 이하는 a young girl을 수식하는 주격 관계대명사절이며, 관계대명사절에는 ends up과 gets carried 두 개의 동사구가 and로 연결되어 병렬 구조를 이룬다.

❹ The Good Witch of the South, Glinda, then explains to Dorothy **that in order to get** back home, she needs to follow the Yellow Brick Road **to reach** the Emerald City.: that은 explain의 목적어절을 이끄는 접속사이며, 삽입구에서 in order to는 '~하기 위해서'라는 뜻으로 to부정사의 부사적 용법 중 목적을 나타낸다. to reach는 to부정사의 부사적 용법 중 결과를 나타낸다.

❻ ~ Dorothy meets some new friends, **who** all have something to ask the great wizard.: who는 계속적 용법으로 쓰인 주격 관계대명사이며, and they로 바꿔 쓸 수 있다.

❼ ~ they **discover** he is just a liar and that **everything they have been searching for** can be found within themselves. : discover의 목적어로 두 개의 절 he is just a liar과 that everything ~ themselves을 취했다. 두 번째 that절의 주어인 everything은 목적격 관계대명사 that이 생략된 관계대명사절 they have been searching for가 수식하는 선행사이다.

Highlight

Highlight the characters in *The Wonderful Wizard of Oz* in the first paragraph. Then, check how much you know about them.

첫 번째 단락에서 '오즈의 위대한 마법사'의 등장인물에 표시해 봅시다. 그런 다음, 여러분이 그들에 관해 얼마나 알고 있는지 확인해 봅시다.

Dorothy / the Wicked Witch of the East / the Munchkins / the Good Witch of the South, Glinda / the Wizard of Oz / some new friends

| 해석 |

'오즈의 위대한 마법사' 속 상징주의

❶ '오즈의 위대한 마법사'는 미국 작가인 L. Frank Baum에 의해 쓰였다. ❷ 그것은 토네이도에 휩쓸려 캔자스에 있는 자신의 농장 집에서 미지의 땅인 오즈로 옮겨진 어린 소녀 Dorothy에 대한 이야기이다. ❸ Dorothy의 집이 떨어져서 우연히 먼치킨(난쟁이족) 마을의 사악한 동쪽 마녀를 죽이게 된 뒤, Dorothy는 그녀가 그들을 마녀의 구속으로부터 자유롭게 해 주었기 때문에, 먼치킨들에 의해 그 새로운 땅에 온 것을 환영받는다. ❹ 그때 착한 남쪽 마녀 Glinda는 Dorothy에게 집으로 돌아가기 위해 그녀가 노란 벽돌 길을 따라가서 에메랄드 시티에 도착해야 한다는 것을 설명해 준다. ❺ 그곳에서 그녀는 오즈의 마법사에게 캔자스로 돌아갈 수 있는 방법을 물어야 한다. ❻ 노란 벽돌 길을 따라가던 중 Dorothy는 새로운 친구들을 만나고, 그들 모두는 위대한 마법사에게 물을 것이 있다. ❼ 하지만 그들이 마침내 에메랄드 시티에 도착하여 오즈의 마법사를 만났을 때, 그들은 그가 거짓말쟁이일 뿐이라는 것과 그들이 찾고 있던 것은 모두 다 그들 자신 안에서 찾을 수 있다는 것을 발견한다.

어구

bondage [명] 구속, 속박
liar [명] 거짓말쟁이

❽ [Having been frequently dramatized into movies and musicals], *The Wonderful Wizard of Oz* is one of the best-known classics among children and adults alike. ❾ However, it is not just an entertaining story. ❿ There are many symbols in it to think about. ⓫ Here are some intriguing examples.

완료 분사구문: 이유 (= As *The Wonderful Wizard of Oz* has been dramatized ~)
「one of the 최상급 among(in)」 가장 ~한 것 중 하나
형용사적 용법
도치구문: 부사+be동사+주어

[Q] Why did Dorothy follow the Yellow Brick Road to the Emerald City?
Dorothy는 왜 노란 벽돌 길을 따라 에메랄드 시티로 갔습니까?
[정답] She went there to ask the Wizard of Oz how to get back home to Kansas.
그녀는 오즈의 마법사에게 캔자스에 있는 집으로 돌아가는 방법을 묻기 위해 그곳에 갔다.

구문 연구

❽ **Having been frequently dramatized** into movies and musicals, *The Wonderful Wizard of Oz* **is** one of the best-known classics among children and adults alike.: Having been frequently dramatized ~는 이유를 나타내는 완료 분사구문으로 종속절의 시제가 주절보다 앞설 때 사용하며, 종속절의 동사를 having p.p. 형태로 바꾼 것이다. 주절의 동사가 현재형 is이고 문맥상 이 이야기가 과거부터 현재까지 자주 각색된 것이므로 이 분사구문은 현재완료 수동태를 사용하여 As *The Wonderful Wizard of Oz* has been dramatized ~로 바꿔 쓸 수 있다.

❾ However, it not just an **entertaining** story.: entertaining은 한정적 용법의 분사로 명사 story를 수식하며, 읽는 사람을 즐겁게 한다는 능동의 의미가 있기 때문에 현재분사의 형태로 쓰였다.

⓫ **Here are some intriguing examples.**: 부사 Here가 앞으로 나가서 동사와 주어의 위치가 바뀐 도치구문이다. some intriguing examples가 복수 주어이므로 be동사 역시 복수형인 are를 썼다. 부사 here가 문두로 나가는 경우 대개 주어와 동사가 도치되지만, Here you are.와 같이 주어가 대명사일 때는 도치를 하지 않는 경우도 있다.

Grammar Check

◆ 완료 분사구문
완료형 분사구문은 종속절의 시제가 주절의 시제보다 앞설 때 사용하는 분사구문으로 having p.p. 형태로 나타낸다.
e.g. Because I **have seen** that movie before, I **don't want** to go again.
= **Having seen** that movie before, I don't want to go again.
(전에 그 영화를 봤기 때문에 나는 다시 가고 싶지 않다.)
After Kevin **had read** the book, he **returned** it to the library.
= **Having read** the book, Kevin returned it to the library.
(그 책을 읽은 후에 Kevin은 그것을 도서관에 반납했다.)

Pay Attention

L15 Having been frequently dramatized into movies and musicals, *The Wonderful Wizard of Oz* **is** one of the best-known classics among children and adults alike.
「having+p.p.」 형태의 완료 분사가 쓰인 완료 분사구문으로 문장의 종속절이 주절보다 더 앞선 시제인 경우 분사구문으로 전환할 때 사용할 수 있다.

| 해석 |

❽ 영화나 뮤지컬로 자주 각색되었기 때문에 '오즈의 위대한 마법사'는 아이들과 어른들 모두에게 가장 잘 알려진 고전 중 하나이다. ❾ 하지만 이것은 단순히 재미있는 이야기만은 아니다. ❿ 그것 안에는 생각해 볼 많은 상징들이 있다. ⓫ 여기 여러분의 흥미를 끄는 몇 가지 예시가 있다.

어구

classic [명] 고전, 명작 [형] 고전적인
· The novel may become a modern *classic*. (그 소설은 현대적 고전이 될지도 모른다.)
entertaining [형] 재미있는, 즐거움을 주는
intriguing [형] 아주 흥미로운
· The scientific discovery raises *intriguing* questions. (그 과학적 발견은 아주 흥미로운 질문들을 제기한다.)

Check Up

01 다음 밑줄 친 부분을 분사구문으로 바르게 고치시오.

(1) As he has finished his work, he is listening to music.
→ ______________________

(2) As he was born in France, he can speak French like a native.
→ ______________________

02 다음 글에서 어법상 틀린 것을 골라 바르게 고치시오.

The Wonderful Wizard of Oz ① was written by the American author L. Frank Baum. It ② tells the story of Dorothy, a young girl, ③ who ends up in a tornado and ④ got carried from her Kansas farm home ⑤ to an unknown land, Oz.

교과서 p. 136

❶ First, take a close look at the title, *The Wonderful Wizard of Oz.*
동격
❷ Oz here is not just a simple name of a place, but the abbreviation for
「not just A but (also) B」 A뿐만 아니라 B도
ounce, a measure for gold and silver. ❸ And this interpretation may lead
동격
us to think about the standard monetary system of the time.
「lead A to+동사원형」 A가 ~하게 하다
❹ In the 1890s, midwestern and southern American farmers and small
business owners insisted that the silver standard be used together with
주장/요구/명령/제안동사+that+주어+(should+)동사원형
the traditional gold standard. ❺ They believed [that the silver standard
believed의 목적어절
could put more money in the market and help it circulate, (which could
= money 계속적 용법의 주격 관계대명사 (= and it)
help them pay off their debts more easily)]
❻ In the story, Dorothy acquires a pair of silver slippers [after she
시간 부사절
accidentally kills the Wicked Witch of the East]. ❼ Some people interpret
implying의 목적어절
the silver slippers as a symbol of the silver standard, [implying (that Baum
~로 (전치사) 분사구문 (동시 상황 = as they imply ~)
might have been suggesting that the silver and gold standards together
「might have p.p.」 과거에 대한 추측 might have been suggesting의 목적어절
could make a better future with more money)]

[Q] Why did farmers and small business owners in America in the 1890s suggest using the gold and silver standard together?
왜 1890년대 미국의 농부들과 소규모 사업주들이 금 본위 제도와 은 본위 제도를 함께 사용할 것을 제안했습니까?

[정답] They believed that the silver standard could put more money in the market and help it circulate, which could help them pay off their debts more easily.
그들은 은 본위 제도가 시장에 더 많은 돈을 풀어서 돈이 순환하는 데에 도움을 줄 것이고 그것이 그들의 빚을 더 쉽게 변제하는 데에 도움을 줄 것이라고 믿었다.

구문 연구

❷ Oz here is **not just** a simple name of a place, **but** the abbreviation for ounce ~.: 「not just A but B」는 'A뿐만 아니라 B도'라는 뜻으로 「not only A but (also) B」와 바꿔 쓸 수 있다.

❹ In the 1890s, midwestern and southern American farmers and small business owners **insisted** that the silver standard **be** used together with the traditional gold standard.: 주절에 동사인 insisted가 주장의 의미를 가지고 있으므로 목적어절인 that절의 동사가 동사원형의 형태로 쓰였다. 「주장, 제안, 요구, 명령 동사+that+주어+(should+)동사원형」 형태에서 조동사 should는 일반적으로 생략된다.

❺ They believed **that** the silver standard **could put** more money in the market and **help** it circulate, **which** could help them pay off their debts more easily.: that 이하는 believed의 목적어절이며 that절의 주어는 the silver standard, 동사는 could put과 (could) help이다. which는 계속적 용법으로 쓰인 주격 관계대명사로 which가 이끄는 절은 앞의 that절을 부연 설명하며 and it으로 바꿔 쓸 수 있다.

❼ Some people interpret the silver slippers as a symbol of the silver standard, **implying that** Baum might have been suggesting **that** the silver and gold standards together could make a better future with more money.: implying 이하는 동시 상황을 나타내는 분사구문이며, 첫 번째 that은 implying의 목적어절을 이끄는 접속사이고 두 번째 that은 might have been suggesting의 목적어절로 쓰였다. 두 번째 that이 이끄는 절의 내용이 과거의 해석에 대한 추측이므로 might have p.p.의 형태인 might have been이 쓰였다.

Pay Attention

L5 In the 1890s, midwestern and southern American farmers and small business owners **insisted** that the silver standard **be** used together with the traditional gold standard.
insisted가 주장을 나타내는 동사이기 때문에 that절의 동사는 should가 생략된 동사원형이 쓰였다.

Top Tips

Gold / Silver Standards
Monetary systems in which the standard economic unit of account is based on a fixed quantity of gold / silver
금 본위 제도/은 본위 제도
경제의 표준 단위가 금이나 은의 고정된 양에 바탕을 둔 통화 제도

| 해석 |

❶ 첫 번째로 제목인 '오즈의 위대한 마법사'를 주의 깊게 보라. ❷ 여기서 오즈(Oz)는 장소의 이름일 뿐 아니라 금과 은의 측정 단위인 온스(ounce)의 약어이다. ❸ 그리고 이 해석은 우리에게 당시의 표준 통화 제도에 대해 생각하게 한다.
❹ 1890년대 미국 중서부와 남부의 농부들과 소규모 사업주들은 은 본위 제도가 전통적인 금 본위 제도와 함께 쓰여야 한다고 주장했다. ❺ 그들은 은 본위 제도가 시장에 더 많은 돈을 투입하고 돈이 순환하도록 도울 수 있으며, 이것이 그들이 빚을 더 쉽게 갚도록 도울 수 있을 것이라고 믿었다.
❻ 이야기에서 Dorothy는 그녀가 우연히 사악한 동쪽 마녀를 죽인 뒤 은 슬리퍼 한 켤레를 얻는다. ❼ 어떤 이들은 Baum이 은 본위 제도와 금 본위 제도가 함께 더 많은 돈으로 더 나은 미래를 만들 수 있을 것이라고 암시했을지도 모른다고 시사하면서 은 슬리퍼를 은 본위 제도의 상징으로 해석한다.

어구

abbreviation [명] 약어, 축약형
· *Abbreviations* are used in the text to save space. (약어는 글에서 공간을 절약하기 위해 쓰인다.)
measure [명] 단위
interpretation [명] 해석
· Most modern historians support this *interpretation*. (대부분의 현대 역사학자들은 이 해석을 지지한다.)
pay off [동] ~을 갚다
imply [동] ~을 암시하다, 의미하다
· His silence seemed to *imply* agreement. (그의 침묵은 동의를 암시하는 것 같았다.)

❶ Also, the silver slippers have magical power [that can take Dorothy back home], [of which she is unaware]. ❷ Only after meeting Glinda, the
— 주격 관계대명사절
— of which she is unaware — = of the magical power — only 부사구 도치
Good Witch of the South, in the last scene of *The Wonderful Wizard of*
— 동격 —
Oz, does Dorothy realize the power of the slippers and find her way back
조동사 주어 동사원형
home.

❸ Some suggest [that the slippers represent Dorothy's own potential
suggest의 목적어절
power]. ❹ She has them, but she just doesn't know how to use them.
「how+to부정사」 ~하는 방법
❺ [Only after all of her adventures] can she tap into the power of the
only 부사구 도치 조동사 주어 동사원형
slippers and use them to get [what she wants].
to부정사의 부사적 용법 (목적) get의 목적어절 (관계대명사절)

Ⓠ What did Dorothy realize after meeting Glinda?
Dorothy는 Glinda를 만난 후에 무엇을 깨달았습니까?
정답 She realized the power of the silver slippers and found her way back home.
그녀는 은 슬리퍼의 힘을 깨닫고 그녀가 집에 돌아가는 방법을 알아냈다.

구문 연구

❶ Also, the silver slippers have **magical power that** can take Dorothy back home, **of which** she is unaware.: magical power는 that이 이끄는 주격 관계대명사절과 「전치사+관계대명사」 of which가 이끄는 관계대명사절의 수식을 각각 받는다. of which의 of는 같은 절 마지막의 is unaware에 연결되는 전치사이며 of를 뒤로 보내 which she is unaware of로 바꿔 쓸 수 있다.

❷ **Only** after meeting Glinda, the Good Witch of the South, in the last scene of *The Wonderful Wizard of Oz*, **does Dorothy realize** the power of the slippers and find her way back home. : Only가 강조하는 부사구가 문장 맨 앞에 위치하여 문장의 주어와 동사가 「조동사+주어+동사원형」의 어순으로 도치되었다.

❸ Some **suggest** that the slippers **represent** Dorothy's own potential power.: suggest가 '제안하다'라는 의미가 아니라 '말하다, (뜻을) 내비치다'라는 의미로 쓰였으므로 that절의 동사 represent는 동사원형이 아니라 문장의 시제에 맞춰 현재형으로 쓰였다.

❺ **Only** after all of her adventures **can she tap** into the power of the slippers and **use** them to get what she wants. : Only가 강조하는 부사구가 문장 맨 앞에 위치하여 문장의 주어와 동사가 「조동사+주어+동사원형」의 어순으로 도치되었다. use는 can she tap의 can에 연결되는 동사원형으로 tap이 병렬 구조를 이룬다.

Pay Attention
L7 Only after all of her adventures **can she tap** into the power of the slippers and use them to get what she wants.
Only가 강조하는 부사구가 문장 맨 앞으로 나갈 때의 도치 구문으로 「(조동사)+주어+동사원형」의 어순으로 쓰인다.

| 해석 |------------------------

❶ 또한 은 슬리퍼는 Dorothy를 집으로 돌려보내 줄 수 있는, 그리고 그녀가 눈치채지 못한 힘이 있다. ❷ '오즈의 위대한 마법사'의 마지막 장면에서 착한 남쪽 마녀 Glinda를 만난 뒤에야 Dorothy는 그 슬리퍼의 힘을 깨닫고 집으로 돌아가는 길을 찾는다.
❸ 어떤 사람들은 그 슬리퍼가 Dorothy의 잠재력을 나타낸다고 말한다. ❹ 그녀는 그것을 가지고 있지만 그것을 어떻게 사용하는지 모를 뿐이다. ❺ 모든 모험 후에야 그녀는 그 슬리퍼의 힘을 활용할 수 있고 그녀가 원하는 것을 얻기 위해 그것을 사용할 수 있다.

어구

unaware 형 ~을 알지 못하는
·She was *unaware* that I could see her.
(그녀는 내가 그녀를 볼 수 있다는 것을 알지 못했다.)
represent 동 ~을 나타내다
·Each color on the chart *represents* a different department. (표에서 각각의 색상은 다른 부서를 나타낸다.)
potential 형 잠재적인, 가능성이 있는
·What are the *potential* benefits of these proposals? (이 제안의 잠재적인 이점들은 무엇입니까?)
tap into ~을 활용하다
·Advertisers *tap into* the appeal of famous people in advertisements. (광고주들은 광고에 유명인들의 매력을 이용한다.)

Check Up

01 다음 문장에서 어법상 틀린 부분을 찾아 바르게 고치시오.

(1) That is the book of which I was looking.
(2) Books can add knowledge to what we already know, widen our worlds, and done many other things that money cannot do.

02 우리말과 일치하도록 주어진 어구를 활용하여 영작하시오.

최근에서야 우리 사회가 아동학대에 관심을 기울였다.

Only recently _____.
(has been concerned about, child abuse)

❶ Dorothy takes the Yellow Brick Road to reach the Emerald City and meet the Wizard of Oz. ❷ Here is another symbol. ❸ A road is usually understood as the journey of life that everyone has to take. ❹ The journey may be filled with thrills and dangers, but we can also learn many precious lessons from the journey of our life.

~로 가득 차 있다

❺ The Yellow Brick Road may also represent Dorothy's journey. ❻ On the way to the Emerald City, she finds that the adventures outside her sheltered life are exciting but dangerous. ❼ She also learns about the real meaning of growing up and the comforts of home. ❽ A road usually promises something wonderful at its end, and Dorothy's journey implies that we need to summon our own courage while we take our own journey and realize the important meaning in our life.

Q What did Dorothy learn during her journey on the Yellow Brick Road?
Dorothy가 노란 벽돌 길을 따라가는 여행을 통해 배운 것은 무엇입니까?

정답 She learned that the adventures outside her sheltered life were exciting but dangerous. She also learned about the real meaning of growing up and the comforts of home. 그녀는 보호받고 있는 삶 밖의 모험은 흥미롭지만 위험하다는 것을 배웠다. 그녀는 또한 성장의 진정한 의미와 가정의 안락함을 배웠다.

구문 연구

❸ A road is usually understood as the journey of life **that** everyone **has** to take.: that은 목적격 관계대명사로 that 이하가 선행사 the journey of life를 수식한다. 주어인 everyone 은 단수 취급하는 명사이므로 동사 역시 단수형 has를 써서 수를 일치시켰다.

❻ On the way to Emerald City, she finds **that the adventures** outside her sheltered life **are exciting** but **dangerous**.: that은 finds의 목적어절을 이끄는 접속사로 쓰였으며, that절의 주어는 the adventures이고 동사는 주어와 수 일치하여 복수형 are가 쓰였다. 보어는 exciting과 dangerous이며 but으로 연결되어 병렬 구조를 이룬다.

❽ ~ Dorothy's journey implies **that** we **need to summon** our own courage **while** we take our own journey and **realize** the important meaning in our life.: that은 implies의 목적어절을 이끄는 접속사로 쓰였으며, need to에 summon과 realize가 연결되어 병렬 구조를 이룬다. while은 '~하는 동안에'라는 뜻의 시간을 나타내는 접속사로 while이 이끄는 절이 we need to summon our own courage의 종속절로 쓰였다.

One More Step

Choose the proverb that best describes Dorothy's journey in the last sentence.
마지막 문장에서 Dorothy의 여행을 가장 잘 묘사한 속담을 고르시오.

ⓐ Love will find a way.
나의 사랑은 길을 찾아 당신에게 닿을 것이다.

✓ⓑ Nothing ventured, nothing gained.
모험 없이 얻는 것도 없다.

ⓒ Happiness lies first of all in health.
행복은 무엇보다도 건강에 달려 있다.

ⓓ Empty vessels make the most sound.
빈 수레가 요란하다.

| 해석 |

❶ Dorothy는 노란 벽돌 길을 따라가서 에메랄드 시티에 도착하고 오즈의 마법사를 만난다. ❷ 여기 또 다른 상징이 있다. ❸ 길은 보통 모든 사람들이 해야 하는 삶의 여행으로 이해된다. ❹ 여행은 오싹함과 위험으로 가득 차 있을 수도 있지만 우리는 또한 우리 삶의 여행으로부터 많은 소중한 교훈을 배울 수 있다.

❺ 노란 벽돌 길은 Dorothy의 여행을 상징할 수도 있다. ❻ 에메랄드 시티로 가는 길에 그녀는 그녀의 보호받고 있는 삶 밖의 모험은 흥미롭지만 위험하다는 것을 알게 된다. ❼ 그녀는 또한 성장의 진정한 의미와 가정의 안락함을 배운다. ❽ 길은 보통 그 끝에서 훌륭한 무언가를 약속하며, Dorothy의 여행은 우리가 우리 자신의 여행을 하는 동안 우리 스스로 용기를 내야 한다는 것과 삶의 중요한 의미를 깨달아야 한다는 것을 의미한다.

어구

thrill 명 오싹함, 전율, 흥분
precious 형 소중한
· My family is the most *precious* thing in my life. (나의 가족은 내 삶에서 가장 소중한 것이다.)
sheltered 형 보호받는, 안락한
summon 동 ~을 소환하다, (용기 등을) 내다
· She was trying to *summon* up the courage to leave him. (그녀는 그를 떠날 용기를 내기 위해 애를 쓰고 있었다.)

Check Up

01 다음 괄호 안에서 알맞은 것을 고르시오.

(1) I need to buy some snacks and (give / giving) them to some of my students.

(2) A road is usually (understanding / understood) as the journey of life.

02 우리말과 일치하도록 주어진 어구를 활용하여 영작하시오.

그 여행은 오싹함과 위험으로 가득 차 있을 수 있다.

_____

(journey, fill with, thrills, dangers)

Lesson 6

교과서 p. 139

❶ When Dorothy and her friends reach the Emerald City, the Wizard of Oz sends them to kill the Wicked Witch of the West in exchange for
부사적 용법 (목적) / ~의 대가로
their wishes to be granted. ❷ The Wicked Witch of the West immediately
형용사적 용법
attacks them with her beasts, birds, black bees, and slaves, and she tries
~을 …로 공격하다 / her의 목적어 병렬 연결 / 앞뒤 문장 연결
to steal the magical silver slippers off Dorothy's feet. ❸ Dorothy pours a bucket of water onto the witch, [soaking her from head to foot]. ❹ To
분사구문 (동시 상황 = and she soaks ~)
Dorothy's surprise, the water causes her to simply melt away like brown
「to one's surprise」 놀랍게도 / 「cause A to부정사」 A가 ~하도록 하다
sugar.

❺ Here we see [that during Dorothy's journey she finds out {that wicked
see의 목적어절 / 시간 부사구 / finds out의 목적어절
witches are just ordinary people}]. ❻ We've all had wicked witches in our lives: for example, difficult problems, scary people, or other types of
: (콜론) 추가 정보 제공
adversity. ❼ They seem to take great joy by making our lives miserable.
~함으로써 / 사역동사+목적어+목적격 보어(형용사)
❽ Although they may be extremely threatening, the scary things in our
양보 접속사 (~일지라도) / 주어
life are only as scary as we let them be ^. ❾ We don't have to be scared; we
동사 / 「as+원급+as」 원급 비교 / threatening / ; (세미콜론) 문장 연결, and 대신 쓰임.
just need to be brave.

[Q] How did Dorothy defeat the Wicked Witch of the West?
Dorothy는 사악한 서쪽 마녀를 어떻게 물리쳤습니까?
[정답] She poured a bucket of water onto her, soaking her from head to foot.
그녀는 마녀에게 물 한 양동이를 들이부었고 그녀를 머리끝부터 발끝까지 젖도록 만들었다.

구문 연구

❶ ~, the Wizard of Oz sends them **to kill** the Wicked Witch of the West in exchange for their wishes **to be granted**.: to kill은 to부정사의 부사적 용법 중 목적의 의미로 쓰였고, to be granted는 앞의 their wishes를 수식하는 to부정사의 형용사적 용법으로 쓰였다. their wishes가 the Wizard of Oz에 의해 받아들여진 것으로 수동의 의미를 지니므로 to부정사 수동형 to be granted 형태로 쓰였다.

❹ To Dorothy's surprise, the water **causes her to simply melt away** like brown sugar.: to simply melt away는 분리부정사구로 to와 동사원형 melt 사이에 부사 simply가 끼어 있는 형태이며, 목적격 보어로 쓰였다.

❾ We don't have to be scared**;** we just need to be brave.: ;(세미콜론)은 관련된 내용을 분리할 때 쓰이며 분리하는 정도가 콤마(,)보다는 더 강하고 마침표(.)보다는 약할 때 사용한다. 이 문장에서는 and 의미로 해석할 수 있다.

Pay Attention

L5 Dorothy pours a bucket of water onto the witch, **soaking** her from head to foot.
동시 상황을 나타내는 분사구문으로 and she soaks ~로 바꿔 쓸 수 있다.

| 해석 |

❶ Dorothy와 그녀의 친구들이 에메랄드 시티에 도착했을 때, 오즈의 마법사는 받아들여질 그들의 소원을 대가로 그들을 사악한 서쪽 마녀를 죽이도록 보낸다. ❷ 사악한 서쪽 마녀는 즉시 그녀의 야수들, 새들, 검은 벌들과 노예들로 그들을 공격하고, Dorothy의 발에서 마법의 은 슬리퍼를 훔치려 한다. ❸ Dorothy는 사악한 서쪽 마녀에게 물 한 동이를 들이부어 그녀를 머리끝부터 발끝까지 적신다. ❹ 놀랍게도 물은 그녀(마녀)를 그저 황설탕처럼 녹게 한다.
❺ 여기서 우리는 Dorothy가 여행하는 동안 사악한 마녀들이 단지 평범한 사람들이라는 것을 발견한 것을 알 수 있다. ❻ 우리는 모두 자신의 삶에 사악한 마녀를 가졌는데, 예를 들어 어려운 문제, 두려워하는 사람들, 혹은 다른 유형의 역경이 그것들이다. ❼ 그것들은 우리의 삶을 비참하게 함으로써 큰 기쁨을 얻는 것처럼 보인다. ❽ 그것들이 매우 위협적일지라도 우리 삶의 두려운 것들은 우리가 그것들에게 허락한 만큼만 두려운 것이다. ❾ 우리는 두려워할 필요가 없고, 용기를 내는 것만이 필요할 뿐이다.

어구

beast [명] 야수, 짐승
slave [명] 노예
melt away 녹아서 사라지다
adversity [명] 역경, 고난
· He overcame much *adversity*. (그는 많은 역경을 극복했다.)
miserable [형] 비참한, 슬픈
· I don't want him to be *miserable*. (나는 그가 비참하게 되는 것을 원하지 않는다.)

Check Up

01 다음 문장에서 어법상 틀린 부분을 찾아 바르게 고치시오.
(1) The judges make the participant nervously.
(2) I entered my room, say good-bye to him.

02 우리말과 일치하도록 괄호 안의 단어를 순서대로 배열하시오.
흉년이 가격을 가파르게 상승하게 만들었다.
The poor harvest ______________________
______________________.
(rise, caused, to, sharply, prices)

❶ Over time, there have been many interpretations of *The Wonderful Wizard of Oz*. ❷ However, L. Frank Baum never revealed his true intentions with respect to his work to anyone, meaning that there will always be varying interpretations. ❸ So you can interpret the story any way you want as long as you can support your ideas. ❹ It could just be a story for children, a political commentary, or a call for self-help and self-reliance. ❺ The next time you read this story, look for hidden symbols others have never found before.

Q Why are there varying interpretations of *The Wonderful Wizard of Oz*?
왜 '오즈의 위대한 마법사'의 다양한 해석본이 존재합니까?
정답 The author, L. Frank Baum, never revealed his true intentions with respect to his work to anyone.
저자인 L. Frank Baum은 그의 작품과 관련하여 누구에게도 그의 진짜 의도를 결코 드러내지 않았다.

Q Do you know of any other literary work that is interpreted in varying ways?
다양한 방식으로 해석된 다른 문학 작품을 알고 있습니까?
Sample In Korean class, I read a poem titled "나룻배와 행인," by Han Yongun. On the surface, the boat seems to be a loved one. But considering the poet's social background, it can be interpreted as Korea's independence.
국어 시간에 한용운의 '나룻배와 행인'이라는 제목의 시를 읽었다. 표면적으로는 배가 사랑하는 사람인 것처럼 보인다. 하지만 시인의 사회적 배경을 고려하면, 그것은 한국의 독립으로 해석될 수 있다.

구문 연구

❶ Over time, there **have been** many interpretations of *The Wonderful Wizard of Oz*.: 'The Wonderful Wizard of Oz'의 많은 해석본이 과거부터 지금까지 존재하므로 현재완료 시제를 사용했다.

❷ ~, **meaning** that there will always be **varying** interpretations.: meaning 이하는 동시 상황을 나타내는 분사구문으로 and it means ~로 바꿔 쓸 수 있으며 이때 it은 앞 문장 전체를 가리킨다. varying은 '가지각색의, 다양한'이라는 뜻의 형용사로 명사 interpretation을 수식한다.

❸ So you can interpret the story any way you want **as long as** you can support your ideas. : as long as는 '~하는 한'이라는 뜻의 접속사 if 대용어구로 조건을 나타내는 부사절을 이끄는 연결어로 쓰였다.

❺ ~, **look** for **hidden symbols** others have never found before.: 독자들에게 제안을 하기 위해 동사원형으로 시작하는 명령문의 형태를 썼다. hidden symbols는 관계대명사절 others ~ before의 수식을 받는 선행사이며 뒤에 목적격 관계대명사 that이나 which가 생략되었다.

Pay Attention
L4 So you can interpret the story any way you want **as long as** you can support your ideas.
as long as는 '~이기만 하면' 또는 '~하는 한'의 의미로 사용되어 조건을 나타내는 접속사 if 대신 쓰일 수 있으며, **so long as**로 바꿔 쓸 수 있다.

| 해석 |
❶ 시간이 흘러 '오즈의 위대한 마법사'는 많은 해석본을 가지게 되었다. ❷ 하지만 L. Frank Baum은 누구에게도 자신의 작품과 관련된 진짜 의도를 결코 드러내지 않았고, 이것은 언제나 다양한 해석이 존재할 수 있다는 것을 의미한다. ❸ 그러니 여러분의 아이디어를 뒷받침할 수 있는 한 여러분은 여러분이 원하는 어떤 방식으로든 이 이야기를 해석할 수 있다. ❹ 이것은 단순히 아이들을 위한 이야기일 수도 있고, 정치적 논평일 수도 있고, 자립과 자기 신뢰에 대한 요구일 수도 있다. ❺ 다음번에 여러분이 책을 읽을 때, 다른 이들이 이전에 찾지 못했던 숨겨진 상징을 찾아보라.

어구

intention 명 의도; 목적
with respect to ~에 관련하여
· Nothing is changing *with respect to* the current position. (현재의 입장과 관련해서 아무것도 바뀌지 않고 있다.)
political 형 정치적인
commentary 명 해설, 언급, 논평
· The novel provides a powerful social *commentary* on post-war Germany. (그 소설은 전쟁 후 독일에 대한 강력한 사회적 논평을 제공한다.)
self-help 명 자조, 자립
self-reliance 명 자기 의존(신뢰), 자립

Lesson 6

Check Up

01 다음 문장에서 어법상 틀린 부분을 찾아 바르게 고치시오.
(1) The next time you come to see me, calling me first.
(2) There was an increase in the minimum wage over the years.

02 우리말과 일치하도록 주어진 어구를 활용하여 영작하시오.
날씨만 좋다면 우리는 소풍을 갈 것이다.
_____
(as long as, go on a picnic)

After You Read

교과서 p. 141

Text Miner

A Match each symbol to the proper description and fill in the blanks.

각 상징을 알맞은 설명에 연결하고 빈칸을 채워 봅시다.

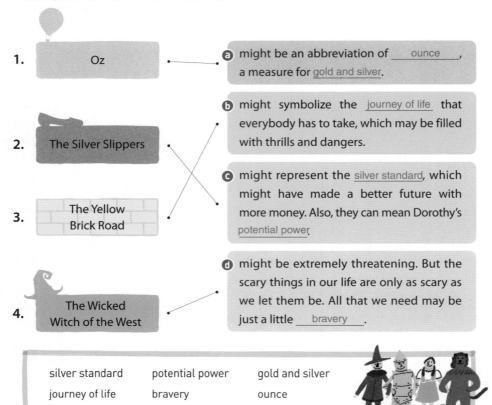

1. Oz • —— • ⓐ
2. The Silver Slippers • —— • ⓒ
3. The Yellow Brick Road • —— • ⓑ
4. The Wicked Witch of the West • —— • ⓓ

ⓐ might be an abbreviation of ___ounce___, a measure for gold and silver.

ⓑ might symbolize the ___journey of life___ that everybody has to take, which may be filled with thrills and dangers.

ⓒ might represent the silver standard, which might have made a better future with more money. Also, they can mean Dorothy's potential power.

ⓓ might be extremely threatening. But the scary things in our life are only as scary as we let them be. All that we need may be just a little ___bravery___.

silver standard	potential power	gold and silver
journey of life	bravery	ounce

어구

symbolize [동] ~을 상징하다, 나타내다

· The use of light and dark *symbolizes* good and evil. (빛과 어둠의 사용은 선과 악을 상징한다.)

extremely [부] 극도로, 극히

· She found it *extremely* difficult to get a job. (그녀는 취직을 하기가 극도로 어렵다는 것을 알았다.)

| 해석 |

1. 오즈는 온스의 약어일 수 있고 금과 은의 단위일 수 있다.
2. 은 슬리퍼는 은 본위 제도를 나타낼 수 있고, 그것은 더 많은 돈으로 더 나은 미래를 만들었을지도 모른다. 또한 그것은 Dorothy의 잠재적 능력을 의미할 수 있다.
3. 노란 벽돌 길은 모든 이들이 가야 하는 삶의 여행을 상징할 수 있고, 이것은 오싹함과 위험함으로 가득 차 있을 수 있다.
4. 사악한 서쪽 마녀는 매우 위험할지도 모른다. 하지만 우리 삶의 두려운 일들은 우리가 그것을 허락한 만큼만 두렵다. 우리에게 필요한 것은 단지 작은 용기이다.

Reading Enhancer

B Find other symbols in *The Wonderful Wizard of Oz* and share them with the class.

'오즈의 위대한 마법사'에서 다른 상징을 찾아 그것들을 반 친구들과 공유해 봅시다.

Things / Characters 물건/등장인물	Symbolic Meaning 상징적 의미
[Sample] The Tin Man 깡통 나무꾼	The Tin Man symbolizes the dehumanized factory workers in the early 1900s. 깡통 나무꾼은 1900년대 초기의 인간성이 말살된 공장 노동자들을 상징한다.
The Scarecrow 허수아비	The Scarecrow symbolizes farmers in the midwestern and southern America who were naive but resourceful. 허수아비는 미국 중서부와 남부 지방의 순진하지만 지략이 있는 농부를 상징한다.

✔Self-Check

Check your understanding.						If you need help,
Words	1	2	3	4	5	look up the words you still don't know. 어휘 찾아보기
Structures	1	2	3	4	5	review the "Pay Attention" sections. 섹션 복습하기
Content	1	2	3	4	5	read the text again while focusing on its meaning. 다시 읽어보기

Writing Lab **A Shape Poem**
형태시

STEP 1 Look at the shapes below and write down the words that come to your mind.
아래 모양을 보고 떠오르는 단어를 써 봅시다.

Dream

Love

Top Tips 🔍
A shape poem is a poem whose visual image matches the topic of the poem.
형태시는 시각적 이미지가 시의 주제와 부합하는 시이다.

STEP 2 Choose one word from STEP 1 and write a poem about it.
STEP 1에서 한 단어를 선택하여 그것에 관한 시를 한 편 써 봅시다.

Dream

"Dream" means a star in my mind to me.

It is true that I am happy when I think of the star.

It is also true that the star is hard to reach and sometimes makes me frustrated.

But as long as I have my dream, the star keeps me alive.

So "dream" means a star in my mind to me.

_____ The moment I smile _____

" Love " means a happy smile to me.
My final exam ends.
I have a tasty lunch with my friends.
I fall asleep while listening to my favorite songs.
I watch a movie with sweet popcorn.
I spend time with my family at home.
I read touching stories.
As long as I feel loved, I have my happy smile.

So " love " means a happy smile to me.

어구

visual (형) 시각의, 눈으로 보는
·I have a very good *visual* memory. (나는 시각적 기억력이 아주 좋다.)
frustrated (형) 좌절된, 낙담한
·This failure left the child depressed and *frustrated*. (이 실패가 그 아이를 우울하고 낙담하게 만들었다.)
alive (형) 살아 있는
·We don't know whether he's *alive* or dead. (우리는 그가 살아 있는지 죽었는지 모른다.)

Lesson 6

| 해석 |----------------

꿈
'꿈'은 내게 내 마음의 별을 의미한다.
별을 생각할 때 내가 행복한 것은 사실이다.
별은 닿기 어렵고 때때로 나를 좌절하게 만드는 것도 사실이다.
그러나 내가 꿈을 가지고 있는 한 별은 나를 계속 살아 있게 한다.
그래서 '꿈'은 내게 내 마음의 별을 의미한다.

내가 미소 짓는 순간
'사랑'은 내게 행복한 미소를 의미한다.
기말 시험이 끝난다.
친구들과 맛있는 점심을 먹는다.
내가 가장 좋아하는 노래를 들으면서 잠이 든다.
달콤한 팝콘을 먹으며 영화를 본다.
집에서 가족들과 시간을 보낸다.
감동적인 이야기를 읽는다.
내가 사랑받는다고 느끼는 한 나는 행복한 미소를 짓는다.
그래서 '사랑'은 내게 행복한 미소를 의미한다.

STEP 3 **Based on STEP 2, write a shape poem.**

STEP 2를 바탕으로 형태시를 써 봅시다.

"D
r e
a m "
means a
star in my mind
to me. It is true that I am happy when I think
of the star. It is also true that the star
is hard to reach and sometimes
makes me frustrated. But as
long as I have my dream,
the star keeps me alive.
So "dream" means a
star in my mind
to me.

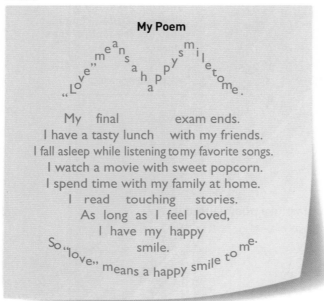

Sample

My Poem

"Love" means a happy smile to me.

My final exam ends.
I have a tasty lunch with my friends.
I fall asleep while listening to my favorite songs.
I watch a movie with sweet popcorn.
I spend time with my family at home.
I read touching stories.
As long as I feel loved,
I have my happy
smile.
So "love" means a happy smile to me.

Top Tips

When you write a shape poem, 형태시를 쓸 때,

- you don't have to worry about rhyming. 운율에 대해 걱정할 필요가 없다.
- you can just list words or phrases about the topic. 주제에 대한 단어나 구를 열거하기만 해도 된다.
- you can repeat a line to emphasize its importance. 중요성을 강조하기 위해 한 행을 반복할 수 있다.
- you can vary the size of words or letters. 단어 또는 글자의 크기를 다양하게 할 수 있다.

Self-Edit Read your shape poem and correct any mistakes.

여러분의 형태시를 읽고 잘못된 부분을 고쳐 봅시다.

✓ Peer Feedback	Outstanding	Good	Could do better
Task Completion 과업 완성도			
Creativity of Idea 아이디어의 창의성			
Grammar / Punctuation 문법 / 구두법			
Reader's Comments: 읽은 이의 평가			

어구

rhyme [동] 운율을 맞추다 [명] 운율

· You're *rhyming* but you don't realize it. (당신이 운율을 맞추고 있지만 그것을 깨닫지 못하고 있다.)

emphasize [동] 강조하다, 두드러지게 하다

· He *emphasized* that many of the figures quoted were just estimates. (그는 인용된 많은 숫자가 단지 추정치라는 점을 강조했다.)

Wrap Up | Making a Culture Box for a Foreign Friend
외국인 친구를 위한 문화 상자 만들기

■ Imagine a foreign friend is coming to Korea to visit you. You want to prepare a culture box for the friend which contains items representing Korea.
외국인 친구가 여러분을 방문하기 위해 한국에 온다고 상상해 봅시다. 여러분은 외국인 친구에게 줄 한국을 대표하는 물품들이 담긴 문화 상자를 준비하기를 원합니다.

STEP 1 Make a group of four. Then, decide a theme for your culture box.
네 명으로 모둠을 만들어 봅시다. 그런 다음 문화 상자를 위한 주제를 정해 봅시다.

> **Theme: Hangeul for You**
> 주제: 당신을 위한 한글

STEP 2 Think of four items that really match your theme.
주제와 잘 어울리는 네 가지 물품들을 생각해 봅시다.

Items
- A cup with Hangeul
- A stamp with our friend's name in Hangeul
- A clock with Hangeul
- On Your Own

| Sample Dialog |

A For our theme, "Hangeul for You," what should we put in the box?
B In my opinion, a cup with Hangeul on it is a must.
C Why do you think that?
B Because he will think of Korea whenever he uses the cup.
D Good idea. What else?
A What about a stamp with our friend's name in Hangeul?
B That's a brilliant idea.
⋮

STEP 3 Write a short letter describing the culture box and present it to the class.
문화 상자를 설명하는 짧은 편지를 쓰고 그것을 반 친구들에게 발표해 봅시다.

> Dear friend,
>   We prepared a culture box for you. We named it "Hangeul for You." The meaning of this is that Hangeul will always be with you. In the box, we put a cup with Hangeul, a stamp with your name in Hangeul, a clock with Hangeul, and a bag with Hangeul. Having put a lot of thought into this culture box, I hope you enjoy it.

| 구문 해설 |

· **Having put** a lot of thought into this culture box, I hope you enjoy it.: Having put ~ this culture box는 이유를 나타내는 분사구문으로, 주절의 시제보다 분사구문의 시제가 더 앞섰으므로 having p.p.의 형태인 완료분사구문으로 나타냈다.

어구

a must ⑲ 필수품, 꼭 해야 하는 것
· His new work is *a must* for all lovers of mystery novels. (그의 새 작품은 모든 추리 소설 애호가들이 꼭 읽어야 할 책이다.)
brilliant ⑲ 훌륭한, 멋진
· His performance was technically *brilliant* but lacked feeling. (그의 연주는 기술적으로 훌륭했지만 감정이 부족했다.)

| 해석 |

A: '당신을 위한 한글'이라는 우리 주제를 위해서 상자 안에 무엇을 넣어야 할까?
B: 내 생각에는 한글이 적힌 컵이 필수일 것 같아.
C: 왜 그렇게 생각하니?
B: 그가 그 컵을 사용할 때마다 한국을 떠올릴 것이기 때문이야.
D: 좋은 생각이다. 다른 의견은?
A: 한글로 친구의 이름을 새긴 도장은 어때?
B: 정말 멋진 생각이야.

| 구문 해설 |

· Because he will think of Korea **whenever** he uses the cup.: whenever는 '~할 때마다'라는 의미로 시간을 나타내는 부사절을 이끄는 연결어로 쓰였다.

| 해석 |

친구에게,
  우리는 너를 위해서 문화 상자를 준비했어. 우리는 그것을 '당신을 위한 한글'이라고 이름 지었어. 이것의 의미는 한글이 언제나 너와 함께한다는 거야. 상자 안에 우리는 한글이 적힌 컵, 한글로 너의 이름이 새겨진 도장, 한글이 적힌 시계, 그리고 한글이 적힌 가방이 있어. 이 문화 상자에 많은 생각을 넣었으니까 네가 그것을 즐기기를 바라.

Lesson 6

Inside Culture

Various Symbolic Meanings of Frogs Around the World

교과서 p. 145

전 세계 개구리의 다양한 상징적 의미

A **Read about various symbolic meanings of frogs in different countries.**

다른 나라에서 개구리의 다양한 상징적 의미에 대해 읽어 봅시다.

In Celtic culture, the frog was considered lord over all the earth, and the Celts believed it represented curative or healing power because of its connection with water and washing rains.

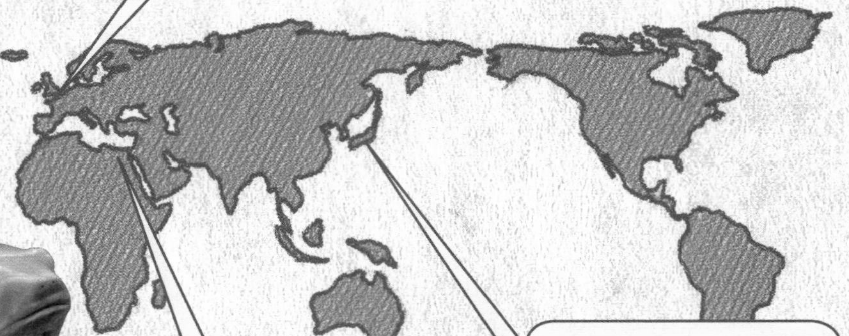

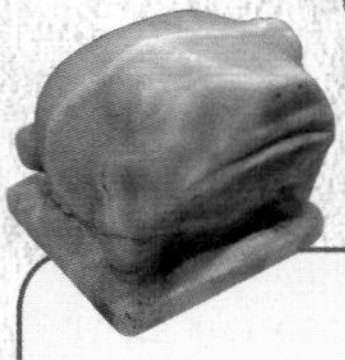

In Egypt, Heket is a goddess of birth represented in the form of a frog. Frogs lay enormous quantities of eggs, making them a symbol of fertility as well as that of abundance.

In Japan, frogs are a good luck symbol – especially for travelers. The word for frog is "kaeru," which also means "return." So some travelers carry a small frog amulet with them with the intent of returning safely home.

B **Find an animal that has different meanings in different countries and present its meanings to the class.**

다른 나라에서 다른 의미를 갖는 동물을 찾아보고 그것의 의미를 반 친구들에게 발표해 봅시다.

[Sample] In ancient Greece, the wise goddess Athena was often depicted with or represented by an owl. That, along with the stately stare of the owl, made this bird a symbol of wisdom in most western cultures. But, in the Netherlands, owls are a symbol of being uncooperative and inflexible.
고대 그리스에서 지혜의 여신 아테나는 종종 올빼미로 묘사되거나 대표되었다. 올빼미가 당당하게 응시하는 모습과 더불어 이 새를 대부분의 서양 문화에서 지혜의 상징으로 만들었다. 그러나 네덜란드에서 올빼미는 비협조적이고 융통성 없는 것의 상징이다.

| 구문 해설 |

- Frogs lay enormous quantities of eggs, **making** them a symbol of fertility **as well as that** of abundance.: making 이하는 부대 상황을 나타내는 분사구문으로 쓰였고 and it makes로 바꿔 쓸 수 있다. 「A as well as B」는 'B뿐만 아니라 A도'라는 의미를 나타내는 표현이며, that은 a symbol의 반복을 피하기 위해 쓴 부정대명사이다.

| 해석 |

켈트족 문화에서 개구리는 온 천하의 지배자로 여겨졌고, 물과 씻겨 내리는 비와의 관련성 때문에 켈트족은 그것이 치유나 회복의 힘을 나타낸다고 믿었다.

이집트에서 Heket은 개구리의 형상으로 나타낸 탄생의 여신이다. 개구리는 많은 양의 알을 낳는데, 그것이 개구리를 풍요의 상징뿐만 아니라 번식력의 상징이 되게 한다.

일본에서 개구리는 행운을 상징하고 특히 여행자에게 그렇다. 개구리라는 단어는 'kaeru'인데 그것은 또한 '돌아오다'라는 의미이다. 그래서 몇몇 여행자들은 안전하게 집으로 돌아오려는 목적으로 작은 개구리 부적을 가지고 다닌다.

어구

lord [명] 지배자, 주인
· Man is the *lord* of creation. (인간은 만물의 영장이다.)

curative [형] 치유력이 있는
· This medicine has great *curative* power. (이 약은 치료 효과가 크다.)

fertility [명] 번식력, 비옥함
· South Korea has the lowest *fertility* rate among OECD member states. (한국은 OECD 국가 중 가장 낮은 출생률을 가지고 있다.)

abundance [명] 풍부함
· Fruit and vegetables grow in *abundance* on the island. (그 섬에서는 과일과 채소가 풍부하게 난다.)

amulet [명] 부적
· She wore his ring as an *amulet* around her neck. (그녀는 부적으로 그의 반지를 그녀의 목에 걸었다.)

Think Outside the Box

The Little Prince

어린 왕자

❶ Now there were some terrible seeds on the planet [that was the home of the little prince]; and these were the seeds of the baobab. ❷ The soil of that planet was infested with them. ❸ A baobab is something [you will never, never be able to get rid of] if you attend to it too late. ❹ It spreads over the entire planet. ❺ It bores clear through it with its roots. ❻ And if the planet is too small, and the baobabs are too many, they split it into pieces....

(주격 관계대명사절 / these = some terrible seeds / that / 목적격 관계대명사절 / it = the planet / its = baobab's)

❼ "It is a question of discipline," the little prince said to me later on. ❽ "When you've finished your own toilet in the morning, then it is time to attend to the toilet of your planet, just so, with the greatest care. ❾ You must see to it that you pull up regularly all the baobabs, at the very first moment [when they can be distinguished from the rose-bushes {which they resemble so closely in their earliest youth}]. ❿ It is very tedious work," the little prince added, "but very easy."

(toilet: 몸단장 / it is time to attend: ~할 시간이다 / see to it that: 반드시 ~하도록 하다 = make sure that / 관계부사절 / be distinguished from: ~과 구별되다 / 목적격 관계대명사절)

| 해석 |

❶ 그런데 어린 왕자의 고향인 행성에는 무서운 씨앗들이 있었다. 그리고 이것들은 바오밥 나무의 씨앗이었다. ❷ 그 행성의 토양은 바오밥 나무 씨앗 투성이었다. ❸ 바오밥 나무는 너무 늦게 처리하면 영영 없애 버릴 수 없는 것이다. ❹ 그것은 행성 전체로 퍼져 나간다. ❺ 그것은 뿌리로 행성에 확실히 구멍을 뚫는다. ❻ 그래서 행성이 너무 작은데 바오밥 나무가 너무 많으면 바오밥 나무들은 행성을 쪼개버린다….
❼ "그건 규율의 문제야." 훗날 어린 왕자가 내게 말했다. ❽ "아침에 몸단장을 하고 나면 정성 들여 행성의 단장을 해 줄 시간이야. ❾ 너는 바오밥이 새싹 때는 서로 굉장히 닮은 장미 덤불과 구별이 되는 바로 첫 순간에 모든 바오밥을 규칙적으로 뽑는 것을 확실히 해야만 해. ❿ 그것은 귀찮은 일이지만 매우 쉬운 일이기도 하지."라고 어린 왕자는 덧붙였다.

구문 연구

❶ Now there **were** some terrible seeds on the planet **that** was the home of the little prince; ~.: there는 형식 주어이므로 동사는 실질 주어 some terrible seeds와 수 일치되어 were로 쓰였다. that은 주격 관계대명사로 that이 이끄는 절이 선행사 the planet을 수식한다.

❸ A baobab is **something** you will never, never be able to get rid of if you attend to it too late.: something은 관계대명사절 you ~ get rid of의 수식을 받는 선행사이고 something 뒤에 목적격 관계대명사 that이 생략되어 있다. -thing으로 끝나는 대명사를 선행사로 수식하는 경우 관계대명사 that만 올 수 있다.

❾ You must **see to it that** you pull up regularly all the baobabs, at the very first moment **when** they can be distinguished from the rose-bushes **which** they resemble so closely in their earliest youth. : see to it that은 '반드시 ~하도록 하다'라는 뜻의 관용 어구이며, 여기서 that은 뒤의 명사절을 이끄는 접속사이다. when은 관계부사로 when이 이끄는 절이 the very first moment를 수식하고 관계부사절 안의 which는 목적격 관계대명사로 which가 이끄는 절이 the rose-bushes를 수식한다.

어구

infest [동] ~으로 들끓다
·The kitchen was *infested* with ants. (부엌에 개미가 들끓었다.)
attend to ~을 처리하다
bore [동] (구멍을) 뚫다(파다)
discipline [명] 규율, 훈육
·My father's sense of *discipline* was very strict. (내 아버지의 훈육 방식은 매우 엄격했다.)
toilet [명] 몸단장, 치장
tedious [형] 지루한, 싫증나는
·His speech was both long and *tedious*. (그의 연설은 길고 지루했다.)

Check Up

01 다음 문장에서 어법상 틀린 부분을 찾아 바르게 고치시오.
(1) There was three unread mails in my inbox.
(2) It is time go to bed and take a rest.

02 우리말과 일치하도록 괄호 안의 어구를 순서대로 배열하시오.
그 소포가 오늘 오후에 꼭 도착하도록 해 주시겠어요?
Could you ______________________?
(it, see, to, that, arrives, this afternoon, the package)

❶ And one day he said to me: "You ought to make a beautiful drawing, so that the children [where you live] can see exactly [how all this is]. ❷ [That would be very useful to them if they were to travel some day]. ❸ Sometimes there is no harm in putting off a piece of work until another day. ❹ But when it is a matter of baobabs, that always means a catastrophe. ❺ I knew a planet [that was inhabited by a lazy man]. ❻ He neglected three little bushes...."

❼ So, as the little prince described it to me, I have made a drawing of that planet. ❽ I do not much like to take the tone of a moralist. ❾ But the danger of the baobabs is so little understood, and such considerable risks would be run by anyone [who might get lost on an asteroid], that for once I am breaking through my reserve. ❿ "Children," I say plainly, "watch out for the baobabs!"

구문 연구

❶ And one day he said to me: "You ought to make a beautiful drawing, **so that** the children **where** you live can see exactly how all this is.: so that은 '~하도록'이라는 뜻의 목적을 나타내는 연결어로 in order that으로 바꿔 쓸 수 있다. where는 관계부사이며 앞에 장소를 나타내는 부사구가 생략되어 있다.

❷ That **would be** very useful to them **if** they **were to** travel some day.: 실현 불가능한 미래를 가정하는 가정법 미래 구문으로 「주어+조동사 과거형+동사원형 ~ if+주어+were to+동사원형 ….」의 형태로 쓰인다.

❸ Sometimes **there is no harm in putting** off a piece of work until another day.: there is no harm in은 '~해서 손해 볼 것 없다'라는 뜻의 표현이며, 전치사 in의 목적어로 동명사구 putting off가 쓰였다.

❾ But the danger of the baobabs is **so** little understood, and such considerable risks would be run by anyone **who** might get lost on an asteroid, **that** for once I am breaking through my reserve.: '매우 ~해서 …하다'라는 뜻으로 결과를 나타내는 so ~ that 구문이 쓰였으며 little understood, and ~ asteroid가 원인에 해당하고 that 이하 내용이 결과에 해당한다. who ~ an asteroid는 주격 관계대명사절로 선행사 anyone을 수식한다.

| 해석 |----------------

❶ 그리고 어느 날 그는 내게 말했다. "네가 사는 곳의 어린이들이 이 모든 것이 어떻게 된 것인지 확실히 볼 수 있도록 아름다운 그림을 하나 그려야 해. ❷ 그들이 언젠가 여행한다면 그것은 매우 유용할 거야. ❸ 때로 할 일을 뒤로 미루는 것이 아무렇지도 않을 수 있지. ❹ 하지만 그것이 바오밥 나무의 경우라면 그것은 언제나 재앙을 의미해. ❺ 나는 게으름뱅이가 살고 있는 어느 행성을 알고 있었어. ❻ 그는 작은 나무 세 그루를 무심히 내버려 두었어…."
❼ 그래서 어린 왕자가 내게 묘사한 대로 나는 그 행성의 그림을 그렸다. ❽ 나는 성인군자와 같은 투로 말하는 것을 그다지 좋아하지 않는다. ❾ 그러나 바오밥 나무의 위험은 아주 조금 이해되고 이런 상당한 위험은 소행성에서 길을 잃게 될지도 모르는 누군가가 겪을 수 있어서 나는 이번만 그런 신중함을 깨려 한다. ❿ "어린이들이여," 나는 분명히 말한다, "바오밥 나무를 조심하라!"

어구

put off 연기하다, 미루다
·Never *put off* until tomorrow what you can do today. (오늘 할 일을 내일로 미루지 마라.)
catastrophe 몡 참사, 재앙
inhabit 동 살다, 거주하다
·A large number of monkeys *inhabit* this forest. (많은 수의 원숭이들이 이 숲에 서식한다.)
moralist 몡 도덕주의자
asteroid 몡 소행성
reserve 몡 내성적임, 신중함
·It is difficult for her to make friends because of her *reserve*. (그녀의 내성적인 성격 때문에 그녀가 친구를 사귀는 것이 어려웠다.)

Check Up

01 다음 문장에서 어법상 틀린 부분을 찾아 바르게 고치시오.

(1) If I was born again, I would be a teacher.
(2) He might say no, but there is no harm in check.

02 우리말과 일치하도록 주어진 어구를 활용하여 영작하시오.

나는 건강을 유지할 수 있도록 매일 수영한다.

_____

(so that, stay healthy)

❶ My friends, like myself, have been skirting this danger for a long time, without ever knowing it; and so it is for them that I have worked so hard over this drawing. ❷ The lesson [which I pass on by this means] is worth all the trouble [it has cost me].

❸ Perhaps you will ask me, "Why are there no other drawings in this book as magnificent and impressive as this drawing of the baobabs?"

❹ The reply is simple. ❺ I have tried. ❻ But with the others I have not been successful. ❼ When I made the drawing of the baobabs I was carried beyond myself by the inspiring force of urgent necessity.

- **What do you think the baobabs symbolize in the story?**
  이 이야기에서 바오밥 나무가 상징하는 것은 무엇이라고 생각합니까?
  Sample I think they symbolize obstacles in life that we should get rid of.
  그것들은 삶에서 우리가 없애야 하는 장애물을 상징한다고 생각한다.

- **What might be the baobabs in your life?**
  무엇이 여러분 삶의 바오밥 나무일 것 같습니까?
  Sample My bad habit of eating too much between meals might be the baobabs in my life.
  끼니 사이에 너무 많이 먹는 나쁜 습관이 내 삶의 바오밥 나무인 것 같다.

구문 연구

❶ ~ and so **it is** for them **that** I have worked so hard over this drawing.: it is ~ that 강조 구문이 쓰여 for them(= my friends)을 강조했다.

❷ **The lesson which** I pass on by this means **is worth all the trouble** it has cost me.: 문장의 주어는 which가 이끄는 목적격 관계대명사절 which I ~ means의 수식을 받는 The lesson이고 동사는 is이다. 보어는 all the trouble이며 목적격 관계대명사 that이 생략된 it has cost me의 수식을 받는다.

❸ ~ "Why are there **no other drawings in this book as magnificent and impressive as this drawing of the baobabs?**": 최상급의 의미를 나타내는 「no other+명사+원급 비교」 구문이 쓰였다.

| 해석 | - - - - - - - - - - -

❶ 내 친구들은 나와 마찬가지로 오랫동안 자신들도 모르는 사이에 이 위험에 접해 있었다. 그래서 이 그림을 이렇게 열심히 그린 것은 그들을 위해서이다. ❷ 이런 방법을 통해 내가 전하는 교훈은 이 그림을 그리며 겪은 모든 고생만큼의 가치가 있다.

❸ 아마도 여러분은 나에게 이렇게 물을 것이다. "왜 이 책에는 바오밥 나무의 그림만큼 장엄하고 인상적인 다른 그림들이 없나요?"

❹ 그 대답은 간단하다. ❺ 나는 노력했다. ❻ 하지만 다른 그림으로는 성공하지 못했다. ❼ 바오밥 나무를 그릴 때 나는 급박한 필요성의 고무적인 힘으로 나 자신을 뛰어넘었다.

어구

skirt 동 경계를 접하다, ~을 두르다
·They followed the road that *skirted* the lake. (그들은 호숫가를 빙 둘러 나 있는 도로를 따라갔다.)
magnificent 형 장엄한, 웅장한
·The view from the building is *magnificent*. (그 건물에서 내려다보는 전망은 장관이다.)
inspiring 형 고무하는, 격려하는
·His essay contains a very *inspiring* story. (그의 에세이는 매우 고무적인 이야기를 포함하고 있다.)

Lesson 6

Check Up

01 다음 문장에서 어법상 틀린 부분을 바르게 고치시오.

(1) It was for her what I bought a present yesterday.

(2) Nothing is as important to health.

02 우리말과 일치하도록 주어진 어구를 활용하여 영작하시오.

> 서울은 한국에서 가장 큰 도시이다.

_____

(no other city, as large as)

Word Play

☺ Complete the crossword puzzle. 크로스워드 퍼즐을 완성해 봅시다.

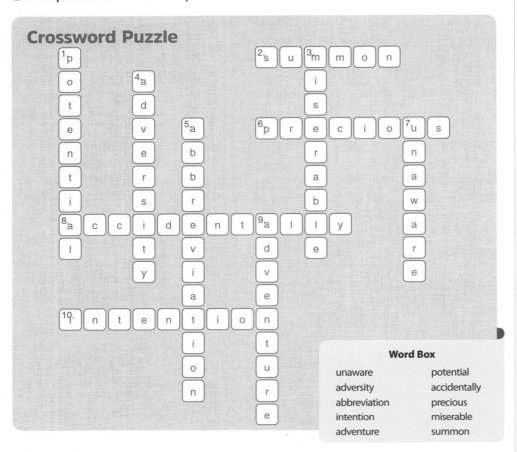

Crossword Puzzle

Word Box

unaware	potential
adversity	accidentally
abbreviation	precious
intention	miserable
adventure	summon

▶ **Across**

2. It took me a year to ___summon___ the courage to tell them the truth.
   내가 그들에게 진실을 말하기 위한 용기를 내는 데 1년이 걸렸다.

6. The museum was full of rare and ___precious___ treasures.
   그 박물관은 희귀하고 귀중한 보물들로 가득했다.

8. I ___accidentally___ broke my friend's phone yesterday.
   나는 어제 내 친구의 전화기를 우연히 망가뜨렸다.

10. She announced her ___intention___ to run for president.
    그녀는 대통령에 출마하겠다는 그녀의 의사를 발표했다.

▼ **Down**

1. Scientists are excited about the new drug's ___potential___ benefits.
   과학자들은 신약의 잠재적 효능에 흥분하고 있다.

3. When he was left alone, he felt lonely and ___miserable___.
   홀로 남겨졌을 때 그는 외롭고 비참하게 느꼈다.

4. They showed courage in the face of ___adversity___.
   그들은 고난에 맞서서 용기를 보여 주었다.

5. The UN is the ___abbreviation___ of the United Nations.
   UN은 United Nation의 약어이다.

7. The thief was ___unaware___ that we were watching him.
   그 도둑은 우리가 그를 보고 있다는 것을 깨닫지 못했다.

9. Traveling in Egypt was a great ___adventure___ for us.
   이집트를 여행하는 것은 우리에게 큰 모험이었다.

01 다음 영영풀이에 알맞은 것은?

> to express something in an indirect way

① imply   ② reveal   ③ enhance
④ summon   ⑤ dramatize

02 다음 빈칸 ⓐ, ⓑ에 **intend**의 알맞은 형태를 쓰시오.

> • This machine should be used only for the _____ ⓐ _____ purpose.
> • He always shows his _____ ⓑ _____ clearly.

ⓐ _____   ⓑ _____

03 다음 대화에서 주어진 문장이 들어가기에 알맞은 곳은?

> The meaning of the sign is, "Repairs are being carried out on the road ahead."

A It's so nice to finally take a bike ride together, Sally.
B Yes, it really is, Jihun. Wait! We can't go any further.
A Why not? (①)
B Look at the sign. It says, "ROAD WORK."
A Yes, so what? We can keep going. (②)
B No, we can't. (③)
A But, to me, it means, "The road work is finished and the road is open and in good shape." (④)
B I don't think that's what it means. This sign is used as a warning.
A It's a little confusing. (⑤) It'd be clearer if the sign had a picture, too.
B Right. Anyway, let's take a different road.

04 다음 대화의 빈칸에 들어갈 말로 알맞은 것은?

> **A** Can I ask you something?
> **B** Sure, Sumi. What's up?
> **A** In my math class, my teacher called me a calculator.
> **B** So what?
> **A** My friend said my teacher was trying to say, "You're as cold as a machine."
> **B** No. That's not what your teacher meant.
> _____

① I need to go ask what she meant.
② In my opinion, she was praising you.
③ You should buy another calculator soon.
④ In my point of view, that has negative meaning.
⑤ Math is not the only subject you have to be concerned about.

05 자연스러운 대화가 되도록 ⓐ~ⓓ를 순서대로 배열하시오.

> **A** For our theme, "Hangeul for You," what should we put in the box?
> ⓐ Good idea. What else?
> ⓑ Because he will think of Korea whenever he uses the cup.
> ⓒ Why do you think that?
> ⓓ In my opinion, a cup with Hangeul on it is a must.
> **B** What about a stamp with our friend's name in Hangeul?
> **A** That's a brilliant idea.

(   ) – (   ) – (   ) – (   )

06 밑줄 친 ①～⑤ 중 어법상 틀린 것은?

> We prepared a culture box ①for you. We named ②it "Hangeul for You." The meaning of this is ③that Hangeul will always be with you. In the box, we put a cup with Hangeul, a stamp with your name in Hangeul, a clock with Hangeul, and ④a bag with Hangeul. ⑤Having been put a lot of thought into this culture box, I hope you enjoy it.

①   ②   ③   ④   ⑤

07 우리말과 일치하도록 괄호 안에 주어진 표현을 배열하여 문장을 완성하시오.

> You don't need to worry about the exam _____ (as, hard, you, have, long, studied, as).
> (네가 공부를 열심히 해왔다면, 너는 그 시험에 대해서 걱정할 필요가 없다.)

08 다음 글 다음에 이어질 내용으로 알맞은 것은?

> *The Wonderful Wizard of Oz* was written by the American author L. Frank Baum. It tells the story of Dorothy, a young girl, who ends up in a tornado and gets carried from her Kansas farm home to an unknown land, Oz.
>
> Having been frequently dramatized into movies and musicals, *The Wonderful Wizard of Oz* is one of the best known classics among children and adults alike. However, it is not just an entertaining story. There are many symbols in it to think about. Here are some intriguing examples.

① '오즈의 위대한 마법사'가 영화화된 계기
② 어른과 아이들이 공감할 수 있는 작품들
③ 고전을 아이들이 읽어야 하는 중요한 이유
④ '오즈의 위대한 마법사'에 담긴 상징의 의미들
⑤ L. Frank Baum 작품 중 뮤지컬로 각색된 것들

[09-11] 다음을 읽고, 물음에 답하시오.

> First, take a close look at the title, *The Wonderful Wizard of Oz*. Oz here is not just a simple name of a place, but the _____(A)_____ for ounce, a measure for gold and silver. And this interpretation may lead us to think about the standard _____(B)_____ system of the time.
>
> In the 1890s, midwestern and southern American farmers and small business owners insisted that the silver standard (C)use together with the traditional gold standard. They believed that the silver standard could put more money in the market and help it circulate, which could help them pay off their debts more easily.

09 빈칸 (A)와 (B)에 알맞은 말끼리 짝지어진 것은?

	(A)		(B)
①	unit	…	pay
②	tool	…	current
③	currency	…	operating
④	substitution	…	economic
⑤	abbreviation	…	monetary

10 윗글의 밑줄 친 (C) use의 어법상 올바른 형태를 쓰시오.

→ _____

11 다음이 두 번째 단락의 내용과 일치하도록 할 때 빈칸 (A)와 (B)에 알맞은 말을 본문에서 찾아 쓰시오.

> Farmers and small business owners in America in the 1890s suggested using the gold and silver standard together because they believed that the silver standard could help more money _____(A)_____ in the _____(B)_____.

[12-13] 다음 글을 읽고, 물음에 답하시오.

The Wonderful Wizard of Oz was written by the American author L. Frank Baum. It tells the story of Dorothy, a young girl, who ends up in a tornado and gets carried from her Kansas farm home to an unknown land, Oz. _____(A)_____ Dorothy's house falls on and accidentally kills the Wicked Witch of the East in Munchkin Land, Dorothy is welcomed to her new land by the Munchkins. ①It's because she freed them from the bondage of the witch. ②"Munchkin" usually means a person who keeps busy doing things that are often unimportant, unnecessary, or annoying. ③The Good Witch of the South, Glinda, then explains to Dorothy that in order to get back home, she needs to follow the Yellow Brick Road to reach the Emerald City. ④There, she needs to ask the Wizard of Oz how to get back home to Kansas. ⑤On her way down the Yellow Brick Road, Dorothy meets some new friends, who all have something to ask the great wizard. _____(B)_____, when they finally get to the Emerald City and meet the Wizard of Oz, they discover he is just a liar and that everything they have been searching for can be found within themselves.

12 윗글에서 전체 흐름과 관계 <u>없는</u> 문장은?

① ② ③ ④ ⑤

13 빈칸 (A)와 (B)에 알맞은 말끼리 짝지어진 것은?

	(A)		(B)
①	After	...	However
②	While	...	Though
③	When	...	For example
④	As if	...	In contrast
⑤	Whenever	...	Therefore

[14-15] 다음 글을 읽고, 물음에 답하시오.

The silver slippers have magical power that can take Dorothy back home, ①which she is unaware. Only after meeting Glinda, the Good Witch of the South, in the last scene of *The Wonderful Wizard of Oz*, ②does Dorothy realize the power of the slippers and ③find her way back home.

Some suggest that the slippers represent Dorothy's own potential power. She has them, but she just doesn't know how to use them. Only after all of her adventures ④can she tap into the power of the slippers and use them to get ⑤what she wants.

14 밑줄 친 ①~⑤ 중 어법상 <u>틀린</u> 것은?

① ② ③ ④ ⑤

15 윗글을 다음과 같이 요약할 때 빈칸 (A)와 (B)에 들어갈 말로 알맞은 것은?

Dorothy's silver slippers have magical power that she is not _____(A)_____ of at first but later uses to get home. In this sense, the slippers represent Dorothy's _____(B)_____ power.

	(A)		(B)
①	proud	...	magical
②	afraid	...	mysterious
③	aware	...	potential
④	unaware	...	adventurous
⑤	capable	...	wonderful

[16-17] 다음 글을 읽고, 물음에 답하시오.

Dorothy takes the Yellow Brick Road to reach the Emerald City and meet the Wizard of Oz. Here is another symbol. A road is usually understood as the journey of life that everyone has to (A) take / bring . The journey may be filled with thrills and dangers, but we can also learn many precious lessons from the journey of our life.

The Yellow Brick Road may also represent Dorothy's journey. On the way to the Emerald City, she finds that the adventures outside her (B) sheltered / shattered life are exciting but dangerous. She also learns about the real meaning of growing up and the comforts of home. A road usually promises something wonderful at its end, and Dorothy's journey implies that we need to (C) summon / diminish our own courage while we take our own journey and realize the important meaning in our life.

16 (A), (B), (C)의 각 네모 안에서 문맥상 알맞은 말끼리 짝지어진 것은?

	(A)		(B)		(C)
①	take	…	sheltered	…	diminish
②	take	…	sheltered	…	summon
③	bring	…	sheltered	…	summon
④	take	…	shattered	…	diminish
⑤	bring	…	shattered	…	summon

17 윗글의 제목으로 알맞은 것은?

① How to Avoid Danger in Oz
② What Growing Up Truly Means
③ Lessons We Can Learn from Dorothy
④ Which Road We Should Take To Have a Better Life
⑤ The Symbolic Meaning of the Road in *The Wonderful Wizard of Oz*

[18-20] 다음 글을 읽고, 물음에 답하시오.

When Dorothy and her friends reach the Emerald City, the Wizard of Oz sends them to kill the Wicked Witch of the West in exchange for their wishes ⓐto be granted. (①) The Wicked Witch of the West immediately attacks them with her beasts, birds, black bees, and slaves, and she tries to steal the magical silver slippers off Dorothy's feet. (②) Dorothy pours a bucket of water onto the witch, ⓑsoaking her from head to foot. (③)

Here we see that ⓒwhile Dorothy's journey she finds out that wicked witches are just ordinary people. (④) We've all had wicked witches in our lives: for example, difficult problems, scary people, or other types of adversity. (⑤) They seem to take great joy by making our lives ⓓmiserable. Although they may be extremely threatening, the scary things in our life are only as scary as we let them be. We don't have ⓔto be scared; we just need to be brave.

18 밑줄 친 ⓐ~ⓔ 중 어법상 틀린 것은?

① ⓐ   ② ⓑ   ③ ⓒ   ④ ⓓ   ⑤ ⓔ

19 윗글에서 주어진 문장이 들어가기에 알맞은 곳은?

To Dorothy's surprise, the water causes her to simply melt away like brown sugar.

①   ②   ③   ④   ⑤

20 두 번째 단락의 교훈으로 알맞은 것은?

① 자신이 한 일은 꼭 그 대가를 치르게 된다.
② 남에게 대접받고 싶다면 그 만큼 남을 대접해야 한다.
③ 어려운 일이 닥쳤을 때 하나씩 차근하게 해결해야 한다.
④ 역경을 극복한 사람들의 이야기에서 삶의 지혜를 찾아야 한다.
⑤ 인생에서 두려움은 내가 만드는 것인 만큼 용감하게 맞서야 할 필요가 있다.

1. Listen and choose Jihun's problem. 🎧

다음을 듣고 지훈이의 문제를 고르시오.

① Whether he should make a new friend
그가 새로운 친구를 사귀어야 하는지

② Whether he should give up on his report
그가 보고서를 포기해야 하는지

③ Whether he should cancel an appointment
그가 약속을 취소해야 하는지

④ Whether he should report his friend cheated
그가 자신의 친구가 부정행위를 한 것을 보고해야 하는지

✔⑤ Whether he should be honest about his report
그가 자신의 보고서에 대해 솔직해야 하는지

Script --

M: Now it's time for "Help me, Dr. Smith," where we help listeners with their problems. Here's a problem from Jihun. "Two weeks ago, I was so sick that I couldn't go to school for a few days. Then, I realized that I had to write a report with my classmate. He had already finished pretty much all of the work. I just added a couple of sentences. But my teacher ended up giving me a higher grade than my classmate on the report. Should I say anything to my teacher?"

| 해석 |

남: 이제 청취자들의 고민을 해결하는 데에 도움을 줄 '도와줘요, Smith 박사님.' 시간입니다. 여기 지훈 씨로부터 고민이 와 있습니다.
"2주 전에 저는 매우 아파서 며칠 동안 학교에 갈 수 없었어요. 그러고 나서 저는 반 친구와 보고서를 써야 했다는 것을 깨달았죠. 그는 이미 그 과제의 거의 대부분을 완성했어요. 저는 몇 문장을 덧붙였을 뿐이고요. 그런데 저의 선생님이 결국 그 보고서에 대해 저의 반 친구보다 저에게 더 높은 성적을 주셨어요. 저의 선생님께 뭔가 말씀드려야 할까요?"

| 해설 | 지훈이가 자신이 아팠던 동안 친구가 거의 다 완성한 조별 과제에서 친구보다 더 높은 점수를 받아 이에 대해 선생님께 말씀드려야 할지 고민하는 내용이다.

2. Listen and choose why the woman is knitting a baby cap. 🎧

대화를 듣고 여자가 아기 모자를 뜨는 이유를 고르시오.

① To make money for her trip
여행을 위한 돈을 벌기 위해서

② To give a present to her friend
친구에게 선물을 하기 위해서

③ To teach how to make baby caps
아기 모자를 만드는 법을 가르쳐 주기 위해서

✔④ To donate baby caps to African children
아기 모자를 아프리카 아이들에게 기부하기 위해서

⑤ To make a video for a charity organization
자선 단체의 영상을 만들기 위해서

Script --

M: What are you knitting, Amanda?

W: I'm knitting a baby cap.

M: Oh, do you know someone who just had a baby?

W: No, I'm making this cap to donate it to the Save the Children Foundation. It'll be sent to Africa.

M: Why there? It's hot there.

W: It can get cold there at night, so babies need a cap to stay warm. In some cases, it's a matter of survival.

M: Wow, I didn't know that. What you're doing is very meaningful.

W: Why don't you knit one to donate, too?

M: I wish I could do that. But I don't know how to knit.

W: That's okay. There's a video clip on the Save the Children website. You can just follow the instructions in the video.

M: Oh, cool. I'll give it a try.

| 해석 |

남: Amanda, 무엇을 뜨고 있니?

여: 아기 모자를 뜨고 있어.

남: 오, 최근에 아기를 가진 누군가를 알고 있구나?

여: 아니, 이 모자를 Save the Children 재단에 기부하기 위해서 만들고 있어. 아프리카에 보내질 거야.

남: 왜 그곳이니? 그곳은 덥잖아.

여: 그곳은 밤에 추워질 수 있어서 아기들이 따뜻하게 있기 위해서 모자가 필요해. 어떤 경우에 그것은 생사의 문제이기도 해.

남: 와, 나는 몰랐어. 네가 하는 일이 매우 의미가 있구나.

여: 너도 기부할 모자를 하나 떠 보는 게 어때?

남: 나도 그렇게 할 수 있으면 좋을 텐데. 하지만 뜨개질하는 법을 몰라.

여: 괜찮아. Save the Children 웹 사이트에 동영상이 있어. 동영상에 나오는 설명을 따라 하기만 하면 돼.

남: 오, 멋진데. 시도해 볼게.

| 해설 | 남자가 갓 태어난 아기를 가진 누군가를 아느냐고 묻자 여자는 뜨개질한 모자를 Save the Children 재단에 기부해서 아프리카의 아이들에게 보낼 것이라고 했다.

3. **Listen and choose the topic of the lecture.** 🎧
다음을 듣고 강의 주제로 적절한 것을 고르시오.

① The hidden meanings of animal names
동물 이름의 숨은 뜻

② Proverbs that teach us valuable lessons
우리에게 가치 있는 교훈을 주는 속담

③ Techniques to avoid miscommunication
의사소통 오류를 피하기 위한 기술

④ Ways to protect animals in our daily lives
일상생활에서 동물들을 보호하기 위한 방법

✔⑤ The purpose and meaning of animal idioms
동물 관련 관용어의 목적과 의미

Script ---------------------------------------

M: If your supervisor used the idiom, "I'm watching you like a hawk," would you understand what he or she meant? In fact, it's very common to use animal idioms in our language. Why do you think that is? In my opinion, animals are used to communicate human behavior. Hawks, for example, have good eyes, so they can watch prey from high in the sky. Now, think about supervisors. They tend to monitor their employees closely from a distance. Here's another idiom that uses an animal: "He's been as busy as a bee all day." I'm sure you can guess what that means. Bees work hard and continuously. So if people work like bees, they are extremely busy all day. Next class, we'll continue this discussion. For homework, find some more animal idioms online.

| 해석 |

남: 만약 여러분의 관리자가 "내가 당신을 매처럼 지켜보고 있어요."라는 관용어를 사용한다면 당신은 그 또는 그녀의 말이 의미하는 것을 이해할까요? 사실 우리 언어에서 동물과 관련된 관용어를 사용하는 것은 매우 흔하죠. 왜 그렇다고 생각하나요? 제 생각에 동물은 사람의 행동을 전달하기 위해 쓰이는 것 같아요. 예를 들어 매는 시력이 좋아서 하늘 높은 곳에서 먹잇감을 지켜봐요. 이제 관리자를 생각해 보세요. 그들은 그들의 직원들을 멀리서 면밀하게 관찰합니다. 여기 동물을 이용한 또 하나의 관용어가 있어요. "그는 하루 종일 벌처럼 바빠요." 저는 여러분이 그것이 의미하는 것을 유추할 수 있을 것이라 확신해요. 벌은 열심히 지속적으로 일하죠. 그래서 사람들이 벌처럼 일하면 그들은 하루 종일 극도로 바쁘다는 것이에요. 다음 시간에 우리는 이 토론을 계속할 거예요. 숙제로 온라인에서 더 많은 동물 관련 관용어를 찾아보세요.

| 해설 | 앞부분에서 동물과 관련된 관용어가 일상생활에서 많이 쓰이고 있다고 언급하고 그것들이 인간의 행동을 전달하는 데에 쓰인다고 그 목적을 이야기했고, 동물 관련 관용어의 예시를 들며 그 의미를 살펴보았다.

[4~6] Choose the appropriate expression for the blank. 빈칸에 적절한 표현을 고르시오.

4.

A: What are you posting on the board, Mr. Kim?

B: I made a sign with one of the class rules. Can you guess what it means?

A: Maybe it could mean, "Don't run in the classroom."

B: It means something else. Focus on the animal.

A: It's a bull. _____

① I'm glad you have the right answer.
정답을 맞히셔서 기뻐요.

✔② The meaning of it is, "No bullying!"
이것의 의미는 '괴롭히기 금지'네요.

③ It is not polite to run in the classroom.
교실에서 뛰는 것은 예의 바르지 않다.

④ I spent a whole day painting the poster.
나는 하루 종일 포스터를 그리는 데 보냈다.

⑤ We definitely need to follow school rules.
우리는 학교 규칙을 반드시 따를 필요가 있다.

| 해석 | ---------------------------------------

A: 게시판에 뭘 붙이고 계세요, 김 선생님?

B: 학급 규칙 중 하나에 대한 표지판을 만들었단다. 이것이 어떤 의미인지 추측해 볼 수 있겠니?

A: "교실에서 뛰지 마라."라는 의미일 수 있어요.

B: 다른 것을 의미한단다. 동물에 초점을 맞춰 보렴.

A: 이것이 황소니까. 그것의 의미는 "괴롭히기 금지"네요!

| 해설 | 대화 초반에 A가 포스터의 의미를 추측해 보라고 했고, 빈칸 앞에서 B가 포스터에 나오는 동물에 집중해 보라고 했다. 또 A의 빈칸 바로 앞 말에서 그 동물이 bull(황소)이라고 했으므로 빈칸에는 bull이라는 단어와 유사한 bully(괴롭히다)를 유추하여 '괴롭히기 금지'라고 포스터의 의미를 추측한 말이 적절하다.

5.

> A: What do you think about having a huge department store built?
> B: I don't think it's a good idea. _____
> _____
> A: But I think a department store would offer more and cheaper goods.
> B: That's true. But I don't think that's fair to small businesses.
> A: Hmm. I guess you and I see things differently.

① I totally agree with the plan.
나는 그 계획에 전적으로 동의해.

② The area needs to be developed.
그 지역은 개발이 필요해.

③ I think it will be beneficial to many people.
내 생각에 이것은 많은 사람들에게 혜택이 될 것 같아.

④ I don't know why so many people are opposed to the plan.
나는 왜 그렇게 많은 사람들이 그 계획에 반대하는지 모르겠어.

✔⑤ It is possible that many small businesses would be forced to close.
많은 영세 사업장이 강제로 문을 닫게 될 가능성이 있어.

| 해석 | -
남: 그래. 너는 대형 백화점을 짓는 것에 대해 어떻게 생각하니?
여: 나는 그것이 좋은 의견이라고 생각하지 않아. 많은 영세 사업장이 강제로 문을 닫게 될 가능성이 있어.
남: 그렇지만 나는 백화점이 더 많고 싼 물건을 공급할 거라고 생각해.
여: 그렇겠지. 하지만 그건 영세 사업장에 공정하다고 생각하지 않아.
남: 음, 너와 나는 다르게 보는 것 같아.

- -

| 해설 | B는 대형 백화점 건설에 대해서 반대하는 입장이므로 빈칸에는 대형 백화점 건설이 소규모 영세 사업장에 불이익을 줄 수 있다는 내용의 말이 적절하다.

6.

> A: I was thinking the parking lot is the most suitable place to make a garden.
> B: _____
> What about the far corner of the playground?
> A: That's a good idea. It'd make that place look better.

① I totally agree with your idea.
나는 너의 의견에 완전히 동의해.

② Why don't we go watch a basketball game?
우리 농구 경기 보러 가지 않을래?

③ I am going to play a basketball game with my friends. 난 친구들과 함께 농구하러 갈 거야.

✔④ I think it's important to find a place not being used. 사용하고 있지 않는 장소를 찾는 것이 중요하다고 생각해.

⑤ In my opinion, we should use public transportation more.
내 생각에는 우리는 대중교통을 더 많이 사용해야해.

| 해석 | -
A: 나는 주차장이 정원을 만들 가장 적절한 곳이라고 생각했어.
B: 사용하고 있지 않는 장소를 찾는 것이 중요하다고 생각해. 운동장 저쪽 먼 구석은 어때?
C: 좋은 생각이다. 그곳을 더 좋아 보이도록 할 것 같아.

- -

| 해설 | 정원을 만들 장소를 찾고 있고 빈칸 바로 뒤의 말에서 장소를 제안하고 있으므로 빈칸에는 장소에 대한 의견을 제시하는 말이 적절하다.

7. Choose the appropriate expression for the blank. 빈칸에 적절한 표현을 고르시오.

> Over time, there have been many interpretations of *The Wonderful Wizard of Oz*. However, L. Frank Baum never revealed his true intentions _____ his work to anyone, meaning that there will always be varying interpretations.

① regardless of
~와 상관없이

✔② with respect to
~와 관련하여

③ instead of
~ 대신에

④ on behalf of
~을 대표하여

⑤ in case of
~의 경우에

| 해석 |---------------------------------------

시간이 흘러 '오즈의 위대한 마법사'는 많은 해석본을 가지게 되었다. 하지만 L. Frank Baum은 누구에게도 자신의 작품과 관련된 진짜 의도를 결코 드러내지 않았고, 이것은 언제나 다양한 해석이 존재할 수 있다는 것을 의미한다. 그러니 여러분의 아이디어를 뒷받침할 수 있는 한 여러분은 여러분이 원하는 어떤 방식으로든 이 이야기를 해석할 수 있다.

| 해설 | L. Frank Baum은 누구에게도 작품에 관해서 자신의 진정한 의도를 드러내지 않았다는 내용이 되어야 하므로 빈칸에는 with respect to(~와 관련하여)가 적절하다.

8. Choose the appropriate word for the blank.

빈칸에 적절한 단어를 고르시오.

> Thomas Nagel is a famed professor of philosophy at New York University. He _____ issues of non-interference and the meaningfulness of life in a story.

① expects
기대하다

② harms
해를 끼치다

③ nudges
밀치다

✔④ addresses
다루다

⑤ conflicts
갈등을 일으키다

| 해석 |---------------------------------------

Thomas Nagel은 뉴욕 대학교의 저명한 철학 교수이다. 그는 이 이야기에서 불간섭과 삶의 유의미성에 대한 문제를 다룬다.

| 해설 | 이야기에서 issue(문제, 사안)를 다룬다는 내용이 되는 것이 자연스럽기 때문에 빈칸에는 addresses(다루다)가 적절하다.

9. Choose the correct form for the blank.

빈칸에 적절한 형태의 표현을 고르시오.

> People _____ I was a master knitter when I began yarn bombing, but I actually had no idea how to knit. Nonetheless, I did something interesting with knitting that had never been done before. I wasn't "supposed to be" an artist in the sense that I wasn't formally trained to do this. I majored in math actually. So I didn't think I'd ever do this, but I also know that I didn't stumble upon it. And when this happened to me, I held on tight, I fought for it, and I'm proud to say that I'm a working artist today.

① think
생각하다

② were thought
생각되었다

✔③ may have thought
생각했을 수도 있다

④ should think
생각해야 한다

⑤ have been thought
생각되어 왔다

| 해석 |---------------------------------------

사람들은 제가 얀 바밍을 시작했을 때 뜨개질 고수라고 생각했을 수도 있지만, 사실 저는 뜨개질하는 방법을 몰랐습니다. 그럼에도 불구하고 저는 이전에 된 적 없었던 뜨개질을 이용한 재미있는 것을 해냈습니다. 저는 이 일을 하기 위해 정식 훈련을 받은 적이 없다는 점에서 예술가가 '되기로 되어 있었던' 것도 아니었지요. 사실 저는 수학을 전공했습니다. 그래서 저는 제가 이런 것을 할 거라고 생각하지 않았지만, 제가 이것을 그저 우연히 만난 것이 아니라는 것도 압니다. 그리고 이 일이 제게 일어났을 때, 저는 그것을 꽉 붙잡았고, 그것을 위해 맞서 싸웠으며, 오늘 제가 현직 예술가라고 말할 수 있는 것이 자랑스럽습니다.

| 해설 | 주어진 글은 전체적으로 과거의 일에 대해 이야기하고 있고 사람들이 과거에 생각했을지도 모른다는 추측의 의미를 가져야 하기 때문에 과거 사실에 대한 추측을 나타내는 may have thought가 적절하다.

10. Choose the underlined word that is NOT grammatically correct.

밑줄 친 부분 중 어법상 옳지 않은 것을 고르시오.

> Imagine scientists have come up with an amazing new invention called the Experience Machine. It works like this: You go into a lab and sit down with the staff and ①tell them about everything you've ever wanted to do in life. Then, you put on some gear that ②connects to the machine and go into a tank of fluid. The scientists induce you into a coma that you will never ③awaken from. The machine will stimulate your brain, and you'll think and feel ④that you are doing the things that you have always desired. This allows you to have ✔⑤wherever experiences you want for the duration of your life. In this virtual reality, you are happy.

| 해석 | -

과학자들이 '경험 기계'라고 불리는 엄청난 새로운 발명을 하게 되었다고 상상해 보자. 그것은 이렇게 작동한다. 여러분이 실험실에 들어가서 직원들과 자리에 앉아서 그들에게 여러분이 인생에서 하고 싶었던 모든 것들을 이야기한다. 그리고 나서 여러분은 기계에 접속하는 몇 개의 장치를 장착하고 액체 탱크로 들어간다. 과학자들은 여러분을 다시는 깨어나지 못할 혼수상태로 유도한다. 그 기계는 여러분의 뇌를 자극하고, 여러분은 여러분이 항상 바라던 것들을 하고 있다고 생각하고 느낄 것이다. 이것은 여러분이 여러분의 인생 동안 원하는 어떤 경험이든 하게 한다. 이 가상 현실에서 여러분은 행복하다.

- -

| 해설 | ⑤ 뒤에 명사가 있기 때문에 복합관계형용사가 와야 하는데 wherever는 복합관계부사이므로 뒤의 명사를 꾸밀 수 없다. 따라서 wherever는 whatever로 바꾸어야 한다.

11. Choose the underlined word(s) that does NOT fit the context.

밑줄 친 표현 중 문맥상 어울리지 않는 것을 고르시오.

> People's reactions were great. It ① intrigued me and I thought, "What else could I do? Could I do something in public that would get ② the same reaction?" So I wrapped the stop sign pole near my house. The reaction was ③ wild. People would park their cars, get out of their cars, stare at it, and take pictures of it. I was really ✓④ indifferent and I wrapped every stop sign pole in the neighborhood. And the more that I did, the ⑤ stronger the reaction.

| 해석 | -

사람들의 반응은 대단했습니다. 그것은 제게 흥미를 불러일으켰고, 저는 "내가 어떤 다른 것을 할 수 있을까? 같은 반응을 얻을 어떤 일을 공공장소에서 해도 될까?"라고 생각했습니다. 그래서 저는 집 근처의 멈춤 표지판을 감쌌습니다. 반응은 강렬했습니다. 사람들은 차를 주차하고 차에서 내려 그것을 바라보고 사진을 찍곤 했습니다. 저는 정말 신이 났고 인근의 모든 멈춤 표지판을 감쌌습니다. 그리고 제가 하면 할수록 반응은 더 강력했습니다.

- -

| 해설 | 사람들이 자신의 작품에 관심을 갖고 바라보고 사진을 찍는 상황이므로 작가인 I는 기뻤을 것이다. 따라서 indifferent(무관심한)를 excited(신이 난)나 pleased(기쁜) 같은 단어로 바꾸어야 한다.

12. Choose the set of words that is appropriate for (A), (B), and (C).

(A), (B), (C)에 적절한 단어끼리 짝지어진 것을 고르시오.

> Having been frequently (A) dramatizing / dramatized into movies and musicals, *The Wonderful Wizard of Oz* is one of the best-known classics among children and adults alike. However, it is not just an (B) entertaining / entertained story. There are many symbols in it to think about. Here (C) is / are some intriguing examples.

	(A)	(B)	(C)
①	dramatizing	⋯ entertaining	⋯ is
②	dramatizing	⋯ entertained	⋯ are
③	dramatized	⋯ entertained	⋯ are
✓④	dramatized	⋯ entertaining	⋯ are
⑤	dramatized	⋯ entertained	⋯ is

| 해석 | -

영화나 뮤지컬로 자주 각색되었기 때문에 '오즈의 위대한 마법사'는 아이들과 어른들 모두에게 가장 잘 알려진 고전 중 하나이다. 하지만 이것은 단순히 재미있는 이야기만은 아니다. 그것 안에는 생각해 볼 많은 상징들이 있다. 여기 여러분의 흥미를 끄는 몇 가지 예시가 있다.

- -

| 해설 | (A) 완료 분사구문 Having been ~의 주어가 생략되어 있으므로 주어는 주절의 주어 *The Wonderful Wizard of Oz*임을 알 수 있다. 주어 *The Wonderful Wizard of Oz*가 dramatize(각색하다)되는 수동 관계이므로 완료 수동태가 되어야 한다. 따라서 과거분사 dramatized가 알맞다.

(B) story를 수식하는 형용사적 용법의 분사이며, story(이야기)가 entertain(즐겁게 하다)하는 주체이므로 능동의 의미를 나타내는 현재분사 entertaining이 적절하다.

(C) 주어는 some intriguing examples로 복수이기 때문에 복수 동사 are가 적절하다.

[13~15] Read the passage and answer the questions. 다음 글을 읽고, 물음에 답하시오.

In the story, Dorothy acquires a pair of silver slippers after she accidentally kills the Wicked Witch of the East. ⓐ Some people interpret the silver slippers as a symbol of the silver standard, implying that Baum might have been suggesting that the silver and gold standards together could make a better future with more money. ⓑ Money might bring satisfaction in life, but not happiness.

ⓒ Also, the silver slippers have magical power that can take Dorothy back home, of which she is unaware. ⓓ Only after meeting Glinda, the Good Witch of the South, in the last scene of *The Wonderful Wizard of Oz*, does Dorothy realize the power of the slippers and find her way back home.

Some suggest that the slippers represent Dorothy's own _____. She has them, but she just doesn't know how to use them. ⓔ Only after all of her adventures can she tap into the power of the slippers and use them to get what she wants.

| 해석 |--

이야기에서 Dorothy는 그녀가 우연히 사악한 동쪽 마녀를 죽인 뒤 은 슬리퍼 한 켤레를 얻는다. 어떤 이들은 Baum이 은 본위 제도와 금 본위 제도가 함께 더 많은 돈으로 더 나은 미래를 만들 수 있을 것이라고 암시했을지도 모른다고 시사하면서 은 슬리퍼를 은 본위제도의 상징으로 해석한다.

또한 은 슬리퍼는 Dorothy를 집으로 돌려보내 줄 수 있는, 그리고 그녀가 눈치채지 못한 힘이 있다. '오즈의 위대한 마법사'의 마지막 장면에서 착한 남쪽 마녀 Glinda를 만난 뒤에야 Dorothy는 그 슬리퍼의 힘을 깨닫고 집으로 돌아가는 길을 찾는다.

어떤 사람들은 그 슬리퍼가 Dorothy의 잠재력을 나타낸다고 말한다. 그녀는 그것을 가지고 있지만 그것을 어떻게 사용하는지 모를 뿐이다. 모든 모험 후에야 그녀는 그 슬리퍼의 힘을 활용할 수 있고 그녀가 원하는 것을 얻기 위해 그것을 사용할 수 있다.

----

13. Choose the sentence that does NOT fit the context. 문맥상 어울리지 않는 문장을 고르시오.

① ⓐ ✓② ⓑ ③ ⓒ ④ ⓓ ⑤ ⓔ

| 해설 | Dorothy의 은 슬리퍼가 그 당시의 경제 상황에 대한 상징이라는 내용이 전개되는 도중에 돈이 삶의 만족을 가져올 수는 있지만 행복을 가져올 수는 없다는 내용이 오는 것은 문맥상 어울리지 않는다.

14. Choose the appropriate expression for the blank. 빈칸에 적절한 표현을 고르시오.

① weak points 약점들
② helpful friends 도움이 되는 친구들
✓③ potential power 잠재력
④ family background 가정 환경
⑤ missed opportunity 놓친 기회

| 해설 | 가지고 있지만 사용할 줄은 모르는 것이라는 설명에 알맞은 표현은 potential power(잠재력)이다.

15. Choose the best title for the passage. 윗글에 가장 적절한 제목을 고르시오.

① How to Overcome Your Fears 두려움을 극복하는 방법
② Fun and Joy in a Magical World 마법 세계에서의 재미와 즐거움
③ Economic Facts Hidden in a Story 이야기 속에 숨어 있는 경제의 실상
✓④ The Symbolic Meaning of Dorothy's Silver Slippers Dorothy가 가진 은 슬리퍼의 상징적 의미
⑤ Silver and Gold: The Foundation of a Strong Economy 은과 금: 강한 경제의 바탕

| 해설 | 이 글은 Dorothy의 은색 구두가 은 본위 제도와 잠재력에 대한 상징일 수 있다는 점을 설명하고 있다.

[16~18] Read the passage and answer the questions. 다음 글을 읽고, 물음에 답하시오.

Good evening. My name is Magda Sayeg. I'm a textile artist most widely known for starting the yarn bombing movement. Have you heard of yarn bombing? It is taking knitted or crocheted material out into the urban environment. You may think that it's ⓐ<u>similar</u> to graffiti. Unlike graffiti, _____(A)_____, yarn bombing doesn't damage structures or the natural landscape. It is also temporary and ⓑ<u>unremovable</u>. Some people worry that yarn bombing is not legal. That's technically ⓒ<u>true</u>, but no one has ever given me any trouble because yarn bombs look very ⓓ<u>innocent</u>. _____(B)_____, most artists today do yarn installations ⓔ<u>with</u> permission from property owners or even at their request.

| 해석 | -

안녕하세요. 제 이름은 Magda Sayeg입니다. 저는 얀 바밍 운동을 시작한 것으로 가장 널리 알려진 직물 예술가입니다. 얀 바밍에 대해 들어 보신 적이 있나요? 얀 바밍은 뜨개질이나 코바늘로 짠 것을 도시 환경 속으로 가지고 나오는 것입니다. 여러분은 아마 이것이 그라피티와 비슷하다고 생각할 수 있습니다. 하지만 그라피티와 다르게 얀 바밍은 구조물이나 자연 경관에 해를 주지 않습니다. 그것은 또한 일시적이고 제거할 수 있습니다. 몇몇 사람들은 얀 바밍이 합법이 아니라는 점을 걱정합니다. 그것은 엄밀히 따지면 사실이지만 아무도 저를 힘들게 하지 않았는데, 털실 작품들은 매우 순수해 보이기 때문입니다. 게다가 요즘 대부분 예술가들이 주인들에게 허락을 받거나 심지어 그들의 요청에 따라 털실 작품을 설치합니다.

- -

16. Choose the underlined word that does NOT fit the context and correct it.

밑줄 친 단어 중 맥락상 어울리지 않는 것을 골라 바르게 고치시오.

_____ⓑ unremovable_____ → _____removable_____

| 해설 | 빈칸 앞에 있는 temporary(일시적인)라는 단어와 맥락상 어울리기 위해 unremovable(지워지지 않는)은 removable(지워지는)로 고쳐야 한다.

17. Choose the set of the words that is appropriate for (A) and (B).

(A)와 (B)에 적절한 단어끼리 짝지어진 것을 고르시오.

	(A)		(B)
✓①	however 그러나	···	Besides 게다가
②	therefore 그러므로	···	In contrast 대조적으로
③	however 그러나	···	In other words 다른 말로하면
④	for example 예를 들어	···	In short 짧게 말하면
⑤	for instance 예를 들어	···	On the other hand 반면에

| 해설 | (A) 앞 문장에서는 얀 바밍이 그라피티와 비슷하다고 생각할지도 모른다고 했고, (A) 뒤에서는 얀 바밍과 그라피티의 다른 점을 설명하고 있으므로 역접 연결어인 however가 적절하다.
(B) 뒤는 얀 바밍 예술가들이 주인의 허락을 받거나 심지어는 그들의 요청에 의해 얀 바밍을 한다는 내용으로, (B) 앞의 얀 바밍이 불법이기는 하지만 문제된 적이 없다는 내용과 이어지므로 Besides가 적절하다.

18. Choose the purpose of the passage.

윗글의 목적으로 적절한 것을 고르시오.

✓① To introduce yarn bombing
얀 바밍을 소개하기 위해

② To raise funds for poor artists
가난한 예술가를 위한 기금을 모으기 위해

③ To criticize the illegal points of graffiti
그라피티의 불법적인 점들을 비판하기 위해

④ To emphasize the importance of street art
거리 예술의 중요성을 강조하기 위해

⑤ To explain the environmental benefits of yarn bombing
얀 바밍의 환경적 이득을 설명하기 위해

| 해설 | 윗글은 얀 바밍의 정의를 소개하고, 그것이 그라피티와 어떻게 다른지 설명하며 얀 바밍의 특징들도 이야기하고 있다.

[19~20] Read the passage and answer the questions. 다음 글을 읽고, 물음에 답하시오.

There is a penguin living in Antarctica with his friends. They're completely surrounded by snow and ice. It is really hard for the penguin and his friends to find food, and quite literally they are starving. For survival, they must jump into the sea and hunt for fish. But the penguin hesitates and says to himself, "I'm so scared. The sea is full of dangers!" It's true. There might be a huge killer whale in the sea, which no doubt would be very dangerous. In fact, all the other penguins think the same thing, and they also wait to dive into the water until others safely do it. The penguin gets more and more hungry. Unless he or one of his friends gather the courage to jump, the situation will worsen. If you were the penguin, what would you do? Would you summon up the courage and become the first diver? Or would you keep waiting for others to jump into the sea first?

| 해석 | -

남극에서 친구들과 함께 살고 있는 한 펭귄이 있다. 그들은 눈과 얼음으로 완전히 둘러 싸여 있다. 펭귄과 친구들은 먹이를 찾기가 너무 힘들고, 그들은 말 그대로 굶주리고 있다. 생존을 위해, 그들은 바다로 뛰어 들어가 물고기를 잡아야만 한다. 하지만 펭귄은 망설이며 "나는 너무 무서워. 바다에는 위험한 것들이 가득해!"라고 혼잣말을 한다. 그것은 사실이다. 바닷속에는 거대한 범고래가 있을지도 모르는데, 그것은 의심할 여지 없이 매우 위험할 것이다. 사실, 다른 모든 펭귄들도 똑같이 생각하고, 그들 역시 다른 펭귄들이 그것을 안전하게 해낼 때까지 물속으로 다이빙하는 것을 기다리고 있다. 펭귄은 점점 배가 고프게 된다. 그러나 그의 친구들 중 하나가 뛸 용기를 모으지 않으면 상황은 더 나빠질 것이다. 여러분이 만약 그 펭귄이라면 어떻게 할 것인가? 여러분은 용기를 내서 첫 번째 다이버가 될 것인가? 아니면 다른 이들이 먼저 바다에 뛰어들기를 계속 기다릴 것인가?

- -

19. **Write the correct form for the underlined word.** 밑줄 친 단어의 올바른 형태를 쓰시오.

_____gathers_____

| 해설 | 앞의 주어가 he or one of his friends로 단수이므로 3인칭 단수 동사 gathers가 되어야 한다.

20. **Choose the statement that is NOT true.** 윗글의 내용과 일치하지 않는 것을 고르시오.

① Penguins live with other penguins.
펭귄들은 다른 펭귄들과 함께 산다.

② It's not easy for penguins to find food in Antarctica. 펭귄들이 남극에서 먹이를 찾는 것은 쉬운 일이 아니다.

③ There might be dangers in the sea.
바다에는 위험한 것들이 있을 수 있다.

④ Penguins wait for others to dive first in the sea to hunt for food.
펭귄들은 다른 펭귄이 먹이를 사냥하기 위해 바다에 먼저 뛰어드는 것을 기다린다.

✔⑤ Penguins have enough skill to avoid killer whales. 펭귄들은 범고래를 피할 충분한 기술이 있다.

| 해설 | 본문에서 범고래가 바다에 있을 수도 있고 그것은 의심할 여지 없이 위험하다고 했으므로 펭귄들이 범고래를 피할 충분한 기술이 있다는 것은 윗글의 내용과 일치하지 않는다.

HIGH SCHOOL

ENGLISH II

정답과 해설

정답과 해설

Lesson 1

단원 평가 Lesson 1   pp. 38~41

01 ③   02 promote   03 ④   04 ⓒ–ⓐ–ⓑ–ⓓ   05 ⑤
06 bucket list   07 I set off with my friend Doyun to put
my plan into action.   08 ④   09 ⓐ was ⓑ is   10 ②
11 as if we were old friends   12 ④   13 ④   14 With the
night coming   15 ④   16 ③   17 ⑤   18 ②   19 ④
20 ④

01 '누군가가 또는 무언가가 가거나 보내어지는 장소'는 destination (목적지, 도착지)이다.

02 '홍보하다'와 '승진하다'의 뜻을 모두 가지는 단어는 promote이다.
【해석】 • 그는 인터넷을 통해 그의 사업을 홍보할 수 있도록 블로그를 개설할 것을 계획했다.
• 그 최고경영자는 자신의 비서를 상무로 승진시킬 것이다.

03 빈칸 앞에서 제트 보트 타는 것이 어떠냐고 물었으며 빈칸 이후에 이어지는 응답은 그런 적이 없지만 재미있다고는 들었다는 내용이므로 빈칸에는 경험을 묻는 ④ Have you ever done that?이 알맞다.

04 여행 버킷 리스트 중 첫 번째 것을 묻는 질문(ⓒ)과 그 응답(ⓐ), 응답의 이유를 묻는 질문(ⓑ)과 그 응답(ⓓ)의 순서가 알맞다.

05 휴대 가능 수화물로 금지된 품목을 확인했는지 묻고 100밀리리터 미만인 액체 비누만 있다고 답하며 검색대에서 다시 보여 주어야 한다는 내용에서 대화가 이루어지는 장소로 ⑤ '공항의 체크인 카운터'임을 알 수 있다.

06 '생전에 하고 싶거나 성취하고 싶은 일들의 목록'이라는 의미를 가진 단어는 bucket list이다.

07 '도윤이와 출발했다'라는 의미를 표현하기 위해 set off 뒤에 with my friend Doyun을 쓰고 '계획을 실현시키기 위해'라는 의미를 표현하기 위해 부사적 용법의 to부정사를 써서 문장을 완성한다.

08 문맥상 '손님에게 차를 제공하는 것이 터키식 환대의 한 부분'이라는 의미가 되어야 하므로 ④hostility(적대감)는 hospitality(환대)로 바꿔 써야 한다.

09 ⓐ that절 앞의 동사와 시제를 일치시켜야 하므로 주어 it에 알맞은 be동사의 3인칭 단수 과거형 was가 알맞다.
ⓑ 계속적 용법으로 쓰인 주격 관계대명사 which가 앞 절의 Turkish tea를 가리키고 그 차가 터키에서 가장 많이 소비되는 따뜻한 음료인 것은 현재의 사실이므로 be동사의 3인칭 단수 현재형 is가 알맞다.

10 그들이 쉬는 동안 다가온 브라질 사람을 거리의 상인으로 오해했으나 올림픽을 홍보하려는 배낭여행객이어서 그와 이야기를 나누었다는 내용이므로 (B)–(A)–(C)의 순서가 자연스럽다.

11 as if 가정법 과거 (마치 ~인 것처럼) 형태를 활용해 영작한다.

12 (A) 문맥상 수동 의미의 동사부가 필요하며 주어가 3인칭 단수 This vast Gothic structure이므로 was built가 알맞다.
(B) 「It takes 시간 for+의미상 주어+to부정사」 구문이어야 하므로 to be가 알맞다.
(C) pizza dough와 fold는 수동 관계이므로 과거분사형 folded가 알맞다.

13 13세기 후반부터 15세기 초반까지 공사가 계속되었으므로 ④는 일치하지 않는다.

14 '~가 …한 채로'라는 뜻의 「with+목적어+분사」 형태가 되어야 하고 절의 주어 the night와 동사 came의 관계가 능동이므로 현재분사를 써야 한다.

15 주어진 문장의 the wall은 베를린 장벽을 가리키며 그 위에서 여러 상징적인 그림과 그라피티를 보았다는 내용이므로, '우리의 소원은 통일'이라는 한글 문구를 보았다는 내용의 문장 앞인 ④에 주어진 문장이 들어가는 것이 알맞다.

16 ③ which는 '그리고 그곳에서'라는 의미를 가진 계속적 용법의 관계부사 where로 바꾸는 것이 알맞다.

17 ① 온라인 커뮤니티 Warm Showers에서 Jimmy를 알게 되었다.
② Warm showers는 무료 숙박 서비스를 제공한다.
③ 밤늦게 맨체스터에 도착했다.
④ 전 골키퍼의 밀랍 인형상을 보았다.

18 문맥상 '어려움을 보상하는 많은 지지자들이 있었다.'라는 의미가 되어야 하므로 ② helps(도움)는 obstacles(장애물)로 바꿔 써야 한다.

19 (A) 「feel like 동명사」 형태가 알맞다.
(B) 문장의 동사가 필요하므로 stood가 알맞다.
(C) It(the summer bike trip)과 keep은 수동 관계이므로 be kept가 알맞다.

20 '나는 도윤이가 여행 동안 내 옆에 있었고 나를 지지했던 많은 좋은 사람들이 있었기 때문에 여행을 마칠 수 있었다.'라는 뜻의 문장이 되어야 하므로 (A)에는 '마치다'라는 뜻의 finish가 알맞고 (B)에는 '지지하는'이라는 뜻의 supporting이 알맞다.

Lesson 2

Check Up

p. 55 **01** (1) wisdom (2) patience
02 I want to know who sent me this present.

p. 56 **01** (1) had been untouched
(2) shouldn't have had
02 This is the folder in which the backup files are stored.

p. 57 **01** (1) are → is (2) lied → lay
02 How they got there is a mystery.

p. 59 **01** ④ quick → quickly
02 He doesn't talk much today, which is because he has a headache.

p. 61 **01** (1) relative (2) different
02 I'm not sure if〔whether〕 I'm doing the right thing.

p. 68 **01** ③ wondered → wondering
02 Mandela spent much time in prison reading.

단원 평가 Lesson 2   pp. 70~73

01 ②	**02** medium	**03** ③	**04** ①	**05** ③
06 ⓑ-ⓒ-ⓐ	**07** ④	**08** ③	**09** ③	**10** ④	**11** ①
12 ③	**13** ⑤	**14** ④	**15** ⑤	**16** ①	**17** conservation
18 ①	**19** ⑤	**20** ②		

01 '특정 국가에서 상용되는 돈의 시스템'의 뜻을 갖는 단어는 currency (통화)이다.

02 '매체'와 '중간'의 뜻을 모두 가지는 단어는 medium이다.
• 텔레비전은 강력한 전달 매체이다.
• 중간 이상의 불로 15분 동안 조리하세요.

03 두 사람은 자신들이 돈을 어디에 어떤 비율로 지출하는지에 대해 대화하고 있으므로 주제로 알맞은 것은 ③ '소비 습관'이다.

04 대화의 흐름 상 잘못 알아들은 내용을 분명하게 해주기 위해 What I said was ~. 표현을 사용하는 것이 적절하다. 따라서 ③'내가 말한 건 15달러였어.'가 오는 것이 알맞다.

05 주어진 글은 개 이빨이 돈으로 사용되었음을 언급하며 글의 도입부 역할을 하고 있으므로 개 이빨이 돈으로 사용되었음을 언급하는 내용인 (B)가 주어진 글 뒤에 오는 것이 알맞다. 뒤이어 개 이빨이 희귀성을 잃게 되어 뉴기니의 통화 체계를 망가뜨렸다는 (C)가 오고

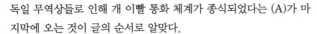

독일 무역상들로 인해 개 이빨 통화 체계가 종식되었다는 (A)가 마지막에 오는 것이 글의 순서로 알맞다.

06 낡은 물건들을 정리하기로 해서 기쁘다는 말에 대해 네가 기뻐하니 나도 기쁘다고 하는 것이 자연스럽고 사려가 깊다는 말은 자선 단체에 기부하려고 한다는 말 뒤에 오는 것이 자연스럽다.

07 (A) 과거인 1800년대보다 더 이전부터 1800년대까지 계속된 상황을 말하므로 과거완료 시제(had been untouched)가 알맞다.
(B) '~했을 리가 없다'라는 뜻으로 과거에 대한 추측을 나타내므로 「shouldn't have p.p.」 형태가 알맞다.
(C) '그 구멍에'라는 뜻이 되어야 하므로 「전치사+관계대명사」 형태의 in which가 알맞다.

08 Yap 섬은 괌과 팔라우 사이 태평양에 위치하며, 1800년대까지 현대 문명의 손길이 닿지 않았다고 했다. 하지만 잘 발전된 화폐 제도를 가지고 있었으며, 두껍고 둥근 돌 바위를 사용한 rai를 화폐로 사용했으며 그것은 무게가 7톤이나 나가는 매우 큰 것이어서 항상 가지고 다니지는 않았다.

09 주어진 문장은 '그러나 사실 우리는 오늘날 이것과 매우 유사한 제도를 가지고 있다.'라는 의미이고 ③ 뒤에 주어진 문장에 대한 예시로 은행에 있는 우리의 현금은 물속에 놓여진 rai와 꼭 같은 것이라는 내용이 나오므로 ③에 들어가는 것이 알맞다.

10 ④는 that이 이끄는 주격 관계대명사절에서 동사에 해당하고 the rai가 물속에 '놓여있던' 것이므로 lie의 과거형 lay가 와야 한다.

11 rai가 바닷속으로 떨어졌을 때도 그 돌에 대한 소유권이나 '가치'가 변하지 않는다는 것에 사람들이 동의했다는 의미가 되어야 자연스러우므로 ① 'value'가 알맞다.

12 대공황 시기 오스트리아의 Wörgl에서 쓰인 지역 화폐가 어떻게 지역의 경제를 구할 수 있었는지에 관한 내용이므로 '③ 한 도시를 구한 지역 화폐'가 제목으로 가장 적절하다.
① 오스트리아에서 가장 부유한 도시
② 우울증을 극복하는 방법
③ 한 도시를 구한 지역 화폐
④ Freigeld: 오스트리아의 국가 화폐
⑤ 화폐 평가 절하에 대한 찬반 의견들

13 ⑤는 앞 문장 전체 내용을 선행사로 하는 계속적 용법 관계대명사이어야 하는데 that은 계속적 용법으로 쓰일 수 없으므로 which로 바꿔야 한다.

14 돈이 빠르게 순환하여 Wörgl 시의 경제가 활성화되었으므로 빈칸에는 ④ '순환하다'라는 뜻의 단어가 들어가는 것이 적절하다.

15 의문사 없는 의문문의 간접의문문이 되어야 하므로 빈칸에는 '~인지 아닌지'라는 의미를 가지는 접속사 whether가 들어가야 한다.

16 (B) 다음에 앞 문장의 25달러를 가지고 할 수 있는 일에 대한 예시가 이어지므로 For example(예를 들어)이 알맞다.
(C)가 단체를 계속 운영하기 위해 재정적 후원에 의존하는 이유를 설명하는 절을 이끌어야 하므로 Since(~ 때문에)가 오는 것이 알맞다.

17 '식물과 동물, 자연 지역, 흥미롭고 중요한 구조물과 건물들을 인간 활동이 주는 피해로부터 보호하는 것'이라는 뜻을 가진 단어는 conservation(보호, 보존)이다.

18 ⓐ의 carry는 '(질병을) 옮기다'라는 뜻인데 모기장은 말라리아를 예방하는 데 도움이 되므로 prevent(막다, 예방하다)를 써야 한다.

19 Tolan 부부의 교육 기관은 비영리 단체이므로 기관 운영으로 수익을 낼 수 없다.

20 현금 없는 사회는 (A)돈이 없는 사회를 뜻하는 것이 아니라 그것(돈)의 새로운 (B)형태를 가진 사회를 뜻한다.

Lesson 3

Check Up

p. 87
01 (1) sat the big frog (2) was the table
02 It appears that she loves the children.

p. 88
01 (1) manipulates (2) illusions
02 made it easy to share

p. 89
01 (1) He was made to clean his room by his mother.
    (2) The students were seen to go out of the room by them.
02 something frightening to the audience

p. 90
01 (1) which → in which / where
    (2) so → such
02 We taste and smell food at the same time.

p. 91
01 (1) that → which (2) which → that
02 There is nothing as important as keeping peace in the world.

p. 92
01 (1) going → go (2) bringing → to bring
02 Do you think you can pull off this deal?

p. 99
01 has been / how we can
02 give it a try

p. 100
01 (1) is (2) different / differently / on
02 either / or

p. 101
01 (1) to be move → to be moving / to move
    (2) which → that
02 is known as a dangerous place due to

단원 평가 Lesson 3
pp. 103~106

01 ⑤ 02 ④ 03 ② 04 (1) ⓑ (2) ⓒ 05 ④ 06 ①
07 ② 08 ② 09 ① 10 (1) is a couple who just got married (2) is an incredibly big hand waking up a man who seems to be sleeping 11 ③ 12 it easy to create these types of pictures 13 ④ 14 ② 15 ④ 16 ③
17 ④ 18 ④ 19 ③ 20 ③

01 '넓은 범위를 다루거나 영향을 주는 방식으로'의 뜻을 갖는 단어는 extensively(널리, 광범위하게)이다.

02 '결국 ~하게 되다'를 의미하는 숙어는 end up -ing이며, '성사시키다'를 의미하는 숙어는 pull off이다.

- 당신이 식욕이 많은 사람과 오랜 시간을 보내면, 당신 역시 결국 살이 찌게 될 것이다.
- 많은 노력을 기울여서 우리는 마침내 거래를 성사시켰다.

03 칭찬에 대한 적절한 응답은 ③ I'm glad you like it.(네가 좋아한다니 기뻐.)이다.

04 (1) B의 말에서 우연하게 낙서에 관심을 갖게 되었음을 언급하고 있다. (2) 우연히 커피콩을 쏟았던 것에서 낙서가 탄생했으므로 쏟아진 것이 행운이었다는 말이 알맞다.

05 주어진 문장은 이해를 확인하는 표현이므로 사진을 더 잘 찍는 방법을 설명한 다음인 ④에 들어가야 한다.

06 ① '과거 이전부터 과거까지 얼마나 창의적으로 지냈는지'의 의미가 되어야 하므로 과거완료 시제(had p.p.)가 와야 한다.

07 「as+형용사의 원급+as」 구문이 되어야 하므로 ② simple이 와야 한다.

08 They were asked to describe their mood each day ~.에서 참가자들은 매일 그들의 기분을 묘사하도록 요청받았다고 했으므로 일치하지 않는 것은 ②이다.

09 (A)에는 my cat이 나를 귀찮게 하므로 능동 관계를 나타내는 현재분사 bothering이 와야 한다.
(B)에는 a scene을 수식하는 관계부사절을 이끄는 where가 와야 한다.
(C)에는 「lead+목적어+to부정사」 형태가 쓰여서 '~가 …하게 이끌다'라는 뜻이 되어야 하므로 to think가 와야 한다.

10 부사구 도치 구문이므로 「부사구+동사+주어」의 어순으로 써야 한다.

11 (A) 병에 구름을 모으고 있는 사람과 작은 장난감처럼 보이는 자동차 사진은 '특이하게' 보이므로 bizarre가 알맞다.
(B) 실제보다 크거나 작거나 멀거나 가까워 보이게 만드는 시각적 효과는 착시이므로 '착각'의 의미를 가진 illusion이 알맞다.
(C) 빈칸 뒤 문장에서 이미지의 분위기나 메시지, 상징하는 것을 완전히 바꿀 수도 있다고 했으므로 문맥상 '다른' 상황에서 찍었다는 내용이 되어야 자연스럽다. 따라서 different가 알맞다.

12 동사 make 뒤에는 it(가목적어), easy(목적격 보어), to create these types of pictures(진목적어)의 어순이 와야 한다.

13 ④ 앞에서 영화관에서 무서운 영화를 보며 소리 지르지 않아도 되고 ④ 뒤에서 스크린 속의 거대한 괴물이 작은 플라스틱 장난감일 수 있다는 것을 인지하기만 하면 된다고 했는데 ④는 '밖이 깜깜할 때 공포 영화를 보면 무서워하기 쉽다'는 내용이므로 앞 문장과 뒤 문장의 내용을 흐름을 끊으며 글의 주제와 상관이 없다.

14 (A) 선행사가 in an action or adventure scene이므로 관계부사 where가 알맞다.
(B) 조동사가 있는 사역동사의 수동태 문장은 「조동사+be+p.p.+to부정사」 형태이므로 to look이 알맞다.
(C) '(사람들이) 꽉 들어찬' 영화관이라는 의미가 되어야 하므로 수동의 의미인 packed가 알맞다.

15 forced perspective와 같은 기법이 영화에서 쓰일 수 있으며 그에 대한 방법을 설명한 뒤, 그것이 쉽지 않다는 내용이므로 (C)-(A)-(B)의 순서가 자연스럽다.

16 ③ '배우들이 상호작용할 수 있는 세트'라는 의미가 되어야 하고 선행사인 a set는 관계사절에서 on a set(배경에서)라는 뜻이었으므로 which를 on which로 바꾸거나 where로 바꿔야 한다.

17 빈칸 뒤 부분의 내용에서 '새로운 아이디어와 참신한 해석'과 '평범한 생각을 거부하고 세상을 다르게 보는 것'을 포괄할 수 있는 것은 ④ creativity(창의성)이다.
① 공상, 환상 ② 감정 ③ 직관 ⑤ 협력

18 ④ It이 가주어인 문장으로 진주어가 that절이면 뒤에 주어와 동사가 나와야 하는데 주어 없이 동사원형 reject가 나왔으므로 to부정사 진주어 구문이다. 따라서 that을 to로 바꿔야 한다.

19 이어지는 문장에서 좋은 사진을 얻기까지 촬영에 시간이 걸리고 여러 차례 시도해야 한다는 내용이 언급되고 있으므로 그 내용을 포괄하는 ③ take time to both set up and capture(세팅과 촬영에 시간이 걸린다)가 어울린다.
① 창의성과 상상력을 요구한다
② 당신의 타고난 재능으로 만들어진다
④ 자연을 이해하는 당신의 능력으로부터 온다
⑤ 다른 사람들의 도움으로 이루어질 수 있다

20 문맥상 ③은 '가장 좋아' 보이는 것이라는 의미가 되어야 하므로 worst를 best로 바꿔야 한다.

Lesson 4

Check Up

p.127 **01** (1) do → doing (2) read → reading
02 just do your best and be kind to others

p.128 **01** (1) calling → called
(2) communicate → to communicate
02 You can take whatever classes you want at this school.

p.129 **01** ②
02 If I had enough money, I would travel for a year.

p.131 **01** (1) buy → had bought (2) covered → covering
02 good for them to reserve tickets early

p.133 **01** (1) will need → need (2) helping → (to) help
02 I purchased a new bag, which was useless.

p.140 **01** (1) bothering → bother (2) going → to go
02 If I neglected my study, my homeroom teacher would give me a lot of homework.

단원 평가 Lesson 4　　　　pp. 142~145

01 ②　**02** ①　**03** ④　**04** ③　**05** ⓒ-ⓐ-ⓓ-ⓑ-ⓔ
06 will miss → miss　**07** ④　**08** ③　**09** ①　**10** ②
11 ③　**12** just sat there, not moving a muscle　**13** ⑤
14 ③　**15** ②　**16** ④　**17** had been captured　**18** ②
19 ④　**20** ②

01 '자연적으로 발생하는 것이 아니고 특히 자연적인 무언가의 복제본으로써 사람이 만든'의 뜻을 갖는 단어는 ② artificial(인위적인)이다.

02 ②~⑤는 부사이며, ①은 형용사이다.

03 B는 오랫동안 축구 선수가 되고 싶어 했는데 부모님이 공무원이 되기를 바라신다는 말 뒤에 빈칸이 오므로 부모님을 실망하게 할까 걱정하는 내용의 ④가 빈칸에 알맞다.

04 주어진 문장에서 다른 가능성을 언급하고 있기 때문에 가능성이 나오는 문장 뒤인 ③에 들어가는 것이 알맞다.

05 시위의 목적을 설명한 ⓒ 다음에 시위의 의도에 대한 언급인 ⓐ가 오고 상대방의 의견을 묻는 ⓓ와 의견을 제시하는 ⓑ가 온 뒤 그 의견에 반대 의견을 제시하는 ⓔ가 오는 것이 가장 적절하다.

06 시간이나 조건을 나타내는 부사절에서는 현재 시제가 미래를 나타내므로 will miss를 miss로 고쳐야 한다.

07 ④ 어법상 전치사 at의 목적어가 되는 의문사절이 되어야 하고 의미상 '얼마나 절박하게'라는 뜻이 되어야 하므로 how로 고쳐야 한다.

08 (A) 앞 문장에서 강도를 당한 사람들은 부정적인 영향을 받는다고 했는데 빈칸 문장은 아이들에게 주는 이점이 그것을 상쇄할 것이라는 반대 의견을 이야기하고 있으므로 역접 접속사 However가 알맞다.
(B) 빈칸 뒤에서 앞 문장에서 말한 전체적 상황과 변수에 대한 예시가 이어지고 있으므로 빈칸에는 예시를 나타내는 연결어인 For example이 알맞다.

09 주어진 글에서 경험 기계가 작동하는 방식을 설명하기 시작하므로 장비를 착용하는 방식을 말하는 (B)가 먼저 오고 경험 기계에서 얻을 수 있는 경험에 대해 언급한 (A)가 뒤이어 나오며 (A)의 마지막에서 말한 인간의 존엄성에 이어 진정한 욕구에 대해 언급하는 (C)가 오는 것이 글의 순서로 알맞다.

10 ② 밑줄 친 단어를 포함한 표현이 '당신이 원하는 어떤 경험이든'이라는 의미가 되어야 하므로 what을 experiences를 수식하는 복합관계형용사 whatever로 고쳐야 한다.

11 거미가 나갈 수 있는 방법도 전혀 없었고, 나가기를 원하는지 아닌지 말할 방법도 없었기 때문에 ③ best는 worst로 바꿔야 한다.

12 동사 sat 외에 현재분사가 있는 것으로 보아 분사구문이어야 하고 분사구문의 부정형은 not을 분사 앞에 써야 하므로 just sat there, not moving a muscle이 알맞다.

13 화장실에 있는 거미의 인생에 좋은 의도를 가지고 개입했지만 결과가 좋지 않았다는 내용이기 때문에 딜레마로 적절한 것은 ⑤이다.

14 (A) 펭귄이 혼잣말을 하고 있는 상황이므로 재귀대명사 himself가 알맞다.
(B) Unless가 이끄는 조건 부사절에서 현재 시제가 미래를 나타내고 주어가 he or one of his friends로 단수이므로 gathers가 알맞다.

15 펭귄들 중 누가 먹이를 구하기 위해 범고래도 있을 위험한 바다에 먼저 뛰어들지에 대한 글이므로 범고래의 특징을 설명하는 ②는 전체 흐름과 관계가 없다.

16 독수리와 공주가 떨어진 다음 여부가 배로 구하러 가는 것이 자연스러우므로 주어진 문장이 들어갈 위치로 ④가 알맞다.

17 공주가 독수리에 의해 이야기의 시점인 과거 이전부터 이야기의 시점인 과거까지 잡혀 있는 상황이므로 과거완료 수동형 had been captured가 되어야 한다.

18 세 명 중 누가 공주를 구한 것에 대한 보상을 받아야 하는가를 결정해야 하기 때문에 ② '누가 그것을 받아야 하는가'가 알맞다.

19 ④ 가정법 과거의 주절이 되어야 하므로 조동사의 과거형으로 쓰여야 한다. need는 조동사로 쓰일 때 현재형과 과거형이 동일하므로 needed를 need로 고쳐야 한다.

20 세 가지 조건 중 Mei가 하얀색 돌을 집는 조건만 Mei에게 유리하고 나머지 조건들은 Mei에게 불리한 조건이므로 ② '어떠한 좋은 선택지 없이'가 알맞다.

Lesson 5

Check Up

p.159 **01** (1) cutely → cute (2) terribly → terrible
02 That(The) city is known for its community garden.

p.160 **01** ①
02 Not until yesterday did she know the news.

p.161 **01** (1) that (2) but
02 The more we share, the more we have.

p.162 **01** Why
02 I could have taken the taxi, but I didn't.

p.163 **01** (1) strange anything → anything strange
(2) to play → playing
02 Up to that time, I had sent ten letters to them.

p.164 **01** (1) 가 (2) 강
02 It was in 2015 that I first met Bob.

p.165 **01** ②
02 What would you happen if I touched the bear?

p.166 **01** ④
02 Men differ from animals in the sense that they can speak.

p.173 **01** (1) hardly (2) called
02 The play is educational as well as entertaining.

p.174 **01** as, as possible
02 ⑤ grown → grow

단원 평가 Lesson 5   pp. 176~179

01 ① **02** to **03** ① **04** ⓓ-ⓐ-ⓒ-ⓑ **05** (1) ⓒ
(2) ⓑ (3) ⓐ **06** ③ **07** ④ **08** may have → may have had
09 share → to share **10** ② **11** ① **12** ④ **13** ④
14 the stronger the reaction **15** ③ **16** 처음 여행하는 곳에서 얀 바밍 작품을 만나는 것 **17** ④ **18** seamless
19 ② **20** ⑤

01 '어떤 것에 대해 강렬한 욕구를 느끼다'의 뜻을 갖는 단어는 crave (갈망하다)이다.

02 '~까지'를 의미하는 표현은 up to이며, '~하기로 되어 있다'를 의미하는 표현은 be supposed to이다.

- 나는 피자를 네 조각까지 먹을 수 있다.
- 너는 어제까지 네 리포트를 제출하기로 되어 있었어.

03 A가 B에게 자원봉사로 벽화를 그리자고 제안했을 때 B가 그림을 잘 못 그린다고 말한 뒤 할 말이 와야 하므로 ① '나도 너처럼 그림을 잘 그리면 좋을 텐데.'가 오는 것이 알맞다.
② 그 양로원에는 멋진 벽화가 있어.
③ 벽화 그리기는 좋은 생각일 수 있지.
④ 나는 Moonlight 양로원에 가 본 적이 없어.
⑤ 우리 학교 벽에 벽화를 그리자.

04 A가 말하는 단편적인 정보들을 듣고 비밀 계획을 보내는지 묻는 ⓓ가 이어지고 이에 더 좋은 세상으로 바꾸기 위해 게릴라 가드닝 팀을 꾸리려고 한다는 ⓐ가 와야 한다. 그 다음 게릴라 가드닝이 불법이라고 말하는 ⓒ와 이미 허가를 받았으니 괜찮다는 ⓑ가 이어지는 흐름이 자연스럽다.

05 (1) 빈칸 뒤에서 정원을 만들 장소를 제안하고 있으므로 정원을 꾸밀 장소에 대해 의견을 제시하는 ⓒ가 알맞다.
(2) 빈칸 다음에 A가 수선화로 하트 모양을 만들 수 있다고 답했으므로 빈칸에는 어떤 꽃을 생각하고 있는지 묻는 ⓑ가 알맞다.
(3) 빈칸 다음에 D가 모종삽과 원예용 장갑이 필요할 것 같다고 답했으므로 빈칸에는 어떤 도구가 필요한지 묻는 ⓐ가 알맞다.

06 화자는 얀 바밍을 시작할 때 유념해야 할 세 가지 내용을 설명하고 있으므로 빈칸에는 ③ '여러분 자신만의 얀 바밍을 시작하기 위해 고려해야 할'이 가장 적절하다.
① 여러분의 취미가 어떻게 돈을 벌게 해 줄 것인지에 관한
② 얀 바밍을 충분히 즐기고 싶다면 무시해야 할
④ 얀 바밍이 불법이라는 가능성에 관한
⑤ 훌륭한 사람이 되기 위해 여러분이 유념해야 할

07 ④ 앞에서 꼭 소유주의 허가를 얻어야 한다고 했으므로 허가가 없으면 '불법'이라는 내용이 되어야 한다. 따라서 ④ legal은 illegal로 바꿔 써야 하다.

08 주어진 문장이 Leonardo da Vinci의 작품을 분석했던 보고서에서 그 화가가 사시였을 가능성을 언급했다는 내용이므로 현재 사실의 불확실한 추측을 나타내는 may have를 과거 사실의 불확실한 추측을 나타내는 may have had로 바꿔야 한다.

09 주어진 문장은 '그것의 목적은 경기에서 이기는 것이 아니라 우정을 나누는 것이다.'라는 의미로 'A가 아니라 B'라는 뜻의 「not A but B」 구문이 쓰였으며, 이 구문에서 A와 B는 어법상 동등한 구조가 되어야 하고 not과 but 뒤에는 주어 The aim ~ games의 보어가 와야 하므로 but 뒤의 share를 to share로 바꿔야 한다.

10 (A) 빈칸 뒤에 명사구가 나오므로 빈칸에는 전치사가 들어가야 하며 빈칸 문장이 많은 이점에도 불구하고 대도시에 사는 것이 스트레스가 될 수 있다는 내용이므로 '~에도 불구하고'의 뜻을 가진 Despite나 In spite of가 알맞다.
(B) 빈칸 뒤에 세상을 아름답게 만드는 사람의 예가 언급되고 있으므로 예시를 나타내는 For example이나 For instance가 알맞다.

① ~ 때문에 - 게다가
③ ~의 결과로 - 예를 들어
④ ~에도 불구하고 - 대조적으로
⑤ ~에 따라 - 동시에

11 ① '~하면서 시간을 보내다'라는 뜻의 「spend+시간+-ing」 표현이 되어야 하므로 과거분사 painted를 동명사 painting으로 고쳐야 한다.

12 주어진 글은 Magda Sayeg가 얀 바밍을 시작한 사람이라고 자신을 소개하는 내용이므로 얀 바밍이 무엇인지 소개하고 얀 바밍이 그라피티와 유사하다고 생각할지도 모르지만 그것과 다른 점이 있다고 이야기하며 이에 대해 소개한 뒤 얀 바밍이 불법일 것이라고 걱정한다는 내용에 이어 엄밀히 따지면 불법이지만, 그것 때문에 문제가 된 적은 없다는 내용이 되는 것이 자연스러우므로 글의 순서는 (C)-(A)-(B)가 오는 것이 알맞다.

13 (A) 세 개의 절이 병렬 연결된 형태이고, 병렬 연결된 절의 시제가 과거이므로 과거 동사가 알맞다.
(B) the cold gray steel things가 선행사이므로 관계대명사 that을 쓴다. what은 선행사를 포함한 관계대명사이므로 쓸 수 없다.
(C) 도치 구문에서 본동사인 know가 일반동사이므로 조동사 did를 써야 한다.

14 바로 앞 절에 「the+비교급」 구문이 있으므로 빈칸에도 「the+비교급」 구문이 와서 '~할수록 더 …하다'라는 뜻의 「the+비교급, the+비교급」 구문이 되어야 한다.

15 ③이 포함된 문장은 필자가 평범하고 지루하며 추한 것들을 개선하는 데 관심을 갖게 되었다는 내용이 되어야 하므로 제거한다는 뜻의 removing 대신 enhancing이나 improving 등의 개선한다는 뜻을 가진 단어로 바꿔야 한다.

16 앞 문장에서 나온 가 보지 않았던 여행지들에서 얀 바밍 작품으로 감싸인 멈춤 표지판들을 우연히 보게 되는 경험을 말한다.

17 '필자가 세상 사람들과 함께 갖는 언어'를 설명할 수 있고 '사람들과의 연결 고리를 찾게 하는 취미'를 설명해야 하므로 (A)와 (B)에 공통으로 들어갈 단어는 '공통적인'의 뜻을 가진 common이 알맞다.

18 '갑작스런 변화, 방해, 또는 어려움 없이 발생하는; 완벽하고 단점이나 실수가 없는'이라는 의미의 단어는 seamless이다.

19 주어진 문장은 '그래서 저는 제가 이런 것을 할 것이라고 생각지 않았지만, 제가 이것을 우연히 만난 것은 아니란 것도 압니다.'라는 의미이므로 주어진 문장은 이 일이 필자에게 생겼을 때 꽉 붙잡고 노력했다는 내용의 문장 앞인 ②에 들어가는 것이 알맞다.

20 I'm proud to say that I'm a working artist today.에서 자신이 현직 예술가라고 말할 수 있음이 자랑스럽다고 했으므로 ⑤가 일치하지 않는다.

Lesson 6

Check Up

p. 194 01 (1) Having finished his work
(2) Having been born in France
02 ④ got → gets

p. 196 01 (1) of which → for / at which (2) done → do
02 has our society been concerned about child abuse

p. 197 01 (1) give (2) understood
02 The journey may be filled with thrills and dangers.

p. 198 01 (1) nervously → nervous
(2) say → saying
02 caused prices to rise sharply

p. 199 01 (1) calling → call (2) was → has been
02 As long as the weather is good, we'll go on a picnic.

p. 205 01 (1) was → were (2) go → to go
02 see to it that the package arrives this afternoon

p. 206 01 (1) was → were (2) check → checking
02 I swim every day so that I can stay healthy.

p. 207 01 (1) what → that (2) to → as
02 No other city in Korea is as large as Seoul.

단원 평가 Lesson 6   pp. 209~212

1 ①   2 ⓐ intended ⓑ intention   3 ③   4 ②
5 ⓓ-ⓒ-ⓑ-ⓐ   6 ⑤   7 as long as you have studied
hard   8 ④   9 ⑤   10 be used   11 (A) circulate
(B) market   12 ②   13 ①   14 ①   15 ③   16 ②   17 ⑤
18 ③   19 ③   20 ⑤

---

01 '간접적인 방식으로 어떤 것을 표현하다'라는 뜻을 갖는 단어는 imply(~의 뜻을 함축하다)이다.

02 ⓐ에는 명사 purpose를 수식하면서 '의도된'이라는 의미를 갖는 단어가 와야 하므로 intend의 형용사 변화형인 intended가 알맞다. ⓑ에는 '의도'라는 의미를 갖는 단어가 와야 하므로 intend의 명사 변화형인 intention이 알맞다.
• 이 기계는 <u>의도된</u> 목적으로만 쓰여야 한다.
• 그는 언제나 그의 <u>의도</u>를 명확히 보여 준다.

03 주어진 문장은 표지판이 '길 앞에서 정비 공사가 수행되고 있다'를 의미한다는 말이므로 이 때문에 통행할 수 없다고 말 뒤인 ③에 들어가는 것이 알맞다.

04 A의 친구는 선생님이 A가 기계처럼 차갑다고 말한 것이라고 했는데 B는 그것이 선생님의 말이 의미하는 것이 아니라고 했으므로 선생님의 말의 의미가 긍정적일 것일 거라고 이야기하는 ②가 빈칸에 알맞다.

05 상자에 넣을 것에 대한 제안인 ⓓ가 먼저 오고 그 이유를 묻는 ⓒ와 이유에 대한 설명인 ⓑ가 오고 마지막으로 다른 넣을 것을 생각해 보자는 ⓐ가 오는 것이 자연스럽다.

06 ⑤ 분사구문의 생략된 주어는 주절과 같은 I이고 동사 put과 능동 관계이므로 수동분사구문 Having been put은 능동분사구문 Having put이 되어야 한다.

07 조건의 의미를 가진 연결어 as long as를 먼저 쓰고 뒤에 주어 you, 동사구 have studied, 부사 hard의 순서대로 문장을 완성하는 것이 알맞다.

08 글의 마지막에서 '오즈의 위대한 마법사'에 생각해 볼 많은 상징들이 있고 여기에 몇 가지 예시가 있다고 했으므로 '오즈의 위대한 마법사'에서 발견할 수 있는 상징과 그 의미를 다루는 내용이 이어지는 것이 알맞다.

09 (A) Oz는 ounce의 약어이므로 빈칸에는 abbreviation이 알맞다. (B) 두 번째 단락에서 화폐 본위 제도의 종류인 금 본위 제도와 은 본위 제도에 대해 설명하고 있으므로 빈칸에는 '화폐의'라는 뜻을 가지는 monetary가 알맞다.

10 '주장하다'라는 뜻의 동사 insisted 뒤에 오는 that절의 동사이므로 '(should +)동사원형' 형태이어야 하고 the silver standard가 사물이어서 수동태가 되어야 하므로 be used로 고쳐야 한다.

11 1890년대 미국 농부들과 소규모 사업주들이 은 본위 제도가 시장에 더 많은 돈을 투입하여 그것들이 순환하게 한다고 믿어 은 본위 제도를 금 본위 제도와 함께 쓰기를 주장했다는 내용이므로 (A)에는 '순환하다'라는 뜻을 가진 circulate가 알맞고 (B)에는 '시장'이라는 뜻을 가진 market이 알맞다.

12 ②는 Munchkin이라는 용어에 대한 정의 중 하나라 글의 전개와 상관없는 지엽적인 내용에 해당한다.

13 (A) 집이 떨어져서 마녀가 죽은 후에 Munchkin 족에게 환영을 받은 것이므로 After가 알맞다.
(B) 바로 앞 문장에 Dorothy가 위대한 마법사에게 물을 것이 있는 친구들을 만난다고 했는데 (B)가 속해 있는 문장에서 마법사가 거짓말쟁이고 친구들이 찾고 있는 것이 이미 그들에게 내재되어 있는 것이라는 내용이 나오므로 서로 역접으로 연결되어 있음을 알 수 있다. 따라서 (B)에는 역접 연결어 However가 알맞다.

14 ① '~을 깨닫지 못하다'라는 뜻의 be unaware of에서 목적격 관계대명사 which를 목적어로 취하는 전치사 of가 없으므로 which를 of which로 고쳐야 한다.

15 Dorothy의 은 슬리퍼는 Dorothy가 처음에는 몰랐지만 나중에 집으로 돌아갈 때 사용한 마법의 힘이 있어서 그것이 Dorothy의 잠재력을 의미한다는 내용이므로 (A)에는 '안다'의 뜻을 가진 aware가 알맞고 (B)에는 '잠재의'의 뜻을 가진 potential이 알맞다.

16 (A) '여행을 하다'라는 뜻의 표현은 take journey이므로 take가 알맞다.

(B) '보호받았던 삶 밖의 모험'이라는 뜻이 되어야 하므로 sheltered가 알맞다.

(C) '용기를 내다'의 뜻이 되어야 하므로 summon이 알맞다.

17 '오즈의 위대한 마법사'에서 길이 인생의 여정과 도로시의 여행을 상징할 수 있다는 내용이므로 글의 제목으로는 ⑤ '오즈의 위대한 마법사에서 길의 상징적 의미'가 알맞다.

18 ⓒ while 뒤에는 절이 오고 during 뒤에는 명사(구)가 오는데 ⓒ의 뒤에는 Dorothy's journey라는 명사구가 오므로 while을 during으로 고쳐야 한다.

19 주어진 문장은 '놀랍게도 물이 그녀를 그저 황설탕처럼 녹게 한다.'라는 뜻이며 문장의 the water가 가리키는 것은 ③ 앞 문장의 a bucket of water이고 her가 가리키는 것은 ③ 앞 문장의 the witch이므로 주어진 문장이 들어갈 곳은 ③이다.

20 the Wicked Witch가 두려움을 상징한다고 설명하고 있고, 두려움은 우리가 허락한 만큼만 두려운 것이며 두려워하지 말고 용기를 내야 한다고 말하고 있으므로 이 글에서 얻을 수 있는 교훈은 ⑤가 알맞다.

Word List

Lesson 1

accommodation 숙소, 숙박 시설
assemble 조립하다, 모으다
bow 인사하다
cathedral 대성당
coastal 해변의
connection 연결; 관련
departure 출발
destination 목적지, 도착지
entry 항목, 입력
heritage 유산
hospitality 환대
inconvenience 불편
lump 덩어리
magnificence 장엄한
obstacle 방해물
physical 물리적, 육체적
prohibited 금지된
recharge 재충전하다
regret 유감스럽게 생각하다
renovate 보수하다
scenery 경치, 풍경
sculpture 조각품
security 보안, 경비
shelter 은신처, 주거지
span 걸치다, 가로지르다
split 나누다
struggle 고군분투하다
suffer ~을 겪다
unification 통일
vast 광대한
vendor 상인
wander 돌아다니다, 헤매다

Lesson 2

accelerate 빨라지다, 가속하다
charitable 자선의
circulation 순환, 유통
consequently 결국, 그 결과로
conservation 자연보호, 보존
credit 신뢰, 신용
currency 통화, 화폐
depreciate 가치가 하락하다
devaluation 평가 절하
incident 사고, 사건
medium 수단, 매개
mine 채굴하다
modernize 현대화하다
monetary 화폐의
native 그 지방 고유의
nonprofit 비영리의
overboard 배 밖으로
ownership 소유권
pole 막대기
priority 우선순위
properly 적절히
regional 지역의, 지방의
relative 상대적인
revive 소생하다, 부활하다
staple 주요한
substitute 대리인
transport 운반하다
trap 가두다
unemployment 실업
untouched 손길이 닿지 않은
vary 다르다, 다양하다
vitalize 활력을 부여하다, 생기를 주다

Lesson 3

angle 각도
bizarre 기이한, 특이한
bride 신부
continuous 지속적인, 부단한
doubt 의심, 의혹; 의심하다
extensively 널리, 광범위하게
frame 틀을 잡다; 틀
gigantic 거대한
groom 신랑
illusion 착각, 환영
impression 인상
incorporate 포함하다, 결합하다
incredibly 믿을 수 없을 만큼, 엄청나게
intend 의도하다
interact 상호작용하다
interpretation 해석, 설명
manipulate 조작하다, 다루다
miniature 축소된
novel 새로운, 참신한
optical 시각의, 눈의
packed 꽉 들어찬
perception 지각, 인식
perspective 원근법; 시각, 관점
reject 거절하다
scream 소리치다, 비명을 지르다
shoot (영화, 사진 등을) 촬영하다
snap 사진을 찍다
spill 쏟다, 흘리다
submit 제출하다
symbolism 상징주의, 상징
threaten 위협하다
unlock 열다, 드러내다

Word List

Lesson 4

address (문제를) 다루다
alter 변하다, 고치다
alternative 양자택일, 대안
Antarctica 남극 (대륙)
artificial 인공적인, 인위적인
coma 혼수상태
dignity 존엄, 위엄
dilemmatic 딜레마의, 진퇴양난이 된
drown 익사시키다
duration 기간; 지속
encounter 접하다, 맞닥뜨리다
existence 생활
famed 유명한
fare 잘 살아가다, 지내다
flawlessly 완벽하게, 흠 없이
float 뜨다, 떠오르다
fluid 액체
gear 장비
grasp 쥐다, 꽉 잡다
hesitate 주저하다, 망설이다
induce 유도하다
instinct 본능
interfere 간섭하다, 방해하다
literally 말[문자] 그대로
non-interference 불간섭
nudge 밀다, 콕 찌르다
pre-program 사전에 프로그램을 만들다
scramble 기어오르다
soak 푹 담그다, 흠뻑 적시다
starve 굶주리다
stimulate 자극하다
substantially 상당히, 많이

Lesson 5

approval 허가, 승인
convey 전달하다
crave 열망하다
crochet 코바늘뜨개; 코바늘로 뜨다
double-decker 2층 버스
fascinated 매료된
fast-paced 진행 속도가 빠른
functionality 기능성
fuzzy (솜털이) 보송보송한
installation 설치
instruction 설명, 지시
intrigue 흥미를 갖게 하다, 매료시키다
large-scale 대규모의
mural 벽화
passionate 열렬한, 열정적인
permission 허가, 허용
ponder 숙고하다, 생각하다
possess 소유하다, 가지다
property 소유지, 재산
relatable 관련지을 수 있는, 공감할 수 있는
removable 제거 가능한
reveal 드러내다
seamless 매끄러운
status 상태; 지위
summon 불러일으키다, 소환하다
temporary 일시적인
textile 직물, 옷감
trigger (사건 등을) 일으키다, 유발하다
ultimately 궁극적으로
widespread 폭넓은
witness 목격하다, 증언하다
yarn 털실

Lesson 6

abbreviation 약어
abstract 추상적인
accidentally 우연히
adventure 모험
adversity 역경, 불운
beast 짐승, 동물
bondage 구속, 속박
bully 괴롭히다
commentary 논평, 비평
disabled 장애가 있는
dramatize 각색하다, 극화하다
heartfelt 진심 어린
imply 암시하다, 함축하다
intention 의도
liar 거짓말쟁이
literal 글자 그대로의
measure 도량 단위, 척도
miserable 불쌍한, 비참한
monitor 감시하다, 관리하다
passion 열정, 열심
potential 잠재적인
precious 귀중한, 가치 있는
represent 표시하다, 의미하다
self-help 자립, 자조
self-reliance 자기 신뢰
sheltered 보호를 받는
slave 노예
supervisor 관리자, 감독자
symbolize 상징하다, 기호화하다
thrill 전율
thumb 엄지손가락
unaware 알지 못하는